KU-270-210

ENGELSK—NORSK
NORSK—ENGELSK
LOMMEORDBOK

ENGLISH—NORWEGIAN
NORWEGIAN—ENGLISH
POCKET DICTIONARY

DAMMS LOMMEORDBØKER

ENGELSK—NORSK
NORSK—ENGELSK

ENGLISH—NORWEGIAN
NORWEGIAN—ENGLISH

AV LEKTOR
J. MEYER MYKLESTAD
OG
LEKTOR H. SØRAAS

16. opplag

N. W. DAMM & SØN
OSLO

Denne bok er satt med 6 punkt Gill og er trykt hos Grøndahl & Søn Trykkeri A.s, Oslo 1976 på Matt Borregaard P. Printing 60 g papir. Innbundet i N. W. Damm & Søns Bokbinderi.

ISBN 82 - 517 - 8010 - 1 (hft.)
ISBN 82 - 517 - 8012 - 8 (ib.)
ISBN 82 - 517 - 8013 - 6 (plast)

FORORD

Denne nye utgave er noe større enn de tidligere. Dette skyldes flere grunner.

1) Ordforrådet er blitt utvidet med en god del moderne ord, selv om noen sjeldnere litterære ord er sløyfet.

2) Mange av de delvis store ordgrupper fra før er blitt oppløst i mer selvstendige enheter, og det krever plass.

3) Uttalebetegnelsene er økt i antall.

En nyhet er de halvfete typer i de engelske ord i 1ste del og i de norske i 2nen del. Den betonte stavelse eller ord-del i de engelske ord i 1ste del angis ved aksenter foran den betonte stavelse eller ord-del.

TEGNFORKLARINGER

1) Om tegnet ⁓:

Dette tegn brukes bare *én* gang i de enkelte ord i ordgruppene (tidligere ofte to, av og til tre ganger). Tegnet ⁓ brukes i en ordgruppe til å erstatte ordledd som er oppført tidligere i gruppen, f. eks. første side: **abb|ess; ⁓ ey; ⁓ ot.** Dette skal leses slik: abb|ess, abb|ey, abb|ot.

Tegnet ⁓ står for det ledd som står på *venstre* side av den vertikale strek i gruppens første ord (eller stikkord). Ofte står ⁓ for *hele* stikkordet, f. eks. **abandon, ⁓ ment,** altså abandon, abandonment. Vi bruker ikke loddrett strek her.

2) Om uttalen:

Vi har forutsatt at leseren har litt kjennskap til engelsk uttale. Våre antydninger er derfor langtfra uttømmende (av plasshensyn); de viser først og fremst hvor betoningen ligger, og hvordan den betonte vokal eller diftong skal uttales. Ofte gir vi også vink om enkelte konsonanters uttale, f. eks. g (*g* eller *dzh*), ch (*tsh*, *sh*, *k*), h (stum *h*) og diverse andre tilfeller.

Enkelte steder oppføres også uttalen av ubetonte stavelser, f. eks. **supreme** (*ju, i:*).

Lang stavelse vises ved kolon etter vokalen (*i:*, *ɑ:*, *u:*, *ə:*, *å:*).

Enkelte fremmede lydtegn uttales som i disse ord:

ə i **hear** (*hiə*)
ə: i **heard** (*hə:d*)
εə i **hair** (*hεə*)
ʌ i **cup** (*kʌp*)

De andre lydtegn er norske, og skulle være greie.

FORKORTELSER - ABBREVIATIONS

a = adjektiv
am = amerikansk
ast = astronomisk
av = adverbium
bl. a. = blant annet
bot = botanisk
fam = familiært
fig = figurlig
geol = geologisk
gr = grammatisk
ib = som forrige
int. = interjeksjon
is. = især
jur = juridisk
k = konjunksjon
koll = kollektiv
mar = sjømanns-
med = medisinsk
merk = handels-
mil = militært
m.m. = med mere
mus = musikk
num = tallord
ogs. = også
pl = flertall
poet = poetisk
pref = prefiks
pron = pronomen
prp = preposisjon
rel = kirke, religion
s = substantiv
sc = subst. i felleskjønn
sci = vitenskapelig
sl = slang
sl = slags
sn = subst. i intetkjønn
sp = sport
teat = teater
v = verbum
vi = intrasitivt v.
vr = refleksivt v.
vt = transitivt v.
vulg = vulgært
zo = zoologisk

A.

A en, et.

a|'back (æ) *av mar* bakk; **taken ~'back** forbauset; **~'baft** (*a*:) *av mar* akter.

a'bandon (æ) *v* oppgi, svikte; **~ ment** *s* is. løssloppenhet.

a'base (*ei*) *v* ydmyke, fornedre.

a'bate (*ei*) *v* minske, avta.

'abb|ess (æ) *s* abbedisse; **'~ey** *s* abbedi; **'~ ot** *s* abbed.

ab'breviate (*i*:) *v* forkorte.

'abdicate *v* frasi seg.

ab|'domen (*ou*) *s* underliv; **~dominal** (*å*) *a*.

ab'duct (ʌ) *v* bortføre.

a'beam (*i*:) *av* tvers.

a'bed *av* til sengs.

aber'ration *s* avvikelse; villfarelse.

a'bet *v* tilskynde (til ondt); **~ ment** *s*; **~ ter** *s*.

ab'hor (*å*:) *v* avsky; **~ rence** (*å*) *s*.

a'bide (*ai*) *v* bo; vedbli, tåle; stå ved (**~ by**).

a'bility *s* dyktighet.

'abject (æ) *a* lav, ynkelig.

ab'jure (*uə*) *v* avsverge.

a'blaze (*ei*) *av* i lys lue.

able (*ei*) *a* dyktig; **~ to** i stand til; **'~ -bodied** *a* kraftig, *mar* helbefaren (**A.B.**).

ab'lution (*u*:) *s* tvetning, vask.

abne'gation (*ei*) *s* selvfornektelse.

ab'normal (*å*:) *a* abnorm; vanskapt.

a'board (*å*:) *av* om bord.

a'bode (*ou*) *s* bolig, opphold.

a'bol|ish (*å*) *v* avskaffe; **~'ition** *s* avskaffelse.

a'bomin|able (*å*) *s* avskyelig; **~ ate** *v* avsky; **~'ation** *s* is. avsky.

abo'riginal (*i*) *a* opprinnelig, ur-.

a'b|ortion (*å*:) *s* abort, misfoster; **~'ortive** *a* for tidlig, feilslagen.

a'bound (*au*) **in** *v* være rik på.

a'bout *av* omkring, omtrent; *prp* om(kring), cirka, nær.

a'bove (ʌ), *av* ovenfor; *prp* over.

a'breast (e) *av* side ved side.

a'bridge *v* forkorte, sammendra.

a'broad (*å*:) *av* omkring, ute, utenlands.

'abrogate (æ) *v* oppheve.

ab'rupt (ʌ) *a* steil, plutselig.

'abscess (æ) *s* svulst.

ab|scond (*kå*) *v* rømme.

'ab|sence (æ) *s* fravær; **'~ sent** *a* fraværende; **'~sent-minded** *a* distré; **~'sent** *vr* fjerne seg.

'ab|solute (æ) *a* absolutt; **full**stendig, eneveldig; **~ so'lution** (*u*:) ogs. syndsforlatelse; **~'solve** (*zå*) *v* frikjenne, løse.

ab|'sorb (*zå*) *v* oppta i seg, oppsluke; **~ sorption** *s*.

ab|'stain (*ei*) *v* avholde seg; **~'stainer** *s* avholdsmann; **~ 'stemious** (*i*:) *a* måteholden; **~'stention** (e) *s* avhold; **'~ stinence** (æ) *s*. avholdenhet.

'**ab|stract** (æ) *a* abstrakt; *s* a. begrep, utdrag; ⌣'**stract** (æ) *v* utskille, utdra, stjele; ⌣'**stracted** *a* distré; ⌣'**straction** *s* abstrakt begrep, distraksjon.
ab'struse (*u*:) *a* dunkel.
ab'surd (*ə*:) *a* urimelig.
a'bundan|ce (ʌ) *s* overflod;⌣ **t** *a* rikelig.
a'buse (*ju*:z) *v* misbruke; *s* (-*ju*:s) misbruk, skjellsord.
a'but (ʌ) *v* ⌣ **on** grense til, hvile på.
a'byss (*i*) *s* avgrunn.
a'cademy (æ) *s* akademi, høyskole.
ac'cede (*si*:) **to** innvilge i, tiltre.
ac'celerate (*se*) *v* påskynde.
'**ac|cent** (æ) *s* betoning, tonefall; ⌣'**cent** (e) *v* betone; ⌣'**centuate** *v* legge vekt på.
ac|'cept (e) *v* motta med takk, godta, *merk* akseptere; ⌣'**ceptable** antakelig; ⌣'**ceptance** *s merk* aksept; ⌣ **cep'tation** *s* is. (ords) betydning; ⌣'**ceptor** *s merk* akseptant.
'**ac|cess** (æ) *s* adgang, anfall; ⌣'**cessible** e tilgjengelig; ⌣ '**cessory** *a* medskyldig, *s pl* tilbehør.
'**ac|cident** (æ) is. ulykkelig hending; ⌣ **ci'dental** *a* tilfeldig, uvesentlig.
ac|'claim (*ei*) *v* tiljuble; ⌣ **cla'mation** *s* bifallsrop.
ac'climatize (*ai*) *v* akklimatisere.
ac'commo|date (*å*) *v* tilpasse, forsone, skaffe losji; ⌣'**dation** *s* tilpasning, ordning, losji.
ac'compan|y (ʌ) *v* ledsage, *mus* akkompagnere; ⌣ **iment** *s mus.*
ac'complice (*å*) *s* medskyldig.
ac'complish (*å*) *v* fullende; ⌣ **ed** *a* talentfull; ⌣ **ments** *s*, is. selskapelige talenter.
ac'cord (*å*) *v* stemme, innvilge, *s* overensstemmelse; ⌣ **ance** *s* harmoni; ⌣ **ing to** *prp* ifølge; ⌣ **ing as** *k* ettersom; ⌣ **ingly** *av* følgelig; ⌣ **ion** *s* trekkspill.
ac'cost (*å*) *v* snakke til.
ac'count (*au*) *v* anse for; ⌣ **for** gjøre rede for; *s* grunn, beretning, *merk* konto, *pl* regnskap, bokholderi; ⌣ **ancy** *s* bokholderi; ⌣ **ant** *s* bokholder.
ac'coutrements (*u*:) *s mil* bekledning, mundur.
ac'credit (e) *v* gi tillit, akkreditere; ⌣ **ed** *a* anerkjent.
ac'cumulate (*ju*:) *v* samle, opphope, vokse.
'**accura|te** (æ) *a* nøyaktig; ⌣ **cy** *s.*
ac'cuse (*ju*:) *v* anklage.
ac'custom (ʌ) *v* venne; ⌣ **ed** *a* vant.
ace (*ei*) *s* ener; ess.
a'cerbity (*ə*:) *s* beskhet.
a'cetic (*se*) *a* eddik-.
ache (*eik*) *s*, *v* smerte.
a'chieve (*i*:), *v* fullføre, oppnå; ⌣ **ment** *s* bedrift.
'**ac|id** (æs) *a* sur; *s* syre; ⌣'**idity** *s* surhet.
ack'nowledge (*ål*) *v* innrømme, (an)erkjenne, vedkjenne seg, være erkjentlig for; ⌣ **ment** *s* kvittering.
'**acorn** (*ei*) *s* eikenøtt.
a'coustics (*u*:) *s* akustikk, lydlære.
ac'quaint (with) (*ei*) *v* gjøre bekjent (**med**); ⌣ **ance** *s* bekjentskap.
acqui'esce (es) *v* slå seg til ro.
ac'quire (*ai*) *v* erverve; ⌣ **ments** *s* is. kunnskaper.
acqui'sition *s* ervervelse.
ac'quit *v* frifinne; ⌣ **oneself of** utføre; ⌣ **tal** *s* frifinnelse, utførelse; ⌣ **tance** *s* kvittering.
acre (*ei*) *s* ca. 4 mål (jord).
'**acr|id** (æ), *a* skarp, besk; '⌣ **imony** *s* skarphet; ⌣ **i'monious** (*ou*) *a*

a'cross (*å*) *av, prp* (tvers) over.
act (æ) *s* akt, handling; lov; *v* opptre, fungere; spille, agere.
'act|ion (æ) *s* handling, *mil* kamp; *jur* sak; **'~ ive** *a* virksom, sprek; **~'ivity** *s* virksomhet; **'~ or** *s* skuespiller; **'~ ress** *s* skuespillerinne.
'actual (æ) *a* virkelig, aktuell.
'actuate (æ) *v* lede, drive.
a'cu|ity (*ju*:) *s* skarphet, gløgghet; **~ men** *s ib*; **~ te** *a* skarp, gløgg.
'adage (æ) *s* munnhell.
'adamant (æ) *s* hardt stoff, *fig* flint.
a'dapt (æ) *v* avpasse, bearbeide; **~ able** *a* som kan tillempes.
add (æ) *v* tilføye, øke **(a. to)** addere **(a. up)**.
'adder (æ) *s* huggorm.
'ad|dict (æ) *s* slave (av last); **~'dict** *vr* hengi seg (til); **~'dicted to** henfallen til.
ad'dition *s* tilføyelse; **~ al** *a* ekstra.
addle (æ) *a* råtten, gold; *v* bederve, gjøre tullet.
ad'dress *v* henvende, adressere; *s* adresse, henvendelse, vesen, behendighet; **~ 'ee** (*i*:) *s* adressat.
'adept (æ) *a, s* kyndig.
'adequate (æ) *a* passende, tilstrekkelig.
ad'he|re (*iə*) henge fast; **~ rent** *s* tilhenger; **~ sion** (*i*:) *s* tilslutning; **~ sive** *a* klebende.
ad'jacent (*ei*) *a* tilstøtende.
ad'join (*åi*) *v* støte opp til.
ad'journ (*ə*:) *pol* heve (møte).
ad'judge (ʌ) *jur* pådømme, tilkjenne.
ad'just (ʌ) *v* tilpasse, ordne.
'adjutant (æ) *s* ogs. *zo* marabu.
'ad lib (æ) *av* etter behag, improvisert.
ad'minist|er *v* styre, forvalte, utdele, tildele; **~'ration** *s* forvaltning, regjering.
'ad|mirable (æ) *a* beundringsverdig; **~'mire** (*ai*) *v* beundre; **~ mi'ration** *s* beundring.
'admiralty (æ) *s* marinestyrelse.
ad|'mission *s* adgang, innrømmelse; **~'mit** *v* gi adgang, innrømme; **~'mittance** *s* adgang.
ad'mixture *s* tilsetning.
ad|'monish (*å*) *v* formane; **~ mo'nition** (*i*) *s*; **~'monitory** (*å*) formanende.
a'do (*u*:) *s* mas, ståhei.
ado''lescen|ce (e) *s* oppvekst; **~ t** *a* oppvoksende.
a'dopt (*å*) *v* adoptere, anta.
a'd|ore (*å*:) *v* tilbe, forgude; **~'orable** *a* fortryllende.
a'dorn (*å*:) *v* pryde.
a'drift *av* i drift.
a'droit (*åi*) *a* behendig.
adu'lation *s* smiger.
'adult (æ) *s, a* voksen.
a'dult|erate (ʌ) *v* forfalske; *a* falsk; **~ erer (~ eress)** *s* ekteskapsbryter(-ske); **~ erous** *a* utro; **~ ery** *s* ekteskapsbrudd.
ad'vance (*a*:) *v* fremme, påskynde, gi på forskudd; rykke fram, avansere; *s* framgang, tilnærmelse; *merk* avanse, forskudd; **~ d** *a* viderekommen; **~ ment** *s* fremme, avansement.
ad'vantage (*a*:) *s* fordel; **~ 'tageous** (*ei*) *a* fordelaktig.
'advent (æ) *s rel* advent, komme.
ad'ventur|e *s* eventyrlig opplevelse, foretagende; *v* våge; **~ er, ~ ess** *s* eventyrer (-ske); **~ ous** *a* eventyrlysten.
'ad|versary (æ) *s* motstander; **'~ verse** *a* ugunstig; **~'versity** (*ə*:) *s* motgang.
'ad|vertise (æ) *v* avertere; **'~ vertising** *s* reklame; **~'vertisement** (*ə*:) *s* avertissement, annonse.

ad|'vice (*ai*) *s* råd; *merk* advis; **⌣'visable** (*aiz*) *a* tilrådelig; **⌣'vise** *v* råde, *merk* advisere; **⌣'viser** *s* rådgiver.
'advo|cacy (æ) *s* advokatur, støtte; **'⌣cate** *v* støtte, ivre for; *s* talsmann.
'aerial (*εə*) *a* luft-, eterisk; *s* antenne.
'aero|drome (*εə*) *s* flyplass; **'⌣ gram** *s* luftpostbrev, radiotelegram; **'⌣ lite** *s* meteorstein; **'⌣ naut** *s* luftskipper; **'⌣ plane** *s* fly.
a'far (*a:*) *av* langt borte.
'affable (æ) *a* høflig, forekommende.
af'fair (*εə*) *s* sak, affære.
af'fect *v* virke på, vedkomme, legge an på; **⌣'ation** *s* affektasjon; **⌣ ed** *a* affektert; **⌣ ion** *s* hengivenhet, kjærlighet; **⌣ ionate** *a* kjærlig, hengiven.
af'fianced (*ai*) *a* trolovet.
af'finity *s* slektskap, likhet.
af'firm (*ə:*) *v* hevde, påstå; **⌣'ation** *s* påstand, erklæring; **in the ⌣ ative,** bekreftende.
af'fix *v* feste, henge på.
af'flict *v* bedrøve; **⌣ ion** *s* sorg.
'affluence (æ) *s* overflod.
af'ford (*å*) *v* ha råd til, skaffe.
affores'tation *s* skogplantning.
af'front (ʌ) *s* åpenlys fornærmelse; *v* krenke.
a|'field *av* på marken, langt vekk; **⌣'flame** *av* i flammer; **⌣'float,** *av* flytende, på vannet; **⌣'foot** *av* i gjære.
a'fraid (*ei*) *a* redd.
a'fresh *av* på ny.
aft (*a:*) *av mar* akter(ut).
'after (*a:*), *prp av* (bak)etter, senere; k etterat; **'⌣birth** *s* etterbyrd; **'⌣ math** *s* etterslått; **'⌣' noon** *s* ettermiddag; **⌣⌣ thought** *s is.* etterpåklokskap; **'⌣ wards** *av* etterpå.
a'gain (ei, e) *av* igjen, til svar; **⌣ st** (*ei*), *prp* mot.
a'gape (ei), *av* gapende.
ag|e (*ei*) *s* alder(-dom), tidsalder; *v* eldes; **⌣ ed 17** (*-id*), 17 år gl.
'agency (*ei*) *s* virksomhet; byrå, agentur.
a'genda, *s* dagsorden.
'agent (*ei*) *s* den som gjør arbeidet; agent.
ag'glomerate (*å*), *v* samle i haug.
'aggrandize (æ) *v* forherlige.
'aggravat|e (æ) *v* forverre; **⌣ ing** *a* irriterende.
'aggregate (æ) *a* samlet; *v*; *s* det hele.
ag|gression *s* angrep; **⌣'gressive** *a* angripende, stridslysten.
ag'grieved (*i:*) *a* krenket.
a'ghast (*a:*) *av* forferdet.
'agile (æ) *a* rask.
'agi|tate (æ) *v* riste, hisse; drøfte, agitere; **⌣'tation** *s* opphisselse, agitasjon.
a|'glow (*ou*) glødende; **⌣'go** *av* for — siden; **⌣'gog** *av* ivrig, oppsatt.
'agon|y (æ) *s* kval, dødskamp; **'⌣ ize** *v* plage, pine(s).
a'grarian (*εə*), *a* landbruks-.
a'gree (*is*) *v* være enig, harmonere; **⌣ able** *a* behagelig; overensstemmende (med **to**); **⌣ ment** *s* avtale, kontrakt; overensstemmelse.
'agriculture (æ) *s* åkerbruk.
a'ground (*au*) *av* på grunn.
'ague (eigju) *s* kaldfeber.
a|'head (e) *av* foran, fremad; **⌣'hoy** *int mar* ohoi.
aid (*ei*) *s* hjelp; *v* hjelpe.
ail (*ei*) *v* plage; være syk; **'⌣ ment** *s* lett sykdom.
aim (*ei*) *s* mål, sikte; *v* sikte, rette; **'⌣ less** *a* uten mål.
ain't (*ei*) *v* **am, are, is, have, has not.**
air (*εə*) *s* luft, *fig* mine, *mus*

melodi, arie; *v* lufte; '~ **bus** *s* passasjerfly; '~ **conditioning** *s* luftregulering, (-sanlegg); '~ **craft** *s* fly, luftflåte; ~ **craft carrier** *s* hangarskip; ~ **drome** *s am* flyplass; '~ **drop** *s* slipp (fra fly); '~ **field** *s* flyplass; '~ **force** *s* flyvåpen; '~ **line** *s* flyrute; '~ **mail** *s* flypost; '~ **man** *s* flyger; '~ **plane** *s am* fly; '~ **port** *s* flyhavn; '~ **tight** *a* lufttett; ~ **ways** *s* flyselskap; '~ **y** *a* luftig, lett.

aisle (*ail*) *s* sideskip (i kirke).

a|'jar (*a:*) *av* på klem; ~'**kimbo** *av* i siden; ~'**kin** *av* beslektet.

'alabaster (æ) *s* alabast.

a'lacrity (æ) *s* raskhet.

a'larm (*a:*) *s* alarm; engstelse; *v* skremme opp, alarmere.

a'larum (*εə*) *s* vekkeklokke.

alas (*a:*) *int* akk!

al'beit (*i:*) *k* skjønt.

al'bumen (*ju:*) *s* eggehvite.

'alchemy (æ) *s* alkymi.

'alder (*å:*) *s bot* or.

'alderman (*å:*) *s* rådmann.

'alec (æ) *s am* viktigper, smart fyr.

ale (*ei*) *s* øl; '~ **house** *s* ølkneipe.

a|'lee (*i:*) *av* i le; ~ '**lert** (*ə:*), *a* årvåken; *s* vakt, alarm.

'alien (*ei*) *s*, *a* fremmed; utlending; '~ **ate** *v* overdra, forspille.

a'light (*ai*) *a* i brann; *v* stige ned.

a'lign (*ain*) *v* bringe på linje.

a'like (*ai*) *a* lik; *av* like ens.

'ali|ment (æ) *s* næringsmiddel; ~'**mentary** *a* ernærings-.

a'live (*ai*) *a* i live, livlig.

all (*å:*) *a* all, hele, alle; *av* ganske.

al'lay (*ei*) *v* dempe, lindre.

al'lege (*edzh*) *v* påberope seg.

al'legiance (*i:*) *s* troskap.

al'leviate (*i:*) *v* mildne.

'alley (æ) *s* smau; allé; hagegang.

al'liance (*ai*) *s* forbund.

al'lot (*å*) *v* tildele; ~ **ment** *s* parsell.

allow (*au*) *v* tillate, la passere, trekke fra; ~ **for,** ta med i beregningen; ~ **ance** *s* rasjon, bidrag, *merk* rabatt.

al'loy (*åi*) *v* legere, forringe, tilsette.

'allspice (*å:*) *s bot* allehånde.

al'lu|de (*u:*) *v* hentyde; ~ **sion** *s* hentydning.

al'lure (*uə*) *v* lokke.

'al|ly ('*ælai*) *s* forbundsfelle; *v* (*ə'lai*) forene, alliere.

al'mighty (*ai*) *a* allmektig.

'almond (*a:m*) *s* mandel.

'almost (*å:*) *av* nesten.

alms (*a:mz*) *s* almisse; ~**house** *s* fattighus.

a|'loft (*å*) *av* til værs; ~'**lone** (*ou*), *a*, *av* alene; ~'**long,** *prp* langs, *av* av sted, med; ~'**longside of,** *prp* langs med; ~'**loof** (*u:*), *av* unna; '**loofness** *s* reserverthet; ~'**loud** (*au*) *a* høyt.

'altar (*å:*) *s* alter.

'alter (*å:*) *v* forandre.

'alterca|te (*å:*) *v* trette; ~ **tion** *s* trette.

'al|ternate (*å:*) *v* veksle; ~ '**ternate** (*ə:*) *a* vekselvis; ~ **ter'nation** *s* veksling.

al'though (*ou*) *k* skjønt, selv om.

'altimeter (æ) *s* høydemåler.

'altitude (æ) *s* høyde.

alto'gether *av* ganske.

'alum (æ) *s* alun.

'always (*å:*) *av* alltid.

a'mass (æ) *v* samle.

a'maze (*ei*) *v* forbause.

'amber (æ) *s* rav; *a* r.-gul.

ambidex'terity (*e*) *s* tvehendthet.

am|'biguous (*i*) *a* tvetydig; ~ **bi'guity** (*ju*) *s* t.-het.

am'biti|on *s* ærgjerrighet; ~ **ous** *a* ærgjerrig.

'ambl|e (æ) *v* gå (ri) i passgang, ri makelig; **'~ ing** *a* trippende.
'am|bush (æ) *s* bakhold; **'~ buscade** *s* bakhold.
a'meliorate (*i:*) *v* gjøre el. bli bedre.
a'menable (*i:*) *a* medgjørlig.
a'mend *v* endre, rette på; **~ ment** *s* forbedring, lovparagraf, *am* lov; **~ s** *s* erstatning, oppreisning.
'amiable (*ei*) *a* elskverdig.
'amicable (æ) *a* vennskapelig.
a|'mid(st) *prp* midt iblant; **~'miss** *av* i veien, unådig.
am'monia (*ou*) *s* ammoniakk.
a'mong(st) (ʌ) *prp* blant.
'amorous (æ) *a* erotisk anlagt.
amorti'zation *s* avbetaling.
a'mount (*au*) *s* beløp; *v* **a. to** beløpe seg til, bety.
'amp|le (æ) *a* rommelig, rikelig; **'~ lify** *v* utvide, bre seg; **'~ litude** *s* overflod, rommelighet.
'amputate (æ) *v* amputere.
a'muck (ʌ) *av* grassat.
a'mus|e (*ju:*) *v* more; **~ ement** *s* morskap, moro; **~ ing** *a* morsom.
an, en, et (se **a**).
anaes'thetic (e) *s* bedøvende middel.
an|'alogy (æ) *s* likhet; **~'alogous** *a* analog, lik.
'an|alyse (æ) *v* analysere; **'~ alyst** *s* analytiker; **~'alysis** (æ) *s* analyse.
'anarchy (æ) *s* anarki.
a'nathema (æ) *s* bannlysing.
a'nato|mize (æ) *v* dissekere; **~ my** *s.*
'an|cestor (æ) *s* stamfar, *pl* forfedre; **~'cestral(e)** *a*; **'~ cestry** *s* aner, herkomst.
'anchor (æ) *s* anker.
an'chovy (*ou*) *s* ansjos.
'ancient (*ei*) *a* gammel.
and *k* og.
'anecdote (æ) *s.*
a'nemone (*ə'neməni*) *s* is. hvitveis.
a'new (*ju:*) *av* på ny måte.
'angel (*ei*) *s* engel.
'ang|er (æ) *s* vrede; *v* gjøre sint.
'angle (æ) *s* vinkel, fiskekrok; *fig* synspunkt; *v* fiske; **~ r** *s* fisker.
'angry (æ) *a* sint, opprørt, *med* betent.
'anguish (æ) *s* kval.
'angular (æ) *a* kantet.
animal (æ) *s* levende vesen, is. pattedyr; *a* animalsk, sanselig, dyrisk.
'ani|mate (æ) *v* gi liv, animere; *a* levende; **~'mation** *s* livfullhet; **~'mosity** (*å*) *s* fiendskap.
'aniseed (æ) *s bot* anis.
'ankle (æ) *s* ankel.
'annals (æ) *s* årbøker.
an'nex *v* tilknytte, annektere. *s* tilbygning; **~'ation** *s* anneksjon.
an'nihilate (*ai*) *v* tilintetgjøre.
anni'versary (*ə:*) *s* årsdag.
'annotate (æ) *v* forsyne med noter.
an'nounce (au) *v* forkynne, melde; **~ r** *s* hallomann.
an'noy (*å*) *v* ergre, skade; **~ ance** *s* fortred, ergrelse.
'annual (æ) *a* årlig, *bot* enårig.
an'nuity (*ju:*) *s* livrente.
an'nul (ʌ) *v* annulere.
'annular (æ) *a* ringformet.
a'noint *v* salve.
a'n|omalous (*å*) *a* avvikende; **~'onymous** *a* anonym.
a'nother (ʌ) *pron* en til, en annen.
'answer (*a:*) *v* svare (seg), være ansvarlig, svare til; **'~ for** svi for, garantere for, *s* svar; **'~ able** *a* ansvarlig.
ant (æ) *s* maur; **'~ hill** *s* maurtue.

an'tagonis|m (æ) *s* motstand, strid; ~ **t** *s*
ant'arctic (*a*:) *a* sydpols-.
'ante|chamber (æ) *s* forværelse; '~ **date** *v* antedatere; ~ **di'luvian** (*u*:) *a fam* svært gammeldags.
'antelope (æ) *s* antilope.
'ante (æ) **me'ridiem (A.M.)** *av* før kl. 12 middag.
an'terior (*iə*) *a* tidligere.
'anteroom (æ) *s* forværelse.
'anthem (æ) *s* kantate, vekselsang, sang.
'anti-'aircraftgun (æ, *εə*) *s* luftskyts.
'antics (æ) *s* fakter, krumspring.
an'ticipate *v* forutse, vente, komme i forkjøpet.
'antidote (æ) *s* motgift.
an'tipodes (*æn'tipədi:z*) *s fig* rak motsetning.
ant|i'quarian (*εə*) *s* oldgranker, -samler; '~ **iquated** *a* foreldet; ~**'ique** (*i:k*) *a* antikk; *s* antikvitét; ~**'iquity** *s* antikvitét, oldtid.
'antler (æ) *s* (takk i) hjortegevir.
'anvil (æ) *s* ambolt.
anx|ious (æ) *a* engstelig; ivrig; ~**'iety** (*-zai-*) *s*.
any (e) *pron* noen, hvilken (som helst); *av* noe; '~ **body,** '~ **one** *pron* noen, hvem (som helst) '~ **how** *av* i hvert fall; '~ **thing** *pron* noe, hva (som helst); '~ **where** *av* hvor som helst, noen steds.
a|'pace (*ei*) *av* hurtig; ~**'part** (*a*:) *av* avsondret, for seg selv.
a'partment (*a*:) *s* værelse, *pl* leilighet.
'apath|y (æ) *s* sløvhet; ~**'etic** (e) *a* sløv.
ape (ei) *s* ape; *v* etterape.
a'perient (*iə*) *s* avførende middel.
'apex (*ei*) *s* topp, spiss.

a'piece (*i*:) *av* hver især.
a'polo|gy (*å*) *s* unnskyldning; ~**'getic** (e), *a* unnskyldende; ~ **gize** *v* be om u.
'apoplexy (æ) *s* slagtilfelle.
a'postle (*åsl*) *s* apostel.
a'postrophe (*åfi*) *s* apostrof.
ap|pal (å:) *v* skremme; ~ **ling** *a* forferdelig.
appa'ratus (*ei*) *s* apparat.
ap'parel (æ) *s* drakt.
ap|'parent (æ) *a* øyensynlig, tilsynelatende; ~ **pa'rition** *s* åpenbarelse, gjenferd.
ap'peal (*i*:) *v* appellere (til **-to**) *s* appell, bønn.
ap'pear (*iə*) *v* vise seg, opptre, synes; ~ **ance** *s* tilsynekomst, utseende, *pl* skinn.
ap'pease (*i*:) *v* berolige, bilegge, forsone; ~ **ment** *s* forsoning.
ap'pend *v* vedhenge, tilføye; ~ **age,** ~ **ix** *s* bilag, tillegg.
'appeti|te (æ) *s* appetitt; '~ **zing** *a* a.-vekkende.
ap'plau|d (*å*:) *v* rose, bifalle; ~ **se** *s* bifall.
'apple (æ) *s* eple.
ap'pliances (*ai*) *s* tilbehør, remedier.
'ap|plicable (æ) *a* anvendelig; ~ **pli'cation** *s* pålegning, ansøkning, flid; '~ **plicant** *s* ansøker; ~**'ply** (*ai*) *vt* anbringe, bruke; *vr* være flittig, *vi* ansøke, henvende seg.
ap'point (*åi*) *v* fastsette; utruste; ~ **ment** *s* utnevnelse, post, avtale, *pl* utstyr.
ap'praise (*ei*) *v* taksere.
ap'preciate (*i*:) *v* verdsette.
appre|'hend *v* arrestere, befrykte, forstå; ~**'hension** *s* frykt, arrestasjon (se *v*); ~ **'hensive** *a* is. redd.
ap'prentice *s* læregutt; *v* sette i lære; ~ **ship** *s* læretid.
ap'proach (*ou*) *v* nærme (seg); *s* nærmelse, forsøk, atkomst.
appro'bation *s* bifall.

ap'propriate (*ou*) *a* passende; *v* tilegne seg.
ap'prov|al (*u:*) *s* bifall, godkjennelse; **⌣ e** *v* bifalle, godkjenne.
ap'proximate (*å*) *a* tilnærmelsesvis.
ap'purtenances (*ə:*) *s* tilbehør.
'apricot (*ei*) *s* aprikos.
'April (*ei*) *s* april.
'apron (*ei*) *s* forkle, forskinn.
apt (æ) *a* tilbøyelig, anlagt; **'⌣ itude** *s* anlegg, duelighet.
a'quatic (æ) *a* vann-, vass-.
'aquiline (æ) *a* ørne-.
'Ar|ab (æ) araber; **⌣'abian** (*ei*) *a* arabisk.
'arable (æ) *a* dyrkbar.
'arbitr|ary (*a:*) *a* vilkårlig; **'⌣ ator** *s* voldgiftsmann; **⌣ 'ation** *s* voldgift; **'⌣ ate** *v* være v. m., avgjøre.
arc (*a:*) *s* sirkelbue; **'⌣ lamp** *s* buelampe.
ar'cade (*ei*) *s* buegang.
arch (*a:*) *a* skjelmsk; *s* bue, hvelv; *v* hvelve (seg); *pref* erke-.
ar'chaic (*kei-*) *a* foreldet.
'arch|angel (*a:k*) *s* erkeengel; **'⌣ bishop** (*a:tsh*) *s* erkebiskop.
archer (*a:*) *s* bueskytter.
'archetype (*a:ki*) *s* mønster.
'archives (*a:k-*) *s* arkiv.
'arch-priest (*a:tsh*) *s* yppersteprest.
'arctic (a:) *a* nordpols-; **⌣ Ocean,** Nordishavet.
'ard|ent (*a: a* ivrig, brennende; **'⌣ our** *s* glød, iver; **'⌣uous** *a* besværlig, iherdig.
'area (*ɛə*) *s* areal, flate, distrikt, område.
a'rena (*i:*) *s* kampplass.
argu|e (*a:gju*) *v* argumentere, disputere; **'⌣ ment** *s* argument, diskusjon, trette; **⌣ 'mentative** *a* diskusjonslysten.
'arid (æ) *a* tørrlendt.
a'rise (*ai*) *v* oppstå.
aris'to|cracy (*å*) *s* a.-ti; **⌣'cratic** (æ) *a* .-tisk.
a'rithmetic *s* regnekunst, praktisk regning.
ark (*a:*) *s* ark, *am* båt.
arm (*a:*) *s* arm; **'⌣'chair** *s* lenestol; **⌣ ful** *s* fange; **⌣ pit** armhule.
arm*v* (be)væpne, ruste, pansre, armere; *pl* våpen (-art); **'⌣ ament** *s* krigsflåte, (opp-) rustning, utstyr; **'⌣ istice** *s* våpenstillstand; **'⌣ our** *s* rustning; *v* pansre; **⌣ y** *s* armé, hær.
a'round (*au*) *av*, *prp* rundt om (i).
a'rouse (*au*) *v* vekke.
ar'range (*ei*) *v* arrangere, ordne, avtale, *mus* utsette; **⌣ ment** *s*.
'arrant (æ) *a* erke-.
ar'ray (*ei*) *v* fylke; *s* fylking.
ar'rear (*iə*) *s* restanse, gjeld (is. i *pl*).
ar'rest *v* stoppe, pågripe; *s* pågripelse.
ar'riv|al (*ai*) *s* ankomst; **⌣ e** *v* ankomme, nå fram.
'arrogan|ce (æ) *s* hovmod; **⌣t** *a*.
'arrow (æ) *s* pil.
'arson (*a:*) *s* mordbrann.
art *s* kunst; list.
'artery (*a:*) *s* pulsåre.
'artful (*a:*) *a* lur, listig.
'article (*a:*) *s* ledd, artikkel, gjenstand, *pl* svennebrevi; *v* sette i lære.
ar'ticula|te *a* ledd-, tydelg; *v* tale tydelig; **⌣ tion** *s* ledddannelse, (ut)tale.
'arti|fice (*a*() *s* knep; **⌣'ficial** (*i*) *a* kunstig.
art|i'san (æ) *s* håndverker; **'⌣ist** *s* kunstner; **⌣'iste** *s* artist; **⌣'istic** *a* kunstnerisk; **'⌣ less** *a* enkel, ukunstlet.
as *av* så, (like-)som; *k* idet, etter som; **⌣ for (to),** med hensyn

til; ⌣ **well** likeledes; ⌣ **yet** hittil.

a'sǀcend (*se*) *v* stige (opp); ⌣**'cendancy** *s* overmakt; **in the** ⌣ **cendant** overmektig; ⌣**'cension** *s* oppstigning; ⌣ **'cent** *s* bakke.

ascer'tain (*ei*) *v* forvisse seg om, finne ut.

a'sǀcetic (*se*) *s* asket; asketisk; ⌣**'ceticism** *s* askese.

as'cribe (*ai*) *v* tilskrive; (⌣ **to**).

ash (*æ*) *s* *bot* ask; *pl* aske.

a'shamed (*ei*) *a* **be a.** skamme seg.

'ashen (*æ*) *a* *bot* ask-; aske-(grå).

a'shore (*å:*) *av* i el. på land.

'Asia (*ei*) **'Minor** (*ai*), Lille-Asia.

Asi'atic (*æ*) *s* asiat; *a* asiatisk.

a'side (*ai*) *av* til side; *s* avsides replikk.

ask *v* spørre, be.

aǀs'kance (*æ*) *av* skjevt; ⌣ **'slant** (*a:*) *av* på skrå; ⌣ **'sleep** *av* i søvn(e).

'aspect (*æ*) *s* utseende, utsikt.

'aspen (*æ*) *s* *bot* osp.

as'perity (e) *s* barskhet, hårdhet.

as'perse (*ə*() *v* baktale; stenke.

'aǀspirate (*æ*) *v* uttale med h-lyd; *s* h. lyd; *a* aspirert; ⌣ **spi'ration** *s* pust, aspirasjon; hiken; ⌣ **s'pire** (*ai*) *s* hike; aspirere.

ass (*æ*) *s* esel, asen.

as'sail (*ei*) *v* angripe; ⌣ **ant** *s* angriper.

as'sassin (*æ*) *s* snikmorder; ⌣ **ate** *v* snikmyrde.

as'sault (*å:*) *s* angrep, overfall, *mil* storm; *v*.

as'say (*ei*) *v* prøve (metall).

as'sembǀle *v* samle (seg); ⌣ **ly** *s* forsamling; ⌣ **ly.-line** samlebånd.

as'sent *s* samtykke, sanksjon; *v*.

as 'sert (*ə:*) *v* hevde; ⌣ **ive** *a* påståelig.

as'sess *v* fastsette (f. eks. skatt).

'asset (*æ*) *s* fordel, eiendel; *pl* aktiva.

asǀsi'duity (*ju:*) *s* iherdighet, *pl* oppmerksomheter; ⌣**'siduous** *a* iherdig.

as'sign (*ai*) *v* anvise, overdra; ⌣**'ee** (*i:*) *s* fullmektig; ⌣**ment** *s* is. overdragelse.

as'similate (*i*) *v* assimilere(s).

as'sist *v* hjelpe; **a. at** bivåne; ⌣ **ance** *s* hjelp; ⌣ **ant** *s* assistent, ekspeditør, -trise.

as'sizes (*ai*) *s* *jur* kretsting.

as'sociǀate (*ou*) *v* tilknytte, oppta, forene seg; *s* kompanjong, omgangsvenn; ⌣**'ation** *s* selskap, forening, forbund, sammenslutning.

as'sort (*a:*) *v* assortere, passe.

as'suage (*weidch*) *v* mildne, dempe.

asǀ'sume (*ju:*) *v* anta, tilta seg; ⌣**' uming** *a* hoven; ⌣ **sumption** (ʌ) *s* antagelse; hovmod.

as'suǀrance (*uə*) *s* forsikring, visshet, selvtillit; ⌣ **re** *v* forsikre.

aǀ'stern (*ə:*) *av* akterut; ⌣**'stir** (*ə:*) *av* i bevegelse, på ferde.

as'tonish (*å*) *v* forbause.

as'tound (*au*) *v* forbløffe, -bause.

aǀ'stray (*ei*) *av* på villspor; ⌣**'stride** (*ai*) *av* skrevs (over).

as'tute (*ju:*) *a* slu.

a'sunder (ʌ) *av* fra hverandre, i stykker.

a'sylum (*ai*) *s* asyl, sykehus.

at *prp* ved, i, på, hos.

'atheism (*ei*) *s* ateisme.

'athǀlete (*æ*) *s* atlet, turner; ⌣**'letic** (e) *a* kraftig; *s* *pl* legemsøvelser, friidrett.

at-'home *s* mottagelse; *av* hjemme.

a'thwart (*å:*) *av* tvers over.

At'lantic (*æ*) **the** ⌣, Atlanterhavet.

'at|om (æ) *s* atom, *fam* fnugg, grann; **⁓ 'omic** *a*; **⁓ omic bomb** *s* atombombe.
a'tone (*ou*) *v* sone.
a|'trocious (*ou*) *a* avskyelig; **⁓'trocity** (*å*), *s*.
attach (æ) *v* knytte, tillegge; **⁓ ment** *s* kjærlighet.
at'tack (æ) *s* angrep; *v* angripe.
at'tain (*ei*) *v* (opp)nå; **⁓ able** *a* oppnåelig; **⁓ ments** *s* talenter.
at'tempt *s* forsøk, attentat; *v* forsøke, etterstrebe.
at'ten|d *v* ledsage, betjene, pleie; være til stede (ved); **⁓ dance** *s* oppvartning, nærvær; **⁓ dant** *s* tjener; **⁓ tion** *s* oppmerksomhet; **⁓ tive** *a* oppmerksom.
at'tenuate (e) *v* svekke.
at'test *v* bevitne.
'attic (æ) *s* kvistkammer, loft.
at'tire (*ai*) *v* kle; *s* drakt.
'attitude (æ) *s* holdning.
at'torney (*ə:*) *s* fullmektig,is. *am* sakfører.
at'tract (æ) *v* tiltrekke; **⁓ ive** *a* tiltrekkende.
'at|tribute (æ) *s* egenskap; **⁓'tribute** *v* tilskrive **(a. to).**
'auburn (*å:*) *a* gyllenbrun.
'auction (*å:*) *s* auksjon; **⁓'eer** (*iə*) *s* auksjonarius; *v* auksjonere.
au|'dacious (*ei*) *a* dristig, frekk; **⁓ dacity** (æ) *s*.
'audible (*å:*) *a* hørlig.
'audience (*å:*) *s* publikum, tilhørere.
'audit (*å:*) *v* revidere; *s* revisjon; **'⁓or** *s* revisor.
'auditory (*å:*) *s* auditorium.
'auger (*å:g*) *s* navar, bor.
aught (*å:*) **for ⁓** så vidt.
aug'ment *v* øke.
'au|gur (*å:*) *s* augur; **'⁓ y** *s* varsel.
au'gust (ʌ) *a* opphøyet.
auk (*å:*) *s* alke.
aunt (*a:*) *s* tante.
au|spice (*å:*) *s* varsel; **⁓'spicious** *a* lykkevarslende.
au|s'tere (*iə*) *a* streng; **⁓s'terity** (e) *s*.
'Austria (*å:*), Østerrike; **'⁓ n** *a* østerriksk; *s* østerriker.
au'thentic *a* ekte.
'author (*å:*), **(-ess)** *s* forfatter (-inne); **'⁓ ship** *s* fofatterskap.
au|'thoritative (*å*) *a* myndig; **'⁓ thorize** (*å:*) *v* bemyndige; **⁓'thority** (*å*) *s* myndighet, hjemmel, fullmakt.
'autumn (*å:*) *s* høst.
autobi'ography *s* selvbiografi.
au'tography (*å*) *s* egen skrift.
'autopsy (*å:*) *s* is. *med* obduksjon.
a'vail (*ei*) *v*, *s* nytte; *vr* benytte seg (av **of**); **⁓ able** *a* disponibel, for hånden.
'avalanche (æ) *s* snøskred.
'avar|ice (æ) *s* griskhet; **⁓'icious** *a* grisk.
a'venge *v* hevne.
'avenue (æ) *s* vei, aveny.
'average (æ) *s* (*a*) gjennomsnitt(lig); *v* utligne.
a|'verse (*ə:*) *a* uvillig; **⁓'version** *s* motvilje; **⁓'vert** *v* vende bort, avverge.
'avi|ary (*ei*) *s* fuglehus.
avi|'ation *s* flygning; **'⁓ ator** (*ei*) *s* flyger.
'avid (æ) grisk.
avo'cation *s* kall.
a'void (*oi*) *v* unngå.
a'vow (*au*) *v* tilstå, erklære åpent; **⁓ al** *s*.
a'wait (*ei*) *v* vente (på).
a'wake (*ei*) *v* våkne, vekke; *a* våken; **⁓ n** *v* vekke.
a|'ward (*å:*) *v* tilkjenne; *s* bedømmelse, kjennelse, premie.
a'ware (*εə*) *a* oppmerksom.
a'way (*ei*) *av* vekk, bort.
aw|e (*å:*) *s* (ære)frykt; *v* skremme; **'⁓ ful** *a* forferdelig.

ˈ**awkward** (*å:*) *a* klosset; lei.
awl (*å:*) *s* syl.
ˈ**awning** (*å:*) *s* solseil.
aˈwry (*ai*) *av* på skrå.
axe (æ) *s* øks.
ˈ**axis** (æ) *s* akse.
ˈ**axle** (æ) (hjul)aksel.
ay (*ai*) *int* ja!
ˈ**azure** (æzh) *a* (himmel)blå.

B.

babble (æ) *v* pjatte; sladre.
baˈboon (*u:*) *s* bavian.
bab|e (*ei*) *s am* lite barn; ˈ⌣ **y** *s* lite barn; *am* kjæreste, pike; ˈ⌣ **y-sitter** *s* barnevakt.
ˈ**bachelor** (æ) *s* ungkar.
back (æ) *s* rygg; *a* rygg-; *av* tilbake; *v* støtte; rygge, bakke; ˈ⌣**bite** *v* bakvaske; ˈ⌣ **bone** *s* ryggrad; ˈ⌣ **water** *s* bakevje; ˈ⌣ **ward** *a* uvillig, tungnem, sen; ˈ⌣ **ward(s)** *av* tilbake, baklengs.
ˈ**bacon** (*ei*) *s* sideflesk.
bad (æ) *a* slett, ond; ⌣ **ly** *av* ogs. svært.
badge (æ) *s* tegn, merke.
ˈ**badger** (æ) *s* grevling.
baffle *v* narre, spotte.
bag (æ) *s* pose, veske, sekk.
ˈ**baggage** (æ) *s am* bagasje.
bail (*ei*) *s* (*v*) kausjon(ere).
ˈ**bailiff** (*ei*) *s hist* foged; lensmannsbetjent
bait (*ei*) *v* agne; *s* agn, lokkemat.
baize (*ei*) *s* boi.
bake (*ei*) *v* bake, steke.
balance (æ) *s* balanse, vekt, differanse, *merk* saldo; *v* veie, saldere; ⌣ **d** *a* stabil; ⌣ **sheet** *s* status.
ˈ**balcony** (æ) *s* altan.
bald (*å:*) *a* skallet.
bale (*ei*) *s* vareballe; *v* øse, lense.
ˈ**baleful** (*ei*) *a* farlig, ond.
ba(u)lk (*å:*) *s* bjelke, hindring; *v* hindre, skuffe.
ball (*å:*) *s* ball, kule, nøste.
ballistic *a* ballistisk, kaste-.
balˈloon (*u:*) *s* ballong.
ˈ**ballot** (æ) *s* hemmelig avstemning; stemmeseddel; *v* stemme.
balm (*a:*) *s* balsam.
ˈ**Baltic** (*å:*); **the B.** Østersjøen.
balusˈtrade (*ei*) *s* rekkverk.
bamˈboo (*u:*) *s* bambus.
ban (æ) *s* bann; *v* bannlyse.
baˈnal (*a:*) *a* forslitt, triviell.
baˈnana (*a:*) *s* banan.
band (æ) *s* bånd, *pl* krage; skare; musikkorps.
ˈ**bandage** (æ) *s* bind, bandasje.
ˈ**bandy** (æ) *v* kaste (fram og tilbake); ˈ⌣ **-legged** *a* hjulbeint.
ˈ**baneful** (*ei*) *a* giftig, ondsinnet.
bang (æ) *v* smelle, banke.
bangle (æ) *s* (arm-, ankel-)ring.
ˈ**banish** (æ) *v* forvise.
ˈ**banister** (æ) *s* stokk i rekkverk, *pl* gelender.
bank (æ) *s* banke; bredd; bank; ˈ⌣ **ers** bankier; ˈ⌣ **-note** *s* pengeseddel; ˈ⌣ **rupt** *a* fallitt; *s* fallent; ˈ⌣ **ruptcy** *s* fallitt.
ˈ**banner** (æ) *s* merke, fane.
banns (æ) *s* ekteskapslysing.
ˈ**banquet** (æ) *s* bankett.
ˈ**banter** (æ) *v* spøke (med).
ˈ**bap|tism** (æ) *s* dåp; ⌣ˈ**tismal** *a* dåps-; ⌣ˈ**tize** *v* døpe.
bar (*a:*) *s* banke, barre; bom; skjenk; domstol; *mus* takt; **the B.** ⌣ advokatene; *v* stenge, streke.
barb (*a:*) *s* tagg, pigg, agner; *v* forsyne med a.; ⌣ **ed wire** piggtråd.
barˈb|arian (*εə*) *s*, (*a*) barbar(-isk); ⌣ˈ**aric** (æ) *a*; ˈ⌣ **arous** (*a:*) *a*.
ˈ**barber** (*a:*) *s* barbér.

bard (*a:*) *s* skald.
bare (*εə*) *a* bar, naken; *v* blotte; **'⌣-faced** *a* frekk; **'⌣ ly** *av* knapt.
'bargain (*a:*) *s* handel, avtale, røverkjøp; **into the ⌣,** attpå; *v* kjøpslå, tinge.
barge (*a:*) *s* lekter.
bark (*a:*) *s* bark; gjøing; *v* barkflette; gjø; **'⌣ er** *s fam* revolver.
'barley (*a:*) *s* bygg.
barm (*a:*) *s* skum, gjær.
barn (*a:*) *s* låve.
'bar|on (æ) *s* baron; **the '⌣onage** *s* baronene; **'⌣oness** *s*; **'⌣onet** *s* = **Sir**; **⌣'onial** (*ou*) *a*.
'barque (*a:*) *s* barkskip.
'barrack (æ) *a* kaserne.
'barrage (æ) *s* demning, *mil* sperreild.
'barrel (æ) *s* tønne, geværløp; **'⌣ -organ** *s* lirekasse.
'barren (æ) *a* gold.
'barricade (æ) *s* sperring; *v* sperre.
'bar|rier (æ) *s* skranke; **'⌣ rister** *s* advokat.
'barrow (æ) *s* trillebør.
'barter (*a:*) *s*, *v* bytte.
base (*ei*) *s* basis; *v* basere, grunne; *a* lav, falsk; **'⌣ ment** *s* kjelleretasje.
'bashful (æ) *a* sjenert.
'basic (*ei*) *a* grunn-.
'basin (*ei*) *s* kum, bolle, fat, basseng.
bask (*a:*) *v* varme seg, sole seg.
'basket (*a:*) *s* korg, gondol.
bass (*ei*) *s* bass
'bastard (æ) *a* uekte; *s* bastard.
baste (*ei*) *v* tråkle, neste.
bat (æ) *s* flaggermus; balltre, kølle; *pl* mursteinsbrokker.
batch (æ) *s* bakst, porsjon.
bate (*ei*) *v* minske.
bath (*a:*) s bad (-ekar).
bathe (*ei*) *v* bade; *s* bad.
'batman (æ) *s* oppasser.
'baton (æ) *s* taktstokk.
'batten (æ) *s* sjutoms planke; *v mar* skalke; meske seg.
'batter (æ) *v* ramponere; **'⌣ ed** *a* medtatt.
battle (æ) *s mil* slag; *v* kjempe; **'⌣ -dress** *s s* feltuniform; **'⌣ -field** *s* valplass; **⌣ ment** *s* brystvern, murtind.
bauble (*å:*) *s* leketøy.
bawl (*å:*) *v* skråle.
bay (*ei*) *a* rødbrun; *s* laurbærtre; bukt; (vindus-, dør-) åpning; jaktlos; *v* halse.
'bayonet (*ei*) *s* bajonett.
be (*i:*) *v* være, bli.
beach (*i:*) *s* strand; *v* sette, hale på land; **'⌣-comber** *s* sjømannsslusk.
'beacon (*i:*) *s* baun, signal, sjømerke, fyr.
bead (*i:*) *s* kule, perle, *pl* rosenkrans; **'⌣ y** *a* små, klare (om øyne).
beadle (*i:*) *s* rettsbud, kirketjener.
beagle (*i:*) *s* harehund.
beak (*i:*) *s* nebb.
beam (*i:*) *s* bjelke; lysstråle; *v* stråle.
bean (i:) *s* bønne.
bear (*εə*) *s* bjørn; *merk* baissist; *v* bære, tåle, føde; **'⌣ able** *a* utholdelig; **'⌣ ing** *s* beliggenhet, peiling, holdning.
beard (*iə*) *s* skjegg.
beast (*i:*) *s* dyr, best; **⌣ ly** *a* dyrisk, gemen, fæl.
beat (*i:*) *v* slå, banke; avsøke; *s* slag, distrikt.
be|a'tific *a* lykksalig; **⌣'atify** (æ) *v* gjøre l.
'beatnik (*i:*) *s* bohemungdom.
beau (*ou*) *s* laps, kavalér.
'beaut|iful (*ju:*) *a* skjønn; **'⌣ ify** *v* forskjønne; **'⌣ y** *s* skjønnhet.
'beaver (i:) *s* bever; visir.
be'calm (*a:*) *v* berolige; **be ⌣ ed,** få vindstille.

be'cause (*å:*) *k* fordi; ⌣ **of** på grunn av.
beck *s* nikk; '⌣ **on** *v* vinke.
be'com|e (ʌ) *v* bli; kle, passe; ⌣ **ing** *a* kledelig, passende.
bed *s* seng; elvefar; (hage)bed; '⌣ **ding** *s* sengetøy; '⌣ **fellow** *s* sengekamerat.
'bedlam *s* galehus.
be'draggle (æ) *v* søle til.
'bed|-ridden *a* sengeliggende; '⌣ **room** *s* soveværelse; '⌣ **stead** *s* seng(ested).
bee (*i:*) *s* bie; is. *am* konkurranse.
beech (*i:*) *s bot* bøk.
beef (*i:*) *s* oksekjøtt; '⌣ **eater** *s* livgardist; '⌣ **steak** (*steik*) *s* biff; '⌣ **-tea** *s* buljong.
beer (*iə*) *s* øl.
beet (*i:*) *s bot* bete.
beetle (*i:*) *s zo* tordivel.
be|'fall (*å:*) *v* hende.
be'fit *v* passe, sømme seg (for).
be'fore (*å:*) *av*, *k*, *prp* før(enn), foran. ⌣**hand** *av* på forhånd.
be'foul (*au*) *v* forurense.
be'friend (e) *v* vise vennskap.
beg *v* be, tigge; '⌣ **gar** *s* tigger; '⌣ **garly** *a* ussel.
be'gin *v* begynne; ⌣ **ning** *s* begynnelse.
be'grime (*ai*) *v* tilsøle.
be'guile (*ai*) *v* fordrive (om tid).
be'half (*a:*) *s* vegne, gagn.
be'hav|e (*ei*) *v* oppføre seg (godt); ⌣ **iour** *s* (god) oppførsel.
be'head (e) *v* halshogge.
be'hind (*ai*) *av*, *prp* bak, tilbake; ⌣ **hand** *av* sent ute, i restanse.
be'hold (*ou*) *v* skue, se; ⌣ **en** *a* takkskyldig.
'being (*i:*) *s* eksistens, vesen.
be'labour (*ei*) *v* pryle, *fig* bearbeide.
be'lated (*ei*) *a* forsinket.
belch *v* rape, spy.
be'leaguer (*i:*) *v* beleire.
'belfry *s* klokketårn.
'Belgi|um *s* Belgia; '⌣ **an** *s* (*a*) belgier (-sk).
be'lie (*ai*) *v* (for)nekte, motsi.
be|'lief (*i:*) *s* tro; ⌣**'lieve** *v* tro.
be'little *v* forkleine.
bell *s* klokke, *mar* glass; '⌣**-hop** *s am* pikkolo
belle *s am* skjønnhet(sdronning).
'bel|licose *a* krigersk; ⌣**'ligerent** *a* krigførende.
'bellow *v* brøle.
'bellows *s pl* (blåse-)belg.
'belly *s* buk, underliv, *v* svulme; '⌣ **landing** *s* (fly) buklanding.
be'long (*å*) to *v* tilhøre; '⌣**ings** *s* eiendeler.
be'loved (ʌ) *a* elsket.
be'low (*ou*) *av* nede(-nfor); *prp* under.
belt *s* belte, sone.
be'moan (*ou*) *v* jamre over.
bench *s* benk; *jur* dommersete, domstol.
bend *v* bøye (seg), rette (blikk); *s* bøyning, sving, *mar* stikk.
be'neath (*i:*) *prp*, *av* under.
bene|'diction *s* velsignelse; ⌣**'factor** (æ) *s* velgjører; ⌣**'factress** *s* v.-inne.
be'n|eficent (e) *a* velgjørende; '⌣ **efit** *s* fordel, velgjerning; *v* gagne; ⌣**'evolent**(e) *a* velvillig.
be'nighted (*ai*) *a* overrasket av natten.
be|'nign (*ain*) *a* vennlig, gunstig; ⌣**'nignant** (*ign*) *a* nådig.
bent *s* lyst, anlegg.
be'numbed (ʌ) *a* valen.
be'queath (*i:*) *v* testamentere.
be'reav|e (*i:*) *v* berøve (is. ved dødsfall); ⌣ **ed** *a* sørgende, etterlatt; ⌣ **ement** *s* tap, sorg.
'beret (*'berei*) *s* alpelue.
'berry *s* bær.
berth (*ə:*) *s* ankerplass, køyplass, lugar.

be'seech (*i:*) *v* bønnfalle.
be'seem (*i:*) *v* sømme seg for.
be'set *v* omringe, beleire.
be'side (*ai*) *av* (*prp*) ved siden (av); ⌣ **s** *av* dessuten; *prp* foruten.
be'siege (*i:*) *v* beleire.
be'smear (*iə*) *v* tilsmøre.
be'smirch (*ə:*) *v* tilsøle.
'besom (*i:*) *s* sopelime.
be'sotted (*å*) *a* is. beruset.
be'spatter (æ) *v* tilskvette.
be'speak (*i:*) *v* (forut)bestille, tinge, røpe, vitne om.
best *a* best; '⌣ **man** *s* forlover.
'bestial (e) *a* dyrisk.
be'stir (*ə:*) *vr* røre på seg.
be'stow (*ou*) *v* skjenke.
be'stride (*ai*) *v* ri på.
bet *v* vedde; *s* v. mål.
be'take (*ei*) *vr* begi seg.
be'think *vr* huske.
be'token (*ou*) *v* tyde på.
be'tray (*ei*) forråde, røpe; ⌣ **al** *s*.
be'troth (*ou*) *v* trolove.
'better *a* bedre; *s* overmann; *v* forbedre; '⌣ **ment** *s* forbedring.
be'tween (*i:*) *prp* mellom.
'bevel (e) *s* skråkant, fas.
'beverage (e) *s* drikk.
'bevy (e) *s* sverm.
be'wail (*ei*) *v* jamre over.
be'ware (*εə*) *v* vokte seg.
be'wilder *v* fortumle, forvirre.
be'witch *v* forhekse.
be'yond (*å*) *av* over, videre; *prp* ut over, hinsides.
'bias (*ai*) *s* fordom, hang; *v* påvirke, avbøye.
bib *s* siklesmekk.
bible (*ai*) *s* bibel; **'biblical** (*i*) *a* bibelsk.
'bicker *v* kjekle; dure, blaffe.
'bicycle (*ai*) *s* sykkel.
bid *v* by, innby, befale; *s* bud, anbud, melding.
bide (*ai*) *v* se an (tid).
bi'ennial (e) *a* toårig.
'bier (*iə*) *s* likbåre.
'bifurcate (*ai*) *v* tvedele.
big *a* stor; ⌣ **wig** *s* kakse.
bight (ai) *s* bukt (på tau).
'bigoted (*i*) *a* bigott.
bike (*ai*) *s fam* sykkel.
'bilberry *s* blåbær.
bi'lateral (æ) *a* tosidig.
bile (*ai*) *s* galle; **'bilious** (*i*) *a* galle-, grinet.
bi'lingual (*i*) *a* tospråklig.
bilk *v fam* skyte.
bill *s* øks; nebb; *merk* veksel, regning; plakat; lovforslag; ⌣ **of fare** *s* spiseseddel; ⌣ **of lading** *s* konossement.
'billet *v mil* innkvartere; *s* forlegning, kvartér.
'billion *s* billion, *am* milliard.
'billow *s* styrtsjø, bølge.
bin *s* binge, bøle.
bind (*ai*) *v* binde; '⌣ **ing** *a* forpliktende; *s* innbinding.
'binnacle *s* kompasshus.
bi'nocular (*å*) *a* for begge øyne; *s pl* kikkert.
'biplane (*ai*) *s* todekker.
birch (*ə:*) *s* bjørk.
bird (*ə:*) *s* fugl; ' ⌣ **-fancier** *s* f.-ehandler; ⌣ **of passage** *s* trekkfugl; '⌣**'s-eye view** *s* f.-eperspektiv.
birth (*ə:*) *s* fødsel, byrd; '⌣**day** *s* fødselsdag; '⌣ **-mark** *s* føflekk; '⌣ **-rate** *s* fødselsprosent.
'biscuit *s* kjeks, beskøyt.
'bishop *s* biskop; '⌣ **ric** *s* bispedømme.
'bison (*ai*) *s* bison, bøffel.
bit *s* bete; munnbitt; *v* bisle.
bitch *s* tispe.
bite (*ai*) *v* bite; *s* bitt.
'bitter *a* besk.
blab (æ) *v* sladre, plapre.
black (æ) *a* sort; '⌣ **berry** *a* bjørnebær; '⌣ **board** *s* veggtavle; ⌣ **cock** *s zo* orrhane; '⌣ **friar** *s* dominikaner; '⌣ **game** *s* orrfugl; '⌣ **guard** (*blæg-*) *s* kjeltring; '⌣ **leg** *s* falskspiller, streikebryter;

ˈ⌣ **mail** *s* pengeavpresning, *v*; ˈ⌣ **smith** *s* smed.
ˈ**black|en** (*æ*) *v* sverte; ˈ⌣ **ing** *s* skosverte.
ˈ**bladder** (æ) *s* blære.
blade (*ei*) *s* grasstrå; klinge.
blame (*ei*) *v* dadle; *s* kritikk, skyld; ˈ⌣ **less** *a* ulastelig; ˈ⌣ **worthy** *a* daddelverdig.
blanch (*a:*) *v* bleike, bli bleik.
bland (æ) *a* høflig, nild; ˈ⌣**ishments** *s* katteblidhet.
blank (æ) *a* blank, tom, ubeskrevet; rådvill; *s* åpent rom, lakune.
ˈ**blanket** (æ) *s* ullteppe.
blare (*εə*) *v* gjalle.
ˈ**blarney** (*a:*) *s* (falsk) smiger.
ˈ**blas|phemy** (æ) *s* bespottelse; ⌣ˈ**pheme** (*i:*) *v* snakke bespottelig.
blast (*a:*) *s* støt; minering; *v* minere; ødelegge.
ˈ**blatant** (*ei*) *a* høyrøstet.
blaz|e (*ei*) *s* flamme; *v* blinke (tre).
ˈ**blazer** (*ei*) *s* sportsjakke.
ˈ**blazon** (*ei*) *s* våpenmerke; *v* utbasunere; ˈ⌣ **ry** *s* heraldikk.
bleach (*i:*) *v* bleike(s).
bleak (*i:*) *a* trist, ødslig.
ˈ**blear-eyed** (*iə*) *a* surøyd.
bleat (*i:*) *v* breke.
bleed (*i:*) *v* blø; årelate.
ˈ**blemish** (e) *s* feil, plett.
blend *v* blande; *s* blanding.
bless *v* velsigne; ˈ⌣ **ed** *a* salig; ˈ⌣ **ing** *s* velsignelse.
blight (*ai*) *v* skade, ødelegge; *s* pest; *fig* sott; ˈ⌣ **er** *s* *sl* stymper.
blind (*ai*) *a* blind; *v* blinde, blende; *s* rullegardin; ˈ⌣**fold** *a*, *av* med tilbundne øyne; *v* binde for ø.; ˈ⌣ **man's buff** *s* blindebukk.
blink *v* blinke, plire; ˈ⌣ **er** *s* skylapp.
bliss *s* fryd.
ˈ**blister** *s* vable.
blithe (*ai*) *a* glad, lystig.
ˈ**blizzard** *s* snøstorm.
bloat (*ou*) *v* røke; blåse opp; ˈ⌣ **ed** *a* hoven; ˈ⌣ **er** *s* røkesild.
block *s* blokk, sperring, *am* kvartal; ⌣ **of flats** *s* leiegård; *v* sperre; skissere.
ˈ**blockhead** *s* dumrian.
blocˈ**kade** (*ei*) *s* blokade; *v* blokkere.
bloke (*ou*) *s* *fam* fyr.
blonde (*å*) *s* blondine.
blood (ʌ) *s* blod; ˈ⌣ **shed** *s* b.-utgytelse; ˈ⌣ **shot** *a* b.-sprengt; ˈ⌣ **-stained** *a* blodig; ˈ⌣ **vessel** *s* b.åre; ˈ⌣ **y** *a* is. *vulg* forbanna.
bloom (*u:*) *s* blomst(-ring); *v* blomstre; ˈ⌣ **ers**; *s* buksedrakt; ˈ⌣ **ing** *a* *fam* jævlig.
ˈ**blossom** (*å*) *s* blomst(-ring); *v* blomstre.
blot *s* (*v*) flekk(e); ˈ⌣ **tingpaper** *s* trekkpapir.
blotch *s* flekk, filipens.
blouse (au) *s* bluse.
blow *v* *poet* blomstre.
blow (*ou*) *s* slag; *v* blåse, tute.
ˈ**blowzy** (*au*) *s* sjusket.
ˈ**blub(ber)** (ʌ) *v* gråte; *s* hvalspekk.
ˈ**bludgeon** (ʌ) *s* stokk.
blue (*u:*) *a* blå; trist; *s* *pl* melankoli; ˈ⌣ **-bottle** *s* spyflue; kornblomst; ˈ⌣ **ish** *a* blåaktig.
bluff (ʌ) *a* bratt; endefram; *s* fjellvegg; bløff; *v* bløffe.
ˈ**blunder** *s* bommert; *v* slarve, gjøre b.
blunt (ʌ) *a* sløv, butt; uten omsvøp.
blur (*ə:*) *v* gjøre uklar, plette; *s* flekk.
blurb (*ə:*) *s* skrytereklame.
blurt (ʌ) **out** *v* buse ut med.
blush (ʌ) rødme; *s* ogs. øyekast.
ˈ**bluster** (ʌ) *v* buldre, opptre hovent; *s* bråk.
boar (*å:*) *s* villsvin.

board (*å:*) *s* bord; kost(-penger); papp, perm; råd, styre; *v* bordkle, *mar* entre; holde med kost, sette i pensjon; **'⁓ er**, *s* pensjonær; **'⁓ ing** *s* bordkledning; **⁓ inghouse** *s* pensjonat; **'⁓ ingschool** *s* kostskole.
boast (*ou*) *v* skryte, rose seg (av); **'⁓ful** *a* skrytende.
boat (*ou*) *s* båt; **'⁓ swain** (*bousn*) *s* båtsmann.
bob *s* hengestas; rykk, *sl* shilling; *v* rykke, klippe av; dingle; røre seg.
'bobsleigh bobkjelke.
'bobbing *s* spole, klinke.
'bobby *s sl* politibetjent.
'bobby-socks *s am* ankelsokker.
bode (*ou*) *v* varsle.
'bod|ice (*å*) *s* kjoleliv.
'bodkin (*å*) *s* syl, trekknål.
bod|y (*å*) *s* legeme; lik; flokk, avdeling; **'⁓ y-guard** *s* livgarde; **'⁓ily** *a*, *av* legemlig, fysisk; personlig.
bog (*å*) *s* myr.
'bogey (*ou*) *s* busemann.
boggle, kvie seg (for **-at**).
'bogie (*ou*) *s* boggi, tralle.
bogus (*ou*) *a am* forloren.
boil *s* byll; *v* koke; **-er** *s* dampkjele.
'boisterous *a* bråkende.
bold (*ou*) *a* dristig.
bole (*ou*) *s* trestamme.
'bolster (*ou*) *s* (under-)pute; *v* støtte.
bolt (*ou*) *s* bolt; pil; sikt; løpsk hest; bom; *v* bolte; sikte; pile av sted, løpe løpsk; *av* pladask, rett.
bom|b (*åm*) *s*, *v* bombe; **⁓'bard** (*ba:*) *v* bombardere.
bom'bastic (*æ*) *a* høyt-travende.
'bomb|er (*åmə*) *s* is. bombefly; **'⁓ -proof** *a* bombesikker.
bo'nanza (*æ*) *s* hell, gullgruve.
bond (*å*) *s* forpliktelse, *merk* obligasjon; **'⁓ age** *s* trelldom; **'⁓ man** *s* trell.
bon|e (*ou*) *s* knokkel; *v* fri for ben; *sl* kvarte; **'⁓ y** *a* benet, knoklet.
'bonfire (*å*) *s* bål.
'bonnet (*å*) *s* damehatt (med hakebånd); (bil)panser.
'bonny (å) *a* staut, pen.
'booby (*u:*) *s* tosk.
book (*u*) *s* bok; *v* b.-føre, tinge, løse (billett); **'⁓ -case**, b.-skap; **'⁓ ing-office** billett-**kontor**; **'⁓ maker** *s* veddeløpsagent; **'⁓seller** *s*b.-handler; **'⁓stall** *s* (avis)kiosk.
boom (*u:*) *s mar* bom; drønn; *merk* oppsving, reklame; *v* drønne; reklamere (for), ta oppsving.
boon (*u:*) *s* gave, gunst; **'⁓com'panion** *s* svirebror.
boor (*uə*) *s* tølper.
boost (*u:*) *v sl am* øke, reklamere opp.
boot (*u:*) *s* støvle.
booth (*u:*) *s* markedsbu, skjul.
'bootlegger (*u:*) *s am* (sprit-) smugler.
'boot|less (*u:*) *a* fruktesløs; **⁓ s** *s* hotelltjener, visergutt.
'booty (*u:*) *s* bytte.
booze (*u:*) *v* svire.
'border (*å:*) *s* kant, grense; *v* grense; kante.
bor|e (*å:*) *v* bore; kjede; *s* geværløp, kaliber; kjedelig person; **'⁓edom** *s* kjedsomhet; **'⁓ ing** *a* kjedelig.
born (*å:*) *a* født.
'borough (*ʌrə*) *s* kjøpstad; valgkrets.
'borrow (*å*) *v* låne (av).
bosh (*å*) *fam* tøys.
'bosom (*u*) *s* barm; **⁓ friend** *s* intim venn.
bess (*å*) *s* bule, kul; is. *am* sjef, mester; **'⁓ y** *a* herskesyk.
botch (*å*) *v* lappe, fuske med.
both (ou) *a* begge; *k* både.

ˈ**bother** (*å*) *v* plage, bry, plage seg; *s* plageri, plunder.
bottle *s* flaske.
ˈ**bottom** (*å*) *s* bunn; skip, kjøl; *v* ta bunn, grunne; ˈ⁓ **ry** *s* bodmeri.
bough (*au*) *s* grein.
ˈ**boulder** (*ou*) *s* kampestein.
bounc|e (*au*) *v* sprette, fare; skryte; *s* sprett, skryt; ˈ⁓ **er** *sl* skrøne; rusk; ˈ⁓ **ing** *a* stor, diger.
bound (*au*) *s* sprett, sett; grense; *v* begrense; springe; *a* bestemt, underveis; innbunden; nødt; ˈ⁓ **ary** *s* grense; ˈ⁓ **less** *a* grenseløs.
ˈ**boun|teous** *a* gavmild; ⁓**tiful** *a*; ˈ⁓ **ty** *s* gavmildhet; *merk* (eksport)-premie.
bouˈ**quet** (*ei*) *s* bukett, aroma.
bourne (*å:*) *s* mål, grense.
bout (*au*) *s* dyst.
ˈ**bovine** (*ou*) *a* kveg-, dum.
bow (ou) *s* bue; sløyfe.
bow (*au*) *s* bukk; baug; *v* bukke, bøye seg.
ˈ**bowels** (*au*) *s* innvoller, tarmer.
ˈ**bower** (*au*) *s* lysthus.
ˈ**bowie-knife** (*ou*) *s* jaktkniv.
bowl (*ou*) *s* bolle, kum; pipehode; kule, ball; *v* kaste, trille; ˈ⁓ **er** *s* stiv hatt; ˈ⁓ **ing** *s* ballspill, kilespill.
ˈ**bow-legged** (*ou*) *a* hjulbeint.
ˈ**bowsprit** (*ou*) *s* baugspryd.
box *s bot* buksbom; eske, skrin, kasse, koffert; losje; kuskebukk; avlukke; ørefik; *v* bokse; fike; ˈ**B.**⁓**ing-day** *s* 2nen juledag; ˈ⁓**-office** *s* billettkontor.
boy *s* gutt; (innfødt) tjener; ˈ⁓ **ish**, a gutteaktig.
ˈ**boycott** *v* blokkere.
ˈ**boyhood** *s* guttealder.
bra (*a:*) *s fam* ˈ**brassière** BH.
brac|e (*ei*) *s* støtte, *pl* bukseseler; *sp* par; *v* støtte, stive.
ˈ**bracelet** (*ei*) *s* armbånd.
ˈ**bracing** (*ei*) *a* nervestyrkende.
ˈ**bracken** (*æ*) *s bot* ormegras.
ˈ**bracket** (*æ*) *s* konsoll, *pl* klammer; *v* innklamre.
ˈ**brackish** (*æ*) *a* brakk.
brad (*æ*) *s* nudd; ˈ⁓ **awl** *s* spissbor.
brag (*æ*) *v* skryte; ˈ⁓ **gart** *s* skryter.
braid (*ei*) *v* flette, sno; *s*.
brain (*ei*) *s* hjerne, *pl* begavelse; ⁓ **wash** *s* hjernevask (politisk omskolering); ˈ⁓ **wave** *s* lys idé.
brake (*ei*) *s*, *v* bremse.
bramble (*æ*) *s* is. bjørnebær (-kratt)
bran (*æ*) *s* kli.
branch (*a:*) *s* grein, *merk* filial, bransje; *v* greine seg.
brand (*æ*) *s* fakkel, glo; kvalitet, merke; *v* (brenne)merke; *av* flunkende.
ˈ**brandish** (*æ*) *v* svinge.
ˈ**brand-**ˈ**new** (*æ*) *a* helt ny.
ˈ**brandy** (*æ*) *s* konjakk.
brash (*æ*) *a am* frekk, freidig.
brass (*a:*) *s* messing, bronse *sl* uforskammethet; ˈ⁓ **y** *a* m.-aktig; frekk.
ˈ**brassière** (*æ*) *s* bysteholder, BH.
brat (*æ*) *s* unge.
brave (*ei*) *a* tapper; *v* trosse, møte; ˈ⁓ **ry** *s* t.-het.
ˈ**bravo** (*a:*), *int* bravo! *s* banditt, leiet morder.
brawl (*å:*) *s* klammeri.
brawn (*a:*) *s* svære muskler; ⁓ **y** *s* muskuløs.
bray (*ei*) *s* (*v*) (esel-) skrik(e).
braz|e (*ei*) *v* lodde; ˈ⁓ **en** *a* messing-; skamløs; ˈ⁓ **ier** *s* gjørtler; kullbekken.
braˈ**zil-nut** (*i*) *s* paranøtt.
breach (*i:*) *s* bresje, brudd.
bread (e) *s* brød; ˈ⁓**-winner** *s* forsørger.
breadth (e) *s* bredde.
break (*ei*) *v* bryte, brekke; temme; *merk* ruinere; gå i

stykker, gå fallitt; *s* avbrytelse, frikvarter; 'ˬ **age** *s* brudd; 'ˬ **down** *s* havari; uhell, sammenbrudd; 'ˬ **er** *s* brottsjø, *pl* brenninger; 'ˬ **fast** (-ek-) *s* (*v*) (spise) frokost; 'ˬ **ing-'in** *s* dressur; 'ˬ **neck** *a* halsbrekkende; 'ˬ **water** *s* molo.
bream (*i:*) *s zo* brasen.
breast (e) *s* bryst.
breath (e) *s* pust, ånde; 'ˬ **less** *a* åndeløs.
breathe (*i:*) *v* puste.
'**breeches** (*i*) *s* knebukser.
breed (*i:*) *v* avle, oppdra; *s* rase, avkom; 'ˬ **ing** *s* avl, oppdragelse.
breez|**e** (*i:*) *s* bris; 'ˬ **y** *a* luftig, frisk, livlig.
'**brethren** (e) *s* kolleger, trosfeller.
'**breviary** (*i:*) *s* bønnebok.
'**brevity** (e) *s* korthet.
brew (*u:*) *v* brygge; *v* være i gjære; 'ˬ **ster** *s* brygger.
'**briar, brier** (*ai*) *s* nyperose, lyng.
bribe (*ai*) *v* (*s*) bestikke(-lse).
brick *s* murstein, *sl* kjernekar; 'ˬ **-field** *s* teglverk; ˬ **layer** murer.
'**brid**|**al** (*ai*) *a* brude-, bryllups-; ˬ **e** *s* brud; 'ˬ **egroom** *s* brudgom; 'ˬ **esmaid** *s* brudepike.
bridge *s* bru
bridle (*ai*) *s* bissel; *v* bisle, tøyle.
brief (*i:*) *a* kort; *s jur* resymé, sak; *v* lage r.
brig *s* brigg.
bri'ga|**de** (*ei*) *s*; ˬ' **dier** (*iə*) *s* b. general.
'**brigand** (*i*) *s* røver.
bright (*ai*) *a* klar, gløgg; 'ˬ **en** *v* lysne, klarne.
'**brilliant** *a* strålende, genial.
brim *s* kant, brem; 'ˬ **ful** *a* breddfull.
'**brimstone** *s* svovel.
brindled (*i*) *a* brannet.
brin|**e** (*ai*) *s* saltlake; 'ˬ **y** *a* salt.
bring *v* bringe.
brink *s* kant, rand.
brisk *a* livlig.
bristle (*sl*) *s* bust; *v* stritte.
Bri|**tain** (*i*) *s*; 'ˬ **tish** *a* britisk; 'ˬ **ton** *s* brite; 'ˬ **ttany** *s* Bretagne.
brittle *a* skjør.
broach (*ou*) *v* ta hull på; *fig* bringe på bane; *s* stekespidd.
broad (*a:*) *a* bred; 'ˬ **cast** *v* kringkaste; 'ˬ **en** *v* gjøre (bli) bredere; 'ˬ **ly** *av* stort sett.
bro'cade (*ei*) *s* brokade.
brogue (*ou*) *s* sportssko; irsk-engelsk (språk).
broil *v* steke.
broke (*ou*) *a* pengelens; 'ˬ **n** *a* nedbrutt; 'ˬ **nly** *av* rykkvis.
'**broker** (ou) *s* megler.
'**bronch**|**ial** (*å*) *a* luftrørs-; ˬ '**itis** (*kai*) *s* bronkitt.
'**bronco** (*å*) *s* utemmet hest.
bronze (*å*) *s* bronse(-arbeid); *v* herde, barke (hud).
brooch (*ou*) *s* brosje.
brood (*u:*) *s* kull; *v* ruge.
brook (*u*) *s* bekk; *v* tåle.
broom (*u*) *s* sopelime; *bot* gyvel.
broth (*å*) *s* kjøttsuppe.
'**brothel** (*å*) *s* bordell.
'**brother** (ʌ) *s* bror; 'ˬ **-in-law** *s* svoger; 'ˬ**hood** *s* b.-skap.
'**brougham** (*-u:əm*) *s* landauer.
brow (*au*) *s* panne, *pl* bryn; 'ˬ **beat** *v* være hoven mot.
brown (*au*) *a* brun; ˬ **ie** *s* nisse; 'ˬ **ish** *a* b.-lig.
browze (*au*) *v* beite.
bruise (*u:*) *v* (*s*) kveste(lse).
brunt (ʌ) *s* hete; byrde.
brush (ʌ) *s* kost, børste, pensel; kvas, kratt; dyst; *v* børste; fiffe (opp); 'ˬ **wood** *s* kratt; kvas.
brusque (ʌ) *a* brå.

ˈ**Brussels** (ʌ) Bryssel; ˌ**sprouts** (*au*) *s* rosenkål.
ˈ**brut|al** (*u:*) *a* brutal; ˌˈ**ality** *s*: ˈˌ **alize** *v* forråe; ˈˌ **e** *s* umenneske.
bubble (ʌ) *s* boble; svindelaffære; *v* boble, putre.
buccaˈneer (*iə*) *s* sjørøver.
buck (ʌ) *s* bukk; sprade; *am* dollar; ˈˌ **jump** *s* (*v*) (gjøre) bukkesprang.
ˈ**bucket** (ʌ) *s* bøtte, spann; ˈˌ **ful** *s* (full) bøtte.
buckle (ʌ) *s*, *v* spenne.
ˈ**buckram** (ʌ) *s* stivt lerret; *a* stiv.
ˈ**buckskin** (ʌ) *s* hjorteskinn; *pl* skinnbukser.
buˈcolic (*å*) *a* hyrde-; *s* h.-dikt.
bud (ʌ) *s* knopp; *v* knoppes.
buddy *s am fam* kamerat.
budge (ʌ) *v* røre seg.
ˈ**budget** (ʌ) *s* budsjett.
buff (ʌ) *a* brungul; *s* semsket lær.
buffalo (ʌ) *s* bøffel.
ˈ**buffer** (ʌ) *s* støtfanger.
ˈ**buffet** (ʌ) *s* støt; buffet; *v* skubbe.
ˈ**buffet** (*bufei*) *s* matdisk, stående buffet, bar.
bufˈfoon (*u:*) *s* bajas.
bug (ʌ) *s* veggdyr, *am* insekt.
ˈ**bugbear** (ʌ) *s* busemann.
ˈ**buggy** (ʌ) lett tohjult vogn; *a* full av veggedyr.
bugle (*ju:*) *s* (signal)horn.
build (*i*) *v* bygge; ˈˌ**ing** *s* bygning.
bulb (ʌ) *s* løk, svibel; (lys-) pære; ˈˌ **ous** *a* løkformig.
bulge (ʌ) *s* kul; *v* bugne.
bulk (ʌ) *s* majoritet, masse; *v* ruve; ˈˌ **head** *s* skott; ˈˌ **y** *a* svær.
bull (*u*) *s* bulle; stut; *merk* haussist; ˈˌ**'s eye** *s* glugge; blink; blindlykt.
ˈ**bulldozer** (*u*) *s* is. gravemaskin.
ˈ**bullet** (*u*) *s* geværkule.
ˈ**bullion** (*u*) *s* umyntet gull el. sølv.
ˈ**bullock** (*u*) *s* stut.
ˈ**bully** (*u*) *s* brutal fyr; *v* tyrannisere.
bulrush (*u*) *s* siv.
bulwark (*u*) *s* skansekledning, *fig* bolverk.
bum (ʌ) *s am* lasaron; *a* skral; *v* bomme.
ˈ**bumble-bee** (ʌ) *s zo* humle.
bump (ʌ) *s* sammenstøt, bule, dunk; *v* støte.
ˈ**bumper** (ʌ) *s* fullt glass.
ˈ**bumptious** (ʌ) hoven, innbilsk.
bun (ʌ) *s* bolle.
bunch (ʌ) *s* bunt; klase, knippe, bukett; *v*.
bundle (ʌ) *s* bylt, pakke; *v* knyte; *fig* skysse.
bung (ʌ) *s* (*v*) spuns(e).
bung|le (ʌ) *v* tukle, forkludre; *s* makkverk; ˈˌ **ler** *s* klodrian.
bunk (ʌ) *s mar* køye; ˈˌ **er** kulbaks, bunker.
ˈ**bunkum** (ʌ) *s* tøys.
ˈ**bunny** (ʌ) *s am* ekorn.
ˈ**bunting** (ʌ) *s* flaggduk.
buoy (*åi*) *s mar* bøye; *v* oppmerke, holde flott; ˈˌ **ant** *a* freidig, livsglad.
bur (*ə:*) *s bot* borre.
ˈ**burden** (*ə:*) *s* bør, byrde; omkved; *v* bebyrde; ˈˌ **some** *a* b.full.
ˈ**bureau** (*bjuərou*) *s* skatoll; kontor.
ˈ**burgess** (*ə:*) *s* borger.
ˈ**burglar** (*ə:*) *s* innbruddstyv.
ˈ**burial** (e) *s* begravelse.
burke (*ə:*) *v* kvele, dysse ned.
ˈ**burlap** (*ə:*) *s* sekkelerret.
ˈ**burly** (*ə:*) *a* røslig.
burn (*ə:*) *v* brenne; *s* brannsår, *pl* bråte.
ˈ**burnish** (*ə:*) *v* polere; bli blank.
burr (*ə:*) *v* surre; skarre.
ˈ**burrow** (ʌ) *s* hule, gang; *v* grave h.

burst (ə:) *v* briste; sprenge; *s* utbrudd, ekspedisjon.
ˈ**bury** (e) *v* begrave.
bus (ʌ) *s* buss.
ˈ**busby** (ʌ) *s* pelslue.
bush (*u*) *s* busk; villmark; ˈ⁓ **-ranger** *s* banditt; ˈ⁓ **y** *a* busket.
ˈ**bushel** (*u*) *s* skjeppe (36 l.).
ˈ**business** (*i*) *s* forretning(er), sak; ˈ⁓ **like** *a* f.-messig.
bust (ʌ) *s* byrte; *v am sl* (gå) konkurs; ⁓ **ed** *a* blakk.
bustle (ʌ*sl*) *v* vimse, mase; *s* travelhet.
ˈ**busy** (*iz*) *a* travel; *v* sysselsette; ˈ⁓ **body** *s* geskjeftig person.
but (ʌ) *k* men; *prp* unntagen; *av* bare.
ˈ**butcher** (*u*) *s* slakter.
ˈ**butler** (ʌ) *s* kjellermester.
butt (ʌ) *s* tykk-ende; skive (for spøk); *v* støte, stange; grense; ˈ⁓ -ˈ**end** *s* kolbe.
butter (ʌ) *s* smør; ˈ⁓**cup** *s bot* soleie; ˈ⁓ **fly** *s* sommerfugl; ˈ⁓ **y** *s* proviantrom.
ˈ**buttock** (ʌ) *s* rumpeballe.
ˈ**button** (ʌ) *s* (*v*) knapp(e).
ˈ**buttress** (ʌ) *s* framspring.
ˈ**buxom** (ʌ) *a* trivelig, ferm.
buy (*ai*) *v* kjøpe.
buzz (ʌ) summe; *s* ogs. fart, travelhet.
ˈ**buzzard** (ʌ) *s zo* musvåk; *am* gribb.
by (*ai*) *prp* ved, hos, forbi, av, ifølge, innen; *av* forbi; ⁓ **and by,** snart; ˈ⁓ **gone** *a* fordums; ˈ⁓ **stander,** tilskuer; ⁓ **the by,** apropos; ˈ⁓ **word** *s* munnhell.

C.

cab (æ) *s* drosje.
caˈ**bal** (æ) *s* klikk, intrige.
ˈ**cabbage** (æ) *s* kål.
ˈ**cabin** (æ) *s* kahytt, hytte.
ˈ**cabinet** (æ) *s* kabinett; skap; ˈ⁓ ˈ**council** *s* statsråd; ˈ⁓ **-maker** *s.* møbelsnekker.
cable (*ei*) *s* trosse, kabel; telegram; *v* kable, telegrafere; ⁓ **gram,** k.-telegram.
ˈ**cabman** (æ) *s* drosjekusk.
caboose (*u:*) *s mar* bysse.
cache (æ)) is. *am* gjemmested, depot; *v* gjemme.
cackle (æ) *v* kakle.
cad (æ) *s* lømmel, pøbel; ⁓ **dish** *a* pøbelaktig.
caˈ**daverous** (æ) *a* likbleik.
ˈ**caddie** (æ) *s* køllebærer (i golf).
ˈ**caddy** (æ) *s* tedåse.
ˈ**cadger** *s* høker; plattenslager.
cage (*ei*) *s* (*v*), (sette i) bur.
cain (*ei*) *am* **raise C.** bråke.
cairn (*εə*) *v* varde.
caˈ**jole** (*ou*) *v* smigre, lokke; ⁓ **ry** *s.*
cake (*ei*) *s* kake; blokk.
caˈ**lamity** (æ) *s* ulykke.
calˈ**careous** (*εə*) *a* kalk-.
ˈ**calculate** (æ) *v* beregne, *am* tro, akte.
ˈ**calendar** (æ) *s* kalender.
calf (*a:*) kalv; legg.
ˈ**calico** (æ) *s* sl. bomullstøy
calk (*a:*) *s* isbrodd.
call (*å:*) *v* kalle (på), vekke, purre, telefonere; se innom, oppfordre (**c. on**); *s* rop, kallelse, visitt, etterspørsel; oppringning.
ˈ**callous** (æ) *a* hard (is. fig).
calm (*a:*) *a* rolig, stille; *v* gjøre (bli) r.; *s* vindstille; ˈ⁓**ness** *s.*
ˈ**cal|umny** (æ) *s* baktalelse; ⁓ˈ**umniate** (ʌ) *v* baktale.
ˈ**calyx** (*ei*) *s bot* beger.
ˈ**cambric** (*ei*) *s* batist.
ˈ**camel** (æ) *s* kamel.
ˈ**camera** (æ) *s* fotografiapparat.
camp (æ) *s* leir; *v* leire (seg), ligge i l.; ˈ⁓-ˈ**bed**; ˈ⁓-ˈ**chair,** *s* feltseng, ⁓stol.
camˈ**paign** (*ein*) *s* felttog; *v* ligge i felten.

ˈ**camphor** (æ) *s* kamfer.
can (æ) *s* kanne, dåse; *v* hermetisere; kan.
caˈnal (æ) *s* (kunstig) kanal.
canary (εə) *s* kanarifugl.
ˈ**cancel** (æ) *v* overstryke, annullere.
ˈ**cancer** (æ) *s med* kreft.
ˈ**candid** (æ) ærlig, åpen.
ˈ**candidate** (æ) *s* ansøker.
candle (æ) *s* lys; ⌣ **stick** *s* lysestake.
ˈ**candour** (æ) *s* oppriktighet.
ˈ**candy** (æ) *s* kandissukker, *am* konfekt, sukkertøy; *v* kandisere.
cane (*ei*) *s* rør; spaserstokk; *v* pryle.
ˈ**canine** (*ei*) *a* hunde-.
ˈ**canister** (æ) *s* dåse.
ˈ**canker** (æ) *a* sår, kreftskade; *v* tære på, forderve.
ˈ**cannery** (æ) *s* hermetikkfabrikk.
ˈ**cannon** (æ) *s* kanon; artilleri; ⌣ ˈ**ade** (*ei*) *s* bombardement, k.-torden.
ˈ**canny** (æ) *a* slu.
caˈnoe (*u:*) *s* kano.
canon (æ) *s rel* lov, regel; domherre; ˈ⌣ **ize** *v* gjøre til helgen.
ˈ**canopy** (æ) *s* (tron-, senge-) himmel.
cant (æ) *s* skubb; helling; fantespråk, hykleri; fraser; *v* bikke på, hvelve; hykle.
canˈtankerous (æ) *a* trettekjær, krakilsk.
canˈteen (*i:*) *s* marketenteri.
ˈ**canter** (æ) *s* kort galopp; *v* ri i g.
ˈ**canterbury** (æ) *s* notehylle.
cantle (æ) *s* salkant.
ˈ**canto** (æ) *s* sang (avd.)
ˈ**canvas** (æ) *s* strie, seilduk.
ˈ**canvass** (æ) *v* drøfte, verve stemmer; *s*.
ˈ**canyon** (æ) *s* kløft.
cap *s* lue, hette; knallperle; *v* sette h. på; kapsle, overgå.
ˈ**capab|le** (*ei*) *a* dyktig; ⌣ˈ**ility** *s* evne.
caˈp|acity (æ) *s* romfang; dyktighet; evne; egenskap; fag; ⌣ˈ**acious** (*ei*) *a* rommelig.
cap-a-ˈpie (*i:*) *av* fra topp til tå.
cape (*ei*) *s* cape; nes, kapp.
ˈ**caper** (*ei*) *v* danse, hoppe; *s* luftspring.
caˈpillary (*i*) *a* hår(rørs)-.
ˈ**capital** (æ) *a* hoved-, ypperlig; *s* kapitél; hovedstad; kapital; stor bokstav; ˈ⌣ **punishment** *s* dødsstraff.
caˈpitulate (*i*) *v* kapitulere.
caˈp|rice (*i:*) *s* lune(fullhet); ⌣ˈ**ricious** (*i*), *a* lunefull.
ˈ**Capricorn** (æ) **the C**⌣ *ast* Steinbukken.
ˈ**capriole** (æ) (*v*) *s* (gjøre) bukkesprang.
capˈsize (*ai*) *v* kantre.
ˈ**capstan** (æ) *s mar* gangspill.
ˈ**capsule** (æ) *s* kapsel.
ˈ**captain** (æ) *s* kaptein, sjef, feltherre.
ˈ**captious** (æ) *a* kritisk, spissfindig.
ˈ**cap|tivate** (æ) *v* besnære; ˈ⌣ **tive** *s* (*a*) fange(n); ⌣ˈ**tivity** *s* fangenskap; ˈ⌣ **ture** *s* pågripelse, inntagelse; fangst.
car (*a:*) *s* bil, vogn; *am* trikk, jernbanevogn.
car|aˈvan (æ) *s* karavane, hus på hjul.
ˈ**caravel** (æ) *s* kravell.
ˈ**caraway** (æ) *s bot* karve.
ˈ**carbine** (*a:*) *s* karabin.
ˈ**car|bon** (*a:*) *s* kullstoff; ⌣ˈ**bonic** (*å*) *a* kullsur.
ˈ**carbuncle** (*a:*) *s* karfunkel, brannbyll.
ˈ**carburettor** (*a:*) *s* forgasser.
ˈ**carcass** (*a:*) *s* skrott, kadaver
card (*a:*) *s* karde; kort; *v* karde; ˈ⌣ **board** *s* papp, kartong.
ˈ**cardigan** (*a:*) *s* strikkevest.

ˈ**cardinal** (*a:*) *s* kardinal; *a* hoved-.
care (*εə*) *s* omsorg, pleie; bekymring; ‿ **about** *v* bry seg om; ‿ **for**, pleie, elske; ˈ‿ **ful** *a* omhyggelig, forsiktig; ˈ‿ **less** *a* likeglad, nonchalant; ˈ‿ **taker** *s* is. vaktmester; ˈ‿ **worn** *a* forgremmet.
caˈreen (*i:*) *s* kjølhale, krenge.
caˈreer (*iə*) *s* løpebane, yrke, vilt løp; ‿ **woman** *am* yrkeskvinne.
caˈress (e) *s* (*v*) kjærtegn(e).
ˈ**cargo** (*a*) *s* ladning, last; ˈ‿ **liner** *s* lastebåt (i fast rute).
ˈ**carmine** (*a:*) *a* høyrød.
ˈ**carnage** (*a:*) *s* blodbad.
ˈ**carnal** (*a:*) *a* sanselig, kjødelig.
carˈnation (*ei*) *s* nellik; *a* rosenrød.
ˈ**carnival** (*a:*) *s* karneval.
carˈnivorous (*i*) *a* kjøttetende.
ˈ**carol** (æ) *s* julesang.
caˈrouse (*au*) *v* (*s*) svire(-lag).
carp (*a:*) *s* karpe; *v* skumle, kritisere.
ˈ**carpenter** (*a:*) *s* tømmermann, snekker.
¹**carpet** (*a:*) *s* teppe; ˈ‿ **-bag** *s* vadsekk.
ˈ**car|riage** (æ) *s* vogn; transport; holdning; ˈ‿ **rier** *s* fraktemann; overfører av smitte.
ˈ**carrion** (æ) *s* åtsel.
ˈ**carrot** (æ) *s* gulrot.
ˈ**carry** (æ) *v* bære, bringe, føre; erobre, drive gjennom (om lov); ‿ **out**, utføre.
cart (*a:*) *s* kjerre, vogn, gigg; ˈ‿ **er** *s* kjørekar.
ˈ**cartilage** (*a:*) *s med* brusk.
¹**cartomancy** (*a:*) *s* spåkunst (i kort).
carˈtoon (*u:*) *s* mønstertegning, karikatur.
ˈ**cartridge** (*a:*) *s* patron.
carv|e (*a:*) *v* utskjære, skjære for (v. bordet); ˈ‿ **ers** *s* forskjærsett; ˈ‿ **ing** *s* treskjærerarbeid.
casˈcade (*ei*) *s* liten foss.
case (*ei*) *s* tilfelle; kasus; *jur* sak; hylster, etui, eske; *v* innpakke.
ˈ**casement** (*ei*) *s* (haspe-) vindu.
cash (*æ*) *s* kontanter; *v* få el. betale penger (på sjekk o. l.); *a* kontant; ‿ˈ**ier** (*iə*) *s* kasserer; *v mil* avskjedige; kassere.
cask (*a:*) *s* vinfat.
ˈ**casket** (*a:*) *s* skrin.
ˈ**casque** (æ) *s* hjelm.
ˈ**cassock** (æ) *s* prestekjole.
cast (*a:*) *v* kaste; støpe; *teat* fordele (roller); *s* kast; form, preg; rollebesetning; ˈ‿**away** *a* forlist; ˈ‿ **ing** ˈ**vote** *s* avgjørende stemme; ˈ‿-ˈ**iron** *s* støpejern.
caste (*a:*) *s* kaste.
ˈ**castigate** (æ) *v* tukte.
castle (*a:*) *s* slott, borg.
ˈ**cast|ors** (*a:*) *s* bordoppsats; ˈ‿ **or-ˈoil**, lakserolje.
casˈtrate (*ei*) *v* kastrere.
ˈ**casual** (æ) *a* tilfeldig; ˈ‿ **ty** *s* dødsfall, *pl* falne, sårede.
cat (æ) *s* katt; ˈ‿**'s paw** *s fig* redskap.
ˈ**cataract** (æ) *s* vannfall.
ca¹tarrh (*a:*) *s* katarr.
caˈtastrophe (æ, -fi) *s* katastrofe.
catch (æ) *v* fange, nå, gripe; henge fast, smitte, fenge; *s* grep, fangst; ‿ **word** *s* slagord; ˈ‿ **y** *a* iørefallende.
ˈ**cat|echise** (æ, *k*) *v* eksaminere.
ˈ**cate|gory** (æ) *s* kategori; ‿ˈ**gorical** (*å*) *a* bestemt.
ˈ**cater** (*ei*) *v* skaffe mat, ernære (**c. for**); ˈ‿ **er** *s* proviantør; ‿ **ing** *s* kosthold.
ˈ**caterpillar** (æ) *s* larve.
cat¹hedral (*i:*) *s* domkirke.
ˈ**cath|olic** (æ) *a* katolsk; *s* katolikk; ‿ˈ**olicism** (*å*) *s*.

ˈ**catkin** (æ) *s bot* rakle.
cattle (æ) *s* storfe.
ˈ**cauldron** (*å*:) *s* stor kjele.
ˈ**cauliflower** (*å*) *s* blomkål.
caulk (*å:k*) *v* kalfatre.
cause (*å*:) *s* grunn, sak; *v* volde; ˈ⁓ **less** *a* ugrunnet.
ˈ**causeway** (*å*:) *s* opphøyet vei.
ˈ**caustic** (*å*:) *a* etsende, bitende (ogs. *fig*).
cau|tion (*å*:) *s* kausjon; forsiktighet, advarsel; *v* advare; ˈ⁓ **tious** *a* forsiktig.
caval|ˈcade (*ei*) *s* kavalkade, ridende skare; ⁓ˈ**ier** *s* kavaler; *a* hoven; ˈ⁓ **ry** *s* rytteri.
cave (*ei*) *s* hule; *v* grave, hule ut; rase ned **(c. in)**.
ˈ**cavern** (æ) *s* hule.
ˈ**cavil** (æ) *v* skumle, sjikanere; *s* spissfindighet.
ˈ**cavity** (æ) *s* hulhet, fordypning.
caw (*å*:) *s* (kråke-)skrik.
cease (*i*:) *v* holde opp (med); ˈ⁓ **less** *a* uopphørlig.
ˈ**cedar** (*i*:) *s bot* seder.
cede (*i*:) *v* avstå.
ˈ**ceiling** (*i*:) *s* loft, tak.
ˈ**cel|ebrate** (e) *v* feire, prise; ˈ⁓ **ebrated** *a* berømt; ⁓ˈ**ebrity** (e) *s* berømthet.
ceˈlerity (e) *s* hurtighet.
ˈ**celery** (e) *s* selleri.
ceˈlestial (e) *a* himmelsk.
ˈ**celibacy** (e) ugift stand.
cell *s* celle; ˈ⁓ **ar** *s* kjeller; ˈ⁓ **ule** *s* liten celle; ˈ⁓ **ular** *a* celle-.
ceˈment (e) *s* sement, samband; *v* befeste, binde.
ˈ**cemetery** (e) *s* gravlund.
ˈ**cenotaph** (e) *s* minnesmerke.
cenˈsorious (*å*:) *a* dømmesyk.
ˈ**cen|sure** *s* kritikk; *v* laste, dømme; ˈ⁓ **sus** *s* folketelling.
cent, per ⁓, prosent; *am* cent.
ˈ**centaur** (e) *s* kentaur.
cen|teˈnarian (*εə*) *s* hundreåring; ⁓ˈ**tenary** (*i*:) *s* hundreårsdag (-fest); ⁓ˈ**tennial** *a (s) ib.*

ˈ**cent|ralize** *v* sentralisere; ˈ⁓ **re** *s* sentrum; *v* konsentrere; ⁓ˈ**rifugal,** *a*; ˈ⁓ **uple** *a* hundredobbelt.
ˈ**century** (e) *s* århundre.
ceˈramics (æ) *s* keramikk.
ˈ**cereals** (*iə*) *s* korn(-varer).
ˈ**cerebral** (e) *a* hjerne-.
ˈˈ**cerecloth** (*iə*) *s* voksduk, liklaken.
ˈ**cere|mony** (e) *s* seremoni; ⁓ˈ**monial** (*ou*) *a* etikette-; *s* seremoniell; ⁓ˈ**monious** (*ou*) *a* stiv, formell.
ˈ**cert|ain** (*ə*:) *a* sikker, viss; ˈ⁓ **ainty** *s* visshet; ⁓ˈ**ificate** (*i*) *s* attest, sertifikat; *v* attestere; ˈ⁓ **ify** *v* attestere; ˈ⁓ **itude** *s* visshet.
ceˈruse (*u*:) *s* blyhvitt.
cess|ˈation *s* opphør.
ˈ**cession** *s* avståelse.
ˈ**cesspool** *s* kloakkum.
chafe (*ei*) *v* gni; tirre; ergre seg; *s* gnagsår.
ˈ**chafer** (*ei*) *s zo* bille.
chaff (*a*:) *s* agner; hakk; gjøn; *v* gjøne.
ˈ**chaffer** (æ) *v* prute.
ˈ**chaffinch** (æ) *s zo* bokfink.
chaˈgrin (*shægri:n*) *s* ergrelse; *v* ergre.
chain (*ei*) *s, v* lenke.
chair (*εə*) *s* stol; ˈ⁓ **man** *s* dirigent, formann.
chaise (*shei*) *s* lett vogn.
ˈ**chalet** (*shæ*) *s* (seter)hytte.
ˈ**chalice** (æ) *s rel* kalk.
chalk (*å:k*) *s* kritt.
challenge (æ) *s* anrop, utfordring; *v* utfordre.
chamb|er (*ei*) *s* kammer, *pl* advokatkontor; ˈ⁓ **erlain** *s* kammerherre; ˈ⁓**ermaid** *s* (hotell-)værelsepike.
chamfer (æ) *v* rifle (på søyle).
champ (æ) *v* tygge (is. om hest).
champion (æ) *s* forkjemper, *sp* mester; *v* beskytte, forfekte; ˈ⁓ **ship** *s sp* mesterskap.

chan|ce (*a:*) *s* slump, sjanse; *v* slumpe til; *a* tilfeldig.
'**chancel** (*a:*) *s* kor i kirke.
'**chancellor** (*a:*) *s* kansler.
'**chancery** (*a:*) *s* kansellirett.
'**chancy** (*a:*) *a* risikabel.
chande'lier (*sh*, *-iə*) *s* lysekrone.
'**chandler** (*a:*) *s* høker.
change (*ei*) *s* forandring, bytte, skifte; vekslepenger; børs (Ch.); *v* forandre, bytte, skifte, veksle; slå om; '**⌣able** *a* ustadig; '**⌣ ling** *s* bytting.
'**channel** (æ) *s* elvefar, kanal; **the C ⌣**, Kanalen; *v* rifle.
chant (*a:*) *s* kirkesang.
'**cha|os** (kei-), *s* kaos; **⌣'otic** (*å*) *a* kaotisk.
chap (æ) *s* fyr, kar; kjake; *pl* sprekker; *v* sprekke.
'**chapel** (æ) *s* kapell (ikke statskirke).
'**chaperon** (*shæ-*) *s* anstandsdame; *v* være a. for.
'**chaplain** *s* huskapellan, prest.
'**chaplet** (æ) *s rel* rosenkrans.
'**chappy** (æ) *a* sprukken (om hud).
'**chapter** (æ) *s* kapitel.
char (*a:*) *v* forkulle; jobbe, gjøre rent.
'**charabanc** (*shæ*, *-ng*) *s* turistbil.
'**character** (*kæ-*) *s* karakter; preg; rykte, attest; rolle; original; **⌣'istic** (*i*) *a*; '**⌣ ize** *v*.
'**charcoal** (*a:*) trekull.
charge (*a:*) *a* betrodd ting etc.; omsorg; ordre; byrde; utgift, pris; anklage; angrep; *v* anklage, angripe, pålegge, forlange.
'**chari|table** (æ) *a* godgjørende; '**⌣ty** *s* nestekjærlighet; godgjørenhet, almisse; mild stiftelse.
'**charlotte** (sha:) *s* eplegraut.
charm (*a:*) *s* tryllemiddel, sjarme; *v* sjarmere.
'**charnel-house** (*a:*) *s* likkjeller.
chart (*a:*) *s* sjøkart.
'**charter** (*a:*) *s* privilegium, forfatningsdokument, *mar* befraktning; *v* gi pr. til, leie, befrakte.
'**charwoman** (*a:*) *s* vaskekone, daghjelp.
'**chary** (*ɛə*) *a* økonomisk.
chase (*ei*) s jakt (-felt); *v* jage; siselere.
chasm (*kæ*) *s* kløft.
'**chassis** (*shæ*) *s* understell (på bil o.l.).
chaste (*ei*) *a* kysk.
'**chasten** (*eisn*) *v* tukte, lutre.
'**chas|tize** (æ) *v* straffe; **⌣ tity** *s* kyskhet.
chat (æ) *s* (*v*) passiar(e).
'**chattels** (æ) *s* løsøre.
'**chat|ter** (æ) *v* skratte, plapre, hakke (tenner); '**⌣ terbox** *s* skravlebøtte; '**⌣ ty** *a* skravlet.
'**chauffeur** (*shou-*) *s* sjåfør.
cheap (*i:*) *a* billig.
cheat (*i:*) *v* snyte; *s* s.-ri; bedrager.
check *int* sjakk; *s* hindring, age; merke; *v* hindre, stanse, stagge, merke; kontrollere (regn.); **⌣ed** *a* ternet; **⌣mate** sjakkmatt.
cheek (*i:*) *s* kinn, *fam* frekkhet; **⌣ y** *a* nesevis.
cheep (*i:*) *v* kvitre, pipe.
cheer (*iə*) *s* bifall(srop) hurra; stemning; mat; *v* oppmuntre, rope hurra for; **⌣ up,** fatte mot; '**⌣ ful** *a* freidig, glad; '**⌣ less** *a* trist; '**⌣ y** *a* munter.
cheese (*i:z*) *s* ost; '**⌣ -cake** *s* fylt kake; '**⌣ monger** *s* fetevarehandler.
chem|ical (*ke-*) *a* kjemisk; **⌣ ist** *s* apoteker, kjemiker; '**⌣istry** *s* kjemi.
che'mise (*sh*, *i:*) *s* undertrøye.
cheque (e) *s* sjekk.
'**chequered** *a* rutet, broket.

'**cherish** (e) *v* pleie, elske; nære.
'**cherry** (e) *s* kirsebær.
cherub (e) *s* englebarn.
chess *s* sjakk.
chest *s* kiste; brystkasse.
'**chesterfield** *s* sofa.
'**chestnut** (*sn-*) *s* kastanje.
che'val-glass (*sh*, æ) *s* stort toalettspeil.
'**chevron** (*she*) *s* sparre; ermedistinksjon.
chew (*u:*) *v* tygge; *s* skrå.
chi'canery (*sh*, *ei*) *s* knep, lureri.
'**chicken** *s* kylling.
'**chicory** *s* *bot* sikori.
chide (*ai*) *v* skjenne (på).
chief (*i:*) *a* viktigst; *s* overhode, høvding; ~ **ly** *av* især; ~ **tain** *s* høvding.
'**chilblain** *s* frostknute.
child (*ai*) *s* barn; '~ **bed** *s* barselseng; '~ **hood** *s* barndom; '~ **ish** *a* barnaktig; '~ **like** *a* barnslig; ~ **ren** (*i*) barn (*pl*).
chill *a* kjølig; *s* kjølighet; gysning; *v* kjøle, kjølne; ~ **y** *a* kjølig.
chime (*ai*) *s* kiming; *v* kime; ~ **in** falle inn, gjenta.
'**chimney** *s* skorstein.
chin *s* hake.
'**china** (*ai*) *s* porselen.
Chin|aman (*ai*) *s* kineser; ~'**ese** (*i:z*) *s* kineser; *a* kinesisk.
chink *s* sprekk; klirr; *v* klirre (med).
chintz *s* sirs.
chip *s* spon, flis, skall; *pl* franske poteter; *v* flise, skave, hugge, meisle; ~ **py** *a* tørr, flisete.
chirp (*ə:*) *v* (*s*) kvitre(n).
'**chirrup** (*i*) *s* kvitring; *v*.
'**chisel** (*i*) *s* meisel; *v*.
chit *s* (jent-)unge.
'**chitterlings** *s* hakkemat.
chival|rous (*shi-*) *a* ridderlig; '~ **ry** *s* r.-het, ridderskap.
chive (*ai*) *s* grasløk.
'**chivy** (*i*) jage, plage.
'**chock-'full** *a* proppfull.
'**chocolate** (*å*) *s* sjokolade.
choice *s* valg; *a* utsøkt.
choir (*kwaiə*) *s* (sang)kor.
choke (*ou*) *v* kvele(-s), tilstoppe; kremte; '~ **r** *s* høy snipp, halstørkle.
'**choleric** (*kå*) *a* hissig.
choose (*u:*) *v* velge, ville.
chop *s* hogg, hakk; kotelett, *pl* krapp sjø; kvalitet; *v* hakke, hogge.
'**choral** (*kå-*) *a* kor-; *s* koral, salme.
chord (*kå:*) *s* (ak-)kord, streng.
chore (*å:*) *s* *am* jobb, arbeid.
'**chorister** (*kå*) *s* korsanger.
'**chortle** (*å:*) *v* *sl* klukk-le.
'**chorus** (*kå:*) *s* (sang)kor.
Christ (*krai-*) *s* Kristus; '~**en** (*krisn*) *v* døpe; '~ **endom** *s* kristenhet; '~**ening** *s* dåp; '~ **ian** (*krist*) *a*, *s* kristen; ~**i'anity** (æ) *s* kristendom; '~ **ianize** *v* kristne.
'**Christmas** (*-ism-*) *s* jul; '~ **box** julegratiale.
'**chronic** (*krå-*) *a* kronisk; '~ **al**, *a*.
'**chronicle** (*krå*) *s* krønike.
'**chubby** (ʌ) *a* lubben.
chuck (ʌ) *v* hive, daske, klukke, klappe; ~ **up**, gi opp.
chuckle (ʌ) *v* klukke, le; '~ **head** *s* tosk.
chum (ʌ) *s* *fam* kamerat; *v* omgås intimt, dele rom.
chump (ʌ) *s* kubbe; tosk.
chunk (ʌ) *s* *fam* bete, skive.
church (*ə:*) *s* kirke; '~'**yard** *s* kirkegård.
churl (*ə:*) *s* tølper.
churn (*ə:*) *s* kjerne; spann; *v* kjerne, røre, virvle.
chute (*shu:-*) *s* stryk, renne, bakke.
'**cicatr|ice** (*i*) *s* arr; '~**ize** *v* gro.
cider (*ai*) *s* eplevin.

ci'gar (*a:*) **⌣'ette** (*e*) *s.*
cinch *s am* lett sak.
'cinder *s* glo; slagg.
Cinde'rella Askepott.
'cinema (*i*) *s* kino.
'cinerary (*i*) *a* aske-.
'cinnamon *s* kanel; *a* gulbrun.
'cipher (*ai*) *s* null; siffer (-skrift); *v* regne.
circ|le (*ə:*) *s* sirkel, krets; *v* kretse, omfatte; **'⌣ uit** (*-it*) *s* kretsløp, elektr. strøm; *jur* tinglag (-reise); **⌣'uitous** (*ju:*) *a* som bruker omveier; **'⌣ ular** *a* sirkelrund; *s* sirkulære; **'⌣ulate** *v* sirkulere, sette i omløp; **⌣ u'lation** *s* omløp, lesekrets.
cir'c|umference (ʌ) *v* periferi; **⌣ umlo'cution** (*ju:*) *v* omsvøp, omskrivning; **⌣ um'navigate** *v* omseile; **⌣ um'scribe** (*ai*) *v* innskrenke, avgrense; **'⌣ umspect** *a* forsiktig.
'circum|stance (*ə:*) *s* omstendighet, sak; *v* situere; **⌣ 'stantial** (æ) *a* omstendelig.
'circus (*ə:*) *s* sirkus; rund plass.
'cistern *s* cisterne.
'citadel (*i*) *s* kastell.
cite (*ai*) *v jur* stevne; sitere.
'cit|ixen (*i*) *s* borger; bymann; sivilist.
'city (*i*) *s* (stor)by; stiftstad, kommune.
'civ|il *a* by-, borger; høflig; sivil; **⌣ il war** *s* borgerkrig; **⌣ 'ility** *s* høflighet; **⌣ 'ilian** *a*, *s* sivil (mots. militær); **'⌣ ilize** *v* sivilisere; **⌣ ili'zation** *s* sivilisasjon, kultur.
clack (æ) *v* smelle.
clad (æ) *a* kledd.
claim (ei) *s* krav; skjerp; *v* kreve.
clam (æ) *s am* spiselig skjell.
'clamber (æ) *v* klyve, kravle.
'clammy (æ) *a* klam, slimet.
'clamour (æ) *s* (*v*) skrik(e).
clamp (æ) *s* klamp; krampe; *v* feste med kr.
clan (æ) *s* klan; familie; **'⌣ nish** *a* som holder sammen; **'⌣ ship** *s* familieånd.
clan'destine (e) *a* hemmelig.
clang (æ) *s* klang, skrall; *v*; **'⌣ orous** *a* skrallende.
clank (æ) *v* rasle.
clap (æ) *v* klappe; baske; *s* klapp, smell; **'⌣ trap** *s* teatereffekt, fraser.
'clarendon (æ) *s* halvfet type.
'claret (æ) *s* rødvin.
'clar|ify (æ) *v* klare, klarne; **'⌣ ity** *s* klarhet.
clash (æ) *s* strid; *v* støte sammen.
clasp (*a:*) *s* spenne; tak; *v* feste, gripe, favne.
class (*a:*) *s* klasse; *v* dele i k., sette i kl. med; **'⌣ ic** (æ) *a* **klassisk**; *s* klassiker; **⌣ ifi'cation** *s* klassedeling; **'⌣ify** (æ) *v* klassifisere; **'⌣ mate** *s* skolekamerat; **'⌣ room** *s* klasse(rom); **'⌣ y** (*a:*) *a* fin, bedre(-manns).
clatter (æ) *v* klapre.
clause (*å:*) *s* passus, setning, paragraf.
claw (*å:*) *s* klo; *v* klore.
clay (*ei*) *s* leire.
clean (*i:*) *a* ren(slig); *av* ganske; *v* rense, pusse; **'⌣'cut** *a* velformet; **'⌣ er** *s* renser(i), filter.
'clean|ly (e) *a* renslig; **⌣ se** (*e*) *v* rense.
'clear (*iə*) *a* klar, ryddig, *av* ganske; *v* klare, rydde, sope, rømme, befri, tjene netto, likvidere; klarne, letne; **'⌣ ance** *s merk* klarering; **'⌣ ing** *s* rydning; avregning; **'⌣ 'soup** buljong.
cleat (*i:*) *s* klamp, kile.
cleave (*i:*) *v* kløve (-s); holde fast ved **(to)**.
cleft *s* kløft.

cleg *s zo* klegg.
ˈ**clemen|cy** (e) *s* skånsel; ⌣**t** *a* skånsom.
clench, clinch *v* klinke; besegle, sammenpresse; *sp* komme i nærkamp.
ˈ**clergy** (*ə*) *s* geistlighet; ˈ⌣**man** *s* prest.
ˈ**cleric** (e) *s* prest; ˈ⌣ **al** *a* geistlig.
clerk (*a:*) *s* kontorist, sekretær, *am* ekspeditør, portier.
ˈ**clever** *a* dyktig, klok; *am* pen, grei, snill.
clew (*u:*) *s* nøste; ledetråd.
click *s* (*v*) knepp(-e).
ˈ**client** (*ai*) *s* klient, kunde.
cliff *s* fjellskrent.
clim|ate (*ai*) *s* klima, himmelstrøk; ⌣ˈ**atic** (*i*, æ) *a*.
climax (*ai*) *s* toppunkt.
climb (*ai*) *v* klatre, entre; *s* klatring, oppstigning.
clime (*ai*) *s poet* egn, strøk.
clinch, *se* **clench**.
cling *v* klynge seg, slutte tett; være klenget.
ˈ**clinic** (*i*) *s* klinikk; ˈ⌣ **al** *a* klinisk.
clink *s* (*v*) klirr(e), klink(e); *sl* fengsel.
ˈ**clinker** *s* slagg, brokke; *sl* kløpper.
clip *v* (be)klippe, utelate; ˈ⌣**per** *s* raskt skip *sl* kløpper; ˈ⌣ **ping** *s* utklipp; *a sl* prima.
ˈ**clique** (*i:*) *s* klikk.
cloak (*ou*) *s* kappe, kåpe, cape; ˈ⌣ **-room** *s* garderobe.
clock (*å*) *s* klokke.
clod (*å*) *s* (jord)klump.
clog (*å*) *v* belemre, tilstoppe (-s); *s* klamp; tresko.
ˈ**cloister** (*åi*) *s* kloster(gang).
close (z) *v* lukke, (inne-)slutte; knytte (neve); brytes, ende; *s* (*z*) avslutning; (*s*) løkke; *a* (*s*), innestengt, tett; påholden; skarp; *av* tett, kloss; ˈ⌣ˈ**fisted** *a* påholden; ˈ⌣ **ly** *av* nøye.
ˈ**closet** (*åz*) *s* kabinett, skap, W.C.
ˈ**closure** (*ou*) *s* lukning; stans av debatt.
clot (å) *s* størknet klump; *v* levres, størkne.
cloth (*åþ*) *s* klede, tøy; duk.
cloth|e (*ouð*) *v* kle; ⌣ **es** *s* klær; ˈ⌣ **ier** *s* kledefabrikant (-handler); ⌣ **ing** *s* bekledning.
cloud (*au*) *s* sky; *v* overtrekke (-s), formørke; ˈ⌣ **y** *a* uklar, skyet.
clout (*au*) *s* lapp; slag i hodet; *v* lappe; dra til (slå).
clove (ou) *s* (is. krydder-) nellik.
clover *s* (vill) kløver.
clown (*au*) *s* bonde(-tamp), klovn; ˈ⌣ **ish** *a* bondsk.
cloy (*åi*) *v* overmette.
club (ʌ) *s* klubb(e); *pl* kløver (i kort); *v* slå med kl.; forene, skillinge sammen; ˈ⌣ **-**ˈ**foot** *s* klumpfot; ˈ⌣ˈ**law** *s* neverett.
cluck (ʌ) *s* (*v*) klukk(e).
clue (*u:*) *s fig* nøkkel, ledetråd.
clump (ʌ) *s* (tre-)klynge; skosåle; *v* klampe, såle.
ˈ**clumsy** (ʌ) *a* klosset.
ˈ**cluster** (ʌ) *s* klynge, klase; *v* flokkes, samle seg.
clutch (ʌ) gripe; *s pl* klør (*fig*).
ˈ**clutter** (ʌ) *s* rot, uorden, larm; *v* bråke; stue.
coach (*ou*) *s* karét, diligence; turbuss; manuduktør, trener; *v* manudusere; ˈ⌣ **man** *s* kusk.
coˈ**agulate** (æ) *v* størkne.
coal (*ou*) *s* kull; ˈ⌣**field,** ⌣**mine,** ⌣ **pit** *s* kullgruve.
coa|ˈ**lesce** (*es*) *v* smelte sam men, forene seg; ⌣ˈ**lition** (*i*) *s* forbund.
coarse (*å:*) *a* grov, rå.
coast (*ou*) *s* kyst; *v sp* ake, sykle nedover; ˈ⌣ **ing** *s* kystfart, aking, sykling.

coat (*ou*) *s* frakk, kåpe, ham; *v* belegge, overtrekke; ⌣ **and skirt,** spaserdrakt; '⌣ **ing** *s* belegg.
coax (ou) *v* godsnakke med; '⌣ **ingly** *av* overtalende.
cob (*å*) *s* klump, nøtt, maiskolbe.
'**cobalt** (*ou*) *s* kobolt.
cobble *s* brustein.
'**cobbler** (*å*) *s* skoflikker; iset drikk.
'**cobweb** (å) *s* spindelvev.
cock (*å*) *s* hann (-fugl); hane; kran; såte; kneising; *v* sette i været; plire; såte; spenne (gevær); sette på snurr; ⌣ **ed hat** tresnutet hatt; '⌣**eyed** *a* blingset; '⌣ -'**sure** *a* brennsikker.
coc'kade (*ei*) *s* kokarde.
cocka'too (*u:*) *s* kakadue.
'**cocker** (*å*) *v* degge for, meske.
cockle (*å*) *s* musling, *bot* klinte; *v* rynke, krølle.
'**cockney** (*å*) *s* (øst)londoner, Lo-dialekt.
'**cockpit** (*å*) *s* kampplass, førersete i fly.
'**cockroach** (*å*) *s* kakerlakk.
'**cocktail** *s sl.* drikk.
'**cocky** (*å*) *a* viktig, nesevis.
'**cocoa** (*oukou*) *s* kakao.
'**coco-nut** (*ou*) *s* kokosnøtt.
co'coon (*u:*) *s* (larves) silkehus.
cod (*å*) *s* torsk.
coddle (å) *v* kjæle for, forkjæle.
'**codger** (*å*) *s* raring, gamling.
'**co|-'ed** (*ou-ed*) *s am* kvinnelig elev, student, '⌣**edu'cation** *s* fellesskole.
co|'erce (*ə:*) *v* tvinge; ⌣'**ercive** *a* tvangs-.
coex'istence (*i*) *s* sameksistens.
coffee (*å, -fi*) *s* kaffe; '⌣ **house** *s* avholdskafé; '⌣ **room** *s* spisesal.
coffer (*å*) *s* kiste, *pl* fonds.
'**coffin** (*å*) *s* likkiste.

cog (*å*) *s* knagg, tann; kogg; *v* fuske.
cogent (*ou*) *a* tvingende.
'**cogitate** (*å*) *v* gruble.
'**cognate** (*å*) *a* beslektet.
cog-wheel *s* tannhjul.
'**cognizance** (*ån-*) *s* kjennskap, merke.
co'he|re (*iə*) *v* henge sammen; ⌣ **rent** *a*; ⌣ **sion** (*i:*) *s.*
coil (*åi*) *s* (*v*) kveil(e).
coin (*åi*) *s* mynt; *v* mynte, lage (ord); ⌣ **age** *s* mynting, myntvesen; nytt ord.
co|in'cide (*ai*) *v* falle sammen (med); -'**incidence** (*i*) *s* sammentreff.
co'ition (*i*) *s* samleie.
coke (*ou*) *s* koks; *sl* = **coca-cola.**
'**colander** (*å*) *s* dørslag.
cold (*ou*) *a* kald; **be** ⌣**,** fryse; *s* kulde, forkjølelse; '⌣ **ness** *s fig* kulde.
col'laborate (æ) *v* samarbeide.
col'lapse (æ) *v* falle sammen; *s* sammenbrudd.
'**collar** (*å*) *s* krage, snipp, halsbånd; *v* ta i kragen, få fatt på.
col'lateral (æ) *a* side-, bi-.
'**colleague** (*å*) *s* kollega.
col'lect (e) *v* samle(-s), oppkreve; ⌣ **ed** *a fig* fattet; ⌣ **ion** *s* samling, oppkreving; ⌣ **ive** *a* samlet, samlings-; ⌣ **or** *s* samler, inkassator, billettør.
'**college** (*å*) *s* kollegium, høyere skole, universitet.
col'lide (*ai*) *v* kollidere.
'**collie** (*å*) skotsk fårehund.
'**collier** (*å*) *s* gruvearbeider; '⌣ **y** *s* kullgruve.
col'lision (*i*) *s* sammenstøt.
'**col|loquy** (*å, -kwi*) *s* samtale; ⌣'**loquial** (*ou*), *a* daglig tale-.
col'lusion (*u:*) *s* hemmelig forståelse.
'**colonel** (*kə:nl*) *s* oberst.
colon'nade (*ei*) *s* søylegang.

'co|lony (*å*) *s* koloni; ⌣**'lonial** (*ou*) *a* koloni-; '⌣ **lonize** *v* kolonisere.

'color(ʌ) *s am* **-colour**; ⌣**'ation** *s* fargelegging, koloritt.

'colour (ʌ) *s* farge; *pl* flagg, skinn; *v* farge, rødme; '⌣**able** *a* plausibel; '⌣ **ing** *s* koloritt; '⌣ **less** *a* intetsigende.

colt ((*ou*) *s* unghest, *mar* tamp; '⌣ **ish** *a* kåt.

'column (*å*) *s* søyle; kolonne; avisspalte.

comb (*oum*) *s* kam; vokskake; *v* kjemme, karde.

'combat (å) *s* kamp; *v* kjempe; '⌣ **ive** *a* stridbar.

com|bi'nation *s* forbindelse, komplott; ⌣**'bine** (*ai*) *v* forene (seg).

com'bust|ible (ʌ) *a* brennbar; ⌣ **ion** *s* forbrenning.

come (ʌ) *v* komme; ⌣ **by** få; ⌣ **off** lykkes, gå; ⌣ **round,** snu seg; la seg overtale; ⌣ **true** oppfylles; ⌣ **up with** innhente.

'com|edy (*å*) *s*; ⌣**'edian** (*i:*) *s* komedieforfatter (-skuespiller).

'comely (ʌ) *a* pen.

co'mestibles *s* mat.

'comfort (ʌ) *v* opplive, trøste; *s* trøst, hygge, komfort; '⌣ **able** *a* hyggelig, bekvem; **be** ⌣ **able** ha det hyggelig; '⌣ **er** *s* ullskjerf.

'comfy (ʌ) *a fam* hyggelig.

'comic (*å*) *a* humoristisk; '⌣ **al** *a* komisk.

command (*a:*) *v* befale, beherske, by på, rå over; *s* kommando, befaling, bud; ⌣ **er** *s* befalingsmann, orlogskaptein, fly-oberstløytnant; ⌣**ing** *a* dominerende; ⌣**ment** *s rel* bud.

com'memor|ate (e) *v* feire, minnes; ⌣**'ation** *s* minnefest.

com'mence (e) *v* begynne.

com'mend (e) *v* betro, rose; ⌣ **able**, rosverdig.

'comment (*å*) *s* kommentar; *v* kommentere; '⌣ **ary** *s* kommentar.

'com|merce (*å*) *s* handel; ⌣**'mercial** (*ə:*) *a* handels-.

'commiss|ary (*å*) *s* intendant; ⌣**'ariat** (*εə*) *s* intendantur.

com'mission *s* verv, kommisjon, begåelse, *merk* provisjon, *mil* offiserspatent; *v* bemyndige; ⌣ **er** *s* kommissær.

com'mit *v* begå, overgi; ⌣ **ment** *s is.* forpliktelse.

com'mittee (*i*) *s* komité.

com|'modious (*ou*) *a* rommelig; ⌣**'modity** (*å*) *s is.* handelsvare.

'commodore (*å*) *s* eskadresjef.

'common (*å*) felles, alminnelig, simpel; *s* almenning; ⌣ **law** *jur* sedvanerett; '⌣ **er** *s* uadelig person; '⌣ **place** *a* triviell; ⌣ **sense** sunt vett; '⌣**wealth** *s* republikk, statssamfunn.

com'motion (*ou*) *s* oppstyr.

com|'municate (*ju:*) *v* meddele, stå i forbindelse (med), *rel* gå til alters; ⌣ **muni'cation** *s* meddelelse, forbindelse, samferdsel; ⌣**'municative** (*ju:*) *a* meddelsom; **-'munion** (*ju:*) *s* nattverd, altergang; ⌣**'munity** (*ju:*) *s* samfunn.

com|mu'tation *s* bytte; ⌣**mu'tation ticket** *am* sesongbillett; ⌣ **mute** (*ju:*) *v* ombytte; ⌣ **muter** *s am* sesongreisende, forstadsbeboer.

'com|pact (*å*) *s* avtale, pakt; ⌣**'pact** (æ) *a* tett, fast.

com|'panion (æ) *s* ledsager, kamerat; ⌣**'panionable** *a* kameratslig, omgjengelig; ⌣ ⌣**'panionship** *s* samvær; '⌣ **pany** (ʌ) *s* selskap, laug, kompani.

ˈcom|parable (å) *a* som kan sammenlignes; ⌣ˈparative (æ) *a* forholdsvis; ⌣ˈpare (εə) *v* sammenligne, måle seg (med); ⌣ˈparison (æ) *s* sammenligning.
comˈpartment (*a:*) *s* kupé.
ˈcompass (ʌ) *s* omkrets, kompass; *pl* passer; *v* omgi, fatte, fullføre.
comˈpassion (æ) *s* medlidenhet; ⌣ **ate** *a* medlidende.
comˈpatible (æ) *a* forenelig.
comˈpatriot (æ) *s* landsmann.
comˈpel *v* tvinge.
ˈcompen|sate (å) *v* erstatte, gi vederlag; ⌣ ˈ**sation** *s* erstatning.
com|ˈpete (*i:*) *v* konkurrere; ˈ⌣**petence** (å) *s* kompetanse, utkomme; ˈ⌣ **petent** *a* egnet, dyktig; ⌣ **peˈtition** *s* konkurranse; ⌣ˈ**petitor** (e) *s* konkurrent.
comˈpi|le (*ai*) *v* samle, forfatte; ⌣ˈ**lation** (*i-ei*) *s* samling.
comˈplacent (*ei*) *a* selvtilfreds.
comˈplain (*ei*) *v* klage; ⌣ **t** *s* klage; sykdom.
ˈcomplement (å) *v* utfylle.
com|ˈplete (*i:*) *a* fullstendig; *v*.; ⌣ˈ**pletion** *s* fullførelse.
ˈcom|plex (å) innviklet; *s* kompleks; ⌣ˈ**plexity** *s* innviklethet.
comˈplexion *s* hudfarge.
comˈpliance (*ai*) *s* føyelighet.
comˈpli|cate (å) *v* gjøre innviklet; ⌣ˈ**cation** *s* forvikling, floke.
comˈplicity (*i*) *s* medskyldighet.
ˈcompli|ment (å) *s* kompliment, *pl* hilsen(er); ⌣ ˈ**ment**(e) *v* lykkønske; ⌣ˈ**mentary** *a* rosende.
comˈply (*ai*) *v* samtykke; føye seg.
com|ˈponent (*ou*) *s* bestanddel; ⌣ˈ**pose** (*ou*) *v* komponere, sette sammen, ordne, berolige; ⌣ˈ**posed** *a* fattet, rolig; ⌣ˈ**poser** *s* is. komponist; ˈ⌣ **posite** (å) *a* sammensatt; ⌣ **poˈsition** *s* verk, ordning, sammenslutning.
comˈposure (*ou*) *s* ro.
ˈcom|pound (å) *a* sammensatt; *s* blanding; ⌣ˈ**pound** (*au*) *v* sammensette, bilegge, forlike seg.
compre|ˈhend (e) *v* forstå, omfatte; ⌣ˈ**hensive** *a* omfattende.
ˈcom|press (å) *s med* omslag; ⌣ˈ**press** *v* presse sammen; ⌣ˈ**pression** *s*.
comˈprise (*ai*) *v* innbefatte, omfatte.
ˈcompromise (å) *s* kompromiss; *v* kompromittere, bilegge.
comˈpul|sion (ʌ) *s* tvang; ⌣ **sory** *a* tvangs-, tvungen.
comˈpunction (ʌ) *s* anger.
comˈpu|te (*ju:*) *v* beregne; ⌣ˈ**tation** *s*.
ˈcomrade (å) *s* kamerat.
con (å) *v* studere, lære, *mar* lose; *s*= **contra.**
ˈconcave (å) *a* konkav.
conˈceal (*i:*) *v* skjule.
conˈcede (*i:*) *v* innrømme.
conˈceit (*i:*) *s* innbilskhet; ⌣ **ed** *a* innbilsk.
conˈceive (*i:*) *v* unnfange, tenke seg, fatte.
ˈconcen|trate (å) *v* konsentrere; ⌣ˈ**tration**, *s*.
ˈcon|cept (å) *s* begrep; ⌣ˈ**ception** *s* unnfangelse, begrep.
conˈcern (*ə:*) *v* angå, engste; *vr* bry seg, interessere seg; *s* sak, interesse, bekymring, *merk* (stor) bedrift; ⌣ **ing** *prp* angående.
ˈcon|cert (å) *s* konsert, samarbeid; ⌣ˈ**cert** (*ə:*) *v* avtale, ordne.
conˈcession *s* innrømmelse.
conch (*-åŋk*) *s* konkylie.

con'cilia|te (*i*) *v* forsone: ~ **tory** *a* is. meglende.
con'cise (*ai*) *a* konsis.
'conclave (*å*) *s* hemmelig møte.
con|'clude (*u:*) *v* (av)slutte; ~**'clusion** *v* slutning; ~**'clusive** *a* avgjørende.
con'coct (*å*) *v* utklekke.
'concord (*å*) *s* harmoni.
'concourse (*å*) *s* sammenstimling.
'concrete (*å*) fast, konkret; *s* betong.
con'cur (*ə:*) *v* stemme, være enig; ~ **rence** (ʌ) *s* samstemmighet, bifall.
con'cussion (ʌ) *s* sjokk, støt.
con'demn (e) *v* (for)dømme, kondemnere, *am* ekspropriere; ~ **able** *a* is. forkastelig; ~**'ation** *s*.
con'dense (e) *v* fortette.
conde'scen|d (se) *v* nedlate seg; ~ **ding** *a* nådig; ~ **sion** *s* nåde, nedlatenhet.
'condiment (*å*) *s* krydder(i).
con'dition *s* betingelse, tilstand, forhold; *v* betinge; ~ **al** *a* betinget.
con'dole (*ou*) *v* kondolere, føle; ~ **nce** *s* kondolanse, medfølelse.
con'done (*ou*) *v* tilgi, overse.
con'duc|e (*ju:*) *v* bidra, tjene (til); ~ **ive** *a* tjenlig, *am* positiv.
'con|duct (*å*) *s* oppførsel, ledelse; ~ **'duct** (ʌ) *v* lede, føre, *vr* oppføre seg; ~**'ductor** *s* leder, fører, dirigent, konduktør; (lyn)avleder.
'conduit (*å*) rør, ledning.
cone (*ou*) *s* kjegle; *bot* kongle.
confabu'lation *s fam* passiar.
con'fection *s* konfekt; ferdige klær; ~ **er** *s* konditor; ~ **ery** *s* konfekt, konditorvarer.
confede|rate (e) forbundsfelle; *a* forbunden; ~**'ration** *s* forbund.
confer (*ə:*) *v* skjenke (c. on), konferere; **'**~**ence** (*å*) s. konferanse.
con'fess *v* tilstå; ~ **ion** *s*; ~**ional** *s* skriftestol; ~ **or** *s* skriftefar.
con|fi'dant (æ) *s* fortrolig; ~**'fide** (*ai*) *v* betro, stole; **'**~ **fidence** (*å*) *s* (selv-)tillit, fortrolighet, betroelse; **'**~**fident** *a* tillitsfull; ~ **fi'dential** (e) *a* hemmelig.
con'fine (*ai*) *v* innskrenke, fengsle; **'**~ **fines** (*å*) *s* grenser; ~**'fined** *a* is. i barselseng; ~**'finement** *s* fengsel, innskrenkning, nedkomst.
con'firm (*ə:*) *v* bekrefte; ~ **ed** *a* is. inngrodd.
'confiscate (*å*) *v* beslaglegge.
conflagration *s* stor brann.
'conflict (*å*) *s* strid; ~**'flict** *v*.
'confluent (*å*) *s* bielv.
con'form (*å:*) *v* stemme (med — **to**) *vr* rette seg (etter — **with**), ~ **ity** *s* overensstemmelse.
con'found (*au*) *v* forveksle, ødelegge, gjøre målløs; ~ **ed** *a fam* fordømt.
con'front (ʌ) *v* stille el. stå overfor.
con'fu|se (*ju:*) *v* forvirre, forveksle; ~ **sion** *s* ogs. nederlag, ødeleggelse.
con'fute (*ju:*) *v* gjendrive.
con|'geal (*i:*) *v* (*la*) størkne; ~ **ge'lation** *s* ogs. størknet masse.
con'genial (*i:*) *a* samstemt, sympatisk.
'conger-'eel *s zo* havål.
con'glomerate (*å*) *v* sammenhope.
con'gratu|late (æ) *v* gratulere; ~**'lation** *s*.
'congre|gate (*å*) *v* samles, flokke seg; ~**'gation** is. menighet.
'con|gruence (*å*) *s* overensstemmelse; **'**~ **gruent** *a*; ~**'gruity** (*u:*) *s*.

'conic(al) (*å*) *a* kile-, -formet.
'conifer (*å*) *s* bartre.
con'jecture (e) *s* gjetning; *v* gjette.
con'joint (*åi*) *a* forent.
'conjugal (*å*) *a* ekteskapelig.
'conjugate (*å*) *v* bøye (verb).
'con|jure (ʌ) *v* mane, hekse, trylle; ⁓**'jure** (*uə*) *v* besverge; '⁓ **jurer** (ʌ) *s* tryllekunstner.
con'nect *v* forbinde; ⁓ **ion** *s*.
con'ni|ve (*ai*) **at** *v* tolerere; ⁓ **vance** *s*.
conois'seur (*ə:*) *s* kjenner, fagmann.
con'nubial (*u:*) *a* ekteskapelig.
'con|quer (*å*, *-kə*) *v* erobre, (be)seire; '⁓ **queror** *s* erobrer, seierherre; '⁓ **quest** (*-kw-*) *s* seier, erobring.
'conscience (*å*) *s* samvittighet; ⁓**'scientious** (e) *a* s.-full.
'conscious (*å*) *a* bevisst; '⁓ **ness** *s* bevissthet.
'con|script (*å*) *s* rekrutt; ⁓**'script** *v* *mil* utskrive; ⁓**'scription** *s* verneplikt.
'consecrate (*å*) *v* vie, hellige.
con'secutive (e) *a* uavbrutt.
con'sent (e) *s*, *v* samtykke.
'conse|quence (*å*) *s* følge, betydning, innflytelse; '⁓ **quent** *a* (derav) følgende; ⁓**'quential** (e) *a* (med)følgende; hoven; '⁓ **quently** *av* følgelig.
con'ser|ve (*ə:*) *v* bevare; ⁓ **vatory** *s* drivhus, konservatorium.
con'sider *v* betrakte, overveie, tenke seg om; ⁓ **able** *a* betraktelig; ⁓ **ate** *a* hensynsfull; ⁓**'ation** *s* overveielse, aktelse, vederlag, hensynsfullhet.
con'sign (*ai*) *v* konsignere; ⁓**'ee** (*i:*), *merk* mottaker; ⁓ **er** *s* avsender; ⁓ **ment** *s* is. vareparti.
con'sist *v* bestå (av **-of**); ⁓**ency** *s* konsekvens, tetthet, konsistens; ⁓ **-ent** *a* is. konsekvent.
con'so|le (*ou*) *v* trøste; ⁓**'lation** *s* trøst.
con'solidate (*å*) *v* festne, styrke.
'con|sort (*å*) *s* gemal(inne); kameratskip; ⁓**'sort** (*å:*) **with** *v* omgås, harmonere med.
con'spicuous (*ik-*) *a* iøynefallende.
con|'spiracy (*i*) *s* sammensvergelse; ⁓**'spirator** (*i*) *s* sammensvoren; ⁓**'spire** (*ai*) *v* sammensverge seg.
'con|stable (ʌ) *s* konstabel; ⁓**'stabulary** (æ) *s* politikorps.
'constan|cy (*å*) *s* standhaftighet, stadighet; ⁓ **t** *a* stadig, stø, trofast.
constel'lation *s* stjernebilde.
conster'nation *s* bestyrtelse.
consti'pation *s* forstoppelse.
con'stituen|cy (*i*) *s* valgkrets; ⁓ **t** *a* utgjørende, velgende; *s* velger.
consti|tute (*å*) *v* anordne, utgjøre; ⁓**'tution** (*ju:*) *s* ordning, legemsbygning, natur, ansettelse, forfatning; ⁓**'tutional** *a* medfødt, grunnlovs-.
con'strain (*ei*) *v* tvinge; ⁓ **t** *s* tvang.
con'strict *v* snøre (sammen).
con'struct (ʌ), konstruere, bygge; ⁓ **ive** *a* konstruktiv, positiv.
con'strue (*u:*) *v* fortolke.
consult (*a*) *v* rådspørre; ⁓slå; ⁓**'ation**, *s*.
con'sume (*ju:*) *v* fortære, **forbruke**; ⁓ **r** *s* forbruker.
'con|summate (*å*) *v* fullende, ⁓ byrde; ⁓**'summate** (ʌ) *a* fullendt.
con'sump|tion (ʌ) *s* fortæring, bruk; *med* tæring; ⁓ **tive** *a* tæringssyk.

'contact (*å*) *s* berøring, kontakt; *v fam* søke el. få kontakt med.
conta|gion (*ei*) *s* smitte; ˜ **gious** *a* smittsom.
con'tain (*ei*) *v* inneholde; ˜ **er** *s* kar, beholder.
con'taminate (*æ*) *v* besmitte.
'contemplate (*å*) *v* beskue, påtenke.
con'tempo|rary *a, s* samtidig; ˜**'raneous** (*ei*) *a* samtidig.
com'tempt *s* forakt; ˜ **ible** *a* foraktelig; ˜ **uous** *a* hånsk, foraktende.
con'tend *v* kjempe, is. hevde; ˜ **ing** *a.* motstridende.
'con|tent (*å*) *s* innhold; ˜**'tent** *a* tilfreds; *v* tilfredsstille, *vr* nøye seg; *s* (e) tilfredshet; ˜ **ed** *a* tilfreds; ˜**'tents** *s pl* innhold.
con'tention *s* strid, påstand.
'con|test (*å*) *s* tvist, konkurranse; ˜**'test** *v* konkurrere, kjempe.
'context (*å*) *s* sammenheng.
con'tiguous (i) *a* tilstøtende.
'conti|nent (*å*) *a* kysk, avholdende; *s* fastland, verdensdel; ˜ **nence** *s* avholdenhet; ˜**'nental** *a* fastlands-.
con'tingency (*i*) *s* forhold, tilfeldighet.
con'tin|ual (*i*) *a* uopphørlig, stadig; ˜ **uance** *s* fortsettelse; ˜ **ue** *v* fortsette; ˜ **uous** *a* fortsatt, stadig; ˜**'uity** (*ju:*) *s* sammenheng.
con'tor|t (*å*) *v* vri; ˜ **sion** *s.*
'contra (*å*) *av, prp, s* mot.
'contraband (*å*) *s* smugling, kontrabande.
contra'ceptive (e) *a* preventiv.
'con|tract (*å*) *s* kontrakt, akkord; ˜**'tract** (*æ*) *v* trekke sammen, legge seg til; ˜**'tractor** *s* entreprenør.
contra'dict *v* motsi; ˜ **ion** *s*; ˜ **ory** *a* selvmotsigende.
'contrary (*å*) *a* motsatt, stridende *fam* egensindig.
'con|trast (*å*) *s* motsetning; ˜**'trast** (*æ*) *v* stille opp mot (*fig.*).
con'tri|bute (*i*) *v* bidra; ˜**'bution** (*ju:*) *s* bidrag.
'con|trite (*å*) *a* angrende; ˜**'trition** (*i*) *s* botferdighet.
con|'trivance (*ai*) *s* oppfinnelse, innretning; ˜**'trive** *v* greie, finne ut el. opp.
con'trol (*ou*) *v* kontrollere, (be) ˜ herske; *s* kontroll, makt, *fl* styreapparat (på fly).
control column *s* spak (på fly).
'contro|versy (*å*) *s* polemikk, strid; ˜**'vert** (*ə:*) *v* bestride.
con'tusion (*ju:*) *s* kvestelse.
co'nundrum (ʌ) *s* gåte, problem.
conva'lescence (e) *s* bedring.
con'venien|ce (*i:*) *s* beleilighet, nyttig ting; ˜ **t** *a* egnet, beleilig, nyttig.
'con|vent (*å*) *s* nonnekloster; ˜**'vention** *s* konvent, skikk og bruk, avtale; ˜**'ventional** *a* konvensjonell.
con'verge (*ə:*) *v* løpe sammen (*fig.*).
conver'sation *s* samtale; ˜ **al** *a* selskapelig, pratsom.
con'verse (*ə:*) *v* samtale, omgås **(c. with).**
con|'version (*ə:*) *s* omvendelse; **'˜ vert** (*å*) *s rel* nyomvendt; ˜**'vert** (*ə:*) *v* (om-) vende, konvertere.
con'vey (*ei*) *v* befordre, overføre, innebære, overdra; ˜ **ance** *s* befordring, overdragelse, transport, *jur* skjøte.
'con|vict (*å*) *s* straff-fange; ˜**'vict** *v jur* dømme skyldig; ˜**'viction** *s jur* dom, overbevisning; ˜**'vince** *v* overbevise.
con'vivial (*i*) *a* festlig.
con|vo'cation *s* kirkemøte; ˜**'voke** (*ou*) *v* sammenkalle.

'convoy (*å*) *s* konvoi; *v*.
con'vul|se (ʌ) *v* ryste, skake opp; ⌣ **sion** *s* krampe- el. latteranfall; ⌣ **sive** *a* krampaktig.
coo (*u:*) *v* kurre.
cook (*u*) *v* tillage, steke; *s* kokk(epike); '⌣ **ery,** '⌣ **ing** *s* matlagning.
cool (*u:*) *a* kjølig, sval; kaldblodig, frekk; *v* kjøle(s), kjølne; ⌣**ness** *s* kaldblodighet; kjølighet.
coop (*u:*) *s* hønsebur; *v* sette i h., innesperre.
'cooper (*u:*) *s* bøkker.
co'operat|e (*å*) *v* samarbeide; ⌣ **ive** *a* samvirke-; ⌣ **ion** *s*.
cop (*å*) *v sl* stjele; *s* konstabel.
cope (*ou*) *s* korkåpe; *v* ⌣ **with** kappes med.
'coping (*ou*) *s* murtak.
'copious (ou) *a* rikelig.
'copper (*å*) *s* kobber(-slant), kjele; **hot** ⌣ **s** *fam* tømmermenn.
'coppice (copse) *s* småskog.
'copulate (*å*) *v* pares.
'copy (*å*) *s* kopi, eksemplar, konsept; *v* kopiere; '⌣**-book** *s* skrivebok; '⌣ **holder** *s* leilending; '⌣ **right** *s* forlagsrett.
co'quet (e) *v* flørte, kokettere; '⌣**quetry** (*å*) *s* koketteri; ⌣'**quette** (e) *s*; ⌣'**quettish** *a* kokett.
'coral (*å*) *s* korall.
cord (*å*) *s* snor; vedfavn; *v* snøre; '⌣ **age** *s* tauverk.
corde'lier (*iə*) *s* fransiskaner.
'cordi|al (*å*) *a* hjertelig; *s* likør, styrkedrikk; ⌣'**ality** (æ) *s* hjertelighet.
'corduroy (*å:*) *s* slags bomullstøy.
core (*å:*) *s fig* kjerne.
cork (*å:*) *s* kork; *v* korke; '⌣**-screw** *s* korketrekker.
cormorant (*a:*) *s zo* ramn.
corn (*å:*) *s* liktorn; korn; *am* mais; *v* sprenge, salte (mat).
'corner (*å:*) *s* hjørne, kant, krok, *merk* ring; *v* sette til veggs, *merk* danne ring.
'cornet (*å:*) *s* kremmerhus; kornett.
'cornice (*å:*) *s* karniss, gardinstang.
'Cornish (*å:*) *a* fra Cornwall.
co'rollary (*å*) *s* resultat.
coro'nation *s* kroning.
'cor|oner (*å*) *s* kronbetjent; '⌣ **onet** *s* grevekrone.
'corp|oral (*å*) *a* legems-; *s* korporal.
corpo'ration *s jur* juridisk person; magistrat og formannskap.
cor'poreal (*a:*) *a* legemlig.
corpse (*å:*) *s* lik.
corpuscle (*å:*) *s* (blod)legeme, atom.
cor'ral (*a:*) *s am* hestehage.
cor'rect *a* riktig, korrekt; *v* rette, bøte (på), straffe; ⌣ **ion** *s* rettelse, straff.
corre'lation *s* samsvar, vekselvirkning.
corre'spond (*å*) *v* svare, passe. (til — **to**), korrespondere; ⌣ **ence** *s* forbindelse, brevveksling; ⌣ **ing** *a* tilsvarende.
cor'roborate (*å*) *v* bekrefte.
cor'ro|de (*ou*) *v* (for)tære(s); ⌣ **sion** *s* rust, etsning.
'corrugate (*å*) *v* rynke, rifle, bølge.
cor'rupt (ʌ) *a* fordervet, forvansket; bestikkelig, bestukket; *v* forderve(s), bestikke, forvanske; ⌣ **ion** *s*.
'corsair (*å:*) *s* sjørøver.
'coruscate (*å*) *v* glimte.
'cosher (*å*) *v sl* meske seg.
cosmo'politan (*å*) *s*, (*å*) kosmopolitt(isk).
cost (*å*) *v* koste; *s* pris, omkostning(er); '⌣ **ly** *a* kostbar.
'costermonger (*å*) *s* frukthandler.

ˈ**costume** (*å*) *s* kostyme, (spaser)drakt.
ˈ**cosy** (*ou*) *a* koselig; *s* te-, eggevarmer.
cot (*å*) *s* hytte, kve; barneseng, *mar* køye; ˈ⌣ **tage** *s* lite hus, villa.
ˈ**cotton** (*å*) *s* bomull, ⌣stråd *v* passe sammen; ˈ⌣ **wool** *s* vatt.
couch (*au*) *s* leie; sjeselong; *v* avfatte.
cough (*åf*) *s*, *v* hoste.
ˈ**coun|cil** (*au*) *s* råd(sforsamling); ˈ⌣**cillor** *s* rådsmedlem; ˈ⌣ **sel** *s* råd(-slagning), advokat; *v* råde; ˈ⌣ **sellor** *s* rådgiver.
count (*au*) *s* (utenlandsk) greve; *v* telle(-s), stole; medregnes.
ˈ**countenance** (*au*) *s* ansikt, yndest, støtte; *v* støtte, oppmuntre.
ˈ**counter** (*au*) *s* disk; sjetong; *a*, *av* mot(—); *v* møte, svare; ⌣ˈ**act** *v* motvirke; ⌣ˈ**balance** *v* oppveie; *s* (ˈ⌣ **b.**) motvekt; ˈ⌣ **feit** *a* ettergjort; *s* etterligning; *v* ettergjøre; ⌣ˈ**mand** (*a:*) *v* tilbakekalle; ˈ⌣ **pane** *s* sengeteppe; ˈ⌣ **part** *s* gjenpart; ˈ⌣ **poise** *v* oppveie; *s* motvekt; ˈ⌣ **sign** *v* kontrasignere; ˈ⌣ **vail** *v* holde stangen.
ˈ**countess** (*au*) *s* grevinne.
ˈ**countless** (*au*) *a* utallig(e).
ˈ**countr|y** (ʌ) *s* land; ˈ⌣ **ified** *a* landsens; ˈ⌣ **y** ˈ**gentleman** *s* godseier; ˈ⌣**y-**ˈ**seat** *s* herregård; ˈ⌣ **y**ˈ**side** *s* egn, trakt.
county (*au*) *s* grevskap.
coup (*u:*) *s* kupp.
coup|le (ʌ) *s* kobbel, par; *v* pare, koble.
ˈ**couplet** (ʌ) *s* kuplett.
ˈ**coupon** (*u:*) *s* kupong.
ˈ**cour|age** (ʌ) *s* mot; ⌣ˈ**ageous** (*ei*) *a* modig.
ˈ**courier** (*u:*) *s* kurér.
course (*a:*) *s* kurs, (for)løp, bane; ferd; kursus; rett (mat); kur; *v* jage, fare; **of** ⌣, naturligvis.
court (*å:*) *s* gård; hoff, domstol; kur; tennisbane; *v* gjøre kur til; ˈ⌣ **card** *s* herrekort; ˈ⌣**eous** (*ə:*) *a* høflig, beleven; ⌣ **esan** (*å:*, æ) kurtisane; ˈ⌣ **esy** (*ə:*) høflighet, imøtekommenhet; ˈ⌣ **ier** (*å:*) *s* hoffmann; ˈ⌣ **ly** *a* slepen, beleven; ˈ⌣-ˈ**martial** *s* krigsrett; ˈ⌣**ship** *s* frieri, beiling; ˈ⌣ˈ**yard** *s* gårdsrom.
ˈ**cousin** (ʌ) *s* fetter, kusine; **second** ⌣ tremenning.
cove (*ou*) *s* bukt, vik.
ˈ**covenant** (ʌ) *s* pakt.
ˈ**cov|er** (ʌ) *v* dekke, beskytte, tilbakelegge, omfatte, strekke til for; *s* omslag, dekke, teppe, lokk, skjul; ˈ⌣ **erlet** *s* sengeteppe; ˈ⌣ **ert** *a* fordekt, forblommet; *s* smutthull.
ˈ**covet** (ʌ) *v* begjære; ˈ⌣ **ous** *a* grisk.
ˈ**covey** (ʌ) *s* kull.
cow (*au*) *s* ku; *v* kue; ˈ⌣**ard** *s* kujon; ˈ⌣ **ardice** *s* feighet; ˈ⌣ **ardly** *a* feig; ˈ⌣ **er** *v* krype sammen.
cowl (*au*) *s* hette, kutte.
ˈ**cowpox** (*au*) *s* kukopper.
ˈ**cowslip** (*au*) *s bot* marinøkkelbånd.
cox *s sp* styrmann (i robåt); ˈ⌣ **comb** *s* narr; ˈ⌣ **swain** (*kåksn*) *s mar* kvartermester, *sp* rormann.
coy (*åi*) *a* blyg, unnselig.
ˈ**coyote** (*åi*) *s am* prærieulv.
ˈ**cozen** (ʌ) *v* bedra.
crab (æ) *s* krabbe; *v* erte, pirke på, sjikanere; ˈ⌣ **bed** (*-id*) *a* vrien, kranglet; gnidret.
crack (æ) *s* sprekk, smell; *v* sprekke, smelle; *a* prima; ⌣ **ed** *a fam* tullete; ⌣ **er** *s* sl. kjeks; ⌣ **le** *v* knitre, sprake.

cradle (*ei*) *s* vogge.
craft (*a:*) *s* håndtering, fag; list; fartøy; ˈ⌣ **sman** *s* fagmann; ˈ⌣ **y** *a* lur.
crag (æ) *s* fjellknatt; ˈ⌣ **gy** *a* kupert.
cram (æ) *v* proppe (seg); sprenglese; *s* pugg(ing).
cramp (æ) *s* krampe; *v* holde klemt, hindre; ˈ⌣ **ed** *a* trang; gnidret.
crane (*ei*) *s zo* trane; heisekran; *v* løfte; strekke (hals).
crank (æ) *s* sveiv; lune, særling; *a mar* rank; ˈ⌣ **y** *a* rank; lunefull, svermerisk.
ˈ**cranny** (æ) *s* sprekk.
crape (*ei*) *s* flor.
crash (æ) *s* brak; nedstyrtning (fly); *v* brake, styrte ned, kollidere.
crate (*ei*) *s* sprinkelkasse.
craˈ**vat** (æ) *s* halsbind.
crav|e (*ei*) *v* begjære; ˈ⌣ **ing** *a* glupende.
ˈ**craven** (*ei*) *a* feig, ussel.
craw (*å:*) *s zo* krås; ˈ⌣ **fish,** (ˈ**crayfish)** *s* kreps.
crawl (*å:*) *v* krabbe; yre.
ˈ**crayon** (*ei*) *s* tegnekritt; pastell.
craz|e (*ei*) *s* mani, mote; ⌣ **ed** *a* forrykt; ˈ⌣ **y** *a* sinnssvak; gebrekkelig.
creak (*i:*) *v* knirke.
cream (*i:*) *s* fløte.
crease (*i:*) *s* (*v*) fold(e), brett(e), rynke.
creˈ**at|e** (*i*ˈ*ei*) *v* skape, opprette, utnevne, gjøre til; ⌣ **ion** *s* skapelse, kreasjon; ⌣ **ive** *a* skapende; ⌣ **or** *s* skaper.
ˈ**creature** (*i:*) *s* skapning, vesen, *fig* redskap.
ˈ**cred|ence** (*i:*) *s* tiltro; ⌣ **entials** (e) *s* kreditiver.
ˈ**credible** (e) *a* trolig.
ˈ**credit** (e) *s* tillit, tiltro, anseelse; kreditt; *v* feste lit til, tiltro; kreditere; ˈ⌣ **able** *a* ærefull, rosverdig.
ˈ**cred|ulous** (e) *a* lettroende; ⌣ˈ**ulity** (*ju:*) *s* lettroenhet.
creed (*i:*) *s* trosbekjennelse.
creek (*i:*) *s* vik; *am* elv, bekk.
creep (*i:*) *v* krype; *s pl* gåsehud; ˈ⌣ **er** *s* slyngplante; ˈ⌣ **y** *a* nifs.
ˈ**crescent** (e) *s* månesigd; halvrund plass; *a* halvmåneformet, voksende.
cress *s bot* karse.
crest *s* kam (hane-, bølge-), hjelmbusk; ˈ⌣ **fallen** *a* motfallen.
creˈ**tonne** (*å*) *s* kretong.
cre|ˈ**vasse** (æ) *s* bresprekk, ˈ⌣ **vice** *s* sprekk.
crew (*u:*) *s* mannskap; bande.
crib *s* krybbe, barneseng; *v* stue(-s) sammen, plagiere, fuske.
cricket *s zo* siriss; *sp* lagspill.
ˈ**crier** (*ai*) *s* utroper.
crim|e (*ai*) *s* forbrytelse; ˈ⌣**inal** (*i*) *s* forbryter; *a* straffbar, forbrytersk.
crimp *v* kruse.
ˈ**crimson** *a* mørkerød.
cringe *v* krype sammen, logre.
crinkle *v* krølle, krympe.
cripple *s* krøpling; *v* gjøre til k.
ˈ**crisis** (*ai*) *s* krise.
crisp *a* kruset, sprø, livlig, frisk.
ˈ**criss-cross** *av* skakt, på tvers.
ˈ**crit|ic** (*i*) *s* kritiker; ˈ⌣**ical** *a* kritisk; ˈ⌣ **icism** *s*; ˈ⌣ **cize** *v*; ⌣ˈ**ique** (*i:*) *s* (kunst-)anmeldelse.
croak (*ou*) *v* kvekke, skrike; spå ulykker.
ˈ**crochet** (*oushei*) *v* (*s*) hekle (-tøy).
crock (*å*) *s* øk, utslitt vesen.
ˈ**crockery** (*å*) *s* steintøy.
ˈ**crocodile** (*å*) *s* krokodille.
ˈ**crocus** (*ou*) *s* krokus.
croft (*å*) *s* bø, småbruk.
cron|e (*ou*) *s* kjerring; ˈ⌣ **y** god, gammel venn.
crook (*u*) *s* stav, krok, sving,

sl kjeltring; 'ˬ **ed** (*-id*) *a* kroket; uærlig.
croon (*u:*) *v* nynne.
crop (*å*) *s zo* krås; avling; *v* kortklippe, bite av.
cro'quette (e) *s* kjøttbolle.
cross (*å*) *s* kors, kryss; *a* tverr-, kryss-; ugunstig, gretten; *v* krysse, hindre, passere; 'ˬ **-grained** *a* umedgjørlig; 'ˬ **ing** *s* reise, overfart; 'ˬ **roads** *s* veikryss; 'ˬ**wise** *a* over kors; 'ˬ **word** *s* kryssord.
'**crotchet** (*å*) *s* grille.
crouch (*au*) *v* huke seg ned.
crow (*ou*) *s* hanegal; *zo* kråke; *v* gale, pludre; 'ˬ **bar** *s* spett; ˬ**'s nest** *s* utkikstønne.
crowd (*au*) *s* skare, trengsel; *v* flokkes, stimle; pakke, fylle.
crown (*au*) *s* krone; krans; 5 sh; isse; pull; *v* krone, kranse.
'**crucial** (*u:*) *a* avgjørende.
'**crucible** (*u:*) *s* digel.
cruci|'fixion *s* korsfestelse; 'ˬ**fy** (*u:*) *v* korsfeste.
crude (*u:*) *a* rå, umoden.
cruel (-ty) (*u*) *a* (*s*) grusom(-het).
cruet (*u:*) *s* flaske (i oppsats); 'ˬ **-stand** *s* oppsats.
cruise (*u:*) *s* krysstokt; *v* krysse omkring.
crumb (ʌ) *s*, *v* smule; ˬ **le** *v* smuldre.
crumple (ʌ) *v* krølle, kramme.
crunch (ʌ) knase.
cru'sade (*ei*) *s* korstog; ˬ **r** *s* korsfarer.
crush (ʌ) *v* knuse, klemme; *s* trengsel.
crust (ʌ) *s* skorpe; *v* gi s.; 'ˬ **y** *a* skorpet; grinet.
crutch (ʌ) *s* krykke.
cry (*ai*) *s* rop, skrik; *v* rope, skrike; gråte.
cub (ʌ) *s* (*v*) (h)valp(e).
cub|e (*ju:*) *s* kube; 'ˬ **icle** *s* soverom; avdeling av sovesal.
'**cuckold** (ʌ) *s* hanrei.
'**cuckoo** (*-uku*) *s zo* gauk.
'**cucumber** (*ju:*) *s* agurk.
cud (ʌ) *s* drøv.
cuddle (ʌ) *v* ligge (legge) lunt, kjæle.
cuddy (ʌ) *s* kahytt, kott, skap.
'**cudgel** (ʌ) *s* knortekjepp; *v* pryle (med stokk); **c. one's brains** bryte sitt hode.
cue (*ju:*) *s* biljardkø, *fig* stikkord.
cuff (ʌ) *v* slå; *s* slag; (løs) mansjett, oppslag.
cui'rass (æ) *s* harnisk.
cull (ʌ) *v* plukke (ut).
'**culminate** (ʌ) *v* kulminere.
'**cul|pable** (ʌ) *a* fordømmelig; 'ˬ **prit** *s* gjerningsmann.
cult (ʌ) *s* kultus; 'ˬ **ivate** *v* dyrke; 'ˬ**ivated** *a* kultivert, dannet; 'ˬ **ure** *s* kultur; '**ured** *a* kultivert.
'**cumber** (ʌ) *v* sperre; 'ˬ**some** *a* uhåndterlig.
'**cumulate** (*ju:*) *v* hope (seg) opp.
'**cunning** (ʌ) *s* (*a*) list(ig).
cup (ʌ) *s* kopp, beger, pokal; *pl* rus.
'**cupboard** (-ʌb-) *s* skap.
cu'pidity *s* griskhet.
cur (*ə:*) *s* kjøter.
'**curate** (*jue*) *s* kapellan.
'**curative** (*juə*) *a* lege-, kur-.
curb (*ə:*) *s* (*v*) tøyle.
curd (*ə:*) *s* ystel; 'ˬ **le** *v* ostes, stivne.
cure (*juə*) *s* kur, helbredelse, *v* kurere, nedsalte.
cur|i'osity (å) *s* kuriositet, nysgjerrighet; 'ˬ **ious** *a* nysgjerrig, underlig, kunstferdig.
curl (*ə:*) *v* sno, krølle (seg); *s* krøll; 'ˬ **y** *a* krøllet.
'**currant** (ʌ) *s* korint; rips, solbær.

D

ˈ**curr|ency** ʌ) *s* omløp, kurs, penger i o.; ˈ~ **ent** *a* gangbar; *s* strømløp, strøm.
curˈriculum (*i*) *s* pensum.
ˈ**curry** ʌ) *s* karri; *v* strigle.
curse (*ə:*) *v* (*s*) (for)banne(lse).
ˈ**cursory** (*ə:*) *a* flyktig, rask.
curt (*ə:*) *a* avvisende.
curˈtail (*ei*) *v* beklippe.
ˈ**curtain** (*ə:*) *s* gardin, teppe, portière.
ˈ**curts(e)y** (*ə:*) *v* neie *s* kniks.
curve (*ə:*) *s* kurve; *v* krumme.
ˈ**cushion** (*u*) *s* pute.
cuss ʌ) *v am* = **curse.**
ˈ**custard** (ʌ) *s* eggekrem.
ˈ**cust|ody** (ʌ) *s* varetekt; ~ˈ**odian** (*ou*) *s* vokter.
ˈ**custom** (ʌ) *s* (sed)vane, *merk* kunde (-krets), toll; ˈ~ **ary** *a* vanlig; ˈ~ **er** *s* kunde; ˈ~ **-house** *s* tollbu; ˈ~ **-officer** *s* toller.
cut (ʌ) *v* skjære, hogge, klippe; ta av (kort); ignorere; stikke av, underselge; *a* slepet; *s* hogg, sår; rapp; snarvei; snitt (i klær).
cuˈtaneous (*ei*) *a* hud-.
cute (*ju:*) *a fam* lur, *am* pen, søt.
ˈ**cutl|ass** (ʌ) *s* hoggert; ˈ~ **er**, *s* knivsmed; ˈ~ **ery** *s* kniver, sakser etc.
ˈ**cutlet** (ʌ) *s* kotelett.
ˈ**cut|-throat** (ʌ) *s* banditt; ˈ~ **ting** *s* skjæring; utklipp.
ˈ**cuttle-fish** (ʌ) *s* blekksprut.
ˈ**cyclamen** (*i*) *s* alpefiol.
cycle (*ai*) *s* krets, syklus, periode; sykkel.
ˈ**cymbal** (*i*) *s mus* bekken.
ˈ**cynic** (*i*) *s* kyniker; ˈ~ **al** *a* kynisk; ˈ~ **ism** (*-sizm*) *s.*
cyst (*i*) *s* svulst, blære.
czar (*za:*) *s* tsar.

D.

dab (æ) *v* daske, klatte, skvette; *s* liten klatt; ˈ~ **ble** *v* dyppe, dynke, fuske (i).
ˈ**dad(dy)** (æ) *s fam* far.
ˈ**dado** (*ei*) *s* brystpanel.
ˈ**daffodil** (æ) *s* påskelilje.
ˈ**dagger** (æ) *s* dolk.
ˈ**dahlia** (*ei*) *s* georgine.
ˈ**daily** (*ei*) *s* dagsavis; *a* daglig.
ˈ**dainty** (*ei*) *a* lekker; kresen; *s* l.-bisken.
ˈ**dairy** (*εə*) *s* meieri; ˈ~ **maid** *s* budeie.
ˈ**daisy** (*ei*) *s* tusenfryd; *a am* nydelig.
ˈ**dally** (æ) *v* fjase.
dam (æ) *s* dike, demning; (dyre-)mor; *v* demme.
ˈ**damage** (æ) *s*, *v* skade; *s pl* erstatning.
dame (*ei*) *s* adelig tittel, ærestittel.
damn (*æm*) *v* fordømme; ~ˈ**ation** (*-mn-*) *s* helvetesstraff; ~ **ed** *a fam* forbannet.
damp (æ) *a* fuktig; *v* fukte, nedstemme; *s* f.-het.
dance (*a:*) *s* (*v*) dans(e).
dandelion (æ) *s* løvetann.
dandle (æ) *v* huske, leke.
ˈ**dandruff** (æ) *s* flass.
dandy (æ) *s* laps; *a am* flott.
Dan|e (*ei*) *s* danske; ˈ~ **ish** *a* dansk.
ˈ**danger** (*ei*) *s* fare; ˈ~ **ous** farlig.
dangle (æ) *v* dilte; dingle.
dank (æ) *a* klam.
ˈ**dapper** (æ) *a* nett, kvikk, spretten.
dapple (æ) *a* droplet.
dar|e (*εə*) *v* våge; utfordre; ˈ~ **e-devil** *s* vågehals; ~ **ing** *a* (*s*) forvoven(het).
dark (*a:*) *a* (*s*) mørk(e); ~ **en** *v* formørke (*s*); ˈ~ **ness** *s.*
ˈ**darling** (*a:*) *s* kjeledegge, kjære.
darn (*a:*) *s* (*v*) stopp(e).

dart (*a:*) *s* spyd, brodd; *v* slynge; fare.
dash (æ) *s* fremstøt; kjekkhet; tankestrek; *v* smadre, støte, fare; **'⁓ board** *s* skvettskjerm; **⁓ ing** *a* flott.
'dastardly (æ) *a* feig.
date (*ei*) *s bot* daddel; dətum; *am* avtale, kavalér; *v* datere (seg); *am* ha fast følge med.
daub (*å:*) *v* smøre, kline.
'daughter (*å:*) *s* datter; **'⁓-in-law** *s* svigerdatter.
daunt (*å:*) *v* skremme; **'⁓ less** *a* uredd.
'davenport (æ) *s* skrivepult; *am* divan.
dawdle (*å:*) *v* somle.
dawn (*a:*) *s*, *v* gry.
day (*ei*) *s* dag.
daze (*ei*) *v* lamme, fortumle.
dazzle (æ) *v* blende.
'deacon (*i:*) *s* diakon.
dead (e) *a* død; *av* helt; **'⁓-'beat** *a* utkjørt; **'⁓-heat** *s sp* dødt løp; **'⁓ lock** *s* blindgate, uføre; **'⁓ en** *v* døve, sløve; **'⁓ ly** *a* drepende.
deaf (e) *a* døv; **⁓ ening** *a* øredøvende.
deal (*i:*) *s* furu- (gran)virke del; kortgivning, handel; *v* gi (kort), handle (med-**in**); **'⁓ er** *s* kortgiver; selger; **'⁓ ings** *s* ferd.
dean (*i:*) *s* domprost, dekanus.
dear (*iə*) *a* kjær, dyr; **-th** (*ə:*) *s* dyrtid.
death (e) *s* død.
de'base (*ei*) *v* forringe.
de|'batable (*ei*) *a* omtvistelig; **⁓'bate** *v* debattere; *s* debatt.
de'bauch (*å:*) *v* forføre, forderve; **⁓ ed** *a* utsvevende.
de'benture *s* obligasjon.
de'bility *s* skrøpelighet.
debt (-*et*) *s* gjeld; **⁓ or** *s* skyldner.
'decade (e) *s* 10-årsperiode.
'decaden|ce (e) forfall; **'⁓ t** *a* i forfall.
de'camp (æ) *v fam* stikke av.
de'cant (æ) *v* helle, skjenke; **⁓ er** *s* (vin)karaffel.
de'cay (*ei*) *s* forfall; *v* forfalle.
de'cease (*i:*) *s* dødsfall; *v* dø.
de'cei|t (*i:*) *s* bedrag; **⁓ tful** *a*. svikaktig; **⁓ ve** *v* bedra(ge).
'de|cency (*i:*) *s* sømmelighet; **'⁓ cent** *a* anstendig, rimelig.
de'ception (e) *s* bedrag.
de'cide (*ai*) *v* avgjøre, beslutte.
de'cipher (*aif*) *v* tyde.
de|'cision (*i*) *s* avgjørelse, dom, bestemthet; **⁓'cisive** (*ai*) *a* avgjørende.
deck *s* dekk; *v* pynte.
de|'claim (*ei*) *v* deklamere, *fig* tordne; **⁓ cla'mation** *s*.
de|cla'ration *s* erklæring; **⁓'clare** (*εə*) *v* erklære, melde (kort); fortolle.
de|'clension (e) *s gr* bøyning; **⁓'cline** (*ai*) *v gr* bøye; avslå; dale; *s* nedgang.
de'clivity *s* nedoverbakke.
decom'pose (*ou*) *v* oppløse(s).
'de|corate (e) *v* pryde; **⁓ co'ration** *s* pynt, pryd; **'⁓ corous** *a*; **⁓'corum** (*a:*) *s* sømmelighet.
de'coy (*åi*) *s* lokkemat, -fugl; *v* lokke.
de'crease (*i:*) avta.
de'cree (*i:*) *s* dekret, dom, lov; *v* forordne.
de'crepit (e) *a* skrøpelig (av elde).
'dedicate (e) *v* tilegne.
de|'duce (*ju:*) *v fig* slutte; **⁓'duction** (ʌ) *s* slutning; fradrag.
deed (*i:*) *s*. handling; dokument.
deem (*i:*) *v* anse for.
deep (*i:*) *a* dyp; **'⁓ en** *v* gjøre dyp.
deer (*iə*) *s* dyr av hjorteslekten.
de'face (*ei*) *v* skjemme, spolere.

de'fame (*ei*) *v* bakvaske.
de'fault (*å:*) *v* (*s*) misligholde (-lse), mangel; ⌣ **er** *s* is. underslager.
de'feat (*i:*) *s* nederlag; *v* beseire.
de'fect (e) *s* mangel; lyte; ⌣ **ion** *s* frafall; ⌣ **ive** *a* mangelfull.
de|'fence (e) *s* forsvar; ⌣ **fend** *v* forsvare; ⌣'**fendant** *s jur* innstevnet; ⌣ **fensive** *a* forsvars-; *s.*
de'fer (*ə:*) *v* utsette.
'**defer|ence** (e) *s* respekt, ærbødig hensyn; ⌣'**ential** (e) *a* ærbødig.
de'fian|ce (*ai*) *s* tross; ⌣ **t** *a* utfordrende, trassig.
de|'ficiency (*i*) *s* mangel, underskudd; ⌣'**ficient** *a* mangelfull; '⌣ **ficit** (e) *s* underskudd.
de'file (*ai*) *v* defilere; besmitte.
de|'fine (*ai*) *v* definere; '⌣ **finite** (e) *a* bestemt; ⌣'**finitive** (*i*) *a* endelig, klar.
de'flat|e (*ei*) *v* tømme for luft; ⌣ **ion** *s* deflasjon.
de'flect *v* bøye av; ⌣ **ion** *s.*
de'form (*å:*) *v* misdanne; ⌣ **ed** *a* vannskapt; ⌣ **ity** *s* vanskapthet.
de'fraud (*å:*) *v* bedra.
defray (*ei*) *v* bestride (utgifter).
deft *a* netthendt.
de'fy (*ai*) *v* trosse, utfordre.
de'generate (e) *v* degenerere; *a* degenerert; *s* d. person.
de|gra'dation *s* fornedrelse; ⌣'**grade** (*ei*) *v* nedverdige, fornedre.
de'gree (*i:*) grad.
de-'icing (*ai*) *s* av-ising (fly).
deign (*ein*) *v* verdiges.
de|'jected *a* nedslått; ⌣ **jection** *s* n.-het.
delay (*ei*) *v* (*s*) oppsette (-lse).
de'lectable *a* deilig.
'**delegate** (e) *v* beskikke, utsende; *s* utsending.
de'lete (*i:*) *v* utslette.
de'liberate *a* sindig, overlagt; *v* overveie, drøfte.
'**del|icacy** (e) *s* finhet, finfølelse, svakhet; delikatesse; '⌣ **icate** *a* fin(-tfølende), svakelig; delikat.
de'licious *a* liflig, deilig.
de'light (*ai*) *s* (*v*) fryd(e); ⌣ **ful** *a* morsom.
de'lineate (*i*) *v* tegne.
de'linquen|t *s* synder, lovbryter; ⌣ **cy** *s* is. kriminalitet.
de'lirious (*i*) *a* fantaserende.
de'liver *v* levere, befri; holde (tale); ⌣ **ed** *a* forløst (m. barn); ⌣ **ance** *s* befrielse; ⌣ **er** *s* befrier; ⌣ **y** *s* levering, framføring; nedkomst.
de'lude (*ju:*) *v* villede.
'**deluge** (e) *s* syndflod.
de|'lusion (*u:*) *s* selvbedrag, skuffelse; ⌣'**lusive** *a* illusorisk.
de'mand (*a:*) *s* krav, spørsmål, etterspørsel; *v* kreve, spørre.
de'mented *a* vanvittig.
'**demigod** (e) *s* halvgud.
de|'mise (*ai*) *v* (*s*) overdra(gelse).
de|'molish (*å*) *v* nedrive; ⌣ **mo'lition** *s.*
'**demonstrate** (e) *v* demonstrere, vise.
de'monstrative (*å*) *a gr* påpekende, altfor åpen.
de'moralize (*å*) *v* demoralisere.
de'mur (*ə:*) *v* gjøre innsigelse.
de'mure (*juə*) *a* rolig (tilgjort), beskjeden.
den *s* hule, hybel.
de'nial (*ai*) *s* benektelse, avslag.
'**denizen** (e) *s* naturalisert borger, innvåner.
de|nomi'nation *s* betegnelse, *rel* samfunn.
de'note (*ou*) *v* betegne.
de'nounce (*au*) *v* fordømme; melde.

dense *a* tett, tykk.
dent *s* (*v*) bulk(e).
'dent|al *a* tann-, tannlege-; ⌣ **ist** *s* tannlege; '⌣ **ure** *s* gebiss.
deunci'ation *s* fordømmelse.
de'ny (*ai*) *v* benekte; avslå.
de'part (*a:*) *v* reise, gå bort; ⌣ **ed** *a* svunnen, avdød; ⌣ **ment** *s* avdeling; ⌣ **ure** avreise; avvikelse.
de'pend *v* avhenge; ⌣ **able** *a* pålitelig; ⌣ **ant** *s* undergiven; ⌣ **ency** *s* vasallstat; ⌣ **ent** *a* avhengig.
de'pict *v* skildre.
de|'plorable (*å:*) *a* beklagelig; ⌣ **plore** *v* beklage.
de'populate (*å*) *v* avfolke.
de'port (*å:*) *v* deportere; *vr* oppføre seg; ⌣ **ment** *s* holdning.
de|'pose (*ou*) *v* avsette; *jur* vitne; ⌣ **'posit** (*å*) *v* nedlegge; deponere; *s* avleiring; innskudd; ⌣ **po'sition** *s* vitneforklaring; ⌣ **'pository** (*å*) *s* gjemmested.
de|'praved (*ei*) *a* fordervet; ⌣**'pravity** (*æ*) *s* fordervelse.
'deprecat|e (e) *v* søke å avverge, misbillige; '⌣ **ing** *a* avvergende.
de|'preciate (*i:*) *v* forringe; synke i verdi; ⌣**'preciatory** (*i:*) *a*.
depre'dation *s* plyndring.
de'press *v* deprimere, *merk* trykke; ⌣ **ion** *s* senkning, nedtrykthet; *merk* depresjon.
de'pri|ve (*ai*) *v* berøve; ⌣**'vation** (*i*, *ei*) *s* savn, tap.
depth *s* dyp, dybde.
de'pute (*ju:*) *v* beskikke.
'deputy (e) *s* stedfortreder.
de'railment (*ei*) *s* avsporing.
de'range (*ei*) *v* forstyrre; ⌣ **d** *a* sinnsforvirret.
'derelict (e) *a* (*s*) herreløs (-t skip).
de|'ride (*ai*) *v* spotte; ⌣**'rision** (*i*) *s* latterliggjørelse; ⌣**risive** (*ai*) *a* hånlig.
de|'rive (*ai*) *v* utlede; få; ⌣ **ri'vation** (*i*, *ei*), *s* opprinnelse.
'dermal (*ə:*) *a* hud-.
'derrick (e) *s* lossebom, oljetårn.
de'rogatory (*å*) *a* forkleinende.
de'scend (*se*) *v* stige ned; overfalle **(d. on)**; ⌣ **ant** *s* ætling; ⌣ **ed** *a* nedstammende.
de'scent (*se*) *s* nedstigning; herkomst.
de|s'cribe (*ai*) *v* beskrive; ⌣ **s'cription** *s* beskrivelse; beskaffenhet; ⌣ **s'criptive** *a* beskrivende.
'desecrate (e) *v* vanhellige.
'desert (e) *s* ørken; *a* øde.
de|'sert (*ə:*) *v* forlate, desertere; *s pl* fortjeneste; ⌣**'serted** *a* øde; ⌣**'sertion** *s* strømning; forlatthet.
de|'serve (*ə:*) *v* fortjene; ⌣ **'serving** *a* veltjent.
'desiccate (e) *v* tørke.
de'sign (*ai*) *v* tegne, planlegge; *s* plan, tegning, mønster; ⌣ **er** *s* tegner; ⌣ **ing** *a* renkefull.
'designa|te (e) *v* utse, betegne; ⌣ **tion** *s* betegnelse.
de|'sirable (*ai*) *a* attråverdig, ønskelig; ⌣**'sire** *s* (*v*) ønske, begjær(e); ⌣**'sirous** (*ai*) *a* ⌣ **of** som ønsker.
de'sist *v* avstå (fra-**from**).
desk *s* pult, skrivebord; kassa.
'de|solate (e) *a* ensom, øde, trist; *v* legge øde; ⌣ **so'lation** *s*. ødeleggelse, uhygge, ødslighet.
des'pair (*εə*) *v* (*s*) fortvile(lse).
'de|sperate (e) *a* håpløs, fortvilet; ⌣ **spe'ration** *s* fortvilelse.
'despicable (e) *a* foraktelig.
des'pise (*ai*) *v* forakte.

des'pite (*ai*) *prp* tross.
des'poil (*å:*) *v* plyndre.
des'pond (*å*) *v* tape motet; ⌣ **ent** *a* motløs; ⌣ **ency** *s*.
'de|spot (e) *s* despot; '⌣**spotism** *s*; ⌣ **s'potic** (*å*) *a*.
des'sert (*zə:*) *s* dessert.
'de|stine (e) *v* bestemme; ⌣ **sti'nation** *s* b.-ssted; '⌣**stiny** *s* skjebne.
'de|stitute (e) *a* ribbet, blottet; ⌣ **sti'tution** (*ju:*) *s* nød.
de|s'troy (*åi*) *v* ødelegge; ⌣ **s'tructible** (ʌ) *a* som kan ødelegges; ⌣ **s'truction** *s* ødeleggelse; ⌣**s'tructive** *a* ødeleggende.
'desultory (e) *a* planløs, springende.
de'tach (æ) *v* løse; detasjere; ⌣ **ed** *a* isolert, særskilt; selvstendig, upartisk; ⌣ **ment** *s* *fig* fjernhet.
'de|tail (*i:*) *s* detalj; ⌣**'tail** (*ei*) *v* fortelle vidløftig; ⌣**'tailed** *a* detaljert.
de'tain (*ei*) *v* holde tilbake.
de'tect *v* oppdage; ⌣ **ive** *s* detektiv.
de'tention *s* tilbakeholdelse.
de'teriorate (*ie*) *v* gjøre el. bli verre.
de|'termine (*ə:*) *v* beslutte, bestemme, avgjøre; ⌣ **termi'nation** *s* beslutsomhet, beslutning;; ⌣**'termined** *a* beslutsom.
de'terrent (e) *a* avskrekkende; *s* a.våpen.
de'test *v* avsky; ⌣ **able** *a* avskyelig.
de'throne (*ou*) *v* avsette.
'de|tonate (e) *v* eksplodere; ⌣ **to'nation** *s* knall.
de'tour (*uə*) *s* omvei.
de'tract (æ) *v* forringe, forkleine; ⌣ **ion** *s* baktalelse.
detri'mental *a* skadelig.
deuce (*ju:*) *s* to (i spill), *fam* pokker; ⌣ **d** *a* pokkers.
de'value (æ) *v* devaluere.
'devastate (e) *v* herje.
de'velop (e) *v* utvikle (seg), fremkalle (foto).
'de|viate (*i:*) *v* bøye av.
de'vice (*ai*) *s* plan; devise.
'devil (e) *s* djevel, *fam* futt; *v* gjøre negerarbeid; krydre sterkt (mat); '⌣ **ish** *a* djevelsk, *fam* svært; ⌣ **ry** *s* djevelskap.
'devious (*i:*) *a* avvikende.
de'void (*åi*) *a* blottet.
de'volve (*å*) *v* overlate (til-**on**); tilfalle (**on**).
de'vote (*ou*) *v* vie, ofre; ⌣ **ed** *a* hengiven; ⌣ **ion** *s* hengivenhet, fromhet, *pl rel* plikter; ⌣ **ional** *a* andakts-.
de'vour (*auə*) *v* oppsluke.
de'vout (*au*) *a* andektig.
dew (*ju:*) *s* (*v*) dugg (e), dogg(e).
'dex|terous *a* behendig; ⌣**'terity** *s* b.-het.
dia'bolical (*å*) *a* djevelsk.
'dial (*ai*) *s* skive.
'diamond (*ai*) *s* diamant; *pl* ruter (i kort).
diar'rhoea (*i:*) *s* diaré.
'diary (*ai*) *s* dagbok.
dibs *s pl* spillemerker.
dice (*pl* av **die**) (*ai*) *s* terninger; ⌣ **r** *s* t.-spiller.
'dickens *int* pokker.
'dicky *s* tjenersete; skjortebryst; *a* usolid, ustø.
dic'tat|e (*ei*) *v* diktere, befale; ⌣ **ion** *s* diktat.
'diction *s* språk, stil; ⌣**'ary** *s* leksikon.
di'dactic (æ) *a* belærende.
die (*ai*) *s* terning, myntstempel; *v* dø.
'diet (*ai*) *s* riksdag; diet.
'differ *v* avvike, være forskjellig; '⌣ **ence** *s* forskjell; '⌣ **ent** *a* forskjellig; ⌣**'entiate** *v* sondre.
'difficult *s* vanskelig; '⌣ **y** *s* v.-het.
'diffiden|ce *s* forknytthet; ⌣ **t** *a* forknytt.

difˈfuse (*ju:*) *v* spre; *a* vidløftig.
dig *v* grave; *s* støt; **ˈ⌣ gings** *s* *fam* hybel, losji.
diˈgest (e) *v* fordøye; **⌣ ible** *a* f.-lig; **⌣ ion** *s* f.-lse; **⌣ ive** *a* f.lses-.
ˈdigni|fied *a* verdig; **ˈ⌣ fy** *v* hedre; **ˈ⌣ ty** *s* verdighet.
diˈgress *v* avvike.
dike (*ai*) *s* dike, demning.
diˈlapidated (æ) *a* forfallen.
diˈlate (*ei*) *v* utvide, spile opp.
ˈdiligen|ce *s* flid; **⌣ t** *a* flittig.
diˈlute (*u:*) *v* oppspe, fortynne.
dim *a* uklar, matt.
dime (*ai*) *s am* 1|10 dollar.
diˈmension *s* mål, størrelse.
di|ˈminish *v* minske (*s*); **⌣ miˈnution** (*ju:*) *s* minsking; **⌣ ˈminutive** (*i*) *a* ørliten.
ˈdimity (*i*) *s* sl. bomull.
dimple *s* smilehull.
din *s* dur, drønn.
din|e (*ai*) *v* spise middag; **ˈ⌣ er** *s* spisevogn; **ˈ⌣ing-room** *s* spisestue.
ˈdingy (*dzh*) *a* skitten.
ˈdinner *s* middag; **ˈ⌣-jacket** *s* smoking.
dint *s* bulk; **by ⌣ of,** ved hjelp av.
ˈdiocese (*ai*) *s* bispedømme.
dip, *v* dyppe; dukke; *s* dukkert, dypping.
diˈploma|cy (*ou*) *s* diplomati; **⌣ tist** *s* diplomat.
ˈdipper *s* øse(-kar).
dire (*ai*) *a* fryktelig.
diˈrect *a* rett, like; *av* direkte; *v* rette, styre; **⌣ ion** *s* retning, ledelse, *pl* påbud; **⌣ ly** *av* straks; **⌣ or** *s* direksjonsmedlem; **⌣ ory** *s* adressebok, katalog.
dirge (*ə:*) *s* sørgesang.
ˈdirigible (*i*) *a* styrbar.
dirt (*ə:*) *s* lort, søle, *am* jord; **ˈ⌣ y** *a* skitten, urenslig.
disˈable (*ei*) *v* gjøre udyktig; **⌣ d** *a* vanfør.
disadˈvantage (*a:*) *s*, **at a ⌣,** uheldig stilt.
disafˈfected *a* opprørsk.
disaˈgree (*i:*) *v* være uenig; **⌣ able** *a* ubehagelig.
disapˈpear (*iə*) *v* forsvinne; **⌣ ance** *s*.
disapˈpoint (*åi*) *v* skuffe; **⌣ ment** *s*.
disapˈproval (*u:*) *s* misbilligelse.
disˈarm (*a:*) *v* avvæpne; **⌣ ament** *s* ogs. nedrustning.
disˈast|er (*a:*) *s* ulykke, katastrofe; **⌣ rous** *a* katastrofal.
disˈband (æ) *v mil* hjemsende.
disˈburse (*ə:*) *v* utbetale.
disˈcard (*a:*) *v* kassere, forkaste.
disˈcern (*zə:*) *v* skjelne, forstå; **⌣ ing** *a* skarpsindig; **⌣ ment** *s* dømmekraft.
disˈcharge (*a:*) *v* losse, avfyre, sende bort, avskjedige, gjøre (plikt), betale; *s* ogs. avmønstring.
diˈsciple (*sai*) *s* disippel.
disˈclaim (*ei*) *v* is. gi avkall på.
disˈclose (*ou*) *v* åpenbare.
disˈcolour (ʌ) *v* avfarge.
disˈcomfit (ʌ) *v* gjøre til skamme el. fortvilet; **⌣ ure** *s* nederlag, skuffelse.
disˈcomfort (ʌ) *s* ubehag.
disconˈcert (*ə:*) *v* forstyrre, -virre, bringe ut av fatning.
disconˈnect *v* atskille, avkople; **⌣ ed** *a* usammenhengende.
disˈconsolate (*å*) *a* utrøstelig.
disconˈtent *s* misnøye; **⌣ ed** *a* misnøyd.
disconˈtinue (*i*) *v* is. avbryte.
ˈdis|cord *s* disharmoni, splid; **⌣ˈcordant** (*å:*) *a* stridende, disharmonisk.
ˈdis|count *s* diskonto, rabatt; **⌣ ˈcount** (*au*) *v* diskontere.
disˈcourag|e (ʌ) *v* avskrekke, gjøre motløs; **⌣ ing** *a* nedslående; **⌣ ement** *s* is. motløshet, skuffelse.

dis'course (*å:*) *s* tale, foredrag, preken; *v* legge ut, tale.
dis'courtesy (*ə:*) *s* uhøflighet.
dis'cover (ʌ) *v* oppdage; ~ **y** *s*.
dis'credit (e) *s* vanry; *v* bringe i vanry.
dis'creet (*i:*) *a* taktfull, forsiktig.
dis'crepancy (e) *s* uoverensstemmelse.
dis'cretion (e) *s* takt, skjønn, klokskap.
dis'criminat|e (*i*) *v* skjelne, gjøre forskjell, diskriminere; ~ **ing** *a* skjønnsom, som forstår seg på.
dis'cursive (*ə:*) *a* springende.
dis'cuss(ʌ) *v* diskutere; ~ **ion** *s*.
dis'dain (*ei*) *v* ringeakte, forsmå.
dis'ease (*zi:*) *s* sykdom.
disem'bark (*a:*) *v* sette (gå) fra borde.
disen'gage (*ei*) *v* frigjøre; ~ **d** *a* fri, ledig.
dis'figure (*i*) *v* vansire.
dis'gorge (*å:*) *v* utspy.
dis'grace (*ei*) *v* unåde, skjensel; ~ **ful** *a* vanærende, skammelig.
dis'gruntled (ʌ) *a* misfornøyd.
dis'guise (*ai*) *v* (*s*) forkle(-dning).
dis'gust (ʌ) *s* vemmelse, avsky; *v* frastøte, vekke avsky hos; ~ **ing** *a* motbydelig.
dish *s* fat, rett (mat).
dishabille (*i:*) *s* neglisjé.
dis'hearten (*a:*) *v* ta motet fra.
di'shevelled (*she*) *a* bustet, ustelt.
dis'hon|est (*å*) *a* uærlig; ~ **esty** *s*; ~ **our** *s* vanære, *merk* ikke honorere; ~**ourable** *a* uhederlig, vannærende.
'dish-washing *s* *am* oppvask.
disil'lusioned (*u:*) *a* uten illusjoner.
disin'fect *v* desinfisere.
disin'herit (e) *v* gjøre arveløs.
dis'integrate (*i*) *v* oppløse, forvitre(s).
dis'interested (*i*) *a* uegenyttig, upartisk.
dis'jointed (*åi*) *a* usammenhengende.
disk *s* skive.
dis'like (*ai*) *s* uvilje; *v* ikke like.
'dislocate *v* forrykke, få ut av ledd.
dis'lodge (*å*) *v* fordrive.
'dismal (*iz*) *a* trist, sørgelig.
dis'mantle (æ) *v* demontere.
dis'may (*ei*) *v* nedslå, forferde; *s* skrekk, mismot.
dis'member *v* sønderlemme.
dis'miss *v* avvise, avskjedige.
dis'mount (*au*) *v* demontere, stige av el. ut.
diso|'bedience (*i:*) *s* ulydighet; ~**'bedient** *a* ulydig; ~**'bey** (*ei*) *v* ikke adlyde.
dis'order (*a:*) *s* uorden, sykdom *pl* uroligheter; ~ **ly** *a* udisiplinert.
dis'organize (*å:*) *v* oppløse, desorganisere.
dis'own (*ou*) *v* fornekte, frakjenne seg.
dis'paraging (æ) *a* nedsettende.
dis'passionate (æ) *a* lidenskapsløs.
dis'patch (æ) *v* sende, ekspedere, drepe; *s* depesje; raskhet.
dis'pel (e) *v* spre, splitte.
dis'pens|e (e) *v* utdele, fordele, frita, unnvære **(d.with)**; ~ **ary** *s* apotek; ~**'ation** *s* fritagelse, styrelse; ~**er** *s* farmasøyt.
dis'perse (*ə:*) *v* splitte, spre.
di'spirited *a* motløs.
dis'place (*ei*) *v* fortrenge; ~ **ment** *s* ogs. *mar* deplasement.
dis'play (*ei*) *v* vise, utfolde; *s* (prakt)utfoldelse.

dis'please (*i:*) *v* mishage.
dis'pos|e (*ou*) *v* arrangere, sette, gjøre stemt; ~ **of,** råde over, avhende, avfeie; ~ **al** *s* rådighet; ~'**ition** *s* ordning, natyrell, rådighet.
dispos'sess *v* fordrive, berøve **(d. of).**
dispro'portioned (*å:*) *a* uforholdsmessig.
dis'pute (*ju:*) *v* strides (om), gjøre stridig.
dis'quali|fy (*å*) *v* gjøre el. erklære inhabil el. uskikket; ~ **fi'cation** *s* ogs. hindring.
dis'quiet (*ai*) *v* forurolige.
disre'gard (*a:*) *v* ikke ense; *s* tilsidesettelse.
dis'reputable (e) *a* beryktet.
disre'spectful *a* uærbødig.
dis'rupt (ʌ) *v* sprenge.
dis'satisfied (æ) *a* utilfreds.
dis'sect *v* dissekere.
dis'semble *v* hykle; ~ **r** *s.*
dis'seminate (e) *v* så, utbre.
dis|'sension *s* strid, uenighet; ~'**sent** *s* dissens; *v* være uenig; ~'**senter** *s rel* sekterer.
disser'tation *s* avhandling.
dis'service (*ə:*) *s* bjørnetjeneste.
dis'similar *a* ulik.
dis'simulate *v* hykle.
'**dissipat|e** *v* spre, sløse; ~ **ed** *a* utsvevende; ~ **ion** *s* is. vilt liv, rangling.
'**dis|soluble** *a* oppløselig; '~**solute** *a* utsvevende; ~'**solve** (*zå-*) *v* oppløse.
dis'suade (*wei*) *v* fraråde.
'**distaff** *s fig* spinneside.
'**distan|ce** *s* avstand; *v* distansere; '~**t** *a* fjern, reservert.
dis'taste (*ei*) *s* svsmak, ulyst; ~ **ful** *a* usmakelig.
dis'tend *v* spile ut.
dis'til *v* dryppe, destillere; ~ **ler** *v* brenner.
dis|'tinct (*i*) *a* tydelig, forskjellig; ~'**tinction** *s* skille, anseelse, fornemhet, utmerkelse; ~'**tinctive** *a* kjenne-; ~'**tinguish** *v* skjelne, atskille, *vr* utmerke seg; ~'**tinguished** *a* fremragende, distingvert.
dis'tort (*å:*) *v* fordreie.
dis'tract (æ) *v* avlede; ~ **ed** *a* forrykt; ~ **ion** *s* atspredelse, vanvidd.
dis'train (*ei*) *v* (ut-)pante.
dis'traught (*a:*) *a* forvirret, gal.
dis'tress *s* lidelse, nød; *v* pine; ~ **ed** *a* i nød, ulykkelig.
dis'tri|bute (*i*) *v* fordele, omdele; ~ '**bution** (*ju:*) *s* ogs. utbredelse.
'**district** *s* egn, distrikt, krets.
dis'trust (ʌ) *s, v* mistro.
dis'turb (*ə:*) *v* forstyrre; ~ **ances** *s pl* uroligheter.
ditch *s* (*v*) grøft(e).
'**dither** *v* skjelve; *s.*
[1]**ditty** *s* vise(sang).
di'urnal (*ə:*) *a* dags-.
dive (*ai*) *v* dukke, stupe; ~ **bombing** *s* stupbombing.
di'verge (*ə:*) *v* avvike; ~ **nce** *s*; ~ **nt** *a.*
di|'verse (*ə:*) *v* forskjelligartet; ~'**version** *s* avledning, tidsfordriv; ~'**vert** *v* bortlede, atsprede.
di'vest *v* kle av, berøve **(d. of).**
di'vide (*ai*) *v* (opp)dele; votere.
di|'vine (*ai*) *a* guddommelig; *s* geistlig; *v* gjette, spå; ~'**vinity** (*i*), guddom(melighet), teologi.
di'vision *s* (inn)deling, skille, avdeling; votering; divisjon.
di'vorce (*å:*) *s* skilsmisse; *v* skille(s).
di'vulge (s) *v* la sive ut.
'**Dixie(land)** *am* Sørstatene.
'**dizzy** *a* svimmel, svimlende.
do *v* gjøre, agere, greie seg; bese.
'**doc|ile** (*ou*) *a* lærvillig, føyelig; ~'**ility** *s.*

dock *v* stusse, skjære ned, dokksette; *s* dokk, anklagebenk.
ˈ**docket** (*å*) *s* sakliste.
ˈ**dock-yard** *s* verft.
ˈ**doctor** *s* doktor.
ˈ**doctrine** (*å*) *s rel* lære(setning).
dodge (*å*) *s* manøver, snitt; *v* smette unna.
doe (*ou*) *s zo* dyrehunn; hind.
doff (*å*) *v* ta av (hatt).
dog (*å*) *s* hund *v* følge tett; ˈ⌣ **-cart** *s* lett vogn; ˈ⌣ **ged** (*-id*) *a* seig; ˈ⌣ˈ**-eared** *a* brettet, frynset (om blad).
ˈ**doing** (*u:*) *s* handling.
doit (*åi*) *s* døyt.
dole (*ou*) *s* skjerv; *v* dele ut sparsomt; ˈ⌣ **ful** *a* trist, sørgelig.
doll (*å*) *s* dukke.
ˈ**dolorous** (*å*) *a* smertelig.
ˈ**dolphin** (*å*) *s* delfin.
dolt (*ou*) *s* tosk.
doˈ**main** (*ei*) *s* domene.
dome (*ou*) *s* kuppel.
doˈ**mestic** *a* hus-; indre, hjemme-; tam; ⌣ **ate** *v* temme.
ˈ**domicile** (*å*) *s* bopel.
ˈ**dom|inate** (*å*) *v* dominere; ⌣ **i**ˈ**neer** *v* tyrannisere; ⌣ ˈ**inion** *s* herredømme, rike, koloni.
don (*å*) *v* ta på seg.
ˈ**donkey** (*å*) *s* esel.
ˈ**donor** (*ou*) *s* giver.
doom (*u:*) *s* skjebne, lodd, dom; ˈ⌣ **ed** *a fig* dømt.
door (*å:*) *s* dør; ˈ⌣ **way** *s* d.-åpning.
dope (*ou*) *s* smurning, *fam* narkotisk middel, *am* stoff, vink.
ˈ**dormitory** (*å:*) *s* sovesal.
ˈ**dorsal** (*å:*) *a* rygg-.
dose (*ou*) *s* dosis; *v* gi d.
dot *s* prikk, punkt; *v* sette prikk over.
ˈ**dot|age** (*ou*) *s* gåen i barndommen; ˈ⌣ **ard** *s* olding; ˈ⌣ **e upon** *v* forgude; ˈ⌣ **ing** *a* forgudende.
double (ʌ) *a* dobbelt; *v* fordoble(-s), brette, bøye, dublere, erstatte; ˈ⌣ -ˈ**breasted** *a* dobbeltknappet; ˈ⌣ -ˈ**dealing** *s* falskhet; ˈ⌣ **-minded** *a* vankelmodig.
doubt (*aut*) *s* (*v*) tvil(e); ˈ⌣ **less** *av* tvilsomt; ˈ⌣ **ful** *a* tvilsom.
dough (*ou*) *s* deig; *sl* penger.
ˈ**doughty** (*au*) *a* tapper.
dove (ʌ) *s* due.
ˈ**dowager** (*au*) *s* (rik, adelig) enke.
ˈ**dowdy** (*au*) *a* ufiks.
ˈ**dower** (*au*) *s* enkebo; enkesete; talent.
down (*au*) *s* dun; *pl* moland; *av* ned(e), kontant; ˈ⌣ **cast** *a* nedslått; ˈ⌣ **fall** *s fig* fall; ˈ⌣ **pour** *s* øsregn; ˈ⌣ **right** *a* likefrem, ganske; ˈ⌣ **stairs** *av* nedenunder.
ˈ**dowry** (*au*) *s* medgift, gave.
doze (*ou*) *s* (*v*) døs(e), blund(e).
ˈ**dozen** (ʌ) *s* dusin.
drab (æ) *a* gråbrun; prosaisk.
draft (*a:*) *s merk* tratte; tegning, riss; *v* tegne, skissere.
drag (æ) *v* slepe, hale; subbe; *s* dregg, dragnot; hemsko; ˈ⌣ **gle** *v* tilsøle, subbe.
ˈ**dragon** (æ) *s* drake.
draˈ**goon** (*u:*) *s* dragon.
drain (*ei*) *v* tappe, tømme; *s* kanal, veit, kloakk; ˈ⌣ **age** *s* drenering, kloakkvesen.
drake (*ei*) *s* andrik.
dram (æ) *s* dram, slurk, tår; ⅛ unse.
ˈ**dramatist** (æ) *s* dramatiker.
drape (*ei*) *v* dekke, pryde; ˈ⌣ **r** *s* kledehandler; ˈ⌣ **ry** *s* kleshandel, -varer; draperi.
ˈ**drastic** (æ) drastisk.
draught (*a:ft*) *s* trekk, fangst, slurk, skisse, *pl* damspill; sjekk; ˈ⌣ **sman** *s* tegner.
draw (*å:*) *v* dra, regne, heve (penger); ˈ⌣ **back** *s* ulempe;

'⌣ **er** *s* skuff, *pl* underbukser; '⌣ **ing** *s* tegning, '⌣ **ingroom** *s* salong; ⌣ **n** *a* remis; bleik, fortrukket.
drawl (*å:*) *s* slepende uttale.
dray (*ei*) *s* (øl)vogn.
dread (e) *s* (*v*) frykt(e); '⌣ **ful** *a* fryktelig.
dream (*iə*) *s* (*v*) drøm(me); '⌣ **y** *a* drømmende.
'**dreary** (*iə*) *a* trist.
dredge *v* skrape, mudre, drysse; *s* mudderpram.
dregs *s* berme.
drench *v* gjøre dyvåt.
dress *v* rette; garve; forbinde; lage til; gjødsle; kle (seg), pynte; *s* drakt, kjole; '⌣ **circle** *s teat* 1ste losjerad; '⌣ **coat** *s* snippkjole; '⌣ **er** *s* kjøkkenbord; '⌣**ing** *s* gjødsel; saus; forbinding; stivelse; '⌣ **ing-gown** *s* slåbrok; '⌣ **maker** *s* sydame; ⌣ **'shirt** *s* (hvit) mansjettskjorte; '⌣ **-tie** *s* hvitt slips; '⌣ **y** *a* fin, pyntesyk.
dribble *v* dryppe.
drift *s* (av)drift, snøfane; *v* drive, fyke.
drill *s* eksersis, bor, fure; *v* bore, eksersere, så.
drink *s* (*v*) drikk(e); '⌣ **able** *a* drikkelig *s pl* drikkevarer.
drip *s* (*v*) dryppe(e); '⌣ **ping** *s* smeltet fett.
drive (*ai*) *v* drive, kjøre; *s* kjøretur, vei, *sp* slag; '⌣ **r** *s* vognfører, sjåfør.
'**drivel** (*i*) *s* sikle; våse.
drizzle *s* duskregn.
droll (*ou*) *a* pussig.
drone (*ou*) *s* drone, dagdriver; *v* dure, summe.
drool (*u:*) *v am* sikle.
droop (*u:*) *v* lute, segne.
drop (*å*) *s* dråpe, dobbe, fall, *fl* drops; *v* dryppe, (la) falle, oppgi.
'**dropsy** (*å*) *s* vattersott.
dross (*å*) *s* slagg.
drought (*au*) *s* tørke.
drove (*ou*) *s* drift; stim; '⌣ **r** *s* driftekar.
drown (*au*) *v* drukne.
'**drowsy** (*au*) *a* døsig.
drub (ʌ) *v* banke opp; '⌣ **bing** *s* pryl.
drudge (ʌ) *v* trelle, slite; *s* sliter; '⌣ **ry** *s* slit.
drug (ʌ) *s pl* apotekervarer; *v* forgifte; 'ʌ **gist** *s* apoteker.
drum (ʌ) *s*, *v* tromme; '⌣ **mer** *s* trommeslager.
drunk (ʌ) *a* beruset; '⌣ **ard** *s* drukkenbolt; '⌣ **en** *a* full, drikkfeldig.
dry (*ai*) *a* tørr *v* tørke.
'**dual** (*ju:*) to-, todelt.
dub (ʌ) *v* gi tittel, kalle.
'**dubious** (*ju:*) *a* tvilsom, tvilende.
'**ducal** (*ju:*) hertugelig.
'**du|chess** (ʌ) *s* hertuginne; '⌣ **chy** *s* hertugdømme.
duck (ʌ) *s* and; lerret; *v* dukke; '⌣**ling** *s* andunge.
duct (ʌ) *s* kanal, rør; '⌣ **ile** (*-ail*) *a* smidig, formbar.
dud (ʌ) *s sl* fiasko; *a* mislykt.
dude (*ju:*) *s am* laps, bymann.
due (*ju:*) *a* (plikt)skyldig; forfallen, ventet; **be⌣to** sky*l*des; *av* rett; *s* skyldighet, rett.
'**duel** (*juə*) *s* duell.
duff (ʌ) *v* forfalske, snyte.
'**dugout** (ʌ) *s* skyttergrav.
duke (*ju:* *s* hertug.
dull (ʌ) *a* treg, kjedelig,matt; *v* sløve; '⌣ **ard** *s* dosmer.
duly (*ju:*) *av* tilbørlig.
dumb (*ʌm*) *s* stum; ⌣'**found** *v* forbløffe; '⌣ **-'show** *s* pantomime.
'**dummy** (ʌ) *s* blindemann, stråmann.
dump (ʌ) *v* kaste, slippe, *merk* dumpe; '⌣ **y** *a* liten og tykk.
dun (ʌ) *a* blakk, borket; *s* rykker (for gjeld), kreditor; *v* kreve.
dunce (ʌ) *s* sinke.

dune (*ju:*) *s* dyne, banke.
dung (ʌ) *s* gjødsel.
dunga'ree (*i:*) *s* dongeri.
'dungeon (ʌ) *s* fangehull.
dupe (*ju:*) *s* narret person, offer; *v* narre.
'dup|lex (*ju:*) *a* dobbelt; **'~ licate** *s* gjenpart, dublett; *v*; **~'licity** *s* dobbeltspill.
'dur|able (*juə*) *a* holdbar; **~ a'bility** *s*; **~'ation** *s* lengde, varighet; **'~ ing** *prp* under.
dusk (ʌ) *s* tusmørke.
dust (ʌ) *s* støv; **'~ er** *s* støveklut; **'~ y** *a* støvet.
Dutch (ʌ) *a* hollandsk; **~ man** *s* hollender.
'dut|y (*ju:*) *s* plikt; toll; hilsen; **'~ iable** *a* tollpliktig; **'~ iful** *a* plikttro, ærbødig.
dwarf (*å:*) *s* dverg; *v* forkrøple.
dwell *v* dvele, bo; **'~ ing** *s* bolig.
dwindle *v* svinne.
dye (*ai*) *v s* farge.
dys'pep|sia *s* dårlig fordøyeise; **~ tic** *a*.

E.

each (*i:*) *pron* hver; **'~ 'other** hverandre.
'eager (*i:*) *a* ivrig.
eagle (*i:*) *s* ørn.
ear (*iə*) *s* aks; øre; **'~ shot** *s* hørevidde.
earl (*ə:*) *s* jarl, greve.
'early (*ə:*) *a*, *av* tidlig.
'earmark (*iə*) *s* (bok)merke *v*.
earn (*ə:*) *v* tjene.
'earnest (*ə:*) *s* (*a*) alvor(-lig).
earth (*ə:*) *s* jord(-klode); **'~ en** *a* jord-; **'~ enware** *s* leirvarer; **'~ ly** *a* jordisk.
ease (*i:*) *s* ro, letthet, utvungenhet; *v* lette, lindre.
'easel (*i:*) *s* staffeli.
east (*i:*) *s* øst; **'~ erly** *a* østlig; **'~ ern** *a* østerlandsk, østlig; **'~ ward** *av* østover.
'Easter (*i:*) *s* påske.
'easy (*i:*) *a* rolig, lett, utvungen, makelig, føyelig; **'~ -'chair** *s* lenestol; **'~ -going** *a* sorgløs.
eat (*i:*) *s* spise; **'~ able** *a* spiselig, *s pl* matvarer.
eaves (*i:*) *s* takskjegg; **'~ -dropper** *s* lytter.
ebb *s* ebbe.
'ebony (e) *s* ibenholt.
e'bullient (ʌ) *a* brusende, livsglad.
ec'centric (*se*) *a* original.
ecclesi'astic (æ) *s* prest; **~ al** *a* geistlig.
'echo (*ek*) *s* ekko; *v* gjenta.
e'clipse *s* formørkelse; *v* formørke, fordunkle.
e'con|omize (*å*) *v* spare; **~ 'omic (al)** (*å*) *a*; **~'omics** *s* sosialøkonomi; **~omist** *s* sosialøkonom; **~ omy** *s* økonomi.
'ecstasy *s* ekstase.
'eddy *s* virvel; *v* virvle.
edge *s* kant; *v* kante, gå på skjeve.
'edible (e) *a* spiselig.
'edi|fice (e) *s* bygning; **'~ fy** *v* *fig* oppbygge.
'ed|it (e) *v* utgi, redigere; **~ 'ition** *s* utgave, opplag; **'~ itor** *s* utgiver, redaktør; **~ i'torial** *a* redaksjonell.
'ed|ucate (e) *v* oppdra; **~u'cation** *s* utdannelse, dannelse; **~u'cational** *a* pedagogisk.
eel (*i:*) *s* ål.
ef'face (*ei*) *v* utslette.
ef'fect *s* virkning, *pl* saker, *v* bevirke; **~ ive** *a* brukbar, effektiv; **~ ual** *a* virkningsfull.
ef'feminate (e) *a* bløtaktig.
effer'vescent (*es*) *a* mussende, sydende, brusende.
'ef|ficacy (e) *s* virkekraft; **~ 'ficient** *a* fyllestgjørende, dyktig; **~'ficiency** *s* yteevne, effektivitet.

ˈ**effigy** (e) *s* bilde.
ˈ**effort** *s* anstrengelse.
efˈfrontery (ʌ) *s* frekkhet.
efˈfus|ion (*ju:*) *s* utgytelse; ⌣ **ive** *a* overstrømmende.
egg *s* egg; *v* egge.
ˈ**egotism** (e) *s* selvopptatthet.
ˈ**Eg|ypt** (*i:dzh-*), Egypt; ⌣ˈ**yptian** (*i*) *a* (*s*) egyptisk(-er).
ˈ**eider** (*ai*) *s* ær(fugl); dun(-dyne); ˈ⌣ **down** *s*.
eight (*ei*) åtte; ˈ⌣ˈ**een** atten; ˈ⌣ **y** åtti.
ˈ**either** (*ai*); *k* enten; *pron* hver, en (av to).
e|ˈjaculate (æ) *v* utbryte, utstøte; ⌣ˈ**ject** *v* kaste ut; ⌣ **jector-seat** *s* utskytingsmekanisme (fly).
eke (*i:*) **out,** skjøte på.
eˈlaborate (æ) *a* utarbeidet, raffinert; *v* utarbeide.
eˈlapse (æ) *v* forløpe.
eˈlastic (æ) *a* elastisk.
eˈlat|ed (*ei*) *a* triumferende, begeistret; ⌣ **ion** *s* løftet stemning.
ˈ**elbow** *s* albu; knekk; *v* skubbe, puffe.
ˈ**elder** *a* eldre; *s bot* hyil; *pl* eldre, eldste; ˈ⌣ **ly** *a* aldrende.
eˈlect *v* velge; *a* utvalgt; ⌣ **ion** *s* valg; **ioˈneering** *s* valgagitasjon; ⌣ **ive** *a* valg-, valgfri; ⌣ **or** *s* velger; kurfyrste; ⌣ **orate** *s* velgermasse, kurfyrstendømme.
eˈlec|tric (e) *a* elektrisk; ⌣ˈ**tricity** (*i*) *s* elektrisitet.
ˈ**elegy** (e) *s* klagesang.
eleˈmentary *a* elementær.
eleˈphantine (æ) *a* klumpet, diger.
ˈ**e|levate** (e) *v* heve; ⌣ **leˈvation** *s* høyde; ˈ⌣ **levator** *s am* heis; høyderor (fly).
eˈleven (e) elleve.
elf *s* hulder.
eˈlicit (*i*) *v* lokke fram.
ˈ**e|ligible** (e) *a* valgbar.
eˈliminate (*i*) *v* fjerne, eliminere.
elk *s* elg.
ell *s* alen.
elˈlipsis *s* utelatelse.
elm *s bot* alm.
eloˈcution (*-ist*) (*ju:*) *s* veltalenhetskunst(ner).
ˈ**elongate** (e) *v* forlenge(s).
eˈlope (*ou*) *v* løpe bort, rømme.
ˈ**eloquen|ce** (e) *s* veltalenhet; ˈ⌣ **t** *a*.
else *av* ellers; ˈ⌣ˈ**where**, *av* annetsteds.
eˈlucidate (*u:*) *v* belyse.
eˈlu|de (*u:*) *v* unnvike, omgå; ⌣ **sive** *a* flyktig, slu.
eˈmaciated (*ei*) *a* uttæret.
ˈ**emanate** (e) *v* utspringe.
eˈmancipate (æ) *v* frigjøre.
emˈbalm (*a:*) *v* balsamere.
emˈbankment (æ) *s* fylling, kai.
emˈbargo (*a:*) *s mar* arrest, beslagleggelse (av skip).
emˈbark (*a:*) *v* sette (gå) om bord.
emˈbarass (æ) *v* belemre, gjøre forlegen; ⌣ **ment** *s* forlegenhet.
ˈ**embassy** *s* gesandtskap(-shotell).
emˈbellish *v* forskjønne.
ˈ**embers** *s* glør.
emˈbezzle *v* underslå.
emˈbitter *v* forbitre.
ˈ**emblem** *s* symbol.
emˈbody (*å*) *v* legemliggjøre, omfatte.
emˈbolden (*ou*) *v* gjøre dristig.
emˈbrace (*ei*) *v* omfavne, omfatte, anta; *s* omfavnelse.
emˈbroider (*å*) *v* brodere.
emˈbroil (*åi*) *v* forvikle.
ˈ**embryo** *s* fosterspire.
emenˈdation *s* tekstforbedring.
ˈ**emerald** (e) *s* smaragd.
e|merge (*ə:*) *v* dukke fram; ⌣ˈ**mergency** *s* kritisk situasjon.

'e|**mery** (e) *s* smergel.
'**emigrate** (e) *v* utvandre.
'**eminen|t** *a* fremragende; '⌣**ce** *s* rang, anseelse.
'**emissary** (e) *s* agent, utsending.
e'**mit** *v* utsende, *merk* utstede.
e'**molument** (*å*) *s* inntekt, fordel.
e'**motion** (*ou*) *s* sinnsbevegelse; ⌣ **al** *a* følelsesfull.
em|peror *s* keiser; '⌣ **press** *s* k-inne.
'**em|phasis** *s* ettertrykk; '⌣ **phasize** *v* betone; ⌣'**phatic** (æ) *a* kraftig, ettertrykkelig.
'**empire** *s* rike, keiserdømme.
em'**ploy** (*åi*) *v* bruke, gi arbeid; *s* tjeneste, hyre; ⌣'**ee** *s* funksjonær; ⌣ **er** *s* arbeidsgiver; ⌣ **ment** *s* arbeid, bruk.
em'**power** (*au*) *v* bemyndige.
'**empty** *a* tom; *v* tømme.
'**emul|ate** *v* kappes med; '⌣ **ous** *a* kappelysten; ⌣ '**ation** *s*.
e'**nable** (*ei*) *v* sette i stand (til-to).
e'**nact** (æ) *v* vedta.
e'**namel** (æ) *s* (*v*) emalje(re).
en'**camp** (æ) *v* leire (seg); ⌣ **ment** *s* leirplass.
en'**chant** (*a:*) *v* fortrylle.
en'**circle** (*ə:*) *v* omslutte.
en'**clos|e** (*ou*) *v* inneslutte, omgi; vedlegge; ⌣ **ure** *s* innhegnet land.
en'**compass** (ʌ) *v* omringe.
en'**core** (*å:*) *av* dakapo.
en'**counter** (*au*) *v* møte, støte på; *s* sammenstøt.
en'**courage** (ʌ) *v* oppmuntre.
en'**croach** (*ou*) **on** *v* gjøre inngrep i.
en'**cumb|er** (ʌ) *v* belemre; ⌣ **rance** *s* byrde, hindring.
encyclo'**paedia** (*i:*) *s* konversasjonsleksikon.
end *s* ende, formål; *v* ende; '⌣ **ing** *s* ende(-lse).
en'**danger** (*ei*) *v* bringe i fare.
en'**dear** (*iə*) *v* gjøre kjær; ⌣ **ment** *s* kjærtegn.
en'**deavour** (e) *s* (*v*) strev(e).
en'**dorse** (*å:*) *v* påtegne, endossere.
en'**dow** (*au*) *v* utstyre, testamentere; ⌣ **ment** *s* utstyr, fond, *pl* begavelse.
en'**dur|e** (*uə*) *v* undergå, utstå; ⌣ **ance** *s* utholdenhet.
'**enema** (e) *s med* klystér.
'**enemy** (e) *s* fiende.
'**ener|gy** (e) *s* energi; ⌣'**getic** (e) *a* energisk.
'**enervate** (e) *v* svekke.
en'**feeble** (*i:*) *v* svekke.
en'**force** (*å:*) *v* trumfe gjennom.
en'**gage** (*ei*) *v* forplikte, ansette, angripe; tiltrekke; ⌣ **d** *a* forlovet; ⌣ **ment** *s* avtale, forpliktelse; ansettelse, forlovelse, kamp.
en'**gender** (*dzhe*) *v* avle.
'**en|gine** *s* maskin; ⌣ **gi**'**neer** (*lə*) *s* ingeniør; maskinist; *v* utføre.
Eng|land (*i*); ⌣ **lish** *a* engelsk; ⌣ **lishman (woman)** *s* englender(inne).
en'**graft** (*a:*) *v* (inn)pode.
en'**grav|e** (*ei*) *v* gravere, prege; ⌣ **ing** *s* kobberstikk.
en'**gross** (*ou*) *v* oppsluke (*fig*).
en'**hance** (*a:*) *v* forhøye.
enig'**matic** (æ) *a* gåtefull.
en'**join** (*åi*) *v* pålegge.
en'**joy** (*åi*) *v* nyte, *vr* more seg; ⌣ **ment** *s* nytelse, glede.
en'**large** (*a:*) *v* utvide.
en'**lighten** (*ai*) *v* opplyse.
en'**list** *v* verve.
en'**liven** (*ai*) *v* opplive.
'**enmity** *s* fiendskap.
en'**noble** (*ou*) *v* foredle, adle.
e'**norm|ous** (*å:*) *a* veldig; ⌣ **ity** *s* ugjerning.
e'**nough** (ʌ*f*) *av* nok.
en'**rage** (*ei*) *v* gjøre rasende.
en'**rich** *v* berike.
en'**rol(l)** (*ou*) *v* innrullere.

'ensign *s* tegn, flagg; fenrik.
en'slave (*ei*) *v* gjøre til slave.
en'sue (*ju:*) *v* påfølge.
en'sure (*juə*) *v* sikre.
en'tail (*ei*) *s* stamgods; *v* testamentere, *fig* pådra.
en'tangle (æ) *v* floke.
'enter *v* tre inn (*i*), innføre, innskrive.
'enterpris|e *s* foretagende; **'~ ing** *a* foretaksom.
enter'tain (*ei*) *v* underholde, nære; **~ ment** *s* festlig tilstelning.
en'throne (*ou*) *v* sette på tronen.
en'thusi|asm (*ju:*) *s* begeistring; **~'astic** (æ) *a* begeistret.
en'tire (*ai*) *a* hel.
en'title (*ai*) *v* berettige.
'entrance *s* inngang, adgang, inntredelse.
en'trance (*a:*) *v* henrykke, bringe i trance.
en'treat (*i:*) *v* bønnfalle; **~ y** *s* bønn.
en'trenchment *s* forskansning.
en'trust (ʌ) *v* betro.
'entry *s* inngang; regnskapspost, notis.
en'twine (*ai*) *v* sammenflette.
e'numerate (*ju:*) *v* oppregne.
e'nunciate (ʌ) *v* utsi.
'envelope *s* konvolutt.
en'velop (e) *v* innhylle.
'envi|able *a* misunnelsesverdig; **'~ ous** *a* misunnelig.
en'viron (*ai*) *v* omgi; *s pl* omegn.
en'visage (*i*) *v* se i ansiktet.
'envoy *s* sendemann.
'envy *v* (*s*) misunne(lse).
e'phemeral (e) *a* flyktig.
'epic (e) *a* (*s*) episk (dikt).
epi'demic (e) *a* (*s*) epidemisk (sykdom).
'epilogue (e) *s* epilog.
e'piscopal *a* biskoppelig.
epistle (*isl*) *s* epistel, brev.
'epitaph (e) *s* gravskrift.
'epithet (e) *s* tilnavn, tilleggsord.
'epoch (*i:*) *s* epoke.
'equ|able (e) *a* jevn; **'~ al** (*i:*) *a* lik(elig), jevn, upartisk; *s* like(mann); *v* måle seg med; **~'ality** (*å*) *s* likhet; **~a'nimity** *s* sinnsro; **~'ation** *s* likning.
e'querry (e) *s* adjutant.
e'questrian (e) *a* rytter-; *s* rytter.
equi'librium (*i*) *s* likevekt.
'equinox (*i:*) *s ast* jevndøgn.
e'quip *v* utruste.
'equit|y (e) *s* rettferdighet; *jur* billighetsrett; **~'able** *a* rettferdig.
e'qui|valent (*i*) *a* likeverdig; **~ vocal** *a* tvetydig.
'era (*iə*) *s* tidsregning.
e'radiate (*ei*) *v* utstråle.
e'radicate (æ) *v* utrydde.
e'rase (*ei*) *v* utslette.
e'rect (e) *v* bygge, reise; *a* opprett.
'ermine (*ə:*) *s* hermelin.
ero|de (*ou*) *v* tære bort; **~ sion** *s*; **~ sive** *a*.
err (*ə:*) *v* synde, feile.
'errand (e) *s* ærend.
'err|ant (e) *a* vandrende (om ridder); **~'atic** (æ) *a* ustadig, eksentrisk; **~'oneous** (*ou*) *a* feilaktig; **'~ or** *s* feil.
eru'dition *s* lærdom.
e'ruption (ʌ) *s* utbrudd.
'escalator (e) *s* rullende trapp.
es'cape (*ei*) *v* unnslippe; *s* flukt, unnvikelse, brannstige.
'es|cort *s* eskorte, *am* kavaler; **~'cort** (*å:*) *v* eskortere.
es'chew (*istshu:*) *v* sky.
es'cutcheon (ʌ) *s* familievåpen.
es'pecially (e) *av* spesielt.
es'pouse (*au*) *v* ekte, bortgifte, slutte seg til.
'essay (e) *s* avhandling.
'ess|ence *s* vesen, kraft, essens; **~'ential** *a* vesentlig.

es'tablish (æ) *v* opprette, fastsette, etablere; **⌣ ment** *s* anlegg, institutt; **⌣ ed** *a* bestående.
es'tate (*ei*) *s* gods; stand; formue.
es'teem (*i:*) *v* (*s*) akte(lse).
'est|imate (e) *v* verdsette, akte; *s* overslag, mening; *pl* budsjett; **⌣i'mation** *s* ogs. mening, aktelse.
es'trange (*ei*) *v* gjøre fremmed, fjerne; **⌣ ment** *s* kjølig forhold.
'estuary (e) *s* flodmunning.
etch *v* radere.
e'tern|al (*ə:*) *a* evig; **⌣ ity** *s* evighet.
e'thereal (*iə*) *a* eterisk.
'ethic|s (e) *s* etikk; **'⌣ al** *a* etisk.
'eucharist (*ju:*) *s* nattverd.
'eulogy (*ju:*) *s* lovtale.
'Europ|e (*juə*) *s*; **⌣'ean** (*iə*) *s* (*a*) europeer(-isk).
e'vacuate (æ) *v* *mil* rømme; tømme.
e'vade (*ei*) *v* omgå.
e'valuate (æ) taksere.
e'vangelist (æ) *s* lekpredikant.
e'vaporate (æ) *v* fordampe, tørre.
e'vas|ion (*ei*) *s* om-(unn-)gåelse; **⌣ ive** *a* unnvikende.
eve (i:) *s* aften (før).
'even (*i:*) *a* jevn, like (om tall); *av* endog, nettopp; *v* jevne.
'evening (*i:*) *s* aften.
e'vent *s* begivenhet, resultat; **⌣ ual** *a* endelig; **⌣ u'ality** *s* mulighet.
'ever (e) *av* noensinne, alltid.
'every *pron* (en-)hver, alle; **'⌣ body, '⌣ one,** enhver, alle; **'⌣ thing** alt; **'⌣ where** *av* overalt.
e'vict (*i*) *v* *jur* kaste ut.
'eviden|ce (e) *s* bevis, vitnesbyrd; **⌣ t** *a* klar.
'evil (*i:*) *a* (*s*) ond(e).
e'vince *v* ytre, vise.
e'voke (*ou*) *v* fremmane.
e|vo'lution (*u:*) *s* utvikling; **⌣'volve** (*å*) *v* utvikle.
ewe (*ju:*) *s* sau (søye).
'ewer (*juə*) *s* krukke.
ex'act (*gzæ*) *a* nøyaktig; punktlig; *v* (inn)kreve; **⌣ ion** *s* krav, skattekrav; **⌣ itude** *s* nøyaktighet.
ex'aggerate (*gzæ*) *v* overdrive.
ex'alt (*gzå:*) *v* opphøye, rose.
ex'am (*gzæ*) *s* *fam* eksamen; **⌣ ine** *v* undersøke, eksaminere; **⌣ i'nation** *s* ogs. eksamen.
ex'ample (*gza:*) *s* eksempel.
ex'asperate (*gzæ*) *v* tirre, ergre.
'excavate *v* utgrave.
ex'ceed (*i:*) *v* overgå, -skride; **⌣ ingly** *av* svært.
ex'cel *v* overgå, utmerke seg; **'⌣ lence** *s* fortreffelighet; **'⌣ lent** *a* utmerket; **'⌣ lency** *s* eksellense.
ex'cept *prp* unntagen; *v* unnta; **⌣ ion** *s* is. unntagelse; **⌣ ional** *a* unntagelses-, ualminnelig.
ex'cess *s* overskridelse, *pl* utskeielser; **⌣ ive** *a* overvettes.
ex'change (*ei*) *v* (om)bytte, veksle(s); *s* bytte, kurs, børs (E.).
excit|e (*ai*) *v* anspore, hisse, stimulere, tenne; **⌣ ement** *s* spenning, opphisselse; **⌣ ing** *a* spennende.
ex|'claim (*ei*) *v* utbryte; **⌣ clamation** *s* utrop.
ex'clu|de (*u:*) *v* utelukke; **⌣ sion** *s*; **⌣ sive** *a* utelukkende, fraregnet **(e.-of).**
excom'municate (*ju:*) *v* bannlyse.
ex'crescence (es) *s* utvekst.
ex'cruciating (*u:*) *a* pinefull.
ex'curcion (*ə:*) *s* utflukt.
ex'cuse (*ju:*) *v* unnskylde, frita; unnskyldning, påskudd.

'execra|te *v* avsky, forbanne; **'˷ ble** *a* avskyelig.
'exe|cute *v* utføre, eksekvere, henrette; **˷'cution** *s*; **˷'cutioner** *s* skarpretter.
ex'ecutive (gze) *a* utøvende; *s* administrasjon; *am* embedsmann.
ex'emplary (gze) *a* eksemplarisk.
ex'empt (gze) *a* fritatt, immun; *v* frita.
'exercise (e) opp-(ut-)øvelse, mosjon, stil; *v* opp-(inn-)øve, bruke, beskjeftigede, mosjonere.
exert (*gzə:*) *v* bruke, øve; *vr* anstrenge seg; **˷ ion** *s* anstrengelse.
ex'hale (*ei*) *v* utdunste.
ex'haust (*gzå:*) *v* uttømme, utmatte.
ex'hi|bit (*gzi-*) *v* vise, utstille(s); *s* is. utstilt ting; **˷'bition** (*eks, i*) *s* utstilling.
ex'hilarate (*gzi*) *v* oppkvikke.
exhort (*gzås*) *v* formane, kvikke opp.
'exigency (e) *s* behov, krise.
'exile (e) *s* landsforvisning; *v* forvise.
ex'ist (*gzi*) *v* eksistere; **˷ ence** *s* tilværelse, eksistens.
'exit (e) *s* utgang, sortie.
ex'orbitant (*gzå:*) *a* ublu (om pris).
'exorcise (e) *v* besverge, mane bort.
ex|'pand (æ) *v* bre ut, utfolde seg; **˷'pansion** *s*; **˷'pansive** *a* ogs. vidstrakt, meddelsom.
ex'patiate (*eish*) *v* *fig* (ut)bre seg.
ex'patriate (æ) *v* forvise, *vr* forlate landet.
ex'pect *v* vente (seg); **˷ ant** *a* (av)ventende; **e. mother** *s* gravid kvinne; **˷'ation** *s* forventning, utsikt, håp.
ex'pedien|t (*i:*) *a* tjenlig, beleilig; *s* utvei; **˷ cy** *s* tjenlighet.
expe'di'|tion *s* ferd, raskhet; **˷ tious** *a* rask.
ex'pel *v* utdrive, utvise.
ex'pen|diture *s* utgifter; **˷ se** *s* utgift; **˷ sive** *a* dyr.
experience (*iə*) *s* erfaring, opplevelse; *v* erfare, oppleve; **˷ d** *a* erfaren.
ex'periment (e) *s* (*v*) forsøk(e).
'expert *s* fagmann; *a* kyndig.
'expiate *v* sone (for).
ex'pire (*ai*) *v* utånde, dø, utløpe.
ex|'plain (*ei*) *v* forklare; **˷ pla'nation** *s* forklaring.
ex'pletive (*i:*) *a* utfyllende.
ex'plicit (*i*) *a* uttrykkelig.
ex'plo|de (*ou*) *v* explodere; **˷ sion** *s*; **˷ sive** *s*, *a*.
'ex|ploit *s* bedrift, meritt; **˷'ploit** (*åi*) *v* utnytte.
ex'plore (*å:*) *v* utforske; **˷ r** *s* oppdagelsesreisende.
ex'ponent (*ou*) *s* bærer, representant.
'ex|port (e) *s* eksport; **˷'port** *v* eksportere; **˷ por'tation** *s*.
ex'pose (*ou*) *v* utsette, blotte.
ex'postulate (*å*) *v* gå i rette.
ex'posure (*ou*) *s* blottelse, avsløring, eksponering; utsatthet.
ex'pound (*au*) *v* fortolke.
ex'press *v* uttrykke; *a* uttrykkelig; *s* ekspress (-tog); **˷ ion** *s* uttrykk; **˷ ive** *a* uttrykksfull.
expropriate (*ou*) *v* ta, ekspropriere.
ex'pulsion (ʌ) *s* utvisning, fordrivelse.
'expurgate *v* (ut)rense.
'exquisite *a* utsøkt.
ex'tant (æ) *a* i behold, bevart.
ex'temporize *v* improvisere.
ex|'tend *v* utstrekke, bre seg; **˷'tension** *s*; **˷'tensive** *a* vidstrakt; **˷'tent** *s* omfang.

ex'tenuating (e) *a* formildende.
ex'terior (*iə*) *a s* ytre.
ex'terminate (*ə:*) *v* utrydde.
ex'tol (*ou*) *v* skryte av, (skam-) rose.
ex'tort (*å:*) *v* presse, avtvinge; ⁓ **ion** *s* ogs. utsugelse; ⁓ **ionate** *a* ublu, åger-.
'ex'tract *s* utdrag; ⁓'**tract** (æ) *v*; ⁓'**traction** *s* ogs. herkomst.
extra'ordinary (*trå:-*) *a* uvanlig.
ex'travagant (æ) *a* overdreven, flott, ødsel.
ex|'treme (*i:*) *a* ytterst; *s* yttergrense, ytterlighet; ⁓ '**tremity** (e) *s* ytterste grense.
'extricate *v* greie, vikle ut.
ex'uberant (*gzu:*) *a* yppig.
exult (*gzʌ-*) *v* triumfere, juble; ⁓'**ation** *s*.
eye (*ai*) *s* øye; *v* mønstre; '⁓**-brow** *s* ø.-bryn; '⁓**-lashes** *s* ø.-vipper; '⁓ **-lid** *s* ø.-lokk; '⁓ **socket** *s* ø.-hule.

F.

fable (*ei*) *s* fabel, skrøne; *v* skrøne.
'fabric (æ) *s* stoff; '⁓ **ate** *v* dikte, forfalske.
'fabulous (æ) *a* fabelaktig.
fac|e (*ei*) *s* ansikt, flate; *v* se i øynene, trosse; vende mot; '⁓ **ial** *a* ansikts-.
fa'cetious (*i:*) *a* spøkefull.
'fac|ile (æ) *a* lett, smidig, føyelig; ⁓'**ilitate** (*i*) *v* lette; ⁓ '**ility** *s* ferdighet, *pl* chanser.
'facing (*ei*) *s* belegg, foring.
fact (æ) *s* faktum; **in** ⁓ faktisk.
'faction (æ) *s* parti (-klikk).
fac'titious *a* kunstig.
'factory (æ) *s* fabrikk, faktori.
'faculty (æ) *s* evne; fakultet.
'factual *a* faktisk, virkelig.
fad (æ) *s* grille, mani; '⁓ **dist** *s* teoretiker; '⁓ **dy** *a* svermerisk, grillet.
fad|e (*ei*) *v* svinne, falme; '⁓ **ing** *s* lydsvekkelse.
fag (æ) *v* trelle; *s* slit; slave (om elev).
'faggot (æ) *s* bunt ved, kvister.
fail (*ei*) *v* slå feil, utebli; unnlate, svikte; mislykkes; gå konkurs; dumpe; '⁓ **ing** *s* brøst; '⁓ **ure** *s* konkurs, fiasko, forsømmelse.
faint (ei) *a* kraftløs; *v* besvime; '⁓ **ing** *s* besvimelse.
fair (*εə*) *a* vakker, blond; rettferdig; antakelig; *s* marked; '⁓ **ly** *av* nokså; '⁓ **ness** *s*.
'fairy (*εə*) *s* fe, hulder.
'fairway (*εə*) *s mar* led.
faith (*ei*) *s* tro, tillit; ⁓ **ful** *a* trofast, *rel* troende; '⁓ **less** *a* troløs.
fake (*up*) (*ei*) *v* jukse; *s* bløff, juks, oppstaset ting.
'falcon (*å(k)* *s* falk.
fall (*å:*) *s* fall *am* høst; *v* falle.
'fall|acy (æ) *s* feilslutning; ⁓ '**acious** (*ei*) *a* misvisende.
'fallow (æ) *a* brakk (om jord); gulblakk.
fals|e (*å:*) *a* falsk; '⁓**ehood** *s* løgn; '⁓ **ify** *v* forfalske.
'falter (*å:*) *v* vakle, famle etter ordene.
fame (*ei*) *s* ry(kte).
'fam|ily (æ) *s* familie; ⁓'**iliar** (*i*) *a* fortrolig, kjent; likefram.
'fam|ine (æ) *s* hungersnød; '⁓ **ish** *v* sulte (ut).
'famous (*ei*) *a* berømt.
fan (æ) *s* vifte, rensemaskin; *fam* ivrig beundrer; *v* rense, vifte, *fig* puste til, favorisere.
fa'natic (æ) *a* fanatisk; *s* fanatiker.
'fancier (æ) *s* kjenner, elsker (eks. **dog-f.).**
'fancy (æ) *s* fantasi, innfall, svermeri; *a* fantastisk; *v* inn-

bille seg, sverme for, opprette; '˷ **ball** *s* kostymeball; '˷ **ful** *a* fantasifull, lunet; uvirkelig.

fang (æ) *s* (hugg-)tann.

far (*a*:) *av* langt, fjernt; *a* fjern; '˷ **-fetched** *a* søkt.

fare (*εə*) *s* kjøretakst, passasjer; kost; *v* leve, ha det.

'**farewell** (*εə*) *s* farvel.

farm (*a*:) *s* bondegård; *v* forpakte, drive (gårdsbruk); bortsette; '˷ **er** *s* gårdbruker; '˷ '**yard** *s* tun.

'**farrier** (æ) *s* hovsmed, dyrlege.

'**farrow** *s* kull (av griser); *v* grise, yngle (om gr.).

'**farth|er** (*a*:) *a*, *av* fjernere, lenger; '˷ **est** fjernest, lengst.

'**farthing** (*a*:) *s* ¼ penny.

'**fascinate** (*æs*) *v* fortrylle.

'**fashion** (æ) *s* stil, snitt, mote, måte; *v* danne; '˷ **able** *a* fin, moderne.

fast (*a*:) *s*, *v* faste; *a* fast, varig, varig, rask, lettsindig; *av*; ˷ **en** (*sn*) *v* feste.

fas'tidious (*i*) *a* fin på det, kresen.

fat (æ) *a* fet; *s* fett.

'**fat|al** (*ei*) *a* skjebnesvanger; ˷ **e** *s* skjebne; '˷ **eful** *a* skjebnesvanger.

'**father** (*a*:) *s* far; '˷**-in-law** *s* svigerfar; '˷ **hood** *s* farskap.

'**fathom** (æ) *s* favn; *v* oppmåle; '˷ **less** *a* bunnløs.

fat'tigue (*i*:) *s* strabas; *mil* leirarbeid; *v* trette.

'**fatten** (æ) *v* gjø (seg).

'**fatuous** (æ) *a* hjernebløt, tom.

'**faucet** (*å*:) *s* tapp, kran.

fault (*å*:) *s* feil; '˷ **less** *a* feilfri; '˷ **y** *s* mangelfull.

'**favour** (*ei*) *s* gunst, tjeneste, *merk* skrivelse; sløyfe; *v* favorisere, være gunstig for; '˷ **able** *a* gunstig; '˷ **ite** *s* yndling; *a* yndlings-.

fawn (*å*:) *a* lysebrun; *s* dåkalv; *v* logre, smiske.

fear (*is*) *s* (*v*) frykt(e); '˷ **ful** *a* redd; fryktelig.

'**feasible** (*i*:) *a* gjørlig.

feast (*i*:) *s* fest, bankett; *v* feste, beverte.

feat (*i*:) *s* bedrift.

'**feather** (e) *s* fjær; *v* dekke med fjær, kle, skjene (årer), felle (fjær); '˷ **-brained** *a* tankeløs.

'**feature** (*i*:) *s* trekk; moment; *v* forestille, vise; '˷ **film** *s* hovedfilm.

'**February** februar.

fe'cundity (ʌ) *s* fruktbarhet.

'**feder|al** (e) *a* forbunds-; '˷ **ate** *v* forene (seg); ˷'**ation** *s* forbund.

fee (e:) *s* honorar, gebyr.

feeble (*i*:) *a* svak.

feed (*i*:) *v* mate, beite; spise; *s* fôr, beite.

feel (*i*:) *v* føle (seg), kjennes; *s* følesans; '˷ **er** *s* følehorn; '˷ **ing** *s* følelse; *a* følsom.

'**fee-'simple** *s* frigods, odelsgård.

feign (*ein*) *v* fingere.

feint (*ei*) *s* skinnangrep, påskudd, finte.

fe'licit|ate *v* lykkønske; ˷ **y** *s* lykksalighet.

fell *s* pels; *v* felle; falde (kant).

'**fellow** *s* felle, kamerat, medlem, stipendiat; fyr; ˷ **ship** *s* stipendium; fellesskap; kameratskap.

'**felony** (e) *s* forbrytelse.

felt *s* (*v*) filt(e).

'**female** (*i*() *a* hunn-, kvinnelig; *s* kvinne, hunn.

'**feminine** (e) *a* kvinnelig.

fen *s* myr.

fenc|e *s* fektning; gjerde; heler; *v* fekte; inngjerde; hele; ˷ **ing** *s* *fig* utflukter.

fend off *v* avverge.

'**fender** *s* fender, skjerm.

'**fer|ment** (*ə*:) *s* gjær; ˷'**ment** *v* gjære.

fern (*ə*:) *s* bregne.

fe'r|ocious (*ou*) *a* glupsk, vill; ⌣'**ocity** (*å*) *s*.
'**ferret** (e) *s zo* ilder; *v* snuse.
'**ferrule** (e) *s* doppsko, holk.
'**ferry** (e) *v* (*s*) ferje(sted).
'**fer|tile** (*ə*:) *a* fruktbar; ⌣ ⌣'**tility** *s*.
'**fer|vent** (*ə*:) *a* inderlig; '⌣ **vour** *s* inderlighet.
'**fester** *v* gi materie, gnage; ete om seg.
'**fes|tival** (e) *s* festlighet; '⌣ **tive** *a* festlig; ⌣'**toons** (*u*:) *s* girlander.
'**fetal, foetal** (*i*:) *a* foster-.
fetch *v* hente.
'**fetid** (e) *a* stinkende.
'**fetlock** *s* hovskjegg.
'**fetter** *v*, *s* lenke.
feud (*ju*:) *s* feide; len; ⌣ **al** *a* lens-; '⌣ **alism** *s* l. -vesen.
'**fever** (*i*:) *s* feber; '⌣ **ish** *a* feber-, febrilsk.
few (*ju*:) *a* få; **a** ⌣ noen (få).
fi'ancé(e) (*a*:, *-sei*), *s* mannlig (kvinnelig) forlovede.
fib *s* skrøne, nødløgn.
fibre (*ai*) *s* fiber.
fickle *a* vankelmodig.
'**fic|tion** *s* diktning, fantasi; ⌣'**titious** *a* oppdiktet; '⌣**tive** *a* oppdiktet.
fiddle *s* fele; *v* spille f.; fjase; '⌣ **sticks** *s* vrøvl.
fi'delity (e) *s* troskap.
'**fidget** *v* være rastløs, vimse; *s* vims; ⌣ **y** *a*.
fi'duciary (*ju*:) *s* tillitsmann.
field (*i*:) *s* mark, løkke, åker, felt; '⌣ **-glass** *s* kikkert; '⌣'**officer** *s* stabsoffiser.
fiend (i:) *s* djevel; '⌣ **ish** *a*.
'**fierce** (*iə*) *a* vill, heftig.
fife (*ai*) *s* fløyte.
fif|'teen (*i*() *num* femten; ⌣ **th** femte; '⌣ **ty** femti.
fig *s* fiken; *fam* døyt; *v* ⌣ **out** fiffe opp.
fight (*ai*) *s* kamp (-lyst); *v* kjempe, slåss.
'**figur|ative** (*i*) *a* figurlig; billedrik; ⌣ **e** *s* figur, form; *v* avbilde, (be)regne, forestille seg; figurere; '⌣**ehead** *s* gallionsfigur.
'**filament** (*i*) *s* fiber.
'**filbert** *s* hasselnøtt.
file (*ai*) *s* metalltråd; rode, rekke, kartotek; fil; *v* gå én og én, sette på plass; file.
'**filial** (*i*) *a* sønnlig, datterlig.
'**filigree** *s* filigran.
fill *v* fylle(-s), plombere; *s* mette.
'**fillet** *s* mørbrad, filét; bånd; *v* filere.
'**filling** *s* plombe.
'**fillip** *s* (*v*) knips(e).
'**filly** *s* hoppeføll.
film *s* film, *v* filme.
'**filter** *s* filter; *v* filtrere, sive.
filth *s* lort, griseri; ⌣ **y** *a* skitten.
fin *s* finne.
'**final** (*ai*) *a* endelig.
fi'nanc|e (æ) *s* finans; *v* finansiere; ⌣ **ial** *a* finansiell; ⌣ **ier** *s* finansmann.
finch *s zo* fink.
find (*ai*) *v* finne, skaffe, *jur* kjenne; *vr* befinne seg; *s* funn; ⌣ **ing**; *s* funn; *jur* kjennelse.
fine *s* (*v*) mulkt(ere); *a* fin, staut, pen; '⌣ **ry** *s* stas.
'**finger** *s* finger; *v* fingre ved; ⌣ **ing** *s mus* fingersetning.
'**finish** (*i*) *v* avslutte; *s* innspurt, siste hånd.
'**Finnish** *a* finsk.
fir (*ə*:) *s* bartre, furu, gran.
fire (*ai*) *s* ild(ebrann); bål, kaminild; *v* tenne, fyre, ildne; *fam* gi sparken; '⌣ **man** *s* brannkonstabel; '⌣ **place** *s* ildsted, kamin; '⌣ **work** *s* fyrverkeri.
firm (*ə*:) *s* firma; *a* fast.
first (*ə*:) *a*, *av* først; '⌣ **ly** *av* for det første; '⌣ **-'rate** *a* førsterangs.
firth (*ə*:) *s* fjord.

fish *s* (*v*) fisk(e); **'⌣ erman** *s* fisker; **'⌣ monger** *s* fiskehandler.
'fissure (*ish*) *s* spalte.
fist *s* neve.
fit *s* anfall, rykk; *a* skikket, passende, i god form; *v* gjøre skikket, utstyre, innrede, passe, sitte (klær); **'⌣ tings** *s* apparater; **'⌣ ful** *a* ustadig.
five (*ai*) *num* fem.
fix *v* feste; oppslå (bolig); fastsette; *sl* hjelpe, ordne, greie; *s* klemme, knipe; **'⌣ edly** (-id-) *av* stivt; **'⌣ tures** *s* inventar.
fizz *v* bruse, visle.
'flabby (æ) *a* slapp.
'flaccid (*æks*) *a* slapp, vissen.
flag (æ) *s* *bot* iris; steinhelle; flagg; *v* legge heller på; henge slapt, dø hen.
'flagrant (*ei*) *a* åpenbar, skjendig.
flake (*ei*) *s* fnugg; skive, hjell.
flame (*ei*) *s v* flamme.
flange (*ændzh*) *s* flens, kant.
flank (æ) *s* (*v*) flanke(re).
'flannel (æ) *s* flanell.
flap (æ) *s* dask, klaff, lapp; *v* daske, flakse; **'⌣ per** *s* fluesmekke; *sl* ung pike.
flare (*εə*) *v* lue, blusse; *s* lysskjær, bluss.
flash (æ) *v* lyne, glimte; *s* blink; *a* gloret uekte fin; **'⌣ y** *a ib.*
flask (*a:*) *s* reiseflaske.
flat (æ) *a* flat, ensformig, likefram, *mus* moll; *s* flate, lavland; grunne; leilighet; **'⌣fish** *s* flyndre; **'⌣ iron** *s* strykejern; **⌣ ten** *v* gjøre, bli flat.
'flatter (æ) *s* smigre, flattere; **⌣ y** *s* smiger.
flaunt (*å:*) *v* prale (med).
flavour (*ei*) *s* aroma, smak; *v* gi a.; krydre.
flaw (*å:*) *s* revne; feil; *v* skade, knekke; **'⌣ less** *a* feilfri.
flax (æ) *s* lin; **⌣ en** *a* blekgul.
flay (*ei*)*v* flå.
flea (*i:*) *s* loppe.
fleck *s* (*v*) flekk(e).
fledg|ed *a* flygedyktig; **'⌣ling** *s* nybegynner.
flee (*i:*) *v* flykte, fly.
fleec|e (*i:*) *s* saueskinn, ull; *fig* flå; **⌣ y** *a* ullen.
fleer (*iə*) *s* (*v*) kaldflir(e).
fleet (*i:*) *s* flåte; *v* ile; *a* rask.
'Flemish (e), *a* flamsk.
flench *v* flense.
flesh *s* kjøtt; muskler.
'flex|ible *a* bøyelig, føyelig; **'⌣ ion** *s* bøyning.
flick *s* (*v*) snert(e), knert(e).
'flicker *v* blafre.
flight (*ai*) *s* flukt; sverm, rekke; **⌣ lieutenant** *s* kaptein i flyvåpnet; *a* **'⌣y** upålitelig.
flimsy (-z-) *a* usolid.
flinch *v* vike, vakle.
fling *v* slenge, kaste; **⌣ up** *fig* oppgi.
flint *s* flint.
flip *s* snert, knips; eggetoddi; *v* knipse.
'flippan|cy *s* flåsethet; **'⌣ta.**
flirt (*ə:*) *v* slenge; flørte; *s* sleng; kokette, kurtisør; **⌣ 'ation** *s* flørt.
flit *v* flagre; **'⌣ ter** *v ib.*
float (*ou*) *v* (la) flyte, sveve, vaie; *merk* starte; *s* flottør, flåte.
flock (*å*) *s* ulldott; flokk; *v* flokkes.
floe (*ou*) *s* isflak.
flog (*å*) *v* piske, banke.
flood (ʌ) *s* flo; flom; *v* oversvømme; **'⌣ -gate** *s* sluseport; **'⌣ -light** *s* flomlys; **'⌣ tide** *s* flo.
floor (*å:*) *s* golv, etasje; *v* slå i golvet, forvirre.
flop (*å*) *v* plumpe.
'florid (*å*) *a fig* blomstrende, grell.
'florin (*å*) *s* gylden, 2 sh.
'florist (*å*) *s* blomsterdyrker, -handler.
'flossy (*å*) *a* flosset.

flounce (*au*) *s* kappe (på skjørt); *v* kaste seg, kave.
flounder (au) *s* flyndre; *v* kave, sprelle.
flour (*auə*) *s* (fint) hvetemel, pulver; *v* mele.
ˈ**flourish** (ʌ) *v* blomstre, trives; utbrodere, snirkle, svinge; *s* snirkel, sving; fanfare.
flout (*au*) *v* spotte.
flow (*ou*) *v* flyte; *s* flo, strøm; overflod.
ˈ**flower** (*au*) s (*v*) blomst(re).
flu (*u:*) *s fam* influensa.
ˈ**fluctuate** (ʌ) *v* vakle.
flue (*u:*) *s* skorsteinspipe *fam* influensa.
ˈ**fluen**|**t** (*u:*) *a* flytende, lett (om tale); ˈ⌣**cy** *s* is, letthet (i tale).
fluff (ʌ) *s* lo, dun.
ˈ**fluid** (*u:*) *s* fluidum, væske; *a* flytende.
ˈ**flunkey** (ʌ) *s* lakei; kryper.
ˈ**flur**|**ry** (ʌ) *s* vindstøt; befippelse; ˈ⌣ **ried** *a* forfjamset, oppkavet.
flush (ʌ) *v* strømme; rødme; spyle; *s* strøm, sprøyt; rødme; begeistring; *a* rikelig, overflødig; i flukt.
ˈ**flustered** (ʌ) *a* oppkavet.
flute (*u:*) *s* fløyte; fure.
ˈ**flutter** (ʌ) *v* blafre, flagre, vimse, vakle, gjøre oppskaket; *s* uro.
fly (*ai*) *s* flue; drosje *v* flykte, fly(ge).
foal (*ou*) *s* (*v*) føll(e).
foam (*ou*) *s* (*v*) skum(me).
ˈ**focus** (*ou*) *s* brennpunkt.
ˈ**fodder** (*å*) *s* fôr.
foe (*ou*) *s* fiende.
ˈ**foetus** (*i:*) *s* foster.
fog (*å*) *s* tåke.
ˈ**fog**|**(e)y** (*ou*) *s* stabeis.
foible *s fig* svakhet.
foil *s* folie; florett; *v* krysse (plan), narre.
foist on *v* prakke på.
fold (*ou*) *s* kve; fold; *v* folde; ˈ⌣ **ers** *s* lorgnett.
ˈ**foliage** (*ou*) *s* løv(-verk).
folk (*-ouk*) *s koll* folk.
ˈ**follow** (*å*) *v* følge etter, forstå; ˈ⌣ **er** *s* tilhenger; *fam* fast følge; ⌣ **ing** *s* tilhengere.
ˈ**folly** (*å*) *s* dårskap.
foˈ**ment** *v* is *fig* oppelske, nære.
fond (*å*) *a* øm; glad (i — **of**).
fondle (*å*) *v* kjæle (for).
font (*å*) *s* døpefont.
food (*u:*) *s* mat
fool (*u:*) *s* kompott; tosk; *v* narre; fjase; ˈ⌣ **hardy** *a* dumdristig; ⌣ **ish** *a* dum; ˈ⌣ **scap** *s* is. skrivepapir; ˈ⌣ **ery** *s* narrestreker.
foot (*u*), fot (-folk); 30,48 cm; ˈ⌣ **hold** *s* fotfeste; ˈ⌣ **ing** *s fig* fotfeste; ˈ⌣ **lights** *s* rampe; ˈ⌣ **man** *s* lakei; ˈ⌣ **pad**, *s* røver.
fop *s* laps.
for *k* for, ti; *prp* for.
ˈ**forage** (*å*) *s* fôr; *v* furasjere.
ˈ**foray** (*å*) *s* streiftog.
forˈ**bear** (*εə*) *v* unnlate, dy seg; ⌣ **ance** *s* overbærenhet.
ˈ**forbears** (*å:*) *s* aner.
forˈ**bid** *v* forby; ⌣ **ding,** *a* frastøtende.
forc|**e** (*å:*) *s* kraft, makt, tvang *pl* tropper; *v* tvinge, forsere; ⌣ **ful**, *a* kraftig; ˈ⌣ **eps** *s* tang; ˈ⌣ **ible** *a* kraftig; ˈ⌣ **ibly,** *av* med makt.
ford (*å:*) *s* vadested.
fore (*å:*) *prep* for-, fore-; ⌣ ˈ**bode** (*ou*) *v* varsle; ⌣ˈ**boding** *s* varsel; ˈ⌣ **cast** *s* værvarsling.
ˈ**forecastle** (*fouksl*) *s mar* ruff.
ˈ**forehead** (*fårid*) *s* panne.
ˈ**foreign** (*fårin*) *a* utenlandsk; ˈ⌣ **er** *s* utlending.
ˈ**foremost** (e:) *a* forrest, først.
fore|ˈ**shadow** (æ) *v* varsle; ⌣ˈ**stall** (*å*) *v* komme i forkjøpet.
ˈ**forest** (*å*) *s* skog; ˈ⌣ **ry** *s* forstvesen.

ˈ**foreword** (*å:*) *s* forord.
ˈ**forfeit** (*å:*) *a* forbrutt; *s* mulkt, bot, *pl* pantelek; *v* forspille, bøte; ˈ~ **ure** *s* forskjertsing.
forge (*a:*) *s* smie, esse; *v* smi; skrive falsk; ˈ~ **ry** *s* dokumentfalsk.
forˈ**get** *v* glemme; ~ **ful** *a* glemsom; ~ **-me-not** *s bot* forglemmegei.
forˈ**give** *v* tilgi.
forˈ**go** (*ou*) *v* renonsere på.
fork (*å:*) *s* gaffel, grep.
forˈ**lorn** (*å*) *a* forlatt, hjelpeløs.
form (*å:*) *s* form(el), blankett; skolebenk, klasse; kondisjon; *v* danne, utgjøre; ˈ~ **al** *a* formell; ~ˈ**ation** *s* dannelse, bygning; ~ **ation flying** *s* formasjonsflyvning.
ˈ**former** (*å:*) *a* tidligere, fordums.
ˈ**formidable** (*å:*) farlig, alvorlig.
ˈ**formul|a** (*å:*) *s* formel; ˈ~ **ate** *v* formulere.
ˈ**fornicate** (*å:*) *v* drive utukt.
forˈ**sake** (*ei*) *v* svikte.
forˈ**sooth** (*u:*) *av* uten tvil.
forˈ**swear** (*εə*) *v* forsverge, *vr* sverge falsk.
forte (*a:t*) *s* forse, sterk side
forth (*å:*) *av* fram, frem(ad); ~ˈ**coming** *a* nær forestående
ˈ**fort|ify** (*å:*) *v* befeste; ˈ~ **itude** *s* sjelsstyrke
ˈ**fortnight** (*å:*) *s* to uker.
fortress (*å:*) *s* festning
forˈ**tuitous** (*ju:*) *a* tilfeldig.
ˈ**fortun|e** (*å:*) *s* skjebne, lykke; formue; ˈ~ **ate** *a* heldig.
ˈ**forty** (*å:*) *num* førti.
forward (*å:*) *av* fremad, forut; *a* forrest, tjenstvillig; frekk, nesevis; *v* fremme *merk* sende.
ˈ**foster** (*å*) *v* oppelske.
foul (*au*) *a* bedervet, uren, uærlig; skitten; *v* tilsøle, kjøre på; *s sp* brudd (på regel).
found (*au*) *v* grunne, stifte; smelte; ~ˈ**ation** *s* stiftelse; fundament; ~ **er** *s* grunnlegger, stifter.
ˈ**founder** (*au*) *v* synke, styrte sammen.
ˈ**foundling** (*au*) *s* hittebarn.
ˈ**foundry** (*au*) *s* støperi.
fount (*au*) *s poet* kilde; ˈ~ **ain** *s* kilde, fontene; ˈ~ **ain-pen** *s* fyllepenn.
four (*å:*) *num* fire; ~ˈ**teen** (*i:*) fjorten; ~ **th,** fjerde; *s* fjerdemann (i spill); ~ **-engined** *a* fire-motors (fly).
fowl (*au*) *s* høns, fjærfe.
fox (*å*) *s* rev.
ˈ**fraction** (*æ*) *s* brøk(-del).
ˈ**fractious** (*æ*) *a* stri, amper.
ˈ**fracture** (*æ*) *s* brudd; *v* brekke.
ˈ**fragile** (*ædch*) *a* skjør.
ˈ**fragment** (*æ*) *s* bruddstykke.
ˈ**fragrance** (*ei*) *s* duft.
frail (*ei*) *a* skjør.
frame (*ei*) *s* ramme, form, tilstand; legeme; *v* forme, planlegge, innramme.
France (*a:*) Frankrike.
ˈ**franchise** (*æ*) *s* stemmerett.
frank (*æ*) *a* åpen.
ˈ**frantic** (*æ*) *a* avsindig.
fraˈ**t|ernal** (*ə:*) *a* bror-; broderlig; ~ˈ**ernity** *s* brorskap, laug.
ˈ**frat|ernize** (*æ*) *v* fraternisere; ˈ~ **ricide** *s* brodermord.
fraud (*å:*) *s* bedra(-eri); ˈ~**ulent** *a* falsk.
fraught (*å:*) *a fig* svanger, fylt.
fray (*ei*) *s* kamp; *v* tynnslite, flosse.
freak (*i:*) *s* påfunn.
freckle *s, v* fregne.
free (*i:*) *a* fri, gavmild, gratis; *v* befri, frigi; ˈ~ **dom** *s* frihet, rettighet; ˈ~ -ˈ**handed** *a* gavmild; ~ **holder** *s* selveier; ~ **man** *s* (æres-)borger; ~ **mason** *s* frimurer.
freez|e (*i:*) *v* (for)fryse; ˈ~ **ing** *a* isnende.

freight (*ei*) *s* (*v*) frakt(e).
French *a* fransk; '⌣ **beans** snittebønner; ¹⌣ **man,** '⌣ **woman** *s*.
'**frenzy** *s* vanvidd.
'**fre|quence** (*i:*) *s* hyppighet; '⌣ **quent** *a*; ⌣'**quent** *v* besøke ofte.
fresh *a* frisk, fersk; uerfaren; '⌣ **en** *v* friske på; '⌣ **man** *s* nybakt student.
fret *v* gni, slite på, ergre (seg); sutre; ⌣ **ful** *a* pirrelig.
'**fretwork** *s* løvsagarbeid.
'**friar** (*ai*) *s* munk.
'**friction** *s* gnidning.
'**Friday** (*ai*), fredag.
friend (e) *s* venn(-inne); '⌣ **ly** *a* vennskapelig; '⌣ **ship** *s* vennskap.
frieze (*i:*) *s* frise; vadmel.
'**frigate** (*i*) *s* fregatt.
fright (*ai*) *s* skrekk; '⌣ **en** *v* skremme; '⌣**ful** *a* skrekkelig.
'**frigid** (*idzh*), *a fig* kald, frigid.
frill *s* strimmel, blonde.
fringe (*indzh*) *s* frynse.
'**frippery** *s* stas, skrap.
frisk *s* (*v*) hopp(e).
'**fritter away** *v* klatte bort.
'**frivolous** (*i*) *a* intetsigende, overfladisk, frivol.
frizz *v* sprute, kruse; ⌣ **le** *v* brase, steke, krølle.
fro (*ou*), **to and** ⌣ fram og tilbake.
frock (*å*) *s* kjole, kutte, kittel; '⌣ **coat** *s* bonjour.
frog (*å*) *s* frosk; kvast (på uniform).
'**frolic** (*å*) *s* lystighet, spillopper; fig strek.
from *prp* fra, av.
front (ʌ) *s* front, forside; skjortebryst; **in** ⌣ **of** foran; '⌣'**door** *s* gatedør.
'**frontier** (ʌ) *s* grense.
'**frontispiece** (ʌ) *s* tittelbilde.
frost (*å*) *s* rimfrost; '⌣ **bite** *s* forfrysning; ⌣ **y** *a* frossen, rimet.
froth (*å*) *s* (*v*) skum(me).
frown (*au*) *v* rynke pannen; *s* morsk mine.
'**frugal** (*u:*) *a* nøysom.
fruit (*u:*) *s* frukt; '⌣ **ful** *a* fruktbringende; '⌣ **less** *a* fruktesløs.
'**frumpy** (ʌ) *a* gammeldags, hurpete.
frus'tra|te (*ei*) *v* forpurre, skuffe; ⌣ **tion** *s* ogs. kommen til kort, nederlag.
fry (*ai*), steke; *s* fiskeyngel.
fuddle (ʌ) *v* pimpe; '⌣ **d** *a* omtåket.
fudge (ʌ) *s* tøv; *v* dikte opp.
'**fuel** (*juə*) *s* brensel.
'**fugitive** (*ju:*) *a* flyktig; *s* flyktning.
ful'fil (*i*) *v* oppfylle.
full (*u*) *a* full, rik, fyldig; *v* stampe (tøy); '⌣ -'**blown** *a* utsprungen; '⌣ '**stop** *s* punktum.
'**fulminate** (ʌ) *v* lyne, tordne.
'**fulsome** (*u*) *a* vammel.
fumble (ʌ) *v* famle (ved).
fum|e (*ju:*) *s* dunst; *v* dunste, fnyse; '⌣ **igate** *v* røke (mot smitte).
fun (ʌ) *s* moro.
function (ʌ) *s* funksjon; seremoni *am* fint selskap; '⌣ **ary** *s* funksjonær.
fund (ʌ) *s* fond, *pl* penger, statsobligasjoner; *v* fundere (gjeld); ⌣**a'mental** (e) *a* grunn-, vesentlig.
'**funeral** (*ju:*) *s* begravelse.
funk (ʌ) *v* være feig; '⌣ **y** *a* feig, redd.
'**funnel** (ʌ) *s* trakt, skorstein.
'**funny** (ʌ) *a* pussig, rar.
fur (*ə:*) *s* pels(-verk); *v* fore.
'**furbish** (*ə:*) *v* polere, pusse opp.
'**furious** (*juə*) *a* rasende.
furl (*ə:*) *v* beslå (seil), rulle opp.
'**furlong** (*ə:*) *s* ⅛ engelsk mil.
'**furlough** (*ə:*) *s* orlov.
'**furnace** (*ə:*) *s* smelteovn.

'fur|nish (ə:) *v* forsyne, møblere; **'~ niture** *s* bohave, møbler.
'furrier (ʌ) *s* pelsvarehandler.
'furrow (ʌ) *s* fure.
furth|er (ə:) *a*, *av* fjernere, videre; *v* fremme; **~ erance** *s* fremme; **~ ermore** *av* dessuten; **~ est** fjernest, lengst.
'furtive (ə:) *a* hemmelig, stjålen, underfundig.
'fury (*juə*) *s* raseri; furie.
fus|e (*ju:*) *s* brannrør; *v* smelte (sammen); **'~ elage** *s* flykropp; **'~ ion** *s* sammensmeltning.
fuss (ʌ) *s* oppstyr, vesen; *v* mase, vimse; **'~ y** *a* oppskjørtet, vimset.
'fusty (ʌ) *a* muggen.
'futile (*ju:*) *a* unyttig, tom.
'future (*ju:*) *s* (*a*) framtid(-ig).
fuzz (ʌ) *s* floke, tufs (av hår, tråd); **'~ y** *a* floket, tufset, «pussa».

G.

gabble (æ) **off** *v* ramse opp.
gable (*ei*) *s* gavl.
gad (æ) *s* farte om, drive.
'gadfly (æ) *s*, *zo* brems, klegg.
'gadget (æ) *s* greie, nyttig ting.
gaff (æ) *s* klepp, geir.
gag (æ) *s* knebel; *v* kneble.
gage (*ei*) *s* pant.
'gaiety (*ei*) *s* lystighet.
gain (*ei*) *v* vinne, nå, gå for fort (ur); *s* vinning, *pl* profitt; **'~ ly** *a* tekkelig.
gait (*ei*) *s* gang (-måte).
'gaiter (*ei*) *s* gamasje.
gale (*ei*) *s* storm, kuling.
gall (*å:*) *s* galleple; gnag(-sår); galle; *v* gnage, plage, krenke.
gal|lant (æ) *a* tapper; galant; *s* kavaler; **'~ lantry** *s* tapperhet; galanteri.
'gallery (æ) *s* galleri *teat* amfi.
'galley (æ) *s* galei, *mar* bysse.
galli'vant (æ) *v* farte om, fjase.
'gallon (æ) *s* 4,54 l., *am* 3,78 l.
'gallop (æ) *s* (*v*) galopp(ere).
'gallows (æ) *s* galge.
gamble (æ) *v* spille hasard.
'gambol (æ) *v* hoppe, sprette; *s* hopp, sprett.
game (*ei*) *s* spill, leik; vilt; *a* kjekk, energisk; **'~-keeper** *s* jaktoppsynsmann.
gammon (æ) *s* røkeskinke; juks, tøv; *v* røke.
'gamut (æ) *s* skala.
'gander (æ) *s* *zo* gasse.
gang (æ) *s* lag, hold; bande; **'~ ster** *s* *am* banditt; **'~ way** *s* landgangsbro.
'gangrene (æ) *s* koldbrann.
gaol (*dzheil*) *s* fengsel.
gap (æ) *s* åpning, hull.
gape (*ei*) *v* gape, gjespe; glo.
'garage (æ) *s* garasje.
garb (*a:*) *s* drakt.
garbage (*a:*) *s* kjøkkenavfall.
garden (*a:*) *s* hage; **~ er** *s* gartner; **'~ ing** *s* h.-stell.
gargle (*a:*) *v* gurgle; *s* g.-vann.
'garish (*ɛə*) *a* grell.
'garland (*a:*) *s* krans.
'garlic (*a:*) *s* hvitløk.
'garment (*a:*) *s* plagg, *pl* klær.
'garner (*a:*) *s* kornmagasin; *v* lagre.
'garnish (*a:*) *v* garnere, pynte.
'garret (æ) *s* kvistværelse.
'garrison (æ) *s* (*v*) garnison(-ere).
'garrulous (æ) *a* snakksom.
'garter (*a:*) *s* strømpebånd, sokkeholder.
gas (æ) *s* gass, *am* bensin.
gash (æ) *s* gapende sår.
'gasoline (æ) *s* *am* bensin.
gasp (*a:*) *s* (*v*) gisp(e).
'gastric (æ) *a* mage-.
gate (*ei*) *s* port, grind.
'gather (æ) *v* samle(s), sanke; skjønne; **'~ ing** *s* svulst; forsamling.
'gaudy (*å:*) *a* juglet.
gauge (*geidzh*) *s* (*v*) mål(e).

gaunt (*å:*) *a* uttæret.
'**gauntlet** (*å:*) *s* stridshanske; spissrot.
gauze (*å:*) *s* gas(-bind).
'**gawky** (*å:*) *a* klosset.
gay (*ei*) *a* munter; lys.
gaze (*ei*) *v* (*s*) stirre(n).
gear (*giə*) *s* redskap, greier; gir, utveksling; *v*.
geld (*g*) *v* kastrere: '⌣ **ing** *s* vallak.
gem (*dzh*) *s* edelstein.
'**gender** (*dzh*) *s gr* kjønn.
'**gen|eral** (*dzh*) *a* alminnelig, general-; *s* general; ⌣ **eral As'sembly** FN's hovedforsamling; ⌣ **e'rality** (*æ*) *s* alminnelighet; '⌣ **eralize** *v* generalisere.
'**generate** (*dzhe*) *v* frembringe, volde.
'**gener|ous** (*dzhe*) *a* edelmodig, gavmild; ⌣'**osity** (*a*) *s*.
Ge'neva (*dzh*, *i:*) Genf.
'**geni|al** (*dzhi:*) *a* mild, jovial, elskverdig; ⌣ **ality** (*æ*) *s*.
'**genitals** (*dzhe*) *s* kjønnsdeler.
'**genius** (*dzhi:*) *s* begavelse, geni; genius.
gen'teel (*dzh*, *i:*) *a* is. jålet, «fin».
gent|le (*dzh*) *a* blid; nennsom, mild, sakte; '⌣ **lefolk(s)** *s* fine folk; ⌣ **leman** *s* (fin) herre; mann av ære; dannet, ridderlig mann; ⌣ **ly** *av* ogs. lempelig, rolig; '⌣ **ry** *s* lavadel; bedre folk.
'**genuine** (*dzhe*) *a* ekte
'**genus** (*dzhi:*) *s* slekt.
germ (*dzhə:*) *s* spire.
'**german** (*dzhə:*); **cousin** ⌣ **s** søskenbarn.
'**Germ|an** *dzhə:*) *a* (*s*) tysk(er); **G** ⌣ '**anic** (*æ*), '*a* germansk; '**G** ⌣ **any** *s* Tyskland.
'**germinate** (*dzhə:*) *v* spire, skyte.
ges'tation (*dzh*) *s* svangerskap.
'**gest|ure** (*dzh*) *s* gestus, fakte; ⌣' **iculate** *v* gestikulere.

get (*g*) *v* få; komme; bli.
ghastly (*ga:*) *a* fæl, dødbleik.
'**gherkin** (*gə:*) (sylte-)agurk.
ghost (*gou*) *s* spøkelse.
'**giant** (*dzhai*) *s* jette.
'**gibber** (*dzh*) *v* snakke utydelig; '⌣**ish** (*g*) *a* meningsløs; *s* kråkemål.
'**gibbet** (*dzh*) *s* galge.
gibe (*dzhaib*) *s* (*v*) spott(e).
'**giddy** (*g*) *a* svimmel, svimlende, lettsindig.
gift (*g*) *s* gave, *pl* evner.
gig (*g*) *s* gigg.
gi'gantic (*dzhaig-*) *a* svær.
giggle (*g*) *v* fnise.
gild (*g*) *v* forgylle.
gill (*g*) *s* gjelle; '⌣ **iflower** *s* gyllenlakk.
gilt (*g*) *a* forgylt; '⌣ **-edged** *a* prima.
'**gimcrack** (*dzh*) *s* juks.
gin (*dzh*) *s* sjenever, gin; snare.
'**ginger** (*dzh*, *dzh*) *s* ingefær; '⌣ **bread** *s* honningkake.
'**gingerly** (*dzh*, *dzh*) *a* varsom.
'**gipsy** (*dzh*) *s* sigøyner.
gird (*gə:*) *v* omgjorde; ⌣ **le** *s* belte, gjord; *v* = **gird.**
girl (*gə:*) *s* (ung) pike; '⌣ **ish** *a* p.-aktig; '⌣'**guide** *s* p.-speider.
girth (*gə:*) *s* salgjord.
gist (*dzh*) *s fig* kjerne.
give (*g*) *v* gi; ⌣ **n to,** henfallen til.
'**glac|ial** (*ei*) *a* is-; '⌣ **ier** (*æ*) *s* isbre.
glad (*æ*) *a* glad; ⌣ **den** *v* glede.
glade (*ei*) *s* lysning.
'**glamour** (*æ*) *s* romantikk, skjønnhet (ofte falsk).
glance (*a:*) *s* blikk, blink; *v* se, blinke; prelle.
gland (*æ*) *s* kjertel.
glar|e (*εə*) *v* glo, skinne; *s* skarpt lys;' ⌣ **ing** *a* grell, skjærende.
glass (*a:*) *s* glass.
glaz|e (*ei*) *v* sette glass i, gi glassur; '⌣ **ier** *s* glassmester.

gleam (*i:*) *s* lysskjær, streif; *v* glimte.
glean (*i:*) *v* sanke.
glee (*i:*) fierstemmig sang; skadefro glede.
glen *s* trang dal.
glib *a* tungerapp.
glide (*ai*) *v* gli; *s* glidelyd; ⌣ **r** *s* glidefly.
glimmer *v* flimre.
glimpse (-ms) *s* (*v*) skimt(e).
glint *s* (*v*) glimt(e).
ˈ**glisten** (*-sn*) *v* glitre.
ˈ**glitter** *v* funkle.
gloat (*ou*) *v* gotte seg.
glob|e (*ou*) *s* klode; kule; ˈ⌣ **al** *a* verdensomspennende.
gloom (*u:*) *s* mørke, tungsinn; ˈ⌣ **y** *a* dyster.
ˈ**glor|ify** (*å:*) *v* forherlige; ˈ⌣ **ious** *a* herlig; ˈ⌣ **y** *s* ære, pris, glans, glorie; *v* rose seg (av-**in**).
gloss (*å*) *s* glans; ˈ⌣ **y** *a* blank.
glove (ʌ) *s* hanske; ˈ⌣ **r** *s* hanskemaker.
glow (*ou*) *s* (*v*) glød(e).
ˈ**glower** (*au*) *v* skule olmt.
glue (*u:*) *s* (*v*) lim(e).
glum (ʌ) *a* mutt, trist.
glut (ʌ) *v* mette, overfylle; ˈ⌣ **ton** *a* grådig; *s* fråtser; ˈ⌣ **tonous** *a*; ⌣ **tony** *s*.
ˈ**gnarled** (*na:*) *a* knudret.
gnash (*næ*) *v* skjære (tenner).
gnat (*næ*) *s* mygg.
gnaw (*nå:*) *v* gnage.
gnome (*nou*) *s* dverg, nisse.
go (*ou*) *v* gå, reise, strekke til.
goad (*ou*) *v* egge, drive.
goal (*ou*) *s* mål.
goat (*ou*) *s zo* geit.
gobble (*å*) *v* kjøre i seg.
ˈ**go|-between** *s* mellommann; ˈ⌣ -ˈ**getter** *s am* streber.
goblet (*å*) *s* beger, glass.
goblin (*å*) *s* nisse.
god|(dess) (*å*) *s* gud(-inne) ˈ⌣ **send** *s* uventet lykke; ˈ⌣ **ly** *a* from.
goggle (å) *v* stirre oppspilt; ⌣ **s** *s* is. støvbriller.
going (*ou*) *s* avreise, vei; føre; tirring.
goitre (*åi*) *s* struma.
gold (*ou*) *s* gull; ⌣ **en** *a*.
gong (*å*) *s* gongong.
gone (*å*) *a* vekk, borte, død, (se **go**).
good (*u*) *a* god, snill, flink; *s* gode, beste; ˈ⌣ -ˈ**bye** *s* farvel; ˈ⌣ -ˈ**looking** *a* pen; ˈ⌣ **ly** *a* pen, anselig; ˈ⌣ -ˈ**natured** *a* snill; ˈ⌣ **will** *a* velvilje, *merk* kundekrets (opparb.).
goose (*u:s*) *s* gås; ˈ⌣ **berry** (*uz*) *s* stikkelsbær.
gore (*å:*) *s* levret blod; kile.
gorge (*å:*) *s* strupe; juv; *v* fråtse, sluke.
gorgeous (*å:ðzh*) *a* praktfull.
ˈ**gormandize** (*å:*) *v* fråtse.
gorse (*å:*) *s bot* tornblad.
ˈ**gory** (*å:*) *a* blodig.
gosh (*å*) *int* **by** ⌣ jøss!, søren!
ˈ**gosling** (*å*) *s* gåsunge.
ˈ**gossamer** (*å*) *s* fint spinn.
ˈ**gossip** (*å*) *s* sladder (-kjerring), passiar; *v* prate, sladre.
gout (*au*) *s* gikt.
ˈ**govern** (ʌ) *v* regjere; ˈ⌣ **ess** *s* guvernante; ˈ⌣ **ment** *s* regjering; ˈ⌣ **or** *s* guvernør, *sl* fatterˈn, sjefen.
gown (*au*) *s* kjole, kappe.
grab (*æ*) *v* gripe; *s* griskhet.
grabble (*æ*) *v* famle, krabbe.
grac|e (*ei*) *s* gunst, nåde; ynde; bordbønn, *pl* gratier; *v* pryde; ˈ⌣ **eful** *a* yndig; ˈ⌣ **ious** *a* nådig, elskverdig.
grade (*ei*) *s* trinn, stigning, *am* skoleklasse.
ˈ**grad|ual** (*æ*) *a* gradvis; ˈ⌣ **uate** *v* inndele, ta (universitets-) eksamen; *s* kandidat.
graft (*a:*) *v* (*s*) pode(-kvist); *am* korrupsjon.
grain (*ei*) *s* (frø-)korn; åre, fiber; *v* åre, korne.

ˈ**grammar** (æ) *s* grammatikk; ˈ⁓ **-school** *s* høgre skole.
ˈ**granary** (æ) *s* kornmagasin.
grand (æ) *a* stor(-slagen), fornem *fam* festlig; ˈ⁓ **child** *s* barnebarn; ˈ⁓ **-ˈduke** (ˈ**duchess**) *s* storhertug(inne); ˈ⁓ **eur** (— *dzhə*) *s* storslagenhet; ˈ⁓ **father** *s* bestefar; ⁓ˈ**iloquent** *a* stortalende; ˈ⁓**iose** *a* storslagen; ˈ⁓**mother** *s* bestemor; ˈ⁓ **ness** *s* stor(slagen)het; ˈ⁓ **parents** *s* besteforeldre; ˈ⁓**son** *s* sønnesønn, dattersønn.
grange (*eindzh*) *s* (liten) herregård.
ˈ**granny** (æ) *s fam* bestemor.
grant (*a:*) *v* tilstå, bevilge, medgi; *s* bevilgning.
ˈ**granulate** (æ) *v* korne.
grape (*ei*) *s* drue; ˈ⁓ **shot** *s* kardeske(r).
grapple (æ) *v* gi seg i kast.
grasp (*a:*) *v* gripe, forstå; *s* grep; ˈ⁓ **ing** *a* grisk.
grass (*a:*) *s* gras.
grate (*ei*) *s* rist; *v* skurre.
ˈ**grateful** (*ei*) *a* takknemlig.
ˈ**gratify** (æ) *v* glede, belønne, oppfylle.
ˈ**grating** (*ei*) *s* gitter.
ˈ**grat|itude** (æ) *s* takknemlighet; ⁓ˈ**uitous** (*ju:*) *a* gratis, umotivert; ⁓ˈ**uity** (*ju:*) *s* gratiale, drikkepenger.
grave (*ei*) *a* alvorlig; *s* grav; *v* prege.
ˈ**gravel** (æ) *s* grus, singel; *v* gruslegge.
ˈ**gravid** (æ) *a* svanger.
ˈ**grav|ity** (æ) *s* alvor; tyngde; ˈ⁓ **itate** *v* gravitere.
ˈ**gravy** (*ei*) *s* sjy, gelé.
graze (*ei*) *v* streife; beite.
greas|e (*i:*) *s* fett, smørelse; *v* smøre; ˈ ⁓ **y** *a* fettet.
great (*ei*) *a* stor; ˈ⁓ **-coat** vinterfrakk; ˈ⁓**-grandfather** *s* oldefar; ⁓ **ly** *av* høylig.
Greece (*i:*) Grekenland.
greed (*i:*) *s* grådighet; ⁓ **y** *a*.
Greek (*i:*) *a* gresk; *s* greker.
green (*i:*) *a* grønn, umoden; *s* grønt, *pl* grønnsaker; ˈ⁓**-grocer** *s* grønthandler; ˈ⁓ **horn** *s* grønnskolling.
greet (*i:*) *v* hilse; ˈ⁓ **ing** *s* hilsen.
greˈgarious (*εə*) *a* selskapelig.
gre|ˈnade (*ei*) *s* granat; ⁓ **naˈdier** (*iə*) *s* grenadér.
grey (*ei*) *s* grå; ˈ⁓ **hound** *s* mynde.
ˈ**gridiron** (*i*) *s* rist.
grie|f (*i:*) *s* sorg; ˈ⁓ **vance** *s* besværing, grunn til klage; ⁓ **ve** *v* sørge, bedrøve(s); ⁓ **vous** *a* hard, bitter.
grill *s* (*v*) rist(e).
grim *a* barsk; fæl.
griˈmace (*ei*) *s* (*v*) (gjøre en) grimase.
grim|e (*ai*) *s* (*v*) smuss(e); ˈ⁓ **y** *a* sotet, skitten.
grin *s* (*v*) grin(e), smil(e).
grind (*ai*) *v* male, knuse, slipe; skjære (tenner); utbytte, trelle; *s* maling etc.; slit, puggverk; ˈ⁓ **stone** *s* slipestein.
grip *s* grep; *v* gripe.
gripe (*ai*) *s fig* grep; *pl* (mage-) knip; *v am* grine, klage.
ˈ**grisly** *a* gyselig.
grist *s* korn (til mølle).
gristle (*-sl*) *s* brusk.
grit *s* grus, sand., *fig* ben i nesen; *v* gnisse.
ˈ**grizzl|ed** *a* gråhåret; ˈ⁓ **y** *s* gråbjørn.
groan ou) *v* stønne; knake.
ˈ**grocer** (*ou*) *s* kolonialkjøpmann; ˈ⁓ **y** *s* k.-handel, *pl* k.-varer.
ˈ**groggy** (*å*) *a* sjanglende, ustø.
groin (*åi*) *s* lyske.
groom (*u:*) *s* stallgutt; *v* stelle, røkte.
groove (*u:*) *s* grop, fuge.
grope (*ou*) *v* famle.

gross (*ou*) *a* svær, grov, plump; *s* gross, brutto.
ground (*au*) *s* jord, grunn, terreng; *pl* motiver; *v* (be-)grunne; grunnstøte; 'ˬ'**floor** *s* første etasje.
group (*u:*) *s* (*v*) gruppe(re).
grouse (*au*) *s*, skoghøne, dalrype, fuglevilt.
grove (*ou*) *s* lund.
grovel (*å*) *v* krype.
grow (*ou*) *v* bli; voksne; dyrke; 'ˬ **n-up** *a* voksen.
growl (*au*) *v* knurre.
growth (*ou*) *s* vekst; dyrkning.
grub (ʌ) *v* rote, rydde; *s* larve; slit, *sl* mat.
grudg|e (ʌ) *v* misunne, nekte; *s* nag, horn i siden; 'ˬ **ing** *a* motstrebende.
gruel (*uə*) *s* velling.
'**gruelling** *a sl* anstrengende.
'**gruesome** (*u:*) *a* gyselig.
gruff (ʌ) *a* barsk.
grumble (ʌ) brumme.
'**grumpy** (ʌ) *a* gretten.
grunt (ʌ) grynt(e).
guar|anty (*gæ*) *s* garanti; ˬ **an'tee** (*i:*) *s* garanti; forsikret; *v* borge for.
guard (*ga:*) *s* vakt, garde; konduktør; forbehold; *v* beskytte, vokte; 'ˬ **ed** *a* forbeholden; 'ˬ **ian** *s* formynder; 'ˬ **sman** *s* gardist.
guess (*ge*) *v* gjette, *am* anta; 'ˬ **work** *s* gjetning.
guest (*ge*) *s* gjest.
guf'faw (*å:*)(*v*) *s* (brøle av)latter.
'**guid|ance** (*gai*) *s* ledelse; ˬ **e** *v* lede; *s* (turist)fører; leder, pikespeider.
guild (*gi*) *s* laug.
guile (*gai*) *s* svik, list; 'ˬ **less** *a* ærlig.
guilt (*gi*) *s* skyld, brøde; ˬ **less** *a*; 'ˬ **y** *a* skyldig.
'**guinea** (*gi*) *s* 21 sh.; ˬ **-pig** *s* is. fig forsøkskanin.
guise (*gai*) *s* drakt, forkledning; *fig* skinn.
gulf (ʌ) *s* avgrunn; bukt.
gull (ʌ) *s* måke; tosk.
'**gullet** (ʌ) *s* spiserør.
'**gully** (ʌ) *s* tørt elvefar; rennestein.
gulp (ʌ) *v* sluke fort; gulpe.
gum (ʌ) *s* tannkjøtt; gummi; *v* klebe; 'ˬ **boil** *s* tannbyll.
'**gumption** (ʌ) *s* vett, futt.
gun (ʌ) *s* gevær, kanon; 'ˬ**man** *s* banditt; 'ˬ **ner** *s* kanonér.
'**gunwale** (ʌ*nl*) *s* båtripe.
gurgle (*ə:*) *v* klukke, risle; pludre.
gush (ʌ) *v* fosse, utgyte seg; *s* utgytelser.
'**gusset** (ʌ) *s* spjeld, kile.
gust (ʌ) *s* vindkule; utbrudd.
'**gusto** (ʌ) *s* velbehag, smak.
gut (ʌ) *s pl* tarmer; streng; *v* gane (fisk); ødelegge.
'**gutter** (ʌ) *s* takrenne; rennestein.
'**guttural** (ʌ) *a* strupe-.
guy (*ai*) *s* bardun; *am* fyr.
gybe (*dzhaib*) *v mar* jibbe.
gy'rate (*dzh, -ei*) *v* rotere.

H.

'**haberdasher** (æ) *s* (liten) manufakturhandler.
ha'biliments *s* antrekk.
'**hab|it** (æ) *s* vane; ridedrakt; 'ˬ **itable** *a* beboelig; ˬ **i'tation** *s* bolig; ˬ'**itual** *a* tilvant; ˬ'**ituate** *v* venne; 'ˬ **itude** *s* vane.
hack (æ) *v* hakke; *s* leiehest, arbeidstrell; *a* fortersket; 'ˬ **ney** *s* skral hest; trell; 'ˬ **ney coach** *s* leievogn; ˬ **work** *s* slit.
'**haddock** (æ) *s* kolje.
haft (*a:*) *s* skaft, hefte.
hag (æ) *s* heks.
'**haggard** (æ) *a* huløyd, vill.
haggle (æ) *v* prute.

hail (*ei*) *s* hagl; anrop; *v* hagle; praie; hilse; ˈ⁓ **storm** *s* haglvær.
hair (*ɛə*) *s* hår; ˈ⁓ **dresser** *s* frisør; ˈ⁓ **pin,** h. nål; ˈ⁓**wash** h. vann; ˈ⁓ **y** *a* håret.
ˈ**halberd** (æ) *s.* hellebard.
hale (*ei*) *a* sunn og frisk.
half (*a*() *a* halv; *s* halvdel, semester; ˈ⁓ **-breed** *s* halvblods; ˈ⁓ -ˈ**hearted** *a* fig lunken; ˈ⁓ -ˈ**witted** *a* åndssvak; ⁓ **penny** *(heip-) s.*
ˈ**halibut** (æ) *s* kveite.
hall (*a*() *s* (for)hall, forstue; herresete; ˈ⁓ -ˈ**mark** *s* stempel, garanti.
ˈ**hallow** (æ) *v* hellige.
halt (å:) *s* holdt; *v* gjøre h.; nøle; ⁓ **er** *s* grime, strikke.
ˈ**halo** (*ei*) *s* ring, glorie.
halve (*a*:) *v* halvere; *s* **go** ⁓ **s** dele likt.
ˈ**halyard** (æ) *s mar* fall.
ham (æ) *s* skinke.
ˈ**hammer** (æ) *s* hammer; *v* hamre.
ˈ**hammock** (æ) *s* hengekøie.
ˈ**hamper** (æ) *s* kurvkoffert; *v* hindre.
hand (æ) *s* hånd; urviser; side; arbeider, mann; kort; *v* rekke, levere; ˈ⁓ **cuffs** *s* håndjern.
ˈ**handicap** (æ) *s* ulempe, byrde; *v* stille uheldig.
ˈ**handicraft** *s* handverk.
ˈ**handkerchief** (æ, *-if*) *s* lommetørkle.
handle (æ) *v* behandle, håndtere; *s* håndtak, hank.
ˈ**handsome** (æ) *a* vakker.
ˈ**handy** (æ) *a* (neve)nyttig, hendig, lettvint.
hang (æ) *v* henge, tapetsere; ⁓ **ar** *s* hangar; ˈ⁓ **-dog** *a* skurke-; ˈ⁓ **ings** *s* tapeter; ˈ ⁓ **man** *s* bøddel; ˈ⁓**er-**ˈ**on** *s* snylter.
hank (æ) *s* hespe.
ˈ**hanker** (æ) *v* lengte.
ˈ**hansom** (æ) *s* (tohjult heste)-drosje.
hap|ˈ**hazard** (æ) *a* tilfeldig; ˈ⁓ **less** *a* uheldig; ˈ⁓ **pen** *v* hende, slumpe (til — **to**); ˈ⁓ **pening** *s* hendelse.
ˈ**hap**|**py** (æ) *a* lykkelig, heldig, treffende; ˈ⁓**piness** *s.*
haˈ**rangue** (æ) *s* (lang) tale, ordgyteri.
ˈ**harass** (æ) *v* plage.
ˈ**harbinger** (*a*:, *dzh*) *v* forløper, bud.
ˈ**harbour** (*a*:) *s* havn; *v* huse.
hard (*a*:) *a* hard; tung (om mat); *av* skarpt, ivrig; ˈ⁓ **en** *v*; ˈ⁓ **ened** *a* forherdet; ˈ⁓ -ˈ**headed** *a* prosaisk; ˈ⁓ **ihood** *s* dristighet; ⁓ **ly** *av* neppe; ˈ⁓ **ship** *s* strabas; ˈ⁓ˈ **up** *a* pengelens; ˈ⁓**ware** *s* isenkram; ˈ⁓ **y** *a* hårdfør; dristig.
hare (*ɛə*) *s* hare; ˈ⁓ **-brained** *a* ubesindig.
ˈ**haricot** (æ) **beans** (*i*() *s* aspargesbønner.
hark! (*a*:) *int* hør!
ˈ**harlot** (*a*:) *s* skjøge.
harm (*a*:) *s, v* skade; ˈ⁓ **ful** *a* skadelig; ˈ⁓ **less** *a* uskadelig.
ˈ**har**|**monize** (*a*:) *v* harmonere; ⁓ˈ**monious** (*ou*) *a* harmonisk; ˈ⁓ **mony** *s.*
ˈ**harness** (*a*:) *v* (*s*) sele(-tøy).
harp (*a*:) *s* harpe; *v* gnåle.
harˈ**poon** (*u*:) *s* (*v*) harpun(-ere).
ˈ**harrier** *s* harehund.
ˈ**harrow** (æ) *s* (*v*) harv(e).
ˈ**harry** (æ) *v* herje.
harsh (*a*:) *a* (svært) streng; ru, skurrende.
hart (*a*:) *s* (hann)hjort.
ˈ**harvest** (*a*:) *s* (års-)høst; *v.*
hash (æ) *v* hakke (kjøtt); *s* lapskaus.
hasp (*a*:) *s* haspe.
hast|**e** (*ei*) *s* hast; ˈ⁓ **en** *v* skynde seg, s. på; ˈ⁓ **y** *a.*

hat (æ) *s* hatt.
hatch (æ) *v* utklekke; *s* kull; luke, lem.
ˈ**hatchet** (æ) *s* (liten) øks.
hat|e (*ei*) *v* hate, avsky; ˈ⁓ **eful** *a* avskyelig; ˈ⁓ **red** *s* hat.
ˈ**hatter** (æ) *s* hattemaker.
ˈ**haughty** (*a:*) *a* hovmodig.
haul (*å:*) *v* hale; *s* fangst.
haunch (*a:*) *s* hofte.
haunt (*a:*) *v* besøke, hjemsøke, spøke i: forfølge; *s* tilholdssted.
ˈ**hautboy** (*oub-*) *s mus* obo.
have (æ) *v* ha; få; spise.
ˈ**haven** (*ei*) *s* havn.
ˈ**havoc** (æ) *s* ruin, ødeleggelse.
hawk (*å:*) *s* hauk; *v* høkre; ˈ⁓ **er** *s* gatehandler.
ˈ**hawser** (*å:*) *s* trosse.
hay (*ei*) *s* (*v*) høy(e).
ˈ**hazard** (æ) *s* vågespill; *v* våge; ˈ⁓ **ous** *a* v.-lig.
haz|e (*ei*) *s* dis; ˈ⁓ **y** *a* disig.
ˈ**hazel** (*ei*) *s* hassel; *a* brun.
head (e) *s* hode, leder; utspring; stykke kveg; rubrikk; *v* lede; anføre; ˈ⁓ **er** *s* stup; ˈ⁓ **ing** *s* overskrift; ˈ⁓ **land** *s* odde; ˈ⁓ **long** *av* på hodet; ˈ⁓ˈ**master** *s* rektor; ˈ⁓ **strong** *a* egensindig; ˈ⁓ ˈ**waiter** *s* hovmester; ˈ⁓**way** *s* fart; ˈ⁓**y** *a* stri, heftig.
heal (*i:*) *v* helbrede(s).
health (e) *s* helse; skål; ˈ⁓ **y** *a* sunn.
heap (*i:*) *s* haug; *v* hope.
hear (*ie*) *v* høre; ˈ⁓ **er** *s* tilhører; ˈ⁓ **ing** *s* hørsel, hørehold; ˈ⁓ **say** *s* rykte.
hearse (*ə:*) *s* likvogn.
heart (*a:*) *s* hjerte; *pl* hjerter (i kort); kjerne.
hearth (*a:*) *s* peis.
ˈ**hearty** (*a:*) *a* hjertelig, kraftig, rikelig.
heat (*i:*) *s* hete; *v* opphete(s).
heath (*i:*) *s* lyng(mo).
ˈ**heathen** (*i:*) *a* hedensk; *s* hedning.
ˈ**heather** (e) *s* lyng.
heave (*i:*) *v* heve, *mar* hive; stige og falle; *s* dønning.
ˈ**heaven** (e) *s* himmel.
ˈ**heavenly** *a* himmelsk.
ˈ**heavy** (e) *a* tung, svær.
ˈ**hectic** *a* hektisk.
ˈ**hector** *v* tyrannisere.
hedge *s* hekk; *v* innhegne, *fig* gardere seg; ˈ⁓ **hog** *s* pinnsvin; ˈ⁓ **row** *s* hekk.
heed (*i:*) *s* oppmerksomhet; *v* ense; ˈ⁓ **less** *a* tankeløs.
heel (*i:*) *s* hæl; *am* pøbel; *v* flikke (sko); *mar* krenge.
ˈ**hefty** *a fam* kraftig.
ˈ**heifer** (e) *s zo* kvige.
height (*ai*) *s* høyde(-punkt); ˈ⁓ **en** *v* forhøye.
ˈ**heinous** (*ei*) *a* avskyelig.
heir (stum *h*, *εə*) *s* arving; ˈ⁓ **ess** *s* rik kvinnelig arving; ˈ⁓ **loom** *s* arvestykke.
ˈ**helicopter** *s* helikopter.
hell *s* helvete.
helm *s* ratt.
ˈ**helmet** *s* hjelm.
help *v* hjelpe; forsyne; unngå; *s* hjelp; ˈ⁓ **ful** *a* hjelpsom, nyttig; ˈ⁓ **ing** forsyning, servering; ˈ⁓ **less** *a* hj.-løs.
hem *s* søm; fald; kremt; *v* kremte; falde; stenge.
ˈ**hemisphere** (e) *s* halvkule.
ˈ**hemlock** *s bot* skarntyde.
ˈ**hemorrhage** (e) *s* blodtap.
hemp *s* hamp.
hen *s* høne; ˈ⁓ **-pecked** *a* under tøffelen.
hence *av* herfra, heretter, herav; ˈ⁓ **forth** heretter.
ˈ**herald** (e) *s* herold; *v* varsle; ˈ⁓ **ry** *s* våpenlære.
herb (*ə:*) *s* plante; ˈ⁓ **age** *s* planter, beite; ⁓ˈ**ivorous** (*i*) *a* p.-etende.
herd (*ə:*) *s* buskap; gjeter; *v* gjete, flokkes; ˈ⁓ **sman** *s*.
here (*iə*) *av* her.
heˈreditary (e) *a* arvelig, arve-.

'her|esy (e) *s* kjetteri; **'˷ etic** *s* kjetter.
'heritage (e) *s* arv.
'hermit (*ə:*) *s* eneboer.
'hero (*iə*) *s* helt; **heroic** (e, *ou*) *a* heltemodig; **'her|oine** (e) *s* heltinne; **'˷ oism** (e) *s* heltemot.
'heron (e) *s zo* hegre.
'herring *s* sild.
'hesitate (e) *v* nøle.
'hetero|dox (e) *a* kjettersk; **˷'geneous** (*dzhi:*) *a* uensartet.
hew (*hju:*) *v* hogge.
'hexagon (e) *s* sekskant.
'hib|ernate (*ai*) *v* overvintre.
'hiccup *s* (*v*) hikk(e).
hide (*ai*) *s* dyrehud; *v* gjemme.
'hideous (*i*) *a* heslig.
higgle *v* prute; **'˷ r** *s* gateselger.
high (*ai*) *a* høy(-tliggende), fornem; **'˷ -bred** *a* edel; **'˷ brow** *s* (*a*) åndssnobb(et); **'˷-'handed** *a* hoven; **'˷'-minded** *a* høysinnet; **'˷ road** *s* landevei; **'˷ -'spirited** *a* modig; **'˷ -'strung** *a* sensibel; **'˷ way** *s* landevei.
hike (*ai*) *s* (*v*) (gå) fottur.
hi'larity (æ) *s* munterhet.
hill *s* bakke: haug, ås; **'˷ ock** *s* liten h.; **'˷ side** *s* skråning; **'˷ y** *a* bakket.
hilt *s* håndtak.
hind (*ai*) *s* hind; gårdsgutt; *a* bak-; **'˷ most** *a* bakerst.
'hind|er (*i*) *v* hindre; **'˷ rance** *s* hindring.
hinge (*indzh*) *s* hengsel.
hint *s* vink, ymt; *v* antyde.
hip *s* hofte; *bot* nype.
hire (*ai*) *v* leie, hyre; **'˷ ling** *s* leiesvenn.
hiss *v* visle; pipe ut.
'his|tory *s* (verdens-)historie; **˷'torian** (*å:*) *s* historiker; **˷'torical** (*å*) *a.*
hit *s* (*v*) treff(e).
hitch *s* (*v*) rykk(e), hekte; *mar* stikk; **'˷ hike** *v fam* haike.
'hitherto (*i*) *av* hittil.
hive (*ai*) *s* kube.
hoar (*å:*) rimfrost.
hoard (*å:*) *s* skatt, forråd; *v* samle, legge opp.
'hoarding (*å:*) *s* plankegjerde.
hoarse (*å:*) *a* hes.
'hoary (*å:*) *a* gråherdet.
hoax (*ou*) *v* narre, lyve for; *s* mystifikasjon.
hob (*å*) *s* kaminplate.
hobble (*å*) *v* halte.
'hob|by (*å*) *s* fritidsinteresse; **˷ byhorse** *s* kjepphest.
hob|'goblin (*å*) *s* nisse; **'˷ nail** *s* skosøm.
hoe (*ou*) *s* skyffel, hyppejern; *v* hyppe, skyfle.
hog (*å*) *s* gris; *v* stusse; **'˷ shead** *s* 240 liter.
hoist (*å:*) *s* (*v*) heis(e).
hold (*ou*) *v* holde, romme; inneha; ekte; vedde; bestå, gjelde; *s* tak, feste, lasterom; **'˷ er** *s* innehaver; **'˷ ing** *s* gård; verdipapir.
hole (*ou*) *s* hull, hule.
'holiday (*å*) *s* helligdag, fridag, *pl* ferie.
'holland (*å*) *s* (lin)lerret.
'hollow (*å*) *a* hul, falsk; *s* grop.
'holly (*å*) *s* kristtorn.
'holster (*ou*) *s* pistolhylster.
holt (*ou*) *s* skogholt.
'holy (*ou*) *a* hellig.
'homage (*å*) *s* hyllest.
home (*ou*) *s* hjem; *a* hjemme-, hus-, innenlandsk; kraftig, velrettet; *av* hjem, til (ved) målet; **'˷ liness** *s* enkelhet; **'˷ ly** *a* tarvelig, ikke pen; **'˷ sickness** *s* hjemve; **'˷ stead** *s* gård; **'˷ ward** *av* hjemover.
'homicide (*å*) *s* drap(smann).
'homily (*å*) *s* preken.
homo'geneous (*ðzhi:*) *a* ensartet.
hone (*hou-*) *s*, *v* bryne.

ˈ**honest** (stum *h*, *å*) *a* ærlig, ærbar; ˈ~ **y** *s*.
ˈ**honey** (ʌ) *s* honning; ˈ~ **moon** *s* hvetebrødsdager; ~**suckle** *s* kaprifolium.
honk (*å*) *v* tute (i horn).
ˈ**hon**|**orary** (stum *h*, å) *a* æres-; ˈ~**our** *s* ære(sbevisning), æresfølelse, honnør; *v* bedre, *merk* honorere; ˈ~ **ourable** *a* hederlig, hedrende; høyvelbåren **(the Hon.)**
hood (*u*) *s* hette, kalesje; ~ **wink** *v* narre.
hoof (*u:*) *s* hov.
hook (*u*) *s*, *v* hake; *v* fange, *sl* stjele.
ˈ**hooligan** *u:*) *s* (is. gutte)ramp.
hoop (*u:*) *s* tønnebånd, fiskeben; ring, bøyle; *v* hauke, kike.
ˈ**hooping-cough** *s* kikhoste.
hoot (*u:*) *v* ule, tute, pipe; ~ **er** *s* sirene, horn, fløyte.
hop (*å*) *s bot* humle; *v* høste h.; *v* hoppe (på ett ben).
hope (*ou*) *s* (*v*) håp(e).
hoˈ**rizon** (*ai*) *s* horisont.
horn (*å:*) *s* horn.
ˈ**hornet** (*å:*) *s* veps.
ˈ**horny** (*å:*) *a* hard, hornet.
ˈ**hor**|**rible** (*å*) *a* grufull; ˈ~ **rid** *a fam* fryktelig; ˈ~**rify** *v* forferde; ˈ~ **ror** *s* gru.
horse (*å:*) *s* hest, *koll* rytteri; stativ; ˈ~ **laugh** *s* rå latter; ˈ~ **man** *s* rytter; ˈ~ **manship** *s* ridekunst.
ˈ**horticulture** (*å:*) *s* hagekunst.
hos|**e** (*ou*) *s merk* strømpe; hageslange; ˈ~**ier** *s* s.handler; ˈ~ **iery** *s* trikotasje.
hospi|**table** (*å*) *a* gjestfri; ~ˈ**tality** (æ) *s* g.-het.
host (*ou*) *s* hærskare; vert; hostie; ˈ~ **ess** *s* vertinne.
hostage (*å*) *s* gissel.
hostel (*å*) *s* herberge, hospits.
ˈ**host**|**ile** (*å*) *a* fiendtlig; ~ ˈ**ility** *s* f.skap.
hot (*å*) *a* het, heftig, skarp, fyrig; ˈ~ **bed** *s* mistbenk; ˈ~ **foot** *av* sporenstreks; ˈ~ **head** *s* brushode; ˈ~ **house** *s* drivhus.
hough (*åk*) *s* (kne-)hase.
hound (*au*) *s* jakthund; *v* hisse, jage.
hour (stum *h*, *au*) *s* time, tid; ˈ~ **ly** *av* hver time.
house (*au*) *s* hus; firma; *v* huse; ˈ~ **breaker** *s* innbruddstyv; ˈ~ **hold** *s* husstand, husholdning; ˈ~ **keeper** *s* husholderske; ~ **wife** *s* husmor; ˈ~ **wife** (*h*ʌ*zif*) *s* syetui.
ˈ**housing** (*au*) *s* dekken; boligbygging.
ˈ**hovel** (*å*) *s* skur.
ˈ**hover** (*å*) *v* sveve; ˈ~ **craft** *s* svevebåt.
how (*au*) *av* hvordan, hvor (om grad); ~ˈ**ever** *av* imidlertid; hvor(dan) -enn.
ˈ**howitzer** (*au*) *s* haubitser.
howl (*au*) *s* (*v*) hyl(e); ˈ~ **er** *s* bommert.
hub (ʌ) *s* hjulnav.
ˈ**hubbub** (ʌ) *s* lurveleven.
ˈ**huckster** (ʌ) *s* høker; *v*.
huddle (ʌ) stimle, slenge, krype sammen **(h. up)**; dynge, røre.
hue (*hju:*) *s* farge; skrik; ~ **and cry** etterlysning (av politi).
huff (ʌ) *v* (*s*) fornærme(lse); ˈ~ **y** *a* sær.
hug (ʌ) *v* omfavne, klemme.
huge (*hju:*) *a* veldig.
ˈ**hulking** (ʌ) *a* stor og klosset.
hull (ʌ) *s* skrog; skolm.
hum (ʌ) *v* summe.
ˈ**hum**|**an** (*hju:*) *a* menneske-, m.-lig; ~ˈ**ane** (*ei*) *a* human; ~ˈ**anity** (æ) *s* menneske(lig)-het.
humble (ʌ) *a* beskjeden, ringe; *v* ydmyke.
ˈ**humble-bee** (ʌ) *s* humle.
ˈ**hum**|**bug** (ʌ) *s* humbug(-maker); *v* narre.

ˈ**humdrum** (ʌ) *a* prosaisk, kjedelig.
ˈ**humid** (*hju:*) *a* fuktig.
huˈmili|ate *v* ydmyke; ˷ **ty** *s* ydmykhet.
ˈ**hum|orous** (*hju:*) *a* humoristisk; ˈ˷ **our** *s* sinn, humør, humor, *med* væske; *v* føye.
hump (ʌ) *s* pukkel.
hunch (ʌ) *s* pukkel, klump; *am* anelse, idé, mistanke; *v* krøke, trekke opp.
ˈ**hundred** (ʌ) *num* hundre; ˈ˷ **weight** *s* **(Cwt)** 1|20 tonn, 50,8 kg, *am* 45 kg.
ˈ**Hun|gary** (ʌ) *s* Ungarn; ˷ ˈ**garian** (*εə*) *s* (*a*) ungarer(-sk).
ˈ**hung|er** (ʌ) *s* sult; *v* (ut-) hungre; ˈ˷ **ry** *a* sulten.
hunt (ʌ) *v* jage; *s* jakt (-felt); ˈ˷ **sman** *s* jeger (is. tjener).
hurdle (*ə:*) *s* flyttbart gjerde; *sp* hekk.
hurl (*ə:*) *v* kyle.
ˈ**hurricane** (ʌ) *s* orkan.
ˈ**hur|ried** (ʌ) *a* skyndsom; ˈ˷ **ry** *s* hast(verk); *v* skynde seg, påskynde.
hurt (*ə:*) *v* skade, såre, gjøre ondt; *s* sår, mén.
hurtle (*ə:*) *v* suse, fare.
ˈ**husband** (ʌz) *s* ektemann; *v* spare på; ˈ˷ **ry** *s* is. gårdsstell.
hush (ʌ) *v* dysse ned, (bli) stille; *s* stillhet.
husk (ʌ) *s* belg, kapsel.
ˈ**husky** (ʌ) *a* hes; skolmet; *sl* kraftig.
ˈ**hussy** (ʌ) *s* tøs, taske.
ˈ**hustings** (ʌ) *s* valgtribune
hustle (ʌ*sl*) *v* skubbe, puffe.
hut (ʌ) *s* hytte, brakke.
hutch (ʌ) *s* kasse, bøle; *fam* rønne, skur.
ˈ**hydro|gen** (*ai*) *s* vannstoff ˷ **gen bomb** *s* vannstoffbombe; ˷ˈ**phobia** (*ou*) *s* vannskrekk.
hymn (*-im*) *s* salme.
hyper|ˈbolic (*å*) *a* overdreven; ˷ **boˈrean** (*iə*) *a* fra det høye nord.
ˈ**hyphen** (*aif*) *s* bindestrek.
ˈ**hyp|ocrite** (*i*) *s* hykler; ˷ ˈ**ocrisy** (*å*) *s* hykleri.

I.

ice (*ai*) *s* is; ˈ˷ **-berg** *s* isflell; ˈ˷ **-bound** *a* innefrosset; ˈ**I˷land**, Island; ˈ˷ˈ**landic** (*æ*) *a*.
ˈ**ic|icle** (*ai*) *s* istapp; ˈ˷ **y** *a* *fig* iskald.
iˈdea (*iə*) *s* idé.
iˈdeal (*iə*) *a* ideell; *s* ideal.
iˈdenti|cal *a* identisk; ˷ **fy** *v* gjøre til ett; gjenkjenne, identifisere.
ˈ**idio|cy** (*i*) *s* idioti; ˷ **t** *s* idiot.
ˈ**idiom** (*i*) *s* uttrykk, språk.
idle (*ai*) *a* doven, ledig; *v* drive dank, sløse.
ˈ**id|ol** (*ai*) *s* avgud; ˷ˈ**olatry** (*å*) avgudsdyrkelse; ˈ˷ **olize** *v* forgude.
if *k* om, dersom.
ig|ˈnite (*ai*) *v* antenne(s); ˷ˈ**nition** (*i*) *s* tenning.
igˈnoble (*ou*) *a* sjofel.
ˈ**igno|miny** (*i*) *s* skjensel; ˷ˈ**minious** (*i*) *a* skjendig.
ˈ**ignoran|ce** *s* uvitenhet; ˷ **t** *a* uvitende.
igˈnore (*å*) *v* overhøre, ˷ se (is. med vilje).
ill *a* syk, slett, ond; ˈ˷**-adˈvised** *a* uklok; ˈ-ˈ**bred** *a* uoppdragen; ˈ˷ **-ˈtreat** (*i:*) *v* mishandle; ˈ˷ **-looking** *a* stygg, fæl; ˈ˷ **-ˈuse** (*ju:*) mishandle.
il|ˈlegal (*i:*) *a* ulovlig; ˷ˈ**legible** (*ledzh*) *a* uleselig; ˷ **leˈgitimate** (*dzhi*) urettmessig, uekte (om barn); ˷ˈ**licit** *a* ulovlig; ˷ˈ**limitable** ubegrenset; ˷ˈ**literate** *a* ulært, uvitende; ˷ˈ**logical** (*å*) *a* ulogisk; ˷ˈ**luminate** (*ju:*) *v* opp-

lyse; ‿'**lusion** (*u:*) *s* blendverk; ‿'**lusive** (*u:*) *a* skuffende.

'**il**|**lustrate** *v* illustrere; ‿'**lustrative** (ʌ) *a* opplysende; ‿'**lustrious** (ʌ) *a* berømt, fremragende.

'**im**|**age** (*i*) *s* bilde; '‿ **agery** *s* billedrikdom; ‿'**agine** (æ) *v* tenke seg, uttenke; ‿'**aginable** *a* tenkelig; ‿'**aginary** *a* innbilt; ‿'**aginative** *a* fantasifull; ‿ **agi'nation** *s* fantasi.

'**imbecile** *s* idiot.

im|'**bibe** (*ai*) *v* innsuge; ‿'**bue** (*uj:*) *v* farge, bibringe.

'**im**|**itate** (*i*) *v* etterligne; '‿ **itative** *a* etterlignet, -lignende.

im|'**macalate** (æ) *a* korrekt; ubesmittet; '‿ **manent** *a* iboende; ‿ **ma'terial** (*iə*) *a* ulegemlig, uvesentlig; ‿ **ma'ture** (*juə*) *a* umoden; ‿'**measureable** (e) *a* umåtelig; ‿'**mediate** (*i:*) *a* umiddelbar, øyeblikkelig; ‿ **me'morial** (*å:*) *a* uminnelig.

im'mense (e) *a* umåtelig.

im|'**merse** (*ə:*) *v* senke, dukke; '‿ **migrate** *v* innvandre; '‿ **minent** *a* overhengende; ‿ **mo'bility** *s* ubevegelighet; ‿'**moderate** (*å*) *a* overdreven, umåteholden; ‿'**modest** (*å*) *a* uanstendig; ‿'**moral** (*å*) *a* umoralsk; ‿'**mortal** (*å:*) *a* udødelig; ‿'**movable** (*u:*), urokkelig; ‿'**munity** (*ju:*) *s* fritagelse, uimottagelighet.

imp *s* trollunge.

'**impact** *s* støt, slag, virkning.

im|'**pair** (*εə*) *v* svekke, skade; ‿'**palpable** (æ) *a* ufølbar, upåtagelig; ‿'**part** (*a:*) *v* gi del i, meddele; ‿'**partial** (*a:*) *a* upartisk; ‿'**passable** (*a:*) *a* ufremkommelig, uveisom; ‿'**passible** (æ) *a* ufølsom; ‿'**passioned** (æ) *a* lidenskapelig; ‿'**patient** (*ei*) *a* utålmodig; ‿'**patience** *s*.

im'peach (*i:*) *v* anklage, dadle; ‿'**peccable** *a* feilfri; ‿'**pede** (*i:*) *v* hindre; ‿'**pediment** (e) *s* hindring, feil, sjene; ‿'**pel** *v* drive fram; ‿'**pending** *a* overhengende; ‿'**penetrable** (e) *a* ugjennomtrengelig; ‿'**perative** (e) *a* bydende, tvingende; ‿ **per'ceptible** *a* umerkelig; ‿'**perfect** (*ə:*) *a* ufullkommen; *s gr* imperfektum; ‿ **per'fection** *s* ufullkommenhet.

im|'**perial** (*iə*) *a* riks-, keiser(-lig), suveren; *s* fippskjegg.

im'peril (e) *v* bringe i fare.

im'perious (*iə*) *a* herskesyk.

im|'**permeable** (*ə:*) *a* vanntett; ‿'**personal** (*ə:*) *a* upersonlig; ‿'**personate** (*ə:*) *v* framstille, gi (rolle); ‿'**pertinent** (*ə:*) *a* nesevis; ‿ **per'turbable** (*ə:*) *a* uforstyrrelig; ‿'**pervious** (*ə:*) *a* ugjennomtrengelig, uimottagelig.

'**im**|**petus** *s* fart, drivkraft; ‿'**petuous** (e) *a* pågående, voldsom; ‿ **petu'osity** (*å*) *s*.

'**im**|**pious** *a* ugudelig; ‿'**piety** (*ai*) *s*.

'**impish** *a* djevelsk, trollete.

im|**placable** (æ) *a* uforsonlig; ‿'**plant** (*a:*) *v* innpode.

'**implement** *s* redskap.

'**im**|**plicate** *v* innvikle; ‿'**plicit** *a* stilltiende; ubetinget; ‿ '**plore** (*å:*) *v* bønnfalle; ‿'**ply** (*ai*) *v* antyde, innbefatte.

'**im**|**port** *s* innførsel; betydning; ‿'**port** (*å:*) *v* innføre, bety; ‿'**portant** (*å:*) *a* viktig; ‿'**portance** *s* viktighet; ‿'**portunate** (*å:*) *a* påtrengende; ‿ **por'tunity** (*ju:*) *s* påtrengenhet.

im'pos|**e** (*ou*) *v* pålegge; ‿**e on** dupere, imponere; ‿'**ition** *s* pålegg, påbud, skatt, *rel* påleggelse; bedrag.

im'possible (*å*) *a* umulig.
im'post|or (*å*) *s* bedrager; **~'posture** *s* bedrageri.
'im|potent *a* kraftløs; **'~ potence** *s.*
im|'poverish (*å*) *v* gjøre fattig; **~'practicable** (æ) *a* ugjennomførlig; **'~precate** *v* ønske ondt; **~ pre'cation** *s* forbannelse; **~'pregnable** *a* uinntagelig.
im'press *v* prege, presse, imponere; **~ ion** *s* inntrykk, opplag, avtrykk; **~ ionable** *a* påvirkelig; **~ ive** *a* virkningsfull.
im|'print *v* prege; **~'prison** *v* fengsle; **~'probable** (*å*) *a* usannsynlig; **~'proper** (*å*) *a* upassende; **~ pro'priety** (*ai*) *s* usømmelighet.
im'prove (*u:*) *v* forbedre.
im|'provident (*å*) *a* uforutseende; **'~ provise** *v* improvisere; **~'prudent** (*u:*) *a* uforsiktig; **'~ pudent** *a* uforskammet.
'im|pulse *s* innskytelse; **~'pulsive** (ʌ) *a* impulsiv.
im|'punity (*ju:*) *s* ustraffethet; **~ 'pure** (*juə*) *a* uren; **~'pute** (*ju:*) *v* tilskrive, sikte.
in *prp* i, på, om, etc.; *av* inn(e).
in|a'bility *s* udyktighet; **~ ac'cessible** *a* utilgjengelig; **~ 'accuracy** (æ) *s* unøyaktighet; **~'accurate** (æ) *a*; **~'active, (~ action)** (æ) *a* (*s*) uvirksom(het); **~'adequate** (æ), *a* utilstrekkelig; **~ ad'vertently** (*ə:*) *av* av vanvare; **~'alienable** (*ei*) *a* uavhendelig.
in|'ane (*ei*) *a* tom, tåpelig; **~'anity** (æ) *s.*
in|'animate (æ) *a* livløs; **~ 'applicable** (æ) *a* uanvendelig; **~'apt** (æ) *a* uskikket, udyktig; **~ ar'ticulate** *a* utydelig; **~ at'tentive** *a* uoppmerksom; **~'audible** (*å:*) *a* uhørlig; **~'augurate** (*å:*) *v* innvie, avsløre; **~aus'picious** *a* ugunstig.
'in|born *a* medfødt; **~'calculable** (æ) *a* uberegnelig; **~ can'descent** *a* hvitglødende; **~ can'tation** *s* besvergelse; **~'capable** (*ei*) *a* udyktig; **~ ca'pacity** (æ) *s* udyktighet; **~ 'carnate** (*a:*) *v* legemliggjøre; *a* skinnbarlig; **~'cendiary** *s* ildspåsetter, *fig* oppvigler.
'incense *s* røkelse, virak.
in|'cense *v* tirre; **~'centive** *a* ansporende *s* spore; **~'cessant** *a* uopphørlig.
'in|cest *a* blodskam; **~'cestuous** *a.*
inch *s* tomme, 2,54 cm.
'in|cident *s* episode; **~ci'dental** *a* bi-, tilfeldig.
in|'cision *s* innsnitt; **~'cisive** (*ai*) *a* skarp; **~'cite** (*ai*) *v* egge; **~'clemency** (e) *s* barskhet (om vær); **~ cli'nation** *s* tilbøyelighet; **~'cline** (*ai*) *v* lene, helle, bøye, være (gjøre) tilbøyelig; **~'clude** (*u:*) *v* medregne; **~'clusive** (*u:*) *a* medregnet; **~ co'herent** (*iə*) *a* usammenhengende.
'income *s* inntekt.
in|'comparable (*å*) *a* uforlignelig; **~ com'patible** (æ) *a* uforenelig; **~'competent** (*å*) *s* uskikket; **~ compre'hensible** *a* uforståelig; **~ con'clusive** (*u:*) *a* svakt (om bevis); **~ con'gruity** (*u*) *s* urimelighet; **~ 'congruous** (*å*) *a* uensartet, urimelig; **~con'siderate** *a* lite hensynsfull; **~ con'sistent** *a* inkonsekvent; **~ con'solable** (ou) *a* utrøstelig; **~'constant** (*å*) *a* ustadig; **~'continent** (*å*) *a* ukysk; **~ contro'vertible** (*ə:*) *a* uomtvistelig; **~ con'venient** (*i:*) ubeleilig; **~'cor-**

porate (*å:*) *v* innlemme, oppta; ~'**corrigible** (*å*) *a* uforbederlig; ~ **cor'ruptible** (ʌ) *a* ubestikkelig.

'**in|crease** *s* økning, oppgang; ~'**crease** (*i:*) *v* øke, vokse.

in|'credible (e) *a* utrolig; ~ '**credulous** (e) *a* vantro; ~**cre'dulity** (*ju:*), *s*; ~'**criminate** *v* anklage; ~ **cu'bation** *s* rugning *med* utvikling av sykdom.

'**in'culcate** *v* innprente; ~ '**cumbent** (ʌ) *s* kallsinnehaver; ~'**cur** (*ə:*) *v* pådra seg; ~'**curable** (*juə*) *a* uhelbredelig; ~'**debted** (et-) *a* i gjeld; ~'**decent** (*i:*) *a* uanstendig; ~ **de'cision** *s* ubestemthet; ~ **de'clinable** (*ai*) *a gr* ubøyelig; ~'**decorous** (e) *a* upassende.

in'deed (*i:*) *av* sannelig, riktignok.

in|de'fatigable (æ) *a* utrettelig; ~ **de'fensible** *a* uforsvarlig; ~'**definite** (e) *a* ubestemt; ~'**delible** (e) *a* uutslettelig; ~'**delicate** (e) *a* taktløs, plump; ~'**demnify** *v* erstatte; ~'**demnity** *s* erstatning; ~'**dented** *a* takket; ~'**dentures** (e) *s* kontrakt; ~ **de'pendent** *a* uavhengig; ~ **des'cribable** (*ai*) *a* ubeskrivelig.

'**index** *s* indeks, register; viser.

'**India|man** *s* ostindiafarer; '**I~n** *a* indisk, indiansk; *s* indier, indianer; '~ **rubber** *s* viskelær.

'**indicate** *v* angi, tyde på, vise.

in'dict (ait) *v jur* sette under tiltale; ~ **ment** *s* tiltale.

in'different|t *a* likegyldig; middelmådig; ~ **ce** *s*.

'**indigent** *a* nødlidende.

indi'gest|ion (*dzhe*) *s* dårlig mage; ~ ible *a* ufordøyelig.

indign|ant *a* vred; ~'**ation** *s* harme.

in|'dignity *s* krenkelse; ~ **dis'creet** (*i:*) ubetenksom; ~ **dis'cretion** (e) *s* uforiktighet, taktløshet; ~ **dis'criminately** *av* i fleng; ~ **dis'pensable** *a* uunnværlig; ~ **dispo'sition** *s* upasselighet; ~ **dis'putable** (*ju:*) *a* uomtvistelig; ~'**dissoluble** *a* uoppløselig.

in'dite (*ai*) *v* avfatte, skrive.

indi'vidual (*i*) *a* personlig; eiendommelig; *s* individ.

in|di'visable (*i*) *a* udelelig; ~'**docile** (ou) *a* tungnem; umedgjørlig.

'**indolent** *a* lat; '~ **ce,** *s*.

in|'domitable (*å*) *a* **ukuelig**; ~'**doors** *av* innendørs; ~ '**dubitable** (*ju:*) *a* utvilsom; ~'**duce** (*ju:*) *v* bevirke, overtale; ~'**ducement** (*ju:*) *s* motiv; ~'**dulge** (ʌ) føye, hengi seg (til - **in**); ~'**dulgent** (ʌ) *a* overbærende; ~'**dulgence** *s* overbærenhet; avlat; ~'**dustrious** (ʌ) *a* flittig; '~**dustry** *s* flid; industri; ~ **ef'fective,** ~ **ef'fectual** ~ **effi'cacious** (*ei*) ~ **ef'ficient** *a* utjenlig, ineffektiv; ~ **e'quality** (*å*) *s* ulikhet; ~**e'radicable** (æ) *a* uutryddelig.

i'nert (*ə:*) *a* treg, slapp; ~ **ia** (*-shə*) *s*.

in|'estimable *a* uvurderlig; ~**evitable** (e) *a* uunngåelig; ~'**exorable** (e) *a* ubønnhørlig; ~ **ex'pensive** *a* prisbillig; ~ **ex'perienced** (*iə*) *a* uerfaren; ~'**explicable** *a* uforklarlig; ~'**fallible** (æ) *a* ufeilbar(lig).

'**in|famous** *a* beryktet, skjendig; '~ **famy** *s* skj.-het.

'**infan|t** *s* spebarn, mindreårig; '~ **cy** *s* (tidlig) barndom.

'**infantry** *s* fotfolk.

in|'fatuate (æ) *v* dåre, forblinde.

in|'fect *v* smitte; ~'**fectious** *a*

smittsom; ~'**fer** (*ə:*) *v* slutte; '~**ference** *s* slutning.
in'feri|or (*iə*) *a* nedre, lavere; underlegen; *s* underordnet; ~'**ority** (*å*) *s* underlegenhet.
in'fernal (*ə:*) *a* helvetes, pokkers.
in'fest *v* hjemsøke, befenge.
'**infi|del** *s* vantro; ~'**delity** *s* utroskap.
'**in|finite** *a* uendelig; ~'**firm** (*ə:*) *a* svak(elig); ~'**firmary** (*ə:*) *s* sykehus; ~'**flame** (*ei*) *v* antenne, betenne(-s); ~'**flammable** (æ) *a* ildsfarlig; ~**flam'mation** *s* betennelse; ~'**flate** (*ei*) *v* fylle, *merk* lage inflasjon; få prisene opp; ~'**flated** *a* oppblåst; ~'**flect** *a* bøye; ~'**flexible** *a* ubøyelig; ~'**flexion** *s* bøyning; ~'**flict** *v* bibringe, tilføye (ondt); ~'**fliction** *s* tilføyelse, straff.
'**influ|ence** *s* innflytelse; ~'**ential** *a* i.-srik.
inform (*å:*) *v* underrette; ~ **al** *a* uformell; ~'**ation** *s* opplysning, kunnskap(er); ~ **er** *s* angiver.
in|'fringe (*indzh*) *v* overtre; ~'**furiated** (*uə*) *a* rasende; ~'**fuse** (*u:*) *v* (inn)gyte; ~'**genious** (*i:*) *a* oppfinnsom; ~ **gen'uity** (*u*) *s* kløkt; ~'**genuous** (e) *a* åpen, naiv; ~'**glorious** (*å:*) *a* uberømt.
'**ingot** *s* barre, blokk.
in|'grain(ed) *a* farget; ~'**gratiate** (*ei*) *vr* innynde seg; ~ '**gratitude** (æ) *s* utakknemlighet; ~'**gredient** (*i:*) *s* bestanddel; ~'**habit** (æ) *v* bebo; ~'**habitant** (æ) *s* innbygger; ~'**hale** (*ei*) *v* innånde; ~'**herent** (*iə*) *a* iboende, knyttet (til - **in**); ~'**herit** (e) *v* arve; ~'**heritance** *s* arv; ~'**hibit** *v* forby, hindre; ~'**human** (*hju:*) a umenneskelig; ~'**imical** *a* fiendtlig; ~'**imitable** *a* uforlignelig; ~'**iquitous** *a* urettferdig; ~'**iquity** *s* u.-het; skurkestrek.
in|i'tial *a* begynnelses; *s* forbokstav; ~'**itiate** *v* innlede, innvie; ~'**itiative** *s* foretaksomhet, tiltak.
in|'ject *v* innsprøyte; ~ **ju'dicious** *a* uklok; ~'**junction** (ʌ) *s* påbud.
'**in|jure** *v* skade; ~'**jurious** (*uə*) *a* skadelig; ærekrenkende; '~ **jury** *s* urett, skade.
in'justice (ʌ) *s* urettferdighet.
ink *s* blekk, sverte; '~ **-stand** *s* b.-hus; '~ **y** *a* blekket, kullsvart.
'**inkling** *s* vink, anelse.
'**in|land** *a* innlands-; *s* det indre; '~'**land** (æ) *av* inn(e) i landet.
in'lay (*ei*) *v* innfelle, parkettere.
'**inlet** *s* bukt, innløp.
'**inmate** *s* beboer.
'**inmost** *a* innerst.
inn *s* vertshus.
in'nate (*ei*) *s* medfødt.
'**inner** *a* indre; '~ **most** *a* innerst.
'**innocen|t** *a* uskyldig; '~ **ce** *s*.
'**in|novate** *v* forandre, lage nytt ~'**numerable** (*ju:*) *a* utallige; ~'**oculate** (*å*) *v* vaksinere, (inn-)pode; ~ **of'fensive** *a* harmløs; ~'**operative** (*å*) *a* virkningsløs; ~'**ordinate** (*å:*) *a* overvettes.
'**in|xuest** *s* *jur* etterforskning, likskue; ~'**quietude** (*ai*) *s* engstelse; ~'**quire** (*ai*) *v* spørre, forhøre seg; ~ **quire into,** undersøke; ~'**quiry** (*ai*) *s* forespørsel; undersøkelse; ~'**quisitive** (*i*) *a* is. nysgjerrig; '~ **road** *s* innfall, inngrep.
in|sane (*ei*) *a* sinnssyk; ~'**sanity** (æ) *s*.
in|'sanitary (æ) *a* sunnhets-

farlig; ~'**satiable** (*eish*) *a* umettelig; ~'**scribe** (*ai*) *v* innskrive; ~'**scription** (*i*) *s* innskrift; ~'**scrutable** (*u:*) *a* uutgrunnelig.

'**insect** *s* insekt.

in|se'cure (*juə*) *a* usikker; ~'**sensible** *a* umerkelig, ufølsom, bevisstløs; ~'**separable** (e) *a* uatskillelig; ~'**sert** (*ə:*) *v* innskyte, -rykke.

'**inside** *s* innerside; *a* indre; *av* '~' innenfor.

in'sidious *a* lumsk.

'**insight** *s* innsikt.

in|sig'nificant *a* uanselig, betydningsløs; ~ **sin'cere** (*iə*) *a* uoppriktig; ~'**sinuate** *v* innføre, lirke, antyde; *vr* innynde seg; ~'**sinuating** *a* innsmigrende; ~'**sipid** (*i*) *a* flau; ~'**sist** *v* drive på, insistere; ~'**sistent** *a* iherdig.

'**insolent** *a* uforskammet.

in'soluble (*å*) *a* uløselig.

in'somnia (*å*) *s* søvnløshet.

in|'spect *v* mønstre, inspisere; ~'**spire** (*ai*) *v* innånde; inngi, inspirere; ~ **sta'bility** *s* ustøhet; ~'**stable** (*ei*) *a* ustø, usikker; ~'**stal** (*å:*) *v* innsette, anbringe; ~ ~ **stal'lation** *s* (elektr. etc.) anlegg; ~'**stalment** (*å:*) *s* termin, avdrag.

'**instan|ce** *s* eksempel; ~ **t** *a* innstendig, øyeblikkelig; *s* øyeblikk; ~'**tåneous** (*ei*) *a* øyeblikkelig.

in'stead (e) **(of)** *av* (*prp*) i stedet (for).

'**instep** *s* rist.

'**in|stigate** *v* egge, anstifte; ~'**stil** *v* bibringe; '~ **stinct** *s* instinkt; ~'**stinctive** *a* instinktmessig; '~ **stitute** *v* fastsette, opprette; *s* institutt; ~ **sti'tution** (*ju:*) opprettelse, innretning; anstalt; ~'**struct** (ʌ) *v* undervise, veilede; ~'**structions** (ʌ) *s* instruks; ~'**structive** (ʌ) *a* lærerik; '~ **strument** *s* instrument, dokument *fig* verktøy; ~ **strumental** *a* medvirkende; ~ **strumen'tality** (æ) *s*; ~ **su'bordinate** (*å:*) *a* oppsetsig; ~'**sufferable** (ʌ) *a* utålelig.

'**insul|ar** *a* øy-; '~**ate** *v* isolere, '**in|sult** *s* hån, fornærmelse; ~'**sult** (ʌ) *v* fornærme.

in|'superable (*ju:*) *a* uoverstigelig; ~ **sup'portable** (*å:*) *a* utålelig; ~'**surance** (*uə*) *s* forsikring, premie; ~'**sure** (*uə*) *v* assurere; ~'**surgent** (*ə:*) *s* opprører; ~ **sur'mountable** (*au*) *a* uoverstigelig; ~ **sur'rection** *s* oppstand; ~'**tact** (æ) uskadd, urørt.

'**in|tegral** *a* hel, uunnværlig; ~'**tegrity** (e) *s* ubeskårethet; ærlighet.

in'tegument (e) *s* hud, dekke.

'**in|tellect** *s* forstand; ~**tel'lectual** *a* forstands-; ånds-; intelligent; ~'**telligence** *s* forstand, kløkt; nyhet, etterretning; ~'**telligent** *a*; ~'**telligible** *a* forståelig; ~'**temperate** *a* umåteholden.

in'tend *v* akte; ~ **ed** *a* påtenkt; *s* tilkommende.

in'ten|se *a* intens; ~ **sify** *v* skjerpe; ~ **sive** *a* skjerpet.

in'tent *a* anspent, ivrig; *s* hensikt; ~ **ion** *s* hensikt; ~ **ional** *a* tilsiktet.

in'ter (*ə:*) *v* begrave.

inter|'cede (*i:*) *v* gå i forbønn; ~'**cept** *v* oppsnappe; avskjære, sperre; ~'**cession** *s* forbønn; '~ **change** *s* (ut)veksling, handelsforbindelse; ~'**change** (*ei*) *v* bytte, (ut)veksle; ~ **communi'cation** *s* fritt samkvem; '~ **course** *s* omgang, handelsforbindelse; ~'**dict** *v* forby.

ˈ**interest** *s* interesse; rente; forbindelser; kretser, parti; *v* interessere, vedkomme; ˈ⌣ **ing** *a* interessant.

interˈfere (*iə*) *v* gripe inn, komme i veien; ⌣ **nce** *s* inngrep, interferens.

inˈterior (*iə*) *a* indre; *s* interiør.

inter|ˈjacent (*ei*) *a* mellomliggende; ⌣ˈ**lace** (*ei*) *v* sammenflette; ˈ⌣ **loper** *s* smughandler; ˈ⌣ **lude** *s* mellomspill; ⌣ˈ**mediate** (*i:*) *a* mellomliggende; ⌣ˈ**mediary** (*i:*) *s* mellommann.

inˈterment (*ə:*) *s* begravelse.

inˈterminable (*ə:*) *a* endeløs.

inter|ˈmission *s* stans, pause; ⌣ˈ**mittent** *a* periodisk.

inˈtern (*ə:*) *v* internere; ⌣ **al** *a* indre, innenriksk.

inˈterpolate (*ə:*) *v* putte inn.

interˈpose (*ou*) *v* innskyte, megle.

inˈterpret (*ə:*) *v* fortolke, tyde; ⌣ **er** *s* tolk; ⌣ˈ**ation** *s*.

in|ˈerrogate (e) *v* forhøre; ⌣ **terˈrogative** (*å*) *a* spørrende; *s* spørreskjema.

inter|ˈrupt (ʌ) avbryte; ⌣ˈ**sect** *v* gjennomskjære; ⌣ˈ**section** *s* skjæringslinje; -punkt.

ˈ**inter|val** *s* mellomrom; tid, pause; ⌣ˈ**vene** (*i:*) *v* komme mellom; ⌣ˈ**vention** *s* inngripen; ˈ⌣ **view** *s* møte, intervju; *v*.

inˈtestines *s* tarmer.

ˈ**intima|cy** *s* fortrolighet; ˈ⌣ **te** *a* intim; *v* antyde, melde.

inˈtimidate *v* skremme, øve press på.

ˈ**into** *prp* inn i, opp i o. l.

in|ˈtolerable (*å*) *a* utålelig; ⌣ **toˈnation** *s* tonefall; ⌣ˈ**toxicate** (*å*) *v* beruse; ⌣ˈ**toxicant** (*a*) *s* berusende drikk; ⌣ˈ**tractable** (æ) *a* umedgjørlig; ⌣ˈ**transigent** (æ) *a* uforsonlig; ⌣ˈ**trepid** (e) *a* fryktløs.

ˈ**intricate** *a* floket, filtret.

inˈtrigue (*i:*) *s* renke; *v* intrigere, gjøre nysgjerrig.

inˈtrinsic *a* indre.

intro|ˈduce (*ju:*) *v* innføre, forestille, innlede; ⌣ˈ**duction** (ʌ) *s* innledning, presentasjon; ⌣ˈ**ductory** (ʌ) *a* innledende.

inˈtru|de (*u:*) *v* trenge seg inn, komme ubuden; påtvinge; ⌣ **der** *s* uvedkommende; ⌣ **sive** *a* påtrengende.

inˈtuitive (*ju:*) *a* instinktmessig.

ˈ**in|undate** *v* oversvømme; ⌣ˈ**vade** (*v*) *v* angripe (land), krenke (rett); ⌣ˈ**vasion** *s*; ˈ⌣ **valid** *a* svak, invalid; *s* pasient; ⌣ˈ**valid** (æ) *a* ugyldig; ⌣ˈ**valuable** (æ) *a* uvurderlig; ⌣ˈ**variable** (*εə*) *a* uforanderlig; ⌣ˈ**vective** *s* hånsord; ⌣**veigh** (*ei*) **against** *v* være grov mot; ⌣ˈ**vent** *v* oppfinne, oppdikte; ⌣ˈ**vention** *s*; ⌣ˈ**ventive** *a* oppfinnsom.

ˈ**inventory** *s* liste.

in|ˈvert (*ə:*) *v* omstille, snu om; ⌣ˈ**vest** *v* ikle, forlene; inneslutte; *merk* anbringe; ⌣ˈ**vestment** ogs. *s* pengeanbringelse; ⌣ˈ**vestigate** *v* forske; ⌣ˈ**veterate** (e) *a* rotfestet, inngrodd; ⌣ˈ**vidious** *a* lei, odiøs; ⌣ˈ**vigorate** *v* styrke; ⌣ˈ**vincible** *a* uovervinnelig; ⌣ˈ**violable** (*ai*) *a* ukrenkelig; ⌣ˈ**visible** *a* usynlig.

in|ˈvite (*ai*) *v* innby, oppfordre; ⌣ **viˈtation** *s*.

ˈ**invoice** *s* faktura.

in|ˈvoke (*ou*) *v* påkalle, nedbe; ⌣ˈ**voluntary** (*å*) *a* uvilkårlig; ⌣ˈ**volve** (*å*) *v* innvikle; medføre; ⌣ˈ**vulnerable** (ʌ) *a* usårlig.

ˈ**inward** *a* indre; *av* innad.
ˈ**iodine** (*ai*) *s* jod.
iˈ**rascible** (æs) *a* hissig, oppfarende.
iˈ**rate** (*ei*) *a* sint.
ire (*aiə*) *poet* vrede.
ˈ**Ir|eland** (*ai*) *s*; ˈ⌣**ish** *a* irsk; ˈ⌣ **ishman(-woman)** *s* irlender(-inne).
ˈ**irksome** (*ə*:) *a* trettende.
ˈ**iron** (*ai*) *s* jern, strykejern; *v* perse, stryke; ˈ⌣ **clad** *s* panserskip; ˈ⌣ **monger** *s* jernhandler; ˈ⌣ **ware** *s* isenkram.
ˈ**ir|ony** (*ai*) *s* ironi; ⌣ˈ**onical** (*å*) *a* ironisk.
ir|ˈradiate (*ei*) *v* bestråle, utstråle; ⌣ˈ**rational** (æ) *a* ufornuftig; ⌣ **reˈclaimable** (*ei*) *a* uforbederlig; ⌣ˈ**reconcilable** (e, *-ai*) *a* uforenelig, uforsonlig; ⌣ˈ**regular** *a* uregelmessig; mislig; ⌣ˈ**relevant** *a* uvedkommende; ⌣ **reˈligious** *a* uten religion; ⌣ **reˈmediable** (*i*:) *a* uopprettelig; ⌣ˈ**reparable** (e) *a* ubotelig; ⌣ **reˈpressible** *a* ubetvingelig; ⌣ **reˈproachable** (*ou*) *a* ulastelig; ⌣ **reˈsistible** *a* uimotståelig; ⌣ ˈ**resolute** (e) *a* ubesluttsom; ⌣ **resoˈlution** (*u*:) *s* u.-het; ⌣ **reˈsponsible** (*å*) *a* uansvarlig, ansvarsløs; ⌣ **reˈtrievable** (*i*:) *a* uopprettelig; ⌣ˈ**reverent** (e) *a* uærbødig; ⌣ˈ**revocable** (e) *a* ugjenkallelig.
ˈ**irri|gate** *v* vanne.
ˈ**irri|table** *a* pirrelig; ˈ⌣ **tate** *v* irritere, hisse.
ˈ**isinglass** (*ai*) *s* husblas.
ˈ**is|land** (*ail-*) *s* øy; ⌣ **le** (*ail*) *s* øy (i navn); ˈ⌣ **let** *s* liten øy.
ˈ**isolate** (*ai*) *v* avsondre.
ˈ**issue** (*isju*) *s* utgang, utstedelse, utgave, nummer; resultat, avkom; sak; *v* flyte ut, utkomme, stamme, ende; utstede.
ˈ**isthmus** (*ism-*) *s* landtange.
Iˈtalian (æ) *a* italiensk; *s* italiener; ˈ**Italy** *s*.
iˈ**talics** (æ) *s* kursiv(-skrift).
itch *v* (*s*) klø(e).
ˈ**item** (*ai*) *s* punkt, post.
iˈ**tiner|ant** (*i*) *a* reisende, vandrende; ⌣ **ary** *s* reiserute, -håndbok.
ˈ**ivory** (*ai*) *s* elfenben.
ˈ**ivy** (*ai*) *s* eføy.

J.

jab (æ) *v* støte; *s*.
ˈ**jabber** (æ) *v* skvaldre; *s*.
jack (æ) *s* flagg; sagkrakk; donkraft; *v* løfte, heise.
ˈ**jackal** (æ, *-å:l*) *s* sjakal.
ˈ**jackass** (æ) *s* hannesel; fehode.
ˈ**jacket** (æ) *s* jakke.
jade (*ei*) *s* øk; ˈ⌣ **d** *a* utaset.
ˈ**jagged** (æ) *a* tagget.
jail (*ei*) *s* fengsel; ˈ⌣ **er** *s* slutter.
ˈ**jalopy** (æ) *s* *am* brukt bil.
jam (æ) *s* floke, trengsel; syltetøy, fruktgelé; *v* klemme, presse, kile (seg fast).
jamboˈree (*i*:) *s* *fam* festlighet; speiderleir.
jangle (æ) *v* skurre, kjekle; *s* ulyd; kjekl.
ˈ**janitor** (æ) *s* dørvokter, pedell.
ˈ**January** (æ) januar.
jaˈpan (æ) *s* (*v*) lakk(ere); **J-ˈese** (*i*:) *s* japaner; *a* japansk.
jar (*a*:) *v* skurre; *s* krukke.
ˈ**jasper** (æ) *s* jaspis.
ˈ**jaun|dice** (*a*:) *s* gulsott.
jaunt (*å*:) *s* tur, utflukt; *v* dra på tur; ˈ⌣ **y** *a* freidig, flott.
jaw (*a*:) *s* kjeve.
jay (*ei*) *s* *zo* nøtteskrike.
ˈ**jealous** (e) *a* skinnsyk; nidkjær; ˈ⌣ **y** *s*.
jeans (*i*:) *s* olabukser.

ˈjeer (*iə*) *v* håne, spotte.
ˈjelly *s* gelé.
ˈjeopardy (e) *s* fare.
jerk (*ə:*) *s* (*v*), rykk(e), støt(e); **ˈ⌣ y** *a* støtvis.
ˈjersey *s* (under)trøye.
jest, *s* (*v*) vits(e); **ˈ⌣ er** *s* hoffnarr, skøyer.
jet *s* (*v*) sprut(e); spreder; gagat; **ˈ⌣ -ˈblack** *a* kolsvart; **⌣ -plane** *s* jetfly; **⌣ ⌣propelled** *a* reaksjonsdrevet.
ˈjetsam *s* drivgods.
ˈjetty *s* molo.
Jew (*u:*) *s* jøde; **⌣ ess**, *s*; **ˈ⌣ish** *a*.
ˈjewel (*u:*) *s* juvel; **ˈ⌣ ler** *s* gullsmed; **ˈ⌣ ry** *s* juveler.
jib *s mar* klyver; *v* være sta; jibbe.
jibe (*ai*) *v* spotte.
jiffy *s* øyeblikk.
jig *s* en dans.
jilt *v* svike (i kjærlighet).
jingle *s* (*v*) klirre(n).
ˈjingo *s*, (*a*) sjåvinist(isk).
ˈjitter *v sl* rykke; **ˈ⌣ y** *a* skvetten.
job (*å*) *s* jobb, akkord; spekulasjon; *v* (ut)leie, arbeide på akkord; jobbe; **ˈ⌣master** *s* vognmann; **ˈ⌣ horse** *s* leiehest.
ˈjoc|ular (*å*) *a* spøkefull; **⌣ˈose** (*ou*) *a ib*.
jog (*å*) *v* dytte, jogge, lunte.
join (*åi*) *v* sammenføye; tre inn i, slutte seg til; **ˈ⌣ er** *s* møbelsnekker; **⌣ t** *a* forenet, sam-; *s* ledd; fuge, kne; stek; **ˈ⌣ t-stock** *s* aksjekapital.
joist (*åi*) *s* (tverr)bjelke.
joke (*ou*) *s* (*v*) spøk(e).
ˈjolly (*å*) *a* livlig, gemyttlig; animert; *av* meget.
ˈjolly-boat *s* jolle.
jolt (*ou*) *v* støte, skake.
jostle (*åsl*) *v* skubbe, slåss.
jot (*å*) *s* tøddel, grann.
ˈjournal (*ə:*) *s* dagbok, tidsskrift *merk* journal; **ˈ⌣ ize** *v* journalisere.
ˈjourney (*ə:*) *s* reise; **ˈ⌣ man** *s* håndverkssvenn.
joust (*u:*) *s* turnering.
ˈjovial (*ou*) *a* gemyttlig.
ˈjowl (*au*) *s* kjeve, kinn.
joy (*ai*) *s* glede; **ˈ⌣ ful, ˈ⌣ ous** *a* frydefull; **⌣ stick** *s fam* spak (*fly*).
ˈjub|ilate (*u:*) *v* juble; **⌣ iˈlee** (*i:*) *s* jubileum.
judg|e (ʌ) *s* dommer; *v* (be-)dømme, anse for; **ˈ⌣ ment** *s* dom, dømmekraft.
juˈdici|al (*i*) *a* rettslig; **⌣ ous** *a* forstandig.
jug (ʌ) *s* mugge.
juggls (ʌ) narre, trylle; **ˈ⌣ r** *s* tryllekunstner.
ˈjugular (*u:*) *a* hals-.
juice (*u:*) *s* saft.
ˈjuke-box (*u:*) *s am* musikkautomat.
Juˈly (*ai*) juli.
jumble (ʌ) *v* jaske; *s* mølje.
jump (ʌ) *s* (*v*), hopp(e); **ˈ⌣ y** *a* skvetten, nervøs.
ˈjunct|ion (ʌ) *s* knutepunkt; **ˈ⌣ ure** *s* krise, situasjon.
June (*u:*), juni.
ˈjunior (*u:*) *a* yngre, lavere; *s*.
ˈjuniper (*u:*) einer, brisk.
junk (ʌ) *s* juks, skrot.
ˈjuror (*uə*) *s* jurymann.
just (ʌ) *a* rettferdig, riktig; *av* nettopp, bare; **ˈ⌣ ice** *s* rettferdighet, berettigelse; dommer; **ˈ⌣ ifiable** *a* forsvarlig; **⌣ ifiˈcation** *s* rettferdiggjørelse; **ˈ⌣ ify** *v* forsvare.
jut (ʌ) *v* stikke fram.
ˈjuvenile (*u:*) *a* ung(dommelig).
juxtapoˈsition *s* sidestilling.

K.

kangaˈroo (*u:*) *s* kenguru.
kedge *v* varpe.

keel (e:) *s* kjøl.
keen (*i*:) *a* skarp, ivrig.
keep (*i*:) *v* (be)holde, bevare, gjemme, passe; holde seg, vedbli; *s* underhold; borgtårn; '~ **er** *s* vokter; '~ **ing** *s* varetekt; harmoni; '~ **sake** *s* erindring.
keg *s* dunk, kagge.
'**kennel** *s* hundehus; rennestein.
kerb (*ə*:) *s* fortaukant.
'**kerchief** (*ə*:) *s* skaut, tørkle.
'**kernel** (*ə*:) *s* kjerne.
'**ketchup** *s* tomatsaus.
kettle *s* kjele, gryte; '~ **-drum** *s* pauke.
key (i:) *s* nøkkel; *mus* tangent, toneart; '~ **board** *s* klaviatur; '~ **-note** *s* grunntone; '~ **stone** *s* sluttstein.
kick *s* (*v*) spark(e).
kid *s* geiteskilling, *sl* barn; *v* erte, lure; '~'**gloves** *s* glacéhansker; ~ **nap** *v* bortføre, røve.
'**kidney** *s* nyre.
kill *v* drepe; *s* jaktbytte; ~ **joy** *s* gledesdreper; *fig* lyseslokker.
kiln *s* (kalk-, etc.) ovn.
kilt *s* skjørt; *v* oppbrette, plissere.
kin *s* slekt(-skap).
kind (*ai*) *s* slag, sort, natur; **in** ~, in natura; *a* vennlig, snill; '~' ~'**hearted** *a* godhjertet; '~ **ly** *a ib*; *av* snilt, vennlig.
kind|le (*i*) *v* (an)tenne (s); '~ **ling** *s* fliser, stikker.
'**kindred** (*i*) *s* slekt(-skap); *a* beslektet.
king *s* konge; '~ **dom** *s* rike.
'**kinsman** *s* slektning.
'**kipper** *v* (s) røke(-sild).
kirk (*ə*:) *s* (skotsk) kirke.
kiss *s* (*v*) kyss(e).
kit *s* butt, kiste, sekk; utstyr; antrekk; ~ **-bag** *s* vadsekk.
'**kitchen** *s* kjøkken; '~ -'**range** *s* komfyr; ~'**ette** *s* tekjøkken.
kite (*ai*) *s* glente; lekedrake.
'**kitten** *s* kattunge.
kittle *a* kilen.
knack (*næ*) *s* (hånd)lag.
knag (*næ*) *s* knast.
'**knapsack** (*næ*) *s* ransel.
knave (*nei*) *s* kjeltring; knekt (i kort); '~ **ry** *s* skurkestrek.
knead (*ni*:) *v* kna, elte.
knee (*ni*:) *s* kne, *pl* fang; '~ -'**deep** *av* til knes.
kneel (*ni*:) *s* knele.
knell (*ne*) *s* (lik)klokke.
'**knickers** (*ni*) *s* knebukser, (dame)underbenklær.
knife (*nai*) *s* kniv.
knight (*nai*) *s* ridder; springer (i sjakk); *v* gjøre til r.; '~ '**errant** *s* vandrende r.; '~ **hood** *s* r.-skap.
knit (*nå*) *v* knytte, strikke, rynke; '~ **ting** *s* s.-tøy.
knob (*nå*) *s* håndtak, knott.
knock (*nå*) *v* banke, slå; ~ **about** streife, rangle; *s* slag, bank(ing); '~**er** dørhammer; '~ **-kneed** *a* kalvbeint.
knoll (*nou*) *s* haug, kolle.
knot (*nå*) *s* knute, klynge, ledd, sløyfe, kvist' *mar* knop; *v* knytte; '~ **ty** *a* vrien.
knout (*nau*) *s* knutt.
know (*nou*) *v* kjenne, vite; '~ **ing** *a* lur, våken, flott; '~ **ledge** (*nål*-) *s* kunnskap(-er), kjennskap, viten(de).
knuckle (nʌ) *s* knoke; *v* slå.

L.

'**label** (*ei*) *s* (merke-)lapp, skilt.
'**labial** (*ei*) *a* leppe-; *s* leppelyd.
'**labour** (*ei*) *s* arbeid, strev, fødselsveer; *v* streve, lide; '~ **er** *s* kroppsarbeider.
la'**borious** (*å*:) *a* strevsom.

la'burnum (*ə:*) *s bot* gullregn.
lace (*ei*) *s* lisse, tresse, knipling; *v* snøte, galonere.
'lacerate (æ) *v* sønderrive.
lack (æ) *s* mangel; *v*.
'lackey (æ) *s* lakei.
'lacquer (æ) *s* (*v*) ferniss(ere).
lad (æ) *s* (ung) gutt.
ladder (æ) *s* stige, leider; raknet maske.
lad|e (*ei*) *v* laste; øse; **'~ en** *a* ladet, lastet; **~ ing** *s* last, frakt; **~ le** *s* sleiv, øse.
'lady (*ei*) *s* dame, frue, lady (tittel); **'~ bird** *s* marifly; **'~ ship, Her L-,** hennes nåde; **'~-killer** *s* hjerteknuser.
lag (æ) *v* henge etter, nøle; **'~ gard** *s* somlekopp.
la'goon (*u:*) *s* lagune.
lair (*ɛə*) *s* hi, leie.
'laity (*ei*) *s* legfolk(et).
lake (*ei*) *s* innsjø; rød lakk.
lamb (æ*m*) *s* lam.
lame (*ei*) *a* lam, halt; *v* gjøre l., h.
la'ment *v* (be)klage, sørge (over); **~ ed** *a* avdød; **'~ able** (æ) *a* beklagelig; **~'ation** *s* veklage(-rop).
lamp (æ) *s* lampe, lykt; **'~ black** *s* kjønrøk, sot; **'~ -post** *s* lyktepel.
lam'poon (*u:*) *s* smedeskrift.
lance (*a:*) *s* lanse(nér); **'~ r** *s* lansenér, *pl* en turdans; **'~ t** *s* lansett.
land (æ) *s* land(-jord), jord (-stykke); *v* lande, losse; **'~ ed** *a* landeiendoms-; **'~ ing** *s* losseplass; trappeavsats; **'~ ing-stage** *s* kai; **'~ lady** *s* vertinne; **'~ lord** *s* (hus)-vert, gjestgiver; godseier; **'~ mark** *s* merke; milepel; **'~ scape** *s* landskap; **'~ sman** *s* landkrabbe.
lane (*ei*) *s* vei (mellom hekker), smug, bane.
'language (æ) *s* språk.
'lang|uid (æ) *a* treg, slapp; **'~ uish** *v* bli matt, vansmekte; **'~ uor** (*-gə*) *s* slapphet, matthet.
lank (æ) *a* lang og tynn; **'~ y** *a* ulenkelig.
'lantern (æ) *s* lykt, lanterne.
lap (æ) *v* lepje; skvulpe; folde, vikle; *s* fang; *sp* runde; **'~-dog** *s* skjødehund; **~strap** *s* sikkerhetsbelte (fly).
la'pel (e) *s* frakkeoppslag.
lapse (æ) *s* feil; forløp; fall; *v* hjemfalle; synde; forløpe.
'lar|board (*a:*) *s* babord.
'larceny (*a:*) *s* tyveri.
'larch-tree (*a:*) *s* lerketre.
lard (*a:*) *s* fett, smult; **'~ er** *s* spiskammer.
large (*a:*) *a* stor; **at ~**, på frifot; **'~ ly** *av* i høy grad.
lark (*a:*) *s* lerke; moro; *v*.
'larynx (æ) *s* strupehode.
la'scivious (*si*) *a* geil, lysten.
lash (æ) *s* (svepe-)snert, (piske-) slag; *pl* øyevipper; *v* piske; fastsurre; **'~ ing** *s* pryl; surretau.
lass (æ) *s* pike.
'lassitude (æ) *s* tretthet.
last (*a:*) *s* lest; *a* sist, forrige; *v* vare, holde seg; **'~ ing** *a* varig; **'~ ly** *av* til sist.
latch (æ) *s* klinke, smekklås; **'~ -key** *s* entrénøkkel.
late (ei) *a* sen, forsinket; nylig, forhenværende, avdød; *av* sent; **'~ ly** *av* nylig.
'latent (*ei*) *a* latent.
'lateral (æ) *a* side-.
lath (*a:*) *s* lekte, list.
lathe (*ei*) *v* (*s*) dreie(-benk).
'lather (æ) *s* (*v*) skun(me).
'latitude (æ) *s* bredde(-grad), spillerom.
'latter (æ) *a* sist(-nevnt), nyere.
'lattice (æ) *s* sprinkelverk.
'laudable (*å:*) *a* rosverdig.
'laudanum (*å*) *s* opiumsdråper.
laugh (*a:f*) *v* le; *s* latter; **'~able** *a* latterlig; **'~ ter** *s* latter.
launch (*å*(, *a:*) *s* stabelavløp;

barkasse, båt, slipp; *v* sende ut, sette på vannet.
ˈ**laundr|ess** (*å:*) *s* vaskekone; ˈ⌣ **y** *s* vaskeri.
ˈ**laur|eate** (*å:*) *a* **poet** ⌣ hoffdikter; ˈ⌣ **el** (*å*) *s* laurbær.
ˈ**lavatory** (æ) *s* toalettrom, W.C.
ˈ**lavender** (æ) *s* lavendel.
ˈ**lavish** (æ) *v* ødsle; *a* ødsel.
law (*å:*) *s* lov, jus; ˈ⌣ **-court** *s* domstol; ˈ⌣ **ful** *a* lovlig; ˈ⌣ **less** *a* lovløs; ˈ⌣ **-suit** *s* prosess; ⌣ **yer** *s* jurist, sakfører.
lawn (*å:*) *s* batist; grasplen.
lax (æ) *a* slapp; ˈ⌣ **ative** *a* avførende; ˈ⌣ **ity** *s* slapphet.
lay (*ei*) *s* kvad; *a* ulærd, leg; *v* legge, vedde, dekke; ˈ⌣ **er** *s* lag; avlegger; ˈ⌣-ˈ**figure** *s* leddedokke, statist; ⌣ **man** *s* legmann.
ˈ**lazy** (*ei*) *a* doven.
lead(e) *s* bly; ˈ⌣ **en,** *a*; ˈ⌣ˈ**pencil** *s* blyant.
lead (*i:*) *v* lede, føre, spille ut (kort); *s* ledelse; invitt, utspill; ledning; ˈ⌣**er** *s* leder; ˈ⌣ **ership** *s* ledelse.
leaf (*i:*) *s* blad, *pl* løv; klaff, skive.
league (*i:*) *s* liga, forbund; **the League of Nations** Folkeforbundet.
leak (ʌ:) *s* (*v*) lekk(e); ˈ⌣ **y** *a.*
lean (*i:*) *a* mager; *v* lene, støtte (seg); ⌣ **ing** *s* hang.
leap (*i:*) *s* (*v*) hopp(e); ˈ⌣**-frog** *v* hoppe bukk; ˈ⌣ **-year** *s* skuddår.
learn (*ə:*) *v* lære, erfare; ˈ⌣ **ed** (*-id*) *a* lærd; ˈ⌣ **ing** *s* lærdom.
lease (*i:*) *s* bygsel (-kontrakt), frist; *v* bortleie.
leash (i:) *s* kobbel; rem.
least (*i:*) *a* minst.
ˈ**leather** (e) *s* lær.
leave (*i:*) *s* tillatelse, avskjed, permisjon; *v* forlate, etterlate, levere, la, (av)reise.
ˈ**leaven** (e) *s* surdeig; *v* syre.
ˈ**lecture** *s* foredrag, forelesning; straffepreken; *v* holde f. (s.) for; ˈ⌣ **r** *s* foredragsholder.
ledge *s* hylle.
ˈ**ledger** *s merk* hovedbok.
lee (*i:*) *s* ly, *mar* le.
leech (*i:*) *s* igle, *mar* lik.
leek (*i:*) *s bot* purre.
leer (*iə*) *v* skotte (ondt, geilt).
lees (*i:*) *s* berme.
ˈ**leeward** (*lu*() *s* le.
left *a* venstre; til overs; ˈ⌣ -ˈ**handed** *a* keivhendt.
leg *s* ben.
ˈ**legacy** (e) *s* legat, *fig* arv.
ˈ**legal** (*i*() *a* lovlig; rettslig; ˈ⌣ **ize** *v* stadfeste lovlig.
leˈ**gation** *s* sendelse; legasjon(-sbolig).
ˈ**legend** (*edzh*) *s* legende, sagn; ˈ⌣ **ary** *a* legendarisk.
ˈ**legible** (*edzh*) *a* leselig.
ˈ**legis|late** (*edzh*) *v* lage lover; ⌣ˈ**lation** *s* lovgivning; ˈ⌣ **lative** *a* lovgivende; ˈ⌣ **lature** *s* den lovg. makt.
leˈ**gitima|te** (*dzhi*) *a* lovlig, ektefødt; ⌣ **cy** *s.*
ˈ**leisure** ezh) *s* fritid, otium; ˈ⌣ **ly** *a* makelig.
ˈ**lemon** (e) *s* sitron; ⌣ˈ**ade** (*ei*) *s* limonade.
lend *v* låne ut, yte, gi.
length *s* lengde, **at** ⌣ omsider; ˈ⌣ **en** *v* forlenge, tøye; ˈ⌣ **y** *a* langtrukken.
ˈ**lenient** (*i:*) *a* lemfeldig.
ˈ**lenity** (e) *s* lempe.
lens *s* linse.
Lent *s* faste(-tid).
ˈ**lentil** *s bot* linse.
leonine (*i:*) *a* løve-.
ˈ**lep|er** (e) *s* spedalsk; ˈ⌣ **rosy** *s* s.-het; ˈ⌣**rous** *a.*
ˈ**lesion** (i:) *s* lesjon, skade.
less *a* mindre, ringere; ˈ⌣ *en, v* minske; ˈ⌣ **er** *a* mindre.
ˈ**lesson** *s* lekse, lærepenge, preken; skoletime.

lest *k* forat ikke, (av frykt for) at.
let *v* la; leie ut; fire.
'lethargy (e) *s* døs.
'lethal (i:) *a* døds-, drepende.
'letter *s* brev; bokstav; type, *pl* litteratur.
'lettuce (e) *s* (blad-) salat.
'level (e) *s* plan, flate, nivå; vaterpass; lavland; *v* sikte; rette; planere, rasere; *a* jevn, horisontal, like; **'~ -'crossing** planovergang; **'~ -'headed** *a* sindig.
'lever (*i*() *s* vektstang.
'levity (e) *s* is. lettsindighet.
'levy (e) *s* oppbud, oppkrevning; *v* reise (om hær), kreve.
lewd (*ju:*) *a* uanstendig.
'lia|ble (*ai*) *a* ansvarlig; utsatt, pliktig; **~'bility** *s* ansvar, *pl* passiva.
'liar (*ai*) *s* løgner.
'libel (*ai*) *s* injurie(-r); *v* injuriere; **'~ lous** *a*.
'liber|al (*i*) *a* frisinnet; rikelig, rundhåndet; **~'ality** (æ) *s* gavmildhet; **'~ ate** *v* frigi; **'~ ty** *s* frihet, rettighet.
li'bidinous (*i*) *a* geil, lysten.
'libr|ary (*ai*) *s* bibliotek; **~'arian** *s* b.-ar.
'license (*ai*) *s* bevilling, frihet, tøylesløshet; *v* tåle; autorisere.
li'centious *a* umoralsk.
'lichen (*aik*) *s* *bot* lav.
lick *v* slikke, *sl* jule opp; *s* rapp; **'~ ing** *s* juling.
'licorice (*i*) *s* lakris.
lid *s* lokk, deksel.
lie (*ai*) *s* løgn; *v* lyve; ligge.
lieu'tenant (*lefté-*, *lu:té*) *s* stedfortreder, stattholder; løytnant.
life (*ai*) *s* liv; **'~ ~buoy** *s* redningsbøye; **'~ like** *a* realistisk; **'~ long** *s* livsvarig.
lift *v* løfte, stjele; lette (om røk); *s* elevator; *hjelp*.
light (*ai*) *s* lys; *v* tenne(s), lyse; treffe (på-**on**); *a* lys, lett, blond; laber; **'~ en** *v* lyse, lysne, lette, letne; **'~ er**, *s* lekter; **'~ -'headed** *a* svimmel, skrullet; **'~ -'hearted** *a* sorgløs; **'~ -house** *s* fyrtårn; **'~ ning** *s* lyn.
like (*ai*) *a* lik(e); *av*, *k* liksom; *v* like; *s* like, make, sympati; **'~ able** *a* tiltalende; **'~ lihood** *s* sannsynlighet; **'~ ly** *a* sannsynlig; **'~ n** *v* sammenligne; **'~ ness** *s* likhet, portrett; **~ wise** *av* likeledes.
'liking (*ai*) *s* sympati.
'lilac (*ai*) *s* syrin.
lilt *v* tralle.
'lily (*i*) *s* lilje; **'~ -of-the-'valley** *s* liljekonvall.
limb (*im*) *s* lem, grein; kant.
'limber *a* smidig.
lime (*ai*) *s* sitron; lind; kalk; *v* kalke, smøre; **'~ -light** *s* *teat* rampelys.
'limit (*i*) *s* grense; *v* begrense; **~'ation** begrensning; **'~ ed 'company**, aksjeselskap.
limp *v* (*s*) halte(n); *a* slapp, lealaus.
'limpid *a* klar.
line (*ai*) *s* linje; line, smøre; strek, rad; bransje, utvalg; *pl* replikk; *v* streke, fure; fore, utstoppe; **'~ r** *v* ruteskip.
'lin|eage (*i*) *s* avstamning; **'~ eaments** *s* ansiktstrekk
'linen (*i*) *s* lerret, linnet, vask(-etøy).
ling *s* *zo* lange; *bot* lyng.
'linger *v* nøle, dvele.
'lingo *s* kråkemål.
'ling|ual *a* tunge-, språk-; **'~ uist** *s* språkmann.
'liniment (*i*) *s* salve.
'lining (*ai*) *s* fôr, belegg.
link *s* ledd, bøyle; fakkel; *v* binde sammen; **~ s** *s* golfbane.
'linseed *s* linfrø; **'~oil** *s* linolje.

ˈlion (*ai*) *s* løve; berømthet; ˈ~ **ess** *s* løvinne.
lip *s* leppe; kant; ~ **-stick** *s* leppestift.
ˈliquid *a* flytende, klar; *s* væske; ˈ~ **ate** *v* likvidere.
ˈliquor (*-ikə*) *s* brennevin.
lisp *v* (*s*) lespe(n).
ˈlissom *a* smidig.
list *s* list, kant; liste; *mar* slagside; *pl* kampplass; *v* registrere.
ˈlisten (*sn*) *v* lytte.
ˈlistless *a* apatisk.
lit *a* opplyst, tent.
ˈlit|eral *a* bokstavelig; ˈ~**erary** *a* litterær; ˈ~ **erature** *s*.
lithe (*ai*) *a* myk.
ˈlitter *s* båre; halmstrø, rask; kull (av unger); *v* bestrø, ligge utover; føde.
little *a* liten, *av* lite.
ˈlittoral *a* strand-.
live (i) *v* leve, bo.
live (*ai*) *a* levende; ˈ~ **lihood** *s* levebrød; ˈ~ **ly** *a* livlig; ˈ~ **-stock** *s* besetning.
ˈliver (*i*) *s* lever.
livery (*i*) *s* livré, laugsdrakt; hestefer.
ˈlivid (*i*) *a* blygrå.
ˈliving (*i*) *s* liv, levebrød; prestekall; ˈ~ **-oom** *s* dagligstue.
ˈlixard (*i*) *s* firfirsle.
load (*ou*) *s* vekt, lass; *pl fam* masse; *v* lesse (på), laste.
loaf (*ou*) *s* brød, sukkertopp; *v* drive dank; ˈ~ **er** *s*.
loam (*ou*) *s* leire.
loan (*ou*) *s* lån; *v am* låne ut.
loath (*ou*) *a* uvillig; ~ **e** *v* vemmes ved; ˈ~ **ing** *s* vemmelse; ˈ~ **some** *a* vemmelig.
lob (*å*) *s sp* høy ball.
ˈlobby (*å*) *s* forværelse, foajé.
lobe (*ou*) *s* øreflipp, flik.
ˈlobster (*å*) *s* hummer.
ˈloc|al (*ou*) *a* stedlig; ~ˈ**ality** (*æ*) *s* lokalitet, beliggenhet; ~ˈ**ate** (*li*) *v* plassere, bestemme.
lock (*å*) *s* lokk; sluse; lås; *v* låse; ˈ~ **er** *s* veggfast skap; ˈ~ **et** medaljong.
ˈloc|ust (*ou*) *s* gresshoppe.
loˈcution (*ju:*) *s* tale(-måte).
lodgˈe *s* portnerstue, losji; *v* anbringe, losjere; deponere; ˈ~ **er** *s* leieboer; ˈ~ **e-keeper** *s* portner; ˈ~ **ing** *s* losji.
loft (*å*) *s* loft, galleri.
ˈlofty (*å*) *a* opphøyet, høy.
log (*å*) *s* trestamme, kubbe *mar* logg; ˈ~ **-book** *s mar* skipsjournal; ˈ~ **rolling** *s* kameraderi (is. litterært).
ˈlogical (*dzh*) *a* logisk.
loin (*åi*) *s* lend, nyrestykke.
loiter (*åi*) *v* slentre.
loll (*ou*) *v* sitte henslengt, henge, dovne seg.
lonely (*ou*) *a* ensom.
long (*å*) *a* lang; *av* lenge; *v* lenges; ˈ~ **boat** *s* storbåt; ~ˈ**evity** (*dzhe*) *s* høy alder; ˈ~ **ing** *s* lengsel; ˈ~ **itude** (*dzh*) *s* lengdegrad; ˈ~ **-ˈ**winded (*i*) *a* langtrukken.
look (*u*) *v* se; synes; *s* mine, blikk, titt, *pl* utseende; ˈ**ing-glass** *s* speil; ˈ~ **-ˈout** *s* utkik, vakt.
loom (*u:*) *s* vev(-stol); *v* fortone seg, stå fram.
loop (*u:*) *s* løkke, sløyfe, hempe; *v* hempe, stroppe; ˈ~ **hole** *s* skyteskår, smutthull.
loose (*u:*) *a* løs; *v* løs(n)e; ˈ~ *h a* løs(n)e.
loot (*u:*) *v* plyndre.
lop (*å*) *v* kappe, hogge; ˈ~-ˈ**sided** *a* skjev.
loˈquacious (*ei*) *a* snakksom.
lord (*å:*) *s* herre; godseier; ˈ~ **ly** *a* fornem; hoven; ˈ~ **ship** *s* nåde (tittel); makt.
lore (*å:*) *s* is. (spesial-)kunnskap, lærdom.
lorn (*å:*) *a poet* ene, forlatt.

ˈ**lorry** *s* lastebil, -vogn.
lose (*u:*) *v* miste, saktne (om ur).
loss (*å*) *s* tap.
lost (*å*) *a* (for-)tapt, omkommet; fordypet; gått seg vill.
lot (*å*) *s* lodd; skjebne; *merk* parti; tomt; mengde.
ˈ**lotion** (*ou*) *s* væske, (hår-)vann.
loud (*au*) *a* høy (om lyd); grell; *av* høyt.
lounge (*au*) *v* dra seg; *s* driveri, sofa; hvilestue, hotell-vestibyle; ˈ⁓ **-suit** *s* hverdagsdress.
lour, lower (*au*) *v* henge; se truende (ut).
louse (*au*) *s* lus.
lout (*au*) *s* slamp.
lov|e (ʌ) *v* elske; *s* kjærlighet, lyst; hilsen; ˈ⁓ **able** *a* elskelig; ˈ⁓ **ely** *a* yndig; ˈ⁓ **er** *s* elsker, kjæreste.
low (*ou*) *v* raute; *a* lav, dempet; dyp; simpel; *av* sakte, lavt; ˈ| **er** *v* senke; ˈ⁓ **land** (L.) *s* (*a*) lavland (**-s**); ˈ⁓ **ly** *a* beskjeden; ˈ⁓ **-ˈspirited** *a* nedfor.
ˈ**loyal** (*åi*) *a* tro(-fast), lojal.
ˈ**lozenge** (*å*) *s* rombe; rute; karamell.
ˈ**lubberly** (ʌ) *a* klosset.
ˈ**lubr|icate** (*u:*) *v* smøre; ˈ⁓ **icant** *s* smøring; ⁓ˈ**icity** *s* slibrighet.
ˈ**lucid** (*u:*) *a* klar.
luck (ʌ) *s* (lykke)treff, hell; ˈ⁓ **y** *a* heldig.
lucr|e (*u:*) *s* åger; profitt; ˈ⁓ **ative** *a* lønnsom.
ˈ**ludicrous** (*u:*) *a* latterlig.
lug (ʌ) hale, slite.
ˈ**luggage** (ʌ) *s* bagasje.
ˈ**lugger** (ʌ) *s* sl. skip.
luˈgubrious (*u:*) *a* trist, bedrøvelig.
ˈ**lukewarm** (*u:*) *a* lunken.
lull (ʌ) *v* berolige; *s* pause; lettelse; ˈ⁓ **aby** (*-bai*) *s* voggesang.
ˈ**lumber** (ʌ) *s* skrot; tømmer; *v* fylle opp; hogge t.
ˈ**luminous** (*u:*) *a* lysende.
lump (*a*) *s* klump, kloss; *v* gå tungt, deise ned; ta under ett; ˈ⁓ **ing** *a* diger; ˈ⁓ **y** *a* klumpet.
ˈ**lun|acy** (*ju:*) *s* sinnssykdom; ⁓ **atic** (*u:*) *a*, *s* vanvittig.
lunch (ʌ) *s* lunsj; *v*: ˈ⁓ **eon** *s* formell l.
lung (ʌ) *s* lunge.
lunge (*ndzh*) *s* utfall; *v*.
lurch (*ə:*) *s* overhaling; knipe.
lure (*juə*) *v* (*s*) lokke(mat).
ˈ**lurid** (*juə*) *a* uhyggelig.
lurk (*ə:*) *v* ligge på lur.
luscious (ʌ) *a* vammel.
lush (ʌ) *a* saftig, frodig.
lust (ʌ) *s* kjødets lyst; ˈ⁓ **ful** *a* vellystig.
lustre (ʌ) *s* glans.
ˈ**lusty** (ʌ) *a* kraftig.
lute (*ju:*) *s mus* lutt.
lux|ury (ʌ *ksh*) *s* luksus; ⁓ˈ**uriant** (*gzh u:*) *a* yppig; ⁓ˈ**uriate** *v* fråtse; ⁓ˈ**urious** *a* overdådig.
lunch (*i*) *v* lynsje.
ˈ**lyric** (*i*) *s* lyrisk dikt; ˈ⁓**al** *a* lyrisk.
lying-ˈin *s* barselseng.
lynx (*i*) *s* gaupe.

M.

maˈam (*mæm*), Deres Majestet; (*m*) fru(e), frøken.
mace (*ei*) *s* septer.
machiˈnations (*k*) *s* renker.
maˈchine (*shi:*) *s* maskin, *fig* organisasjon; ⁓ **ry** *s*.
ˈ**mackerel** (æ) *s* makrell.
ˈ**mackintosh** (æ) *s* regnkappe.
mad (æ) *a* gal, *am* sint.
ˈ**madam** (æ) *s* frue, frøken.
ˈ**mad|man** (æ) *s* gal; ˈ⁓ **den** *v* gjøre gal.
Mae West *s* redningsvest (fly).

maga'zine (*i:*) *s* magasin; tidsskrift.
'maggot (æ) *s* larve.
'mag|ic (*ædzh*) *a* magisk; *s* trolldom; ˷ **'ician** *s* trollmann.
'magistrate (æ) *s* dommer.
mag'n|animous *a* edelmodig; ˷ **a'nimity** *s*.
mag'neto (*i:*) *s* (tenn-)magnet.
mag'nificent *a* prektig.
'mag|nify (æ) *v* forstørre; '˷**nitude** *s* størrelse.
'magpie *s zo* skjære.
ma'hogany (*å*) *s* mahogni.
maid (*ei*) *s* (tjeneste-)pike; '˷ **en** *a* pike-; jomfruelig; *s* jomfru; '˷ **enish** *a* jomfrunalsk; '˷ **enly** *a* jomfruelig.
mail (*ei*) *s* panser; post.
maim (*ei*) *v* lemleste.
main (*ei*) *a* hoved-; *s* styrke; hovedledning; fastland, hav; '˷ **land** *a* fastland; '˷ **ly** *av* hovedsakelig.
main|'tain (*men-tein*) *v* opprettholde, forsørge; '˷ **tenance** (*ei*) vedlikehold.
maize (*ei*) *s* mais.
'maj|esty (æ) *s* majestet; ˷**'estic** *a* majestetisk.
'major (*ei*) *a* større, hoved-, viktigst; *s* major, *mus* dur.
ma'jority (*å*) *s* flertall; myndighetsalder.
make (*ei*) *v* gjøre, lage, få til (å), nå, tjene, bli til), greie; styre; re opp (seng); *s* form, fabrikat; '˷ **-believe** *s* påskudd; '˷ **shift** *s* nødhjelp; '˷ **-up** *s* sminke, *fig* natur.
'malady (æ) *s* sykdom.
'malcontent (æ) *a* opprørsk.
male (*ei*) *a* hann-, mannlig.
mal|e'diction *s* forbannelse; ˷ **e'factor** (æ) *s* forbryter, ugjerningsmann; ˷**'evolent** (e) *a* ondsinnet.
'mal'ice (æ) *s* ondskap, ertelyst; ˷**'icious** *a*; ˷**'ign** (*lain*) *a* ondsinnet; *v* baktale; ˷**'ignant** (*lig*) *a* illesinnet; ˷ **ignity** *s*.
'mal|eable (æ) *a* smibar, strekkbar; '˷ **let** *s* klubbe.
'mallow (æ) *s bot* kattost.
mal|nu'trition *s* underernæring; ˷**'practice** *s* misbruk.
malt (*åi*) *s* (*v*) malt(e).
'mam|mal (æ) *s* pattedyr; '˷ **my** *s fam* mor.
man (æ) *s* mann, menneske; *v* bemanne.
'manacles (æ) *s* håndjern.
'manage (æ) *v* greie (seg), behandle, bestyre; '˷ **able** *a* håndterlig, medgjørlig; '˷ **ment** *s* konduite; bestyrelse; '˷ **r** *s* disponent, direktør.
'mandatory (æ) *a* mandat-.
'mandible (æ) *s* kinnbakke.
'mandrel (æ) *s* spindel, valse.
mane (*ei*) *s* man(ke).
'manful (æ) *a* mandig.
'manger (*eindzh*) *s* krybbe.
mangle (æ) *s* rulle(-tre); *v* rulle; radbrekke.
mangy (*einðzh*) *a* skabbet.
'manhood (æ) *s* manndom, mandighet, *coll* menn.
'mania (*ei*) *s* mani; '˷ *c a* vanvittig.
'mani|fest (æ) *a* åpenbar; *v* røpe; **fes'tation** *s* demonstrasjon; ˷**'festo** (e) *s* manifest.
'manifold (æ) *a* mangfoldig.
'manikin (æ) *s* mannsling.
ma'nipulate *v* behandle.
man|'kind (*ai*) *s* menneskehet; '˷**'like** *a* mannfolkaktig; '˷ **ly** *a* mandig.
'manner (æ) *s* måte, vesen, sort, *pl* manerer; '˷ **ism** *s* maner (i kunst); '˷ **ly** *a* veloppdragen.
'mannish (æ) *a* mannhaftig.
ma'noeuvre (*u:*) *s* (*v*) manøvre(re).
'man-of-'war (a:) *s* krigsskip.

ˈ**man|or** (æ) *s* gods, herresete.
ˈ**man-power** (æ) *s* arbeidskraft; ˈ⌣ **-servant** *s* tjener.
ˈ**mansion** (æ) *s* herskapsbolig; *pl* leiegård.
ˈ**mantelpiece** (æ) *s* kamingesims.
mantle (æ) *s* kappe; *v* dekke, skumme.
ˈ**manual** (æ) *a* hånd-; *s* håndbok.
manuˈfacture (æ) *s* fabrikasjon; *v*; ⌣ **r** *s* fabrikant.
maˈnure (*juə*) *s* gjødsel; *v*.
ˈ**many** (e) *a* mange.
map (æ) *s* (*v*) kart(-legge).
maple (*ei*) *s bot* lønn.
mar (*a:*) *v* skjemme.
maˈraud (*å:*) *v* plyndre; ⌣ **er** *s* marodør.
marble (*a:*) *s* marmor; *pl* skulpturer, klinkekuler; *v* marmorere.
March (*a:*) *s* mars.
march *s* grense(-land); marsj; *v* marsjere.
ˈ**marchioness** (*a:sh*) *s* markise.
ˈ**marchpane** (*a:*) *s* marsipan.
mare (*εə*) *s* hoppe.
ˈ**margin** (*a:*) *s* rand, marg. *merk* overskudd.
ˈ**marigold** (æ) *s* ringblomst.
maˈr|ine (*i:*) *a* sjø-, marine-; *s*; ˈ⌣ **iner** (æ) *s* matros.
ˈ**marital** (æ) *a* ekteskapelig.
ˈ**maritime** (æ) *a* sjø-, kyst-.
mark (*a:*) *s* merke, mål; karakter; *v* (be)merke, kjennetegne, stemple; ˈ⌣ **ed** *a* tydelig, mistenkt, dømt.
ˈ**market** (*a:*) *s* torg, marked; *v* torgføre, handle; ˈ⌣ **able** a salgbar; ˈ⌣ **place** *s* torg; ˈ⌣ **-town** *s* kjøpstad.
marksman (*a:*) *s* skytter; ˈ⌣ **ship** *s* skyteferdighet.
marl (*a:*) *s* mergel.
ˈ**marmelade** (*a:*) *s* marmelade.
ˈ**marmot** (*a:*) *s* murmeldyr.
maˈroon (*u:*) *a* rødbrun; *v* forlate (sjømann); drive omkring.
ˈ**marquess** (*a:*) *s* marki.
ˈ**marriage** (æ) *s* ekteskap; ⌣ **able** *a* gifteferdig.
ˈ**marrow** (æ) *s* marg.
ˈ**marry** (æ) *v* ektevie, ekte; gifte seg (med).
marsh (*a:*) *s* myr.
ˈ**marshal** (*a:*) *s* marskalk; *v* ordne, føre.
mart (*a:*) *s* handelssentrum.
ˈ**marten** (*a:*) *s* mår.
ˈ**martial** (*a:sh*) *a* krigersk.
ˈ**martin** (*a:*) *s* svale.
martiˈnet (e) *s* is. *mil* stram pedant.
ˈ**martyr** (*a:*) *s*; ˈ⌣ **dom** *s* martyrium.
ˈ**marvel** (*a:*) *s* vidunder; *v* undre seg; ˈ⌣ **lous** *a* merkelig, vidunderlig.
marzipan (æ) = **marchpane.**
ˈ**mascot** (æ) *s* fetisj.
ˈ**masculine** (*a:*, æ) *a* hankjønns-; mandig; mannlig; mannfolkaktig.
mash (æ) *v* knuse, male; *s* stappe, sørpe.
mask (*a:*) *s* (*v*) maske(re).
ˈ**mason** (*ei*) *s* (fri-)murer; ⌣ **ry** *s* murverk.
ˈ**masque** (æ) *s* maskespill; ⌣ˈ**rade** (*ei*) *s* maskerade; *v* være forkledt.
mass (æ) *s rel* messe; masse; *v* samle (seg).
ˈ**massacre** (æ) *s* blodbad.
ˈ**massive** (æ) *a* massiv.
mast (*a:*) *s* mast.
ˈ**master** (*a:*) *s* mester, herre; husbond; lærer; sjef, kaptein, magister; *v* betvinge, mestre; ˈ⌣ **ful** *a* myndig; ˈ⌣ **ly** *a* mesterlig; ˈ⌣ **piece** *s* mesterstykke; ˈ⌣ **y** *s* herredømme.
ˈ**masticate** (æ) *v* tygge.
ˈ**mastiff** (*a:*, æ) *s* dogge.
mat (æ) *s* matte, brikke; *v* kle m. matte, filtre; *a* matt.

match (æ) *s* fyrstikk, lunte; like(-mann); veddekamp, parti; *v* komme opp mot, skaffe maken til, pare seg, passe; ˈ**⌣less** *a* uforlignelig; **⌣-maker** *s* Kirsten giftekniv.
mate (ei) *s* sjakkmatt; felle, kamerat; styrmann.
maˈterial (*iə*) *a* materiell; vektig; *s* emne, stoff; ˈ**⌣ ly** *av* synderlig.
maˈt|ernal (*ə*:) *a* moderlig, moder-; **⌣ˈernity** (*ə*:) *s* morskap, svangerskap.
matheˈma|tics (æ) *s* matematikk; **⌣ˈtician** *s.*
maths (æ) *s pl* = **mathematics.**
ˈ**matinée** (æ) *s* matiné.
ˈ**matins** (æ) *s* ottesang.
ˈ**matricide** (æ) modermord(er).
maˈtricu|late *v* immatrikulere; **⌣ˈlation degree** *s* eks. artium.
ˈ**matri|mony** (æ) *s* ekteskap; **⌣ˈmonial** (ou) a.
ˈ**matrix** (ei) *s* klisjé.
ˈ**matron** (*ei*) *s* oldfrue.
ˈ**matter** *s* stoff, sak, gjenstand; materie; sats; *v* bety; **⌣ of-ˈcourse** *s* selvfølgelighet; ˈ**⌣ -of-ˈfact** *a* prosaisk, nøktern.
ˈ**matting** (æ) *a* matte(stoff)
ˈ**mattock** (æ) *s* is. rotøks.
ˈ**mattress** (æ) *s* madrass.
maˈture (*juə*) *a* moden; *v* modne.
ˈ**maudlin** (*å*:) *a* sentimental, omtåket.
maul (*å*:) *v* maltraktere.
ˈ**maun|der** (*å*:) *v* snakke over seg.
ˈ**Maundy** (*å*:) ˈ**Thursday,** skjærtorsdag.
ˈ**mawkish** (*å*:) *a* emmen, flau; *fig* sentimental.
ˈ**maxim** (æ) *s* leveregel.
may (*ei*) *v* kan få lov, k. kanskje, skal; **May**, mai.

ˈ**mayor** (*εə*) *s* borgermester.
maz|e (*ei*) *s* labyrint, villrede; ˈ**⌣ y,** *a* innviklet.
mead (*i*:) *a* mjød.
ˈ**meadow** (e) *s* eng.
ˈ**meagre** (i:) *a* mager.
meal (i:) *s* mel; måltid.
mean (i:) *a* ringe; smålig, lumpen, *am* slem; middels, mellom-; *s* middelpunkt; *pl* midler, hjelp; *v* mene, bety, akte; ˈ**⌣ing** *a* megetsigende; *s* betydning; ˈ**⌣ˈtime,** ˈ**⌣while** *av* imidlertid; *s* mellomtid.
meˈander (*mi*ˈæ-) *v* bukte seg.
measles (*i*:) *s* meslinger.
ˈ**measure** (*ezh*-) *s* mål, måtehold, takt; forholdsregel; *v* måle; ˈ**⌣ ment** *s* mål.
meat (*i*:) *s* kjøtt.
meˈch|anic (æ) *s* mekaniker; *pl* mekanikk; **⌣ˈanical** (æ) *a.*
ˈ**medal** (e) *s* medalje; ˈ**⌣ list** *s* gravør.
meddle *v* blande seg (i — **with**), ˈ**⌣ some** *a* geskjeftig.
ˈ**mediate** (*i*:) *v* megle.
ˈ**medˈical** (e) *a* lege-, medisinsk; ˈ**⌣ cine** *s* medisin.
mediˈeval (*i*:) *a* middelalderlig.
ˈ**medi|ocre** (*i*:) *a* middelmåtig; **⌣ˈocrity** (*å*) *s.*
ˈ**meditate** (e) *v* spekulere, påtenke.
Mediterˈranean (*ei*), **the** *s* Middelhavet.
ˈ**medium** (*i*:) *a* middels; *s* medium, middel.
ˈ**medley** *s* is. *mus* potpurri.
meek (*i*:) *a* ydmyk, spak.
meet (*i*:) *s* møtested, *am* stevne; *v* møte(-s), saldere; ˈ**⌣ ing** *s* møte, forsamling, *sp* stevne.
ˈ**mel|ancholy** (e) *a* sørgelig, bedrøvet; *s* tungsinn.
melˈlifluent *a* honningsøt.
ˈ**mellow** *a* mor, bløt, jovial.
meˈlodious (ou) a velklingende.

melt *v* smelte.
'**member** *s* (med-)lem, del.
'**membrane** *s* hud, hinne.
'**mem|orable** (e) *a* minneverdig; ~ **o'randum** (æ) *s* notis, konsept; ~'**orial** (å:) *s* minnesmerke; '~ **ory** *s* minne, hukommelse.
'**menace** (e) *s* trusel; *v.*
mend *v* reparere, lappe.
men'dacity (æ) *s* løgnaktighet.
'**mendicant** *s* (*a*) tigger(-).
'**menial** (*i:*) *s* tyende; *a* tjener-, ringe.
'**men|tal** *a* ånds-, sinns-, åndelig; ~'**tality** (æ) *s* åndspreg, -type.
'**mention** *v* nevne; *s* omtale.
menu (e) *s* meny, spisekart.
'**mer|cantile** (ə:) *a* handels-; '~ **cenary** *a* leiet, betalt, egennyttig.
'**mercer** (ə:) *s* manufakturist; '~ **y** *s* m.varer.
'**merchan|dise** (ə:) *s* varer; '~ **t** *s* kjøpmann, grosserer; '~ **tman** handelsskip.
'**mer|ciful** (ə:) *a* barmhjertig; '~ **ciless** *a* grusom; '~ **cy** *s* b-het.
mercury (ə:) *s* kvikksølv.
mere (*iə*) *a* ren; '~ **ly** *av* bare.
merge (ə:) *v* oppsluke (s), slå sammen; '~ **r** *s merk* sammenslutning.
'**merit** (e) *s* dyd, fortjeneste; *v* fortjene; ~'**orious** (å:) fortjenstfull.
'**mermaid** (ə:) *s* havfrue.
'**merry** (e) *a* lystig; '~ **-go-'round** *s* karusell; '~ **-making** *s* fest.
mesh *s* maske, *pl* garn.
mess *s* rot, søl, *mil* messe; *v* søle; spise.
'**mess|age** *s* bud(-skap); '~ **enger** *s* budbringer.
'**messy** *a* rotet.
'**metal** (e) *s* metall.
mete (*i:*) **out** *v* tildele.
'**meth|od** (e) *s* metode; ~'**odical** (*å*) *a* systematisk.
me'ticulous *a* nøye, pirket.
metre (*i:*) *s* versemål, meter.
me'tro|polis (*å*) *s* hovedstad; ~'**politan** (*å*) *a*; *s* erkebiskop.
mettle *s* stoff, futt; '~ **some** *a* fyrig, modig.
mew (*ju:*) *s* måke; *pl* stall(-er); *v* skifte fjær, innesperre; mjaue.
'**mica** (*ai*) *s* kråkesølv.
'**Michaelmas** (*ik*), 29. sept.
mid *a* midt-, mellom-; '~ **day,** kl. 12; '~ **land** *a* indre; '~ **night** *s* midnatt; ~ **dle** *a* mellom-, midt-, middels; *s* midte; '~ **dle-finger** *s* langfinger; '~ **dling** *a* middels god, sekunda; '~ **dy** *s* sjøkadett; '~ **shipman** *s* sjøkadett; '~ **way** *av* halvveis; '~ **wife** *s* jordmor; '~ **wifery** *s* fødselshjelp.
mien (*i:*) *s* utseende.
might (*ai*) *s* kraft; '~ **y a** mektig, svær, *av* meget.
mi'grate (*ei*) *v* flytte, vandre.
mild (*ai*) *a* mild, lett.
'**mildew** (i) *s* jordslag.
mile (*ai*) *s* eng. mil, 1609 m.
'**mil'itant** *a* stridbar; '~ **itary** *a* militær; ~'**itia** *s* milits.
milk *s* (*v*) melk(e); '~ *maid* *s* budeie; ~ **sop** *s* vek fyr.
mill *s* mølle, fabrikk, bruk; *v* male, gå i ring, *sl* slåss.
'**mill|epede** *s* tusenbein; ~ '**esimal** (e) *a* tusende.
'**milliner** *s* motehandler(-inne); '~ **y** *s* motepynt.
milt *s* milt, *pl* melke.
'**mimic** (*i*) *v* etterligne, herme; '~ **ry** *s* herming.
mince *v* finhakke, snakke fint; '~ **meat** *s* bolledeig; '~'**pie** *s* kjøttpostei.
'**mincing** *a* tertefin.
mind (*ai*) *s* sjel, sinn, mening, lyst; *v* passe på, ense; ha

imot, ta seg nær; ~ **ed** *a* til sinns; '~ **ful** *a* aktpågiven.
mine (*ai*) *s* gruve, mine; *v* drive gruvedrift, legge miner; '~ **r** *s* minør; bergmann, minearbeider.
mine (*ai*) *pron* min, mi, mitt, mine; **a friend of** ~ en venn av meg.
mineral (*i*) *a* mineralsk. *s*.
mingle *v* blande (seg).
'**minion** (*i*) *s* favoritt(-inne), *fig* kreatur.
'**minist|er** *s* statsråd, sendemann, prest; ~'**erial** (*iə*) *a* regjerings(-vennlig); '~ **ry** *s* ministerium.
'**miniver** *a* gråverk.
'**minor** (*ai*) *a* mindre, yngre, lavere, *mus* moll; umyndig; *s*.
mi'nority (*å*) *s* umyndighet; mindretall.
'**minster** *s* domkirke.
'**minstrel** skald; '~ **sy** *s*.
mint *s bot* mynte; mynt(-verk); *v* mynte.
minu'et (e) *s* menuett.
'**min|ute** (*-nit*) *s* minutt; utkast *pl* referat; *v* notere, lage utkast; ~'**ute** (*ju:*) *a* bitteliten, minutiøs.
minx *s* nesevis jentunge.
'**mir|acle** (*i*) *s* under; ~'**aculous** (æ) *a* underfull.
mi'rage (*a:*) *s* luftspeiling.
mire (*ai*) *s* mudder, dynn.
'**mirror** *s* (*v*) speil(e).
mirth (*ə:*) *s* lystighet.
'**miry** (*ai*) *a* sølet, myret.
'**mis|anthrope** *s* menneskefiende; ~'**anthropy** (æ) *s*.
mis|ap'ply *lai v* anvende galt; ~'**carry** (æ) *v* slå feil, forlise, komme bort; ~'**carriage** (æ) *s* abort, feilslag.
mis|cel'laneous (*ei*) *a* blandet; ~'**cellany** *s* blanding.
'**mis|chief** *s* ugagn; '~ **chievous** *a* ondskapsfull, skøyeraktig.
mis|'conduct (*a*) *s* utroskap; '~ **creant** *s* usling; ~'**deed** (*i:*) *s* ugjerning; ~ **de'meanour** (*i:*) *s* forseelse; ~ **doing** (*u:*) *a* misgjerning.
'**miser** (*ai*) *s* gnier; ~ **ly** *a*.
'**miser|able** (*i*) *a* elendig, ulykkelig; '~ **y** *s*.
mis|'fire (*ai*) *v* fuske (om motor); ~'**fortune** (*å*) *s* ulykke; ~'**giving** *s* tvil, ond anelse; ~'**government** (ʌ) *s* vanstyre; ~'**guided** (*ai*) *a* villedt; ~'**hap** (æ) *s* uhell; ~ **in'teroret** (*əi*) *v* mistyde; ~'**lay** (*ei*) *v* forlegge; ~'**lead** (*i:*) villede; ~'**management** (æ) *s* slett styre, vanskjøtsel; ~'**print** *s* trykkfeil; ~ **repre'sent** *v* baktale.
miss *v* savne, feile, gå glipp av, bomme på; *s* frøken; '~ **ing** *a* manglende.
'**missile** *s* kastevåpen, prosjektil; **ballistic** ~ *s* interkontinental rakett.
mis'shapen (*ei*) *a* misdannet.
'**mission** *s* misjon, bud, ærend, verv; '~ **ary** *s* misjonær.
'**missive** *s* skrivelse.
mist *s* tåke, yr.
mis|'take (*ei*) *v* ta feil (av), misforstå, forveksle; *s* feiltagelse, feil, misforståelse; ~ **timed** (*ai*) *a* ubetimelig.
'**mistletoe** *s* (*isl*) *s* misteltein.
'**mistress** *s* herskerinne, husfrue, lærerinne; elskerinne, elskede.
mis'trust (ʌ) *s* (*v*) ha mistillit.
'**misty** *a* tåket.
misunder'stand (æ) *s* misforstå; ~ **ing** *s* ogs. uenighet.
mite (*ai*) *s* skjerv, smule; kre, *zo* midd.
'**mitigate** (*i*) *v* formilde.
mitre (*ai*) *s* bispelue.
'**mitten** *s* vott, halvvante.
mix *v* blande (seg); '~ **ture** *s* blanding.
'**mizzen** *s mar* mesan.

moan (*ou*) *v* klage, stønne.
moat (*ou*) *s* vollgrav.
mob (*å*) *s* pøbel.
'**mobi|le** (*ou*) *a* bevegelig; '⌣ **lize** *v* mobilisere.
mock (*å*) *v* spotte; *a* uekte, forstilt, ironisk; '⌣ **ery** *s*.
mode (*ou*) *s* mote, måte.
'**mod|el** (*å*) *s* mønster, ideal; *a* m.-verdig; *v* forme.
'**moderate** (*å*) *a* måteholden; *v* moderere, betvinge.
'**modern** (*å*) *a* moderne; '⌣ **ize** *v* modernisere.
'**modest** (*å*) *a* beskjeden, bluferdig; ⌣ **y** *s*.
modicum (*å*) *s* minimum, liten del.
'**modify** (*å*) *v* omdanne, lempe på, begrense.
'**modulate** (*å*) *v* modulere.
Mo'hammedan (æ) *a* muhammedansk; *s*.
moist (*åi*) *a* fuktig; '⌣ **en** (*-sn*) *v* fukte; '⌣ **ure** *s*.
'**molar** (*ou*) **tooth** *s* jeksel.
mole (*ou*) *s* molo: føflekk; *zo* moldvarp.
mo'lest *v* forulempe.
'**mollify** (*å*) *v* formilde.
'**mo|ment** (*ou*) *s* øyeblikk, moment, viktighet; ⌣ **mentary** *a* forbigående; ⌣'**mentous** *a* viktig.
'**monarch** (*y*) *s* monark; '⌣**ys**.
'**monastery** (*å*) *s* kloster.
Monday (ʌ) mandag.
'**mon|etary** (ʌ) *a* mynt-; penge-; '⌣ **ey** *s* penger; '⌣**ey-order,** postanvisning.
'**mongrel** (ʌ) *s* kjøter.
'**monitor** (*å*) *s* ordensmann, hjelpelærer *mil* monitor.
monk (ʌ) *s* munk.
'**monkey** (ʌ) *s* apekatt, skøyer; skiftenøkkel, jomfru.
mo'n|ogamy (*å*) *s* engifte; '⌣ **olith** *s* bauta; '⌣**ologue** *s* enetale; ⌣ **o'mania** (*ei*) *s* fiks idé; ⌣ **o'maniac** (*ai*) *s* monoman; ⌣ **oplane** *s* endekker (fly); ⌣'**opolize** (*å*) *v*, tilrive seg, legge beslag på; ⌣'**opoly** (*å*) *s* monopol; ⌣ **osyl'labic** (æ) *a* enstavelses-; ⌣'**otonous** (*å*) *a* ensformig; ⌣'**otony** (*å*) *s*.
mon'soon (*u:*) *s* monsun.
'**mon|ster** (*å*) *s* uhyre, misfoster; '⌣ **strous** *a* uhyrlig; ⌣'**strosity** (*å*) *s* uhyrlighet.
month (ʌ) *s* måned; '⌣ **ly** *a*; *s* månedsskrift.
mood (*u:*) *s* sinnsstemning, *gr* modus (måte); '⌣**y** *a* gretten.
moon (*u:*) *s* måne; drømme, vimre; '⌣ **light** *s* måneskinn; '⌣**shine** *s* sludder, *sl* smuglerbrennevin; '⌣ **-struck** *a*. gal; '⌣ **y** *a* drømmende.
moor (*uə*) *s* hei, lyngmo; maurer, morian (**M.**); *v* fortøye; '⌣ **age** *s* fortøyningsplass; '⌣ **ings** *s* fortøyninger.
mop (*å*) *s* svaber; *v* skure, tørre.
mop|e (*ou*) *v* sture; *s pl* melankoli; '⌣ **ish** *a* stur.
'**mor|al** (*å*) *a* moralsk; *s pl* moral, seder; ⌣'**ality** (æ) *s* moralsk forhold; '⌣ **alize** *v*.
mo'rass (æ) *s* sump.
'**mor|bid** (*å*) *a* sykelig.
'**mordant** *a* (*a:*) *a* bitende, etsende.
more (*å:*) *a* mer, flere: *av* mer, ekstra; ⌣'**over** *av* dessuten.
'**morning** (*å:*) *s* morgen; '⌣ **coat** *s* sjakett.
mo'rocco (*å*) *s* saffian.
morose (*ou*) *a* sur, sær.
'**morphine** (*å:*) *s* morfin.
'**morrow** (*å*) *s* morgendag.
'**morsel** (*å:*) *s* munnfull, smule.
'**mor|tal** (*a:*) *a* dødelig, menneskelig, livsfarlig; ⌣'**tality** (æ) *s* dødelighet.
'**mortar** (*å:*) *s* morter; murkalk; *v* kalke.
'**mort|gage** (*å:g*) *v* pantsette; *s* pant, heftelse; ⌣ **ga'gee** (*i:*) *s* panthaver.

'**morti|fy** (*å:*) *v* speke, ydmyke; ⌣ **fi'cation** *s* koldbrann, ydmykelse, sorg.
'**mortuary** (*å:*) *a* begravelses-; *s* gravkapell.
mo'saic (*ei*) *s* mosaikk.
mosque (*å*) *s* moské.
mos'quito (*i:*) *s* mygg.
moss (*å*) *s* mose; '⌣ **y** *a*.
most (*ou*) *a* mest, flest; *av* høyst; '⌣ **ly** *av* som regel.
mote (*ou*) *s* støvfnugg.
moth (*å*) *s* møll.
'**mother** (ʌ) *s* mor; '**-hood** *s* m.-skap; '**-ly** *a* moderlig; '⌣**-in-law** *s* svigermor; '⌣ **-of-'pearl** *s* perlemor.
'**motion** (*ou*) *s* bevegelse; forslag; *v* vinke, dirigere; '⌣ **less** *a* urørlig.
'**motive** (*ou*) *a* driv-; *s* motiv.
'**motley** (*å*) *a* spraglet.
'**motor|-car** (*ou*) *s* bil; '⌣ **ist** *s*; '⌣**ing** *s* biling.
'**mottled** (*å*) *a* marmorert.
'**motto** *s* valgspråk.
mould (*ou*) *s* moldjord; mugg; støpeform; karakter; *v* støpe, forme.
'**moulder** (*ou*) *v* smuldre.
'**moulding** (*ou*) *s* list, karniss.
'**mouldy** (*ou*) *a* muggen.
moult (*ou*) *v* myte, røyte.
mound (*au*) *s* haug.
mount (*au*) *s* fjell; ridehest; papp; *v* (be)stige; montere; '⌣ **ed** *a* til hest.
'**mountain** (*au*) *s* fjell; ⌣'**eer** (*iə*) *s* fjellbu; tindebestiger; '⌣ **ous** *a* bergfull.
'**mountebank** (*au*) *s* sjarlatan.
mourn (*å:*) *v* sørge (over); '⌣ **er** *s* deltaker i likfølge; ⌣ **ful** *a* trist, sørgelig; '⌣ **ing** *s* sørgeklær, -tid.
mouse (*au*) *s* mus.
mous'tache (*a:*) *s* mustasje.
mouth (*au*) *s* munn(-ing), grimase; *v* gjøre g.
mov|e (*u:*) *v* bevege, drive, flytte, foreslå; *s* trekk (i spill); flytning; '⌣ **ables** *s* løsøre; '⌣ **ement** *s* bevegelse, *mus* sats; gangverk; '⌣ **ies** *s fam* kino.
mow (*au*) *s* grimase; *v* (*ou*), meie, slå.
much (ʌ) *a* (*av*) megen(-t).
muck (*a*) *s* møkk.
'**muc|us** (*ju:*) slim; '⌣ **ous** *a* slim-.
mud (ʌ) *s* søle; ⌣ **dy** *a*; ⌣ **dle** *v* rote, forplumre, søle, vrøvle; '⌣ **dled** *a* beruset; '⌣ **dleheaded** *a* tåpelig; '⌣ **-guard** *s* skvettskjerm.
muff (ʌ) *s* muffe, fusker; *v* fuske, bomme.
'**muffin** (ʌ) *s* hvetebolle.
muffle (ʌ) innhylle, dempe (lyd); '⌣ **r** *s* sjal.
'**mufti** (ʌ) *s mil* sivilt antrekk.
mug (ʌ) *s* seidel, mugge, *sl* fjes; '⌣ **gy** *a* lummer.
mu'latto (æ) *s* mulatt.
'**mulberry** (ʌ) *s* morbær.
mulct (ʌ) *v* mulktere; *s* bot, mulkt.
mul|e (*ju:*) *s* muldyr; sta fyr; ⌣ **e'teer** (*iə*) *s* muldriver; '⌣ **ish** *a* sta.
'**mul|lion** (ʌ) *s* vinduspost.
multi|'farious (*εə*) *a* mangehånde; '⌣ **ply** *v* formere(s); ⌣'**plicity** *a* mangfoldighet; '⌣ **tude** *s* mengde.
mum (ʌ) *s* mamma; *a* taus; *int* tyss!; ⌣ **ble** *v* mumle, gomle; '⌣ **mery** *s* narrespill.
'**mummy** (ʌ) *s* mumie; mamma.
mump (ʌ) furte; *s pl* kusma; dårlig humør.
munch (ʌ) *v* maule.
'**mundane** (ʌ) *v* verdslig.
mu'ni|cipal (*ju, -i*) *a* by-, kommunal; ⌣ **ci'pality** (æ) *s* by, kommune.
mu'nificent *a* rundhåndet.
'**muniments** (*ju:*) *s* is. arkiv (-saker).
mu'nitions (s) *s* krigsforråd.

ˈ**murder** (ə:) s mord; v myrde, radbrekke (språk); ˈ‿ **er** s morder; ˈ‿ **ous** a morderisk.
ˈ**murky** (ə:) a mørk.
ˈ**murmur** (ə:) s dur, sus, knurring, mumling; v.
musˈcle(ʌsl) s muskel; ˈ‿ **cular** a muskel-, muskuløs.
muse (ju:) s muse **(M.)**; v gruble.
mush (ʌ) s sørpe, kliss; tøys; ˈ‿ **room** s sjampinjong; ˈ‿ **y** a sørpet.
ˈ**mus|ic** (ju:) s musikk, noter; ˈ**-ical** a musikalsk; ‿**ical comedy,** operette; ˈ‿**ic-hall** s varieté; ‿ˈ**ician** (ish) s musiker, musikant.
musk (ʌ) s moskus.
ˈ**musket** (ʌ) s gevær; ‿ˈ**eer** (iə) s musketér; ˈ‿ **ry** s geværild.
ˈ**muslin** (ʌ) s musselin.
ˈ**mussel** (ʌ) s blåskjell.
must (ʌ) s most; a gal (om dyr); v må(tte).
ˈ**mustard** (ʌ) s sennep.
ˈ**muster** (ʌ) v mønstre, oppby; s frammøte, mønstring, flokk.
ˈ**musty** (ʌ) a muggen, avlegs.
muˈtation s endring; omlyd.
mute (ju:) a stum, taus; s statist; v sordinere.
ˈ**mutilate** (ju:) v lemleste.
ˈ**muti|ny** (ju:) s mytteri; ˈ‿ **nous** a opprørsk; ‿ˈ**neer** (iə) s opprører.
ˈ**mutter** (ʌ) v mumle.
ˈ**mutton** (ʌ) s fårekjøtt.
ˈ**mutual** (ju:) a gjensidig, felles.
muzzle (ʌ) s mule; munnkurv; geværmunning; v sette m.k. på.
myˈlord (å:) (M.) Deres nåde!
myriad (i) a utallig; s myriade.
myrrh (ə:) s myrra.
myrtle (ə:) s myrt.
ˈ**myst|ery** (i) s hemmelighet (-sfullhet), gåte; ‿ˈ**erious** (iə) a gåtefull; ˈ‿**ic** a mystisk; ‿ **ifiˈcation** s bløff, skrøn; ˈ‿ **ify** v ogs. holde for narr.
myth (i) s myte.

N.

nacre (ei) s perlemor.
nag (æ) s hest; v mase, gnåle.
nail (ei) s negl; spiker, søm; v spikre, feste, sl huke.
ˈ**naked** (neikid) a naken.
name (ei) s navn; v (be-)**nevne,** kalle, oppnevne; ˈ‿ **less** a unevnelig; ˈ‿ **ly** av nemlig; ˈ‿ **sake** s navnebror.
nap (æ) s lur; lo, floss.
nape (ei) s nakke.
ˈ**napkin** (æ) s serviett, bleie, bind.
narˈcissus s is. pinselilje.
narˈcotic (å) a bedøvende.
ˈ**nar|rative** (æ) s beretning; ‿ˈ**rate** (ei) v berette.
ˈ**narrow** (æ) a smal, trang, nøye; knepen; v gjøre (bli) smal; s pl trang sund, skar; ‿ **ly** a nøye; så vidt; ˈ‿ **-minded** a smålig.
ˈ**nasal** (ei) a nese-.
ˈ**nasty** (a:) a ekkel.
ˈ**natal** (ei) a fødsels-.
naˈtality (æ) s fødselsprosent.
ˈ**nation** (ei) s folk, nasjon.
ˈ**national** (æ) a folke-; nasjonal; ˈ‿ **ize** v.
ˈ**native** (ei) a innfødt, medfødt; ɔ.
ˈ**natty** (æ) a nett, smart (om klær).
ˈ**natural** (æ) a naturlig, naturtro; ‿ **child** s uekte barn; ˈ‿ **ize** v naturalisere.
ˈ**nature** (ei) s natur.
naught s. pron intet.
ˈ**naughty** (å:) a uskikkelig.
ˈ**nause|a** (å:) kvalme; ˈ‿ **ate** v gjøre kvalm; ˈ‿ **ous** a.
ˈ**nautical** (å:) a sjø-; ‿ **mile,** 1852 m.

'naval (*ei*) *a* flåte-, skips-, sjø-.
nave (*ei*) *s* nav, midtskip.
'navel (*ei*) *s* navle.
'navig|ate (æ) *v* seile, navigere; befare; **'~ able** *a* seilbar.
'navvy (æ) *s* (anleggs-)arbeider.
'navy (*ei*) *s* flåte.
nay (*ei*) *av* å, men, ja; nei.
near (*iə*) *a* nær(-liggende), kjær; kort; nærig; *av* nær; *v* nærme seg; **'~ ly** *av* nesten; nøye; nær.
neat (*i:*) *s* kveg; *a* nett, pen, ren, bar (om sprit).
'nebulous (e) *a* tåket.
'ne|cessary (e) *a* nødvendig; *s* n,-artikkel; **~'cessity** *s*; **~'cessitate** *v* n.-gjøre.
neck *s* hals; **'~ erchief** *s* halstørkle; **'~ fur** *s* boa; **'~ -lace** *s* halsbånd; **'~ -tie** *s* slips.
need (*i:*) *s* behov; nød; *v* behøve(s); **'~ful** *a* fornøden; **'~ less** *a* unødig.
needle s nål; **'~ woman** *s* syerske; **'~ work** *s* søm.
needs (*i:*) *av* nødvendigvis.
'needy *a* trengende.
ne'farious (*εə*) *a* skjendig.
ne'gation *s* nektelse.
'neg|ative (e) *a* nektende; *s* nektelse, fotogr. plate.
neg'lect *v* forsømme, unnlate, tilsidesette; *s* vanrøkt.
'neglig|ence *s* skjøtesløshet; **'~ ent** *a*; **'~ ible** *a* ubetydelig, uvesentlig.
ne'g|otiate (*ou*) *v* forhandle, omsette, greie; **~'otiable** (ou) *a* omsettelig; **~ oti'ation** *s*
'neg|ro (*i:*) *s* neger; **'~ ress** *s*; **'~ roid** *a* med negerblod.
'negus (*i:*) *s* vintoddi.
neigh (*ei*) *v* vrinske.
'neighbour (*ei*) *s* nabo, *rel* neste; **'~ hood** *s* nabolag, nærhet; **~ ing** *a* tilgrensende.
'neither (*ai*) *k* hverken; *pron* ingen (av to).
nem.'con enstemmig.
neo'lithic (*i*) *a* yngre steinalder-.
'nephew (*nevju*) *s* nevø.
nerv|e (*ə:*) *s* nerve(-r), kraft, mot, nervøsitet, frekkhet; *v* stålsette; **'~ eless** *a* kraftløs; **'~ ous** *a* nervøs; kraftig; nerve-.
nest *s* reir, bol, klynge; *v* bygge r.; holde til.
nestle (*sl*) *v* ligge lunt, lune seg.
net *s* nett, garn; *v* fange, knytte; *a* netto.
'nether (e) *a* neder-; **'~ most** *a* nederst.
netting *s* nett(-ing, -verk).
nettle *s* nesle; *v* oppirre; **'~ -fish** *s* (brenn)manet.
neu'ralgia (æ) *s* nervesmerter.
'neut|er (*ju:*) *a* nøytral, intransitiv, intetkjønns-; *s*; **'~ ral** *a* nøytral; **'~ ralize** *v* motvirke, heve.
'never *av* aldri; **~ the'less** *av* ikke desto mindre.
new (*ju:*) *a* ny, fersk, frisk; **'~ fangled** *a* nymotens; **~ s** *s* nyhet(er), etterretning(er); **'~ spaper** (*s*) *s* avis.
newt (*ju:*) *s* firfisle.
next *a* nærmest, nest(e); *av* så, dernest.
nib *s* pennesplitt.
nibble *v* bite (på), gnage.
nice (*ai*) *a* pen, fin, god, hyggelig; kresen, nøye; **'~ ty** *s* nøyaktighet; *pl* pirkerier.
niche (*i:*) *s* nisje.
nick *s* hakk, skåre, det rette øyeblikk; *v* lage hakk i, treffe på, knipe.
'nickel *s* nikkel, *am* 5 cents, *pl* småpenger.
'nickname *s* klengenavn; *v*.
niece (*i:*) *s* niese.
'niggard *s* gnier; **'~ ly** *a* gjerrig.
'nigger *s* neger.
niggle *v* *fig* pirke.
nigh (*ai*) *av* nær.
night (*ai*) *s* natt, kveld;

'~ **ingale** s nattergal; '~ **mare** s mareritt; '~ **-soil** s renovasjon.
nimble a vever.
nimbus s glorie.
nine (ai) *num* ni; '~ **fold** a nidobbelt; '~ **pins** s *sp* kiler; ~'**teen** (i:) nitten; '~**ty** *nitti*.
'**ninny** s fjols.
nip v klype, klemme, ødelegge (v. frost, ild); s klyp, snert, slurk.
nipple s brystvorte, spene.
nitr|e (ai) s salpeter; '~ **ogen** s kvelstoff.
'**nix(ie)** s nøkk.
no (ou) *av* nei; ikke; *pron* ingen; '~**body** ingen.
nob|le (ou) a adelig, edel, herlig; '~**leman** s adelsmann; ~'**ility** s høyadel.
noc'turnal (ə:) a natt-.
nod (å) s (v) nikk(e), dupp(e)
noddle (å) s *fam* hode.
node (ou) s knute, ledd.
nog (å) s trepropp, -nagle.
noggin (å) s lite krus, staup.
noise (ai) s larm; '~ **less** a lydløs.
'**hoisome** (åi) a stinkende, skadelig.
'**noisy** (åi) a larmende; grells.
'**nomin|al** (å) a nominell, '~ **ate** v utnevne, nominere.
'**non|'combatant** (å) s ikke stridende; '~ **-com'missioned officer (N.C.O.)** underoffiser; '~ **-com'mittal** a diplomatisk; '~ **-con'formist** (å:) s dissenter.
none (ʌ) *pron* ingen(ting.)
'**non|descript** (å) a ubestemmelig; ~'**entity** s null, ubetydelighet; '~'**plus** (ʌ) v gjøre rådvill; s knipe.
non|sense (å) s tøv; ~'**sensical** a tøvet.
nook (u) s krok.
noon (u:) s kl. 12 middag.
noose (u:) s løkke.
nor (å:) k eller; *av* heller ikke.
'**normal** (å:) a normal.
'**Norman** (å:) s (a) normanner, -isk.
Norse (å:) a norrøn, norsk; '~ **man** s is. *am* nordmann.
north (å) s *av* nord; a nodlig; ~ **erly** a nordlig; '~ **ern** a nordisk, nordlig; '~ **most** a nordligst; '**North** '**Sea**, Nordsjøen; '~ **ward** *av* nordover.
Norwegian (i:) a norsk; s nordmann.
nose (ou) s nese; v lukte; '~ **gay** s bukett.
nos'talgia (æ) s hjemve, lengsel.
'**nostril** (å) s nesebor.
'**not|able** (ou) a bemerkelsesverdig; '~ **ary** s notar; ~'**ation** s betegnelse, notering.
notch (å) s (v) hakk(e).
note (ou) s tegn, note, notis, brev, pengeseddel, tone; betydning; v (be)merke, skrive noter til; '~ **worthy** a verd å legge merke til.
'**nothing** (ʌ) *pron* ikke noe; *av* slett ikke.
'**no|tice** (ou) s iakttagelse, varsel; oppslag; bekjentgjørelse, oppsigelse; artighet; v bemerke; '~ **tify** v bekjentgjøre, varsle; '~**tion** s begrep, idé, lune; *am pl* kortevarer.
no|torious (å:) a vitterlig, beryktet; ~ **to'riety** (ai) s.
notwith'standing (æ) *prp* trass(i).
nought (å:) s null, intet.
noun (au) s substantiv.
'**nourish** (ʌ) s nære.
'**novel** (å) a ny, ukjent; s roman; '~ **ist** s r.-forfatter, '~ **ty** s nyhet.
'**novice** (å) s nybegynner, novise.
now (au) *av* nå, snart; '~ **adays** *av* nåtildags.

ˈ**nowhere** (*ou*) *av* ingensteds.
ˈ**noxious** (*å*) *a* skadelig.
nozzle (*å*) *s* tut.
nub(ble) (ʌ) *s* kullbete, klump.
ˈ**nucle|ar** (*ju:*) *a* kjerne-, atom-; ~ **ar reactor** *s* atomreaktor; ~ **ar weapon** *s* atomvåpen; ˈ~ **us** *s* kjerne.
nude (*ju:*) *a* naken; *s* akt.
nudge (ʌ) *v* dulte, dytte.
ˈ**nuisance** (*ju:*) *s* uvesen, plage, plagsom person.
null (ʌ) *a* ugyldig, uten preg; ˈ~ **ify** *v* oppheve.
numb (ʌ) *a* valen; *v*.
number (ʌ) *s* (an)tall, nummer, mengde; *v* telle, nummerere; ˈ~ **less** *a* utallige.
ˈ**numer|al** (*ju:*) *a* tall-; *s* talltegn; ~ ord; ˈ~**ous** *a* tallrik.
nun (ʌ) *s* nonne; ˈ~ **nery** *s* nonnekloster.
ˈ**nuptial** (ʌ) *a* brude-; ekteskaps-; *s pl* bryllup.
nurse (*ə:*) *s* amme, sykepleier(ske), pleiesøster; *v* oppamme, gi bryst, passe, nære, frede om; ˈ~ **ry** *s* barnekammer, planteskole; ˈ~ **ling** *s* fosterbarn, diebarn.
ˈ**nurture** (*ə:*) *v* oppfostre; *s*.
nut (ʌ) *s* nøtt, mutter; *v* plukke ˈ~ **meg** *s* muskat.
nutr|iment (*ju:*) *s* næring; ~ˈ**ition** *s* mat, ernæring; ~ˈ**itious** *a* nærende.
nuts (ʌ) *a sl* gal, begeistret; *s* tull.
nuzzle (ʌ) *v* snuse, rote.
nymph (*i*) *s* nymfe.

O.

oaf (*ou*) *s* klosset fyr.
oak (*ou*) *s* eik; ˈ~**ling** *s* ung eik.
oakum (*ou*) *s* drev, tautråd.
oar (*å:*) *s* åre; ˈ~ **sman** *s* roer.
oasiˈs (*ei*) *s* oase.
oath (*ou*) *s* ed.
ˈ**oat|meal** (*ou*) *s* havremel; *fam* -graut; ~**s** *s* havre.
ˈ**obdurate** (*å*) *a* forherdet, forstokket.
oˈbedien|ce (*i:*) *s* lydighet; ~ **t** *a* lydig.
oˈbeisance (*ei*) *s* reverens.
oˈbesity (*i:*) *s* fedme.
oˈbey (*åi*) *v* adlyde.
oˈbituary (*å*) *s* nekrolog.
oˈb|ject (*å*) *s* gjenstand; hensikt, mål; ~ˈ**ject** *v* innvende, protestere; ~ˈ**jection** *s* innvending; ~ˈ**jectionable** *a* forkastelig.
ob|liˈgation (*ei*) *s* forpliktelse; ~ˈ**ligatory** (*i*) *a* bindende; ~ˈ**lige** (*ai*) *v* tvinge, forplikte, tjene; ~ˈ**liged** *a* forbunden; ~ˈ**liging** *a* tjenstvillig.
obˈlique (*i:*) *a* skrå.
obˈliterate (*i*) *v* utslette.
ob|ˈlivion *s* glemsel; ~ˈ**livious** *a* glemsom.
ˈ**oblong** (*å*) *s* avlang.
ˈ**obloquy** (*å*) *s* dårlig omtale, vanry.
obˈnoxious (*å*) *a* forkastelig, ille likt.
ob|ˈscene (*si:*) *a* uanstendig; ~ˈ**scenity** (*se*) *s*.
obˈscure (*juə*) *a* dunkel; ukjent; ringe; *v* formørke, skjule(s).
ˈ**obsequies** (*å*) *s* begravelse.
ob|ˈserve (*ə:*) *v* iaktta, overholde, merke, ytre; ~ˈ**servance** *s* overholdelse, seremoni; ~ˈ**servant** *a* oppmerksom; ~**serˈvation** *s* bemerkning, iakttagelse; ~ˈ**servatory** *s* observatorium.
obˈsess *v fig* besette.
ˈ**obsolete** (*å*) *a* foreldet.
ˈ**obstacle** (*å*) *s* hindring.
ˈ**obstinate** (*å*) *a* sta, hårdnakket.
obˈstruct (ʌ) *v* sperre, hindre, sinke; ~ **ion** *s* obstruksjon; ~ **ive** *a* sinkende.
obˈtain (*ei*) *v* få, oppnå.
obˈtrusive (*ju:*) *a* påtrengende.

ob'tuse (*ju:*) *a* sløv, butt.
'obviate (*å*) *v* avvende, fjerne.
'obvious (*å*) *a* innlysende, opplagt.
oc'casion *s* anledning, gang; behov; *v* foranledige; ~ **al** *a* tilfeldig.
occi'dental *a* vesterlandsk.
oc'cult (ʌ) *a* magisk, mystisk.
'occu|pant (*å*) *s* innehaver; ~'**pation** *s* okkupasjon, besittelse, yrke; '~ **py** *v* besette, besitte, oppta.
oc'cur (*ə:*) *v* hende, falle inn; ~ **rence** (ʌ) *s* forekomst, hendelse.
'ocean (*ou*) *s* hav.
ochre (*ouk*) *s* oker (-gult).
o''clock (*å*) five ~, klokka 5.
oc't|agonal *a* åttekantet; ~ **oge'narian** *s* åttiåring.
'octopus (*å*) *s* kjempeblekksprut.
'ocular (*å*) *a* øye-, syns-.
odd (*å*) *a* ulike (om tall), umake; overskytende, noen få; rar; ~ **ity** *s* merkverdighet; '~ **ments** *s* rester; ~ **s** ulikhet; innsats; overmakt; chanse; strid.
'odious (*ou*) *a* avskyelig, forhatt.
od|o'riferous (*i*) *a* duftende; '~ **orous** (*ou*) *a ib*; '~ **our** *s* duft.
of *prp* av, fra, på, i etc.
off (*å:f*) *av* bort, borte, fra; *prp* vekk fra, *mar* utenfor; *a* borteste, fjern(-est), høyre.
'offal (*å*) *s* kjøttavfall, søppel.
of'fen|ce *s* fornærmelse; forgåelse; forargelse; ~ **d** *v* støte, krenke; forse seg; ~**der** *s* lovovertreder; ~**sive** *a* angreps-, fornærmelig; ekkel.
'offer (*å*) *v* (til)by, love, gjøre mine (til **-to**); *s* (til-)bud; '~ **ing** *s* offer.
'off-'hand *a* ekstempore, rask, freidig.
'office (*å*) *s* bestilling, embete, kontor, *rel* ritual, *pl* ytre rom.
'officer (*å*) *s* offiser; bestillingsmann, embetsmann, politimann.
of'fici|al *a* embets-, offisiell; *s* embetsmann; ~ **ate** *v rel* forrette; ~ **ous** *a* tjenstaktig.
'offing *s* rom sjø.
'offish (*å*) *a* stiv, reservert.
'off-set (*å*) *s* motvekt; offset.
'off-spring *s* avkom.
often (*å:fn*) *av* ofte.
o'gival (*ai*) *a* spissbue-.
ogle (*ou*) *v* kokettere (med).
ogre (*ou*) *s* troll, rise.
oil (*åi*) *s v* olje; '~ **skin** *s* oljelerret *pl* o.-hyre; '~ **y** *a* oljet; *fig* slesk.
'ointment (*åi*) *s* salve.
'o'kay *a*, *av* ja vel; *v* godkjenne **(O. K.).**
old (*ou*) *a* gammel; '~ **-fashioned** *a* gammeldags.
ol'factory (*æ*) *a* lukte-.
'olive (*å*) *s* oliven.
'omen (*ou*) *s* varsel.
'ominous (*å*) *a* illevarslende.
o|'mission *s* utelatelse, forsømmelse; ~'**mit** *v* unnlate, glemme.
'omnibus (*å*) *s* rutebil, hotellbil.
om'n|ipotence (*i*) *s* allmakt; ~ **i'presence** *s* allestedsnærværelse; ~'**iscience** (-'*isiəns*) *s* allvitenhet; ~'**ivorous** *a* altetende.
on *prp* på, ved; *av* videre.
once (*w*ʌ) *av* en gang.
one (*u*ʌ) *num* en; '~ **a'nother** *pron* hverandre; '~ **-'sided** *a* ensidig; ~'**self** *pron* seg (selv).
'onerous (*å*) *a* byrdefull.
'onion (ʌ) *s* rødløk.
'onlooker (*å*) *s* tilskuer.
only (*ou*) *a* eneste; *av* bare, ikke før.
on|rush (*å*) *s* framstøt; '~ **set** *s* angrep; '~ **slaught** *s*

stormløp; 'ᴗ **wards** *av* fremad.
oof (*u:*) *s sl* penger.
ooze (*u:*) *s* mudder; *v* sive, tyte.
o'paque (*ei*) *a* dunkel, uklar.
open (*ou*) *a* åpen; *v* åpne (seg) *s* det fri, friland, åpen sjø; 'ᴗ **ing** *s* åpning; innledning, leilighet; 'ᴗ **-minded** *a* fordomsfri.
'opera-cloak (*å*) *s* aftenkåpe; 'ᴗ **-glass** *s* teaterkikkert; 'ᴗ **-hat** *s* klapphatt.
'oper|ate (*å*) *v* bevirke; drive; operere; ᴗ'**ation** *s*; 'ᴗ **ative** *a* virkende; *s* mekaniker; ᴗ **ator** *s* virkemiddel, operatør, telegrafist.
o'pinion *s* mening, uttalelse; ᴗ **ated** *a* stivsinnet.
op'ponent (*ou*) *s* motstander.
'oppor|tune (*å*) *a* beleilig; ᴗ'**tunity** *s* leilighet.
op'po|se (*ou*) *v* motsette (seg), bekjempe; ᴗ **sed** *a* motsatt; 'ᴗ **site** *a* motsatt, vis-a-vis; *prp* overfor; *s* motsetning; ᴗ'**sition** *s* motstand; strid; motpart.
op'press *v* (under)trykke; ᴗ **ion** *s* undertrykkelse, tyngsel; ᴗ **ive** *a* trykkende.
op'probrious (*ou*) *a* fornærmelig.
'op|tic (*å*) *a* syns-; optisk; *s pl* opptikk; ᴗ '**tician** *s* optiker.
'option (*å*) *s* valg(-rett), ønske; 'ᴗ **al** *a* valgfri.
'opulent (*å*) *a* rik.
or (*å:*) *k* eller.
'or|acle (*å*) *s* orakel; ᴗ'**acular** *a* gåtefull.
'oral (*å:*) *a* muntlig.
'orange (*å*) *s* appelsin; *a* a.-gul.
o'r|ation (*ei*) *s* tale; 'ᴗ **ator** *s* taler; -'ᴗ **atory** *s* bedehus; talekunst; svada.
orb (*å*) *s* klode, sfære; 'ᴗ **it** *s ast* bane; øyenhule.
'orchard (*å:*) *s* frukthage.
'orchestra (*å:k*) *s* musikktribune; orkester.
'orchid (*å:k*) *s* orkidé.
or'dain (*ei*) *v* bestemme.
or'deal (*i:*) *s* gudsdom, prøve(lse).
'or|der (*å:*) *s* orden, ordre, bestilling, anvisning, stand; *v* ordne, befale, bestille, ordinere; 'ᴗ **derly** *a* ordentlig; *s* ordonnans, vakthavende; 'ᴗ **dinal** *s* ordenstall; 'ᴗ **dinance** *s* forordning, *rel* ritus; 'ᴗ **dinary** *a* regelmessig, alminnelig; tarvelig; 'ᴗ**dnance** *s* artilleri.
'ordure (*å:*) *s* lort.
ore (*å:*) *s* malm.
'or|gan (*å:*) *s* organ; orgel; ᴗ'**ganic** *a* organisk; 'ᴗ**ganize** *v* organisere; 'ᴗ**ganizer** *s* organisator.
orgy (*å:*) *s* orgie.
'oriel *å:*) *s* karnapp.
'Ori|ent (*å:*) *s* Østen; ᴗ'**ental** *a*; *s*; 'ᴗ **entate** *v* orientere.
'orifice (*å*) *s* åpning.
'or|igin (*å*) *s* opprinnelse, herkomst; ᴗ'**iginal** *a* opprinnelig, original; ᴗ'**iginate** *v* skape, grunne, oppkomme; ᴗ'**iginator** *s* opphavsmann.
'or|nament (*å:*) *s* pryd(else); 'ᴗ**nament** *v* pryde; ᴗ **na'mental** *a* pryd-.
'orphan (*å:*) *a* foreldreløs; *s*; 'ᴗ **age** *s* barnehjem; 'ᴗ **ed** *a* foreldreløs.
'orthodox (*å:*) *a* rettroende.
'oscillate (*åsi*) *v* svinge.
'osier (*ou*) *s* vidje.
'os|seous (*å*) *a* ben-; 'ᴗ **sify** *v* forbene(s).
os'ten|sible *a* tilsynelatende; ᴗ'**tation** *s* pralen; ᴗ'**tatious** *s* pralende.
'os|tler (*åsl*) *s* stallgutt.
'ostracise (*å*) *v* forvise, boikotte.
'ostrich (*å*) *s* struts.

ˈ**other** (ʌ) *a* annen; ˈ⁓ **wise** *av* ellers.
ˈ**otiouse** (*oush*) *a* overflødig, doven.
ˈ**otter** (*å*) *s zo* oter.
ought to (*å:*) *v* bør, burde.
ounce (*au*) *s* 28,35 gr.
oust (*au*) *v* fordrive *jur* utkaste.
out (*ou*) *av* ut(e); ⁓ˈ**balance** *v* oppveie; ⁓ˈ**bid** *v* overby; ˈ⁓ **break** *s* ˈ⁓ **burst** *s* utbrudd; ˈ⁓ **cast** *s* forstøtt; ˈ⁓ **come** *s* resultat; ˈ⁓ **cry** *s* (an)skrik; ⁓ˈ**distance** *v* distansere; ⁓ˈ**do** *v* overgå; ˈ⁓ **door** *a* utendørs.
ˈ**outer** (*au*) *a* ytre, ytter-.
out|ˈ**face** (*ei*) *v* forvirre, trosse; ˈ⁓ **fall** *s* munning; ˈ⁓ **fit** *s* utrustning, utstyr, *am* gruppe; ⁓ˈ**flank** *v* omgå; ⁓ˈ**grow** *v* vokse fra; ˈ⁓ **growth** *s* produkt; ˈ⁓ **house** *s* uthus.
ˈ**outing** (*au*) *s* utflukt.
out|ˈ**landish** (æ) *a* fremmedartet; ⁓ˈ**last** *v* vare lenger enn; ⁓ **law** *s* (*v*) (erklære) fredløs; ˈ⁓ **lawry** *s* f.het; ˈ⁓ **lay** *s* utlegg; ˈ⁓ **let** *s* avløp; ˈ⁓ **line** *s* omriss; ⁓ˈ**live** *v* overleve; ˈ⁓ **look** *s* utsikt; ⁓ˈ**number** *v* være tallrikere enn; ˈ⁓ **of-doors** *av* utendørs; ⁓ **post** *s* forpost; ˈ⁓ **pouring** *s* utgytelse; ˈ⁓**put** *s* produksjon.
ˈ**out**|**rage** (*au*) *v* øve vold mot, krenke, fornærme; *s* vold etc.; ⁓ˈ**rageous** *a* voldsom, opprørende.
ˈ**out**|**right** (*au, ai*) *av* ganske; ⁓ˈ**run** *v* løpe fra, overgå.
ˈ**out**|**set** (*au*) *s* start; ⁓ˈ**sail** *v* seile fra; ˈ⁓ˈ**side** *s* utside; *av prp* utenfor; ˈ⁓ˈ**sider** *s* utenforstående; ⁓ **skirts** *s* grenser, utkant; ˈ⁓ˈ**spoken** *a* djerv; ⁓ˈ**standing** *a* fremragende; uoppgjort; ⁓ˈ**stay** *v* bli over (tid); ⁓ˈ**step** *v* overskride; ⁓ˈ**strip** *v* løpe fra; ˈ⁓ **ward** *a* ytre; ⁓ˈ**weigh** *v* veie mer enn; ⁓ **wit** *v* overliste; ˈ⁓ **work** *s* utenverk.
ˈ**ovary** (*ou*) *s* eggstokk.
oˈ**vation** (*ei*) *s* hyllest.
oven (ʌ) *s* (steke-, baker-)ovn.
ˈ**over** (*ou*) *prp av* over; ⁓ˈ**act** *v* overdrive; ⁓ˈ**awe** *v* skremme, knuge; ⁓ˈ**balance** *vr* miste balansen; ⁓ˈ**bearing** *a* hoven; ˈ⁓ **board** *av* over bord; ⁓ˈ**cast** *v* overskye; ˈ⁓ **coat** *s* ytterfrakk; ⁓ˈ**come** *v* overvelde; ⁓ˈ**do** *v* overdrive; koke (steke) for meget; ⁓ˈ**draw** *v* overskride (konto); ⁓ˈ**dress** *v* forpynte; ˈ⁓ˈ**due** *a* forfallen, forsinket; ⁓ˈ**eat** *vr* forspise seg; ⁓ˈ**flow** *v* gå over sine bredder; ⁓ˈ**grown** *a* oppløpen; overgrodd; ˈ⁓ˈ**hanging** *a* fram(ut-)stående; ⁓ **haul** *v* etterse, overhale; ⁓ˈ**hear** *v* høre (ved lytting, tilfelle); ˈ⁓ˈ**joyed** *a* sjeleglad; ⁓ˈ**land** *av* landverts; ⁓ˈ**lap** *v* gripe over (i); ⁓ **look** *v* overskue; overse; ⁓ **power** *v* overmanne; ⁓ˈ**reach** *v* lure; *vr* strekke seg for langt; ⁓ˈ**ride** *v* tilsidesette, trampe på; ⁓ˈ**rule** *v* overstemme, *jur* omstøte; ˈ⁓ˈ**seas** *a* over havet; ˈ⁓ **seer** *s* oppsynsmann, forsorgsforstander; ⁓ˈ**shoot** *v* skyte forbi; ⁓ˈ**sleep** *vr* forsove seg; ⁓ˈ**spread** *v* bre (seg) over; ⁓ˈ**step** *v* overskride; ⁓ˈ**strung** *a* overanspent.
ˈ**overt** (*ou*) *a* åpen(lys).
over|ˈ**take** (*ei*) *v* innhente; ⁓ˈ**tax** *v* overanstrenge; ⁓ ˈ**throw** *v* kullkaste, styrte; *s* (*i* - -) fall, undergang; ⁓ˈ**top** *v* rage oppover.
ˈ**overture** (*ou*) *v* forslag, tilnærmelse; *mus.*
over|ˈ**turn** (*ə:*) *v* velte; ⁓ -ˈ**whelm** *v* overvelde; ⁓

ˈ**work** *s* overanstrengelse *v* (⁀ ˈ⁀) overanstrenge seg; ˈ⁀ˈ**wrought** (*å:*) *a* overanstrengt, utbrodert.
ˈ**ovoid** (*ou*) *a* eggformet.
ow|e (*ou*) *v* skylde; ˈ⁀ **ing to,** på grunn av.
owl (*au*) *s* ugle.
own (*ou*) *a* egen; *v* eie, (an)-erkjenne, vedkjenne seg (**to**); ˈ⁀ **er** *s* eier.
ox (*å*) *s* okse; *pl* kveg (**oxen**).
ˈ**ox|idixe** (*å*) *v* oksydere; ˈ⁀ **ygen** *s* surstoff.
ˈ**oyster** (*ai*) *s* østers (is. *pl*).

P.

pace (*ei*) *s* skritt, gangart; *v* skride, *sp* bestemme farten for.
paˈ**cific** *a* fredelig; **the P**⁀, Stillehavet.
ˈ**pacify** (æ) *v* berolige; undertvinge.
pack (æ) *s* kobbel; bande; kortstokk; *v* pakke; stue; nedlegge; ˈ⁀ **age** *s* ˌpakke; ⁀ **et** *s* liten pakke; ⁀ **et-boat** *s* postbåt; ˈ⁀ **-horse** *s* kløvhest.
pact *s* pakt.
pad (æ) *s* pute; *v* utstoppe.
paddle (æ) *v* plaske, padle; *s* padleåre.
paddock *s* hestehage.
padlock (æ) *s* hengelås.
ˈ**pagan** (*ei*) *a* hedensk; *s*.
page (*ei*) *s* pasje; bokside; ˈ⁀ **boy** *s* hotellbud.
ˈ**pageant** (æ) *s* historisk opptog; ˈ⁀ **ry** *s* stas.
pail (*ei*) *s* spann.
pain (*ei*) *s* smerte; straff, *pl* umak; *v* smerte; ⁀ **ful** *a* pinefull, besværlig; ˈ⁀**staking** *a* strevsom.
paint (*ei*) *v* male; *s* maling; ˈ⁀ **er** *s* bl. a. fangline; ˈ⁀ **ing** *s* maleri.
pair (*εə*) *s* (*v*) par(re).
pal (æ) *s sl* kamerat.
ˈ**palace** (æ) *s* palass.
ˈ**pal|ate** (æ) *s* gane; ˈ⁀**atable** *a* smakelig.
paˈ**laver** (*a*() *s* underhandling, snakk.
pale (*ei*) *s* stake; grense, enemerker; *a* bleik; *v* bleikne.
ˈ**paling** (*ei*) *s* plankeverk.
pall (*å:*) *s* likklede, pallium; ˈ⁀ **-bearer** *s* marskalk.
ˈ**pall|iate** (æ) *v* unnskylde, besmykke, lindre; ˈ⁀ **iative** *a* smertestillende.
ˈ**pall|id** (æ) *a* gusten; ˈ⁀ **or** *s* g.-het.
palm (*a:*) *s* palme; håndflate; *v* pådutte (**p. off on**); ⁀ **er** *s* pilegrim; ˈ⁀ **istry** *s* kunsten å spå i hånden; ˈ⁀ **y** *a* velmakts-.
ˈ**pal|pable** (æ) *a* følbar, håndgripelig; ˈ⁀ **pitate** *v* banke.
ˈ**pal|sy** (*å:*) *s* lammelse.
ˈ**paltry** (*å:*) *a* ussel.
ˈ**pamper** (æ) *v* meske.
pamphlet (æ) *s* brosjyre, stridsskrift; ⁀ˈ**eer** (*iə*) b.-forfatter.
pan (æ) *s* (steke)panne, bolle, kasserolle, form.
ˈ**pancreas** (æ) *s* bukspyttkjertel.
pane (*ei*) *s* rute.
paneˈ**gyric** *s* lovtale.
ˈ**panel** (æ) *s* felt, fag; liste; innfelling (i kjole).
pang (æ) *s* sting.
ˈ**panic** (æ) *a* panisk; *s* panikk, krise.
ˈ**pannier** (æ) *s* kløvkurv, fiskebensskjørt.
ˈ**panoply** (æ) *s* full rustning.
ˈ**pansy** (æ) *s* stemorsblomst.
pant (æ) *v* pese, puste (kort og tungt) *fig* hike; *s pl* underbukser, *am* bukser.
ˈ**panther** (æ) *s* panter.
ˈ**panties** (æ) *s* korte dameunderbenklær.

ˈ**pantile** (æ) *s* takstein.
ˈ**pantry** (æ) *s* spiskammer.
pap (æ) *s* (spebarn)mat.
ˈ**papal** (*ei*) *a* pavelig.
ˈ**paper** (*ei*) *s* papir; avis, oppgave, avhandling; tapet.
par (*a:*) *s* pari(tet).
ˈ**parable** (*æ*) *s* liknelse.
ˈ**parachute** (*æ*) *s* fallskjerm.
paˈrade (*ei*) *s* parade; *v* gjøre vesen av, (la) paradere.
para|ˈdoxical (*å*) *a* paradoksal; ˈ⁓ **agon** *s* mønster; ˈ⁓**agraph** *s* paragraf, notis, avsnitt.
ˈ**parallel** (æ) *a* parallell.
ˈ**par|alyse** (æ) *v* lamme; ⁓ˈ**alysis** (æ) *s*; ⁓ aˈ**lytic** (*i*) *s* lam.
ˈ**paramount** (æ) *a* (frem)-herskende.
parapet (*a*) *s* brystvern.
ˈ**parasite** (æ) *s* snylter.
ˈ**parboil** (*a*() *v* forvelle.
ˈ**parcel** (*a:*) *s* pakke, parsell, vareparti; *v* parsellere.
parch (*a:*) *v* svi, fortørke.
ˈ**parchment** (*a:*) *s* pergament.
ˈ**pardon** (*a:*) *v* benåde; *s* tilgivelse, benådning; ˈ⁓ **able** *a* tilgivelig.
pare (*εə*) *v* skrelle, klippe.
ˈ**par|ent** (*εə*) *s* far, mor, *pl* foreldre; ˈ⁓ **entage** *s* byrd; ⁓ˈ**ental** *a* foreldre-.
ˈ**paring** (*εə*) *s* skrell.
ˈ**par|ish** (æ) *s* sogn; ⁓ˈ**ishioner** *s* soknebarn.
ˈ**parity** (æ) *s* pari(tet).
park (*a:*) *s* (*v*) park(ere)
ˈ**parl|ance** (*a:*) *s* språk(bruk); ˈ⁓ **ey** *s* forhandling; *v*; ˈ⁓ **iament** *s* parlament; ⁓ **iaˈmentary** *a* p.-arisk; ⁓ **our** *s* dagligstue; ˈ⁓ **ourmaid** *s* stuepike.
paˈrochial (*ouk*) *a* sokne-, kommunal.
ˈ**par|ody** (æ) *s* (*v*) parodi (-ere).
paˈrole (*ou*) *s* æresord.
ˈ**paroxysm** (æ) *s* ri, anfall.
ˈ**parquet** (*a:*) *s* (*v*) parkett(ere).
ˈ**parricide** (æ) *s* fadermorder.
ˈ**parrot** (æ) *s* papegøye.
ˈ**parry** (æ) *v* parere.
parse (*a:z*) *v gr* analysere.
ˈ**parsi|mony** (*a:*) *s* kniperi; ⁓ˈ**monious** (*ou*) *a* påholden.
ˈ**pars|ley** (*a:*) *s* persille; ˈ⁓ **nip** *s* pastinakk.
ˈ**parson** (*a:*) *s* prest; ˈ⁓ **age** *s* p.-gård.
par|t (*a:*) *s* del, part(i), rolle, *pl* evner; egn; *v* dele (seg), skille(s), sprenge(-s); ⁓ˈ**take** *v* delta, ta til seg **(p. of)**; ˈ⁓ **tial** *a* delvis, partisk; ⁓ **tiˈality** (æ) *s* p.het, forkjærlighet; ⁓ˈ**ticipate** *v* ta del (i-in).
ˈ**par|ticiple** (*a:*) *gr* partisipp; ˈ⁓ **ticle** *s* fnugg, partikkel.
parˈticu|lar *a* særegen, særlig, nøye, detaljert; *s pl* nærmere detaljer; ⁓ˈ**larity** (æ) *s* omstendighet, egenhet.
ˈ**parting** (*a:*) *s* avskjed; skill i håret; *a* avskjeds-.
partiˈsan (æ) *s* tilhenger.
parˈt|ition *s* skille(vegg); *v* (av-)dele; ˈ⁓ **ly** *av* delvis; ˈ⁓**ner** *s* deltaker; kompanjong, makker; dame (herre) i dans, ektefelle; ˈ⁓ **nership** *s* kompaniskap.
ˈ**partridge** (*a:*) *s* rapphøne.
ˈ**party** (*a:*) *s* parti, avdeling, *jur* part; selskap, deltager, ˈ⁓-**coloured** *a* broket.
pass (*a:*) *v* passere, gå (om tid), svinne; bestå; vedta, si pass; tilbringe; rekke; *s* pass; stadium; ˈ⁓ **able** *a* antakelig; farbar; ˈ⁓ **ing** *a* forbigående; *s* død; vedtagelse.
ˈ**pass|age** (æ) *s* passasje, korridor; ˈ⁓ **enger** *s* passasjer.
passion (æ) *s* lidenskap; forbitrelse; ˈ⁓ **ate** *a* lidenskapelig.
ˈ**passive** (æ) *s a* passiv.
ˈ**pass|port** (*a:*) *s* pass; ˈ⁓**word** *s* feltrop.

past (*a:*) *a* forgangen; *s* fortid, *prp* forbi, over.
paste (*ei*) *s* deig, pasta, klister; *v* klebe; 'ˬ **board** *s* papp.
'**pastime** (*a:*) *s* tidsfordriv.
pastor (*a:*) *s* (baptist-)prest; 'ˬ **al** *a* hyrde-, landlig.
pastry (*ei*) *s* bakverk; bløtkake; 'ˬ **-cook** konditor.
'**pasture** (*a:*) *s* beite; *v*.
'**pasty** (*a:* æ) *s* kjøttpostei.
'**pasty** (*ei*) *a* deiget, bleik.
pat (æ) *s* (*v*) klapp(e); *a* treffende, à propos.
patch (æ) *s* lapp, flekk; *v fig* bilegge **(p. up).**
pate (*ei*) *s fam* hode.
'**patent** (*ei*, æ) *a* åpen(-bar); *s* (*v*) patent(ere); 'ˬ **-'leather** *s* lakk(sko); ˬ **ee** (*i:*) *s* p.haver.
pa'tern|al (*ə:*) *a* faderlig; ˬ **ity** *s* farskap.
path (*a:*) *s* sti; 'ˬ **way** *s ib.*
pa'thetic (e) *a* gripende, rørende.
'**pathos** (*ei*) *s* patos.
'**patien|ce** (*ei*) *s* tålmodighet; kabal; 'ˬ **t** *a* tålmodig; *s* pasient.
pa'trician (*i*) *s* patrisier.
'**pat|ricide** (æ) *s* fadermord; 'ˬ **rimony** *s* (fedrene-)arv.
pa'trol (*ou*) *s* (*v*) patrulje(re).
'**patron** (*ei*) *s* beskytter; 'ˬ **age** (æ) *s* proteksjon; kallsrett; 'ˬ **ize** (æ) *v* behandle nedlatende; 'ˬ **-'saint** *s* skytshelgen.
'**pat|ter** (æ) *v* klapre, tromme; snakke fort.
'**pattern** (æ) *s* mønster, modell, prøve.
'**patty** (æ) *s* postei.
paunch (*å:*) *s* vom.
'**pauper** (*å:*) *s* fattigunderstøttet; 'ˬ **ism** *s* fattigonde.
pause (*å:*) *s* stans; *v* bryte av.
pave (*ei*) *v* brulegge, jevne; 'ˬ **ment** *s* fortau, golv.
pa'vilion (*i*) *s* paviljong.
paw (*å:*) *s* pote; *v* stampe, skrape (om hest).
pawn (*å:*) *s* bonde (i sjakk), pant; *v* pantsette; 'ˬ **broker** *s* pantelåner.
pay (*ei*) *v* betale, lønne, avlegge (besøk); lønne seg; *s* betaling, gasje; 'ˬ **able** *a* forfallen; lønnsom; 'ˬ **-day** *s* termin; 'ˬ **ment** *s* innfrielse, betaling; 'ˬ **-roll** *s am* lønningsliste.
pea (*i:*) *s* ert.
peace (*i:*) *s* fred; 'ˬ **able,** 'ˬ **ful** *a* fredelig.
peach (*i:*) *s* fersken; *am sl* «perle»; *v sl* sladre, angi.
'**peacock** (*i:*) *s* påfugl.
'**peajacket** (*i:*) *s* pjekkert.
peak (*i:*) *s* tind, spiss; *v* skrante; 'ˬ **ed** *a* tynn, skarp.
peal (*i:*) *s* brak, klang; *v* brake, ringe, kime.
'**peanut** (*i:*) *s* jordnøtt.
pear (*εə*) *s* pære.
pearl (*ə:*) *s* perle.
'**peasant** (e) *s* bonde.
pease (*i:*) *s* erter.
peat (*i:*) *s* torv.
pebble *s* småstein.
peck *s* et mål (9 l.); *v* hakke, pikke.
'**pectoral** *a* bryst-.
pecu'lation (*ei*) *s* underslag.
pe'culi|ar (*ju:*) *a* (sær)egen, spesiell; ˬ'**arity** *s* eiendommelighet.
pe'cuniary (*ju:*) *a* penge-.
peddle *v* høkre.
'**pedestal** (e) *s* fotstykke.
pe'destrian *s* fotgjenger.
'**pedigree** (e) *s* stamtre.
'**pedlar** *s* kremmer.
peek (*i:*) *v am* titte.
peel (*i:*) *s* skall; *v* skrelle, flekke; *fam* kle av fort.
peep (*i:*) *v* pipe; titte; *s*.
peer (*iə*) *v* stirre, myse; *s* likemann, adelsmann, medlem av Overhuset; 'ˬ **age** *s* adel;

'⁓ **ess** *s* adelsdame; '⁓ **less** *a* uforliknelig.
'**peevish** (*i:*) *a* gretten.
peg *s* pinne, nagle; knagg; *sl* pjolter; *v* plugge.
'**pellet** *s* kule, pille.
'**pell-mell** *av* hulter til bulter.
pelt *v* overdenge; kaste; *s* pels; fart.
pen *s* penn; kve, binge; *v* skrive, innestenge.
'**penal** (*i:*) *a* straffe-.
'**pen|alty** (e) *s* (penge-)straff, mulkt, bot; '⁓ **ance** *s* *rel* bot.
'**pen|case** *s* pennal; '⁓ **cil** *s* pensel, blyant.
'**pendant** *s* dobbe, vimpel.
'**pend|ing** *a* uavgjort, verserende; *prp* under; '⁓ **ulous** *a* hengende; '⁓ **ulum** *s* pendel.
'**penetr|ate** (e) *v* gjennomtrenge, trenge inn i; '⁓ **ating** *a* skarpsindig; ⁓'**ation** *s* s.-het.
'**penguin** *s* pingvin.
pe'**ninsula** *s* halvøy; ⁓ **r** *a*.
'**peni|tence** *s* anger; ⁓ **tent** *a* angergiven; ⁓'**tential** *a* bots-.
penman *s* skribent.
'**pen|nant** *s* vimpel; '⁓ **non** *s* fendel.
'**pen|niless** *a* fattig; '⁓ **ny** *s* 1|12 sh. (d.).
'**pension** *s* (*v*) pensjon(ere); '⁓ **ary** *a* pensjons-, pensjonert; '⁓ **er** *s* pensjonist.
pensive *a* tankefull.
pent *a* innestengt; '⁓ **house** *s* bislag.
pe'**nultimate** (ʌ) *a* nest sist.
penury (e) *s* nød.
peony (*i*) *s* pion.
people (*i:*) *s* folk(eslag); *v* befolke.
pep *s* *sl* futt; '⁓ **per** *s* pepper; *v* pepre, overdenge.
pe'**r|ambulate** (æ) *v* gå opp og ned, bereise; ⁓'**ambulator** *s* barnevogn; ⁓'**ceive** (*i:*) *v* merke, oppfatte; ⁓'**centage** *s* prosentsats; ⁓'**ceptible** *a* merkbar; ⁓'**ception** *s* oppfattelse(sevne).
perch (*ə:*) *s* vagle, høy plass; *zo* åbor; *v* sette seg, sitte; '⁓ **ed** *a* sittende (høyt).
'**percolate** (*ə:*) *v* filtrere, sile; '⁓ **colator** *s* kaffetrakter; ⁓'**cussion** *s* støt, slag; ⁓'**dition** *s* *rel* fortapelse.
pe'**remptory** (e) *a* bestemt.
pe'**rennial** *a* årviss, flerårig.
'**per|fect** (*ə:*) *a* fullkommen; *s* *gr* perfektum; ⁓'**fect** *v* gjøre fullkommen; ⁓'**fection** *s* f.-het.
per|'**fidious** *a* troløs; '⁓ **fidy** *s* t.-het.
'**perforate** (*ə:*) *v* gjennomhulle.
per'**form** (*å:*) *v* utføre, oppfylle; opptre; ⁓ **ance** *s* prestasjon, forestilling.
'**per|fume** (*ə:*) *s* duft, parfyme; ⁓'**fume** (*ju:*) *v* p.-re; ⁓'**fumer** *s* p.handler.
per'**functory** (ʌ) *a* mekanisk; slurvet.
per'**haps** (æ, *præps*) *av* kanskje.
'**peril** (e) *s* fare; '⁓ **ous** *a*.
pe'**rimeter** *s* omkretsmåler.
'**peri|od** *iə*) *s* periode, punktum, skoletime; ⁓ **odic** (*å*) *a* periodisk; ⁓'**odical** *s* tidsskrift.
'**perish** (e) *v* omkomme; '⁓ **able** *a* uvarig, forgjengelig.
'**periwig** (e) *s* parykk.
'**perjur|e** (*ə:*) *v* sverge falsk; '⁓ **ed** *a* mensvoren; '⁓ **er** *s* meneder; ⁓ **y** *s* mened.
perk (*ə:*) *v* *fam* kneise, kjekke seg; stramme opp; '⁓ **y** *a* kry, flott, frekk.
'**permanen|ce** (*ə:*) *s* varighet; '⁓ **t** *a*.
'**permeate** (*ə:*, *-ieit*) *v* gjennomtrenge.
per|'**mission** *s* tillatelse; '⁓**mit**

s pass, lisens, tillatelse; ~'**mit** v tillate.
per'nicious a ødeleggende.
'**perpetrat|e** (ə:) v begå; '~ **or** s forøver.
per|'petual (e) a evig, uopphørlig, uoppsigelig; ~'**petuate** (e) v fortsette, vedlikeholde; ~ **pe'tuity** (u) s beståen.
per'plex v forvirre; ~ **ity** s vånde, forvirring.
'**perquisite** (ə:) s biinntekt.
'**perse|cute** (ə:) v forfølge; ~'**cution** s.
perse'ver|e (iə) v drive på; holde ut; ~ **ance** s utholdenhet.
per'sist v holde ved; ~ **ence,** ~ **ency** s iherdighet; ~ **ent** a hårdnakket.
'**person** s person, ytre; '~ **able** a pen; '~ **age** s person(lighet); '~ **al** a personlig; ~'**ality** s personlighet; '~ **ate** v is. agere, spille.
per'son|ify (å) v personliggjøre; ~'**nel** s personale.
per'spi|cuous a anskuelig, klar; ~'**cuity** (u) s.
per|'spire (ai) v svette; ~ **spi'ration** s svette.
per'sua|de (ei) v overtale; ~ **sion** s o.-lse; overbevisning, tro; ~ **sive** a overtalende.
pert (ə:) a nesevis.
per|'tain (ei) **to** v angå; ~ **ti'nacious** a iherdig.
'**per|tinent** (ə:) a som vedkommer, saklig.
per'turb (ə:) v forurolige; ~'**ation** s.
pe'ruke (u:) s parykk.
pe'r|use (u:) v lese grundig; ~'**usal** s.
per'vade (ei) v fig gå gjennom, herske i.
per|'verse (ə:) a skakkjørt, vrang, gretten; ~'**vert** v forvanske.

pest s plage(ånd); '~ **er** v bry, plage; ~'**iferous** a usunn; '~ **ilence** s farsott; '~ **ilent** a fordervelig; ~ **i'lential** a pest-.
pestle (sl) s støter.
pet v (s) kjæle(degge); a yndlings-; v am sl «kline».
'**petal** (e) s kronblad.
'**peter** (i:) **out** v slippe opp.
pe'tition s andragende, bønn; v be, ansøke.
'**petrel** (e) s zo stormfugl.
'**petrify** (e) v forstene.
'**petrol** (e) s bensin.
'**petticoat** s underskjørt, -kjole.
'**pettish** a pirrelig.
'**petty** a ubetydelig, smålig; ~ **officer** s mar underoffiser.
'**petulant** a amper, pirrelig, lunet.
pew (ju:) s kirkestol.
pewter (ju:) s tinn(krus).
phaeton (fei) s lett vogn.
phantom (fæ) s spøkelse.
pharisee (fæ) s fariseer.
pharmacy (fa:) s farmasi.
phase (fei) s fase.
pheasant (fe) s fasan.
phe'nomenon (å) s fenomen.
'**phial** (fai) s flaske.
phi'lander (æ) s flørte.
'**philistine** s spissborger.
phi'losopher (å) s filosof.
phiz s fam fjes.
phlegm (em) s slim; flegma; ~'**atic** (-gnæ-) a dorsk.
phone (ou) s (v) fam telefon(ere).
phon(e)y (ou) a sl falsk, lyssky.
'**phosphorus** (å) s fosfor.
pho|to (ou) s fam fotografi; v fotografere; ~ **tographer** (å) s fotograf.
phrase (ei) s frase, uttrykk; v uttrykke.
phthisis (tai-) s tæring.
phys|ical (i) a fysisk; ~ **ician** s lege; '~ **icist** s fysiker; '~ **ics** s fysikk; ~'**ique** (i:) s legemsbygning.

pick *s* hakke, hake; *v* hakke, plukke, velge; **ˈ⁀ -axe** *s* hakke; **ˈ⁀ed** *a* utvalgt; **ˈ⁀ et** *s* pel, pikett, streikevakt; *v* pele, tjore, vokte; **ˈ⁀ ings** *s* profitt, levninger.
pickle *s* lake *fig* klemme; *v* legge i lake.
ˈpick|-pocket *s* lommetyv; **ˈ⁀ -up** *s* lydforsterker.
ˈpicnic *s* landtur.
picˈtorial (*å:*) *a* malerisk; *s* illustrert blad.
ˈpict|ure *s* maleri, bilde, *pl* kino; *v* (ut-)male; **ˈ⁀ure-card** *s* herrekort; **ˈ⁀ ure (post)card** prospektkort; **ˈ⁀ ure-palace** *s* kino; **⁀ uˈresque** *a* malerisk.
pie (*ai*) *s* postei.
ˈpiebald (*ai*) *a* spraglet, droplet.
piece (*i:*) *s* stykke, brikke, lapp, mynt; *v* lappe, skjøte, forene (p. together); **ˈ⁀ meal** *av* stykkevis.
pied (*ai*) *a* spraglet.
ˈpier (*iə*) *s* brukar; brygge.
ˈpierce (*iə*) *v* (gjennom)bore.
ˈpiety (*ai*) *s* fromhet.
pig *s* gris.
ˈpigeon (*i*) *s* due; **ˈ⁀ -hole** *s* reolrom; *v* henlegge.
ˈpig|ˈheaded *a* sta; **ˈ⁀ -iron** *s* råjern; **ˈ⁀ tail** *s* hårplsk.
pike (*ai*) *s* spyd; gjedde.
pile (*ai*) *s* stabel, lo; *pl* peler; hemorroider; *sl* kapital; *v* stable.
ˈpilfer (*i*) *v* rapse.
ˈpilgrim *s* pilgrim; **⁀ age** *s* valfart.
pill *s* pille.
ˈpillage *s* plyndring; *v* plyndre.
ˈpillar *s* søyle, støtte.
ˈpillory *s* gapestokk; *v*.
ˈpillow *s* pute.
ˈpilot (*ai*) *s* los, fører; flyger; *v* lose; **⁀ officer** *s* fenrik i flyvåpnet; **ˈ⁀ age** *s* losing.
pimple *s* filipens.
pin *s* (knappe)nål, stift; *v* feste, spidde; **ˈ⁀ afore** *s* overall (for barn, kvinner); **ˈ⁀ cers** *s* knipetang.
pinch *v* klype; pine, være gjerrig; *s* klyp, klemme, nød; **ˈ⁀ ers** *s* knipetang.
pine (*ai*) *v* sture, tæres hen; *s* bartre, furu; **ˈ⁀ -apple(s)** *s* ananas.
ˈpinion *s* vingespiss; drev; *v* stekke, bakbinde.
pink *v* lage huller i; *s* nellik; *a* lyserød.
ˈpinnacle *s* tårn; tind.
pint (*ai*) *s* 1|8 gallon, 0,57 l.
pioˈneer (*iə*) *s* foregangsmann.
ˈpious (*ai*) *a* from.
pip *s* (frukt)kjerne, øye (på kort etc.); *v* lure.
pipe (*ai*) *s* pipe, rør; *v* pipe, blåse; **ˈ⁀ clay** *s* *mil* pedanteri.
ˈpiqu|ant (*i:*) *a* pikant; **⁀ e** (*i:k*) *v* såre, egge, *vr* være kry (av **-on**).
ˈpirate (*ai*) *s* sjørøver; *v* plagiere; **ˈ⁀ cy** *s* ogs. *fig*.
ˈpistol *s* pistol.
ˈpiston *s* stempel.
pit *s* hule, gruve, sjakt *teat* parterre; kampplass; *v* stille opp (mot).
pitch *s* bek; topp; grad; kast; skråning; idrettsbane; *v* beke, stille, anbringe; (opp-) slå, kyle, dette, leire seg; *mar* hugge.
ˈpitcher *s* krukke.
ˈpitch-fork *s* høygaffel.
ˈpiteous *a* ynkelig.
ˈpitfall *s* fallgruve.
pith *s* marg; kraft; **ˈ⁀ y** *a* fyndig.
ˈpit|iable *a* ynkverdig; **ˈ⁀ iful** *a* ynkelig; **ˈ⁀ iless** *a* ubarmhjertig; **ˈ⁀ tance** *s* ussel lønn, etc.; **ˈ⁀ y** *s* medynk; *fig* synd; *v* synes synd på.
ˈpivot (*i*) *s* tapp; *v* rotere.
ˈplacable (*æ*) *a* forsonlig.

ˈplacard (æ) *s* plakat; *v* slå opp, bekjentgjøre.
plaˈcate (*ei*) *v* forsone.
place (*ei*) *s* plass, sted, stilling; *v* plassere, stille.
ˈplacid (æ) *a* rolig, uforstyrrelig.
ˈplagiar|ize (æ) *v* plagiere; **ˈ⁓ ism** *s* plagiat.
plague (*ei*) *s* pest, plage; *v* plage, hjemsøke.
plaice (*ei*) *s zo* rødspette.
plaid (æ) *s* pledd, høylenders sjal.
plain (*ei*) *a* tydelig, enkel, tarvelig; åpen; ikke pen, *s* slette; **ˈ⁓ -clothes** *a* sivil; **ˈ⁓ˈdealing** a *s* ærlig (ferd); **ˈ⁓ -ˈspoken** *a* åpen.
ˈplaint|iff (*ei*) *s* saksøker; **ˈ⁓ ive** *a* klagende.
plait (æ) *s* flette; *v*.
plan (æ) *s* (*v*) plan(legge).
plane (*ei*) *s* plan (flate), nivå, høvel; is. *am* fly; *a* plan; *v* planere, høvle.
ˈplanish (æ) *v* hamre, glatte.
plank (æ) *s* planke; politisk program; *v* p.-legge; **ˈ⁓ ing** *s* planker.
plant (*a:*) *s* plante, materiell, anlegg; *v* (be)plante, anlegge; **⁓ˈation** *s* plantasje, nyplantning; **ˈ⁓ er** *s* plantasjeeier.
plash (æ) *s* (*v*) plask(e).
ˈplaster (*a:*) *s* plaster; murpuss, gips; *v* rappe, dekke, plastre.
ˈplastic (æ) *a* plastisk; *s pl* plast(ikk).
plate (*ei*) *s* plate, skilt; sølv (gull-)tøy, plett; tallerken; *v* plettere, pansre.
ˈplatform (æ) *s* plattform, tribune.
ˈplatinum (æ) *s* platina.
ˈplatitude (æ) *s* flau bemerkning.
plaˈtonic (*å*) *s* platonisk.
plaˈtoon (*u:*) *s* peletong.
ˈplausible (*å:*) *a* plausibel, antagelig.
play (*ei*) *v* leke, spille; *s* spill, lek; skuespill; spillerom; **ˈ⁓ ful** *a* leken, spøkefull; **ˈ⁓ ground** *s* skolegård; **ˈ⁓ mate** *s* lekekamerat; **ˈ⁓thing** *s* leke(tøy); **ˈ⁓wright** *s* skuespillforfatter.
plea (*i:*) *s* argument, forsvar, bønn, påskudd, sak(sanlegg).
plead (*i:*) *v* føre (forsvare) sak, anføre (grunn), besvare (i retten), erklære.
ˈpleasant (e) *a* behagelig, hyggelig; **⁓ ry** *s* spøk.
please (*i:*) *v* behage; **ˈ⁓ d** *a* glad, tilfreds.
ˈpleasure (e) *s* fornøyelse, glede; vilje, befaling; **ˈ⁓ -ground** (s) *s* park; **ˈ⁓-seeking** *a* forlystelsessyk.
pleat (*i:*) *s* (*v*) plissé(re).
pledge *s* pant, løfte; skål; *v* pantsette, garantere; skåle; *vr* binde seg.
ˈplenitude (e) *s* fylde.
plenty *s* overflod.
ˈpleurisy (*u:*) *s* plevritt.
ˈpliant (*ai*) *a* myk, føyelig.
plight (*ai*) *s* tilstand; pant; *v* sette i pant, gi.
plinth *s* sokkel.
plod (*å*) *v* henge i, traske; **ˈ⁓ der** *s* sliter.
plop (*å*) *s* (*v*) plump(e).
plot (*å*) *s* (jord)flekk; plan; komplott, intrige; *v* planlegge.
plough (*au*) *s* plog; *v* pløye, fure, *sl* stryke.
plow (*au*) *s v am*= **plough.**
pluck (ʌ) *v* plukke, rive; *s* innmat, *fig* mot; **⁓ y** *a* modig, kjekk.
plug (ʌ) *s* plugg, propp; *v*.
plum (ʌ) *s* plomme.
ˈplumage (*u:*) *s* fjærkledning.
plumb (ʌ*m*) *s* (bly)lodd; *a* loddrett; *v* lodde; **ˈ⁓ er** *s* rørlegger.

plume (*u:*) *s* fjær; *v* f.-smykke, *vr* britiske seg (*med*-**on**).
ˈ**plummet** (ʌ) *s* lodd(-line).
plump (ʌ) *a* lubben; *av* pladask; *v* gjø, meske; plumpe.
ˈ**plunder** (ʌ) *v* plyndre; *s* rov, bytte.
plunge (ʌ) *v* (*s*) dukke(rt).
ˈ**plur**|**al** (*uə*) *s gr* flertall; ⌣ˈ**ality** *s* majoritet.
ˈ**plus** (ʌ:) -ˈ**fours** *s* nikkers.
plush (ʌ) *s* plysj.
ˈ**pluvial** (*u:*), *a* regn-.
ply (*ai*) *s* fold, tråd, retning; *v* håndtere, bearbeide, bruke flittig, gå i rute.
pneu|ˈ**matic** (*nju*, æ) *a* luft-, vind-; ⌣ˈ**monia** (*ou*) *s* lungebetennelse.
poach (*ou*) *v* koke forlorent egg; drive ulovlig jakt el. fiske; stjele (fra); ˈ⌣ **er** *s* krypskytter.
pock (*å*) *s* blemme, *pl* kopper.
ˈ**pocket** (*å*) *s* lomme, sekk; *v* stikke i l., la seg by.
pod (*å*) *s* belg, skolm.
ˈ**podgy** (*å*) *a* liten og tykk.
ˈ**po**|**em** (*ou*) *s* dikt; ˈ⌣ **et** *s* dikter; ˈ⌣ **etaster** *s* versemaker; ˈ⌣ **etry** *s* poesi.
ˈ**poignant** (*åin*) *a* skarp.
point (*åi*) *s* spiss, odd; punkt, prikk, poeng, hovedsak, *pl* dyder; *v* spisse, rette, poengtere; peke, *sp* stå; ˈ⌣ **-blank** *v* like fram; ˈ⌣ **ed** *a* spiss; ˈ⌣ **edly** *av* rent ut; ˈ⌣ **er** *s* pekestokk, viser; fuglehund.
poise (*åi*) *v* balansere, veie; *s* likevekt; fri holdning.
ˈ**poison** (*åi*) *s* gift; *v* forgifte; ˈ⌣ **ing** *s* forgiftning; ˈ⌣ **ous** *a* giftig.
pok|**e** (*ou*) *v* støte, stikke, rote, kare; ˈ⌣ **er** *s* ildraker; ˈ⌣ **y** *a* trang, ussel.
ˈ**Poland** (*ou*) Polen.
ˈ**pol**|**ar** (*ou*) *a* pol-, polar; ˈ⌣ **ar bear** isbjørn; ⌣ **e** *s* pol; stang.
Pol|**e** (*ou*) *s* polakk; ˈ⌣ **ish** *a* polsk.
ˈ**pole**|**axe** (*ou*) *s* stridsøks; ˈ⌣ **cat** *s zo* ilder.
poˈ**lemic** *a* polemisk; ⌣ **s** *s* polemikk.
poˈ**lice** (*i:*) *s* politi; ⌣ **man** *s* konstabel.
ˈ**policy** (*å*) *s* politikk; polise.
ˈ**polio** (*å*) *s am* = p.-myelitt.
ˈ**polish** (*å*) *v* polere, slipe, bliblank; *s* politur, kultur; skokrem.
poˈ**lite** (*ai*) *a* høflig, fin.
ˈ**pol**|**itic** (*å*) *a* fornuftig, forsiktig; *s pl* politikk; ⌣ˈ**itical** *a* politisk; ⌣**i**ˈ**tician** *s* politiker; ˈ⌣ **ity** *s* statsform, stat.
poll (*ou*) *s* manntall, valg, stemmer; *v* stusse; stemme, samle stemmer; ⌣ **ed** *a* kollet (ku).
ˈ**pollen** (*å*) *s* blomsterstøv.
polˈ**lut**ˈ**e** (*u:*) *v* besmitte; ⌣ **ion** *s* forurensning.
polˈ**troon** (*u:*) *s* kujon.
polysylˈ**labic** *a* flerstavelses-.
ˈ**pomegranate** (*å*) *s* granateple.
ˈ**pommel** (ʌ) *s* knapp (sal-, kårde-).
pomp (*å*) *s* prakt; ˈ⌣ **ous** *a* pralende, høytravende.
pond (*å*) *s* dam.
ˈ**ponder** (*å*) *v* fundere, gruble; ⌣ **ous** *a* vektig.
ponˈ**toon** (*u:*) *s* pongtong.
ˈ**pony** (*ou*) *s* ponni.
poodle (*u:*) *s* puddel.
pool (*u:*) *s* kulp, pytt; innsats *merk* ring, tipping.
poop (*u:*) *s mar* hytte.
poor (*uə*) *a* fattig, stakkars; ˈ⌣ **ly** *a* skral, syk.
pop (*å*) *s* (*v*) knall(e).
pope (*ou*) *s* pave.
ˈ**poplar** (*å*) *s* poppel.
ˈ**poppy** (*å*) *s* valmue.
ˈ**pop**|**ulace** (*å*) *s* mobb, mengde; ⌣ **ular** *a* folke-, folkelig, populær; ˈ⌣ **ulate** *v* befolke;

ˌ u'lation *s* befolkning; 'ˌ ulous *a* folkerik.
'porcelain (*å:*) *s* porselen.
porch (*å:*) *s* bislag, *am* veranda.
'porcupine (*å:*) *s* pinnsvin.
pore (*å:*) *s* pore; *v* stirre, henge (over bøker).
pork (*å:*) *s* svinekjøtt.
'porphyry (*å:*) *s* porfyr.
'porpoise (*å:*) *s* nise, delfin.
'porridge (*å*) *s* (havre)grøt.
port (*å:*) *s* havn(-eby); babord; skytehull; portvin; **'ˌ able** *a* transportabel.
por't|end *v* varsle; **'ˌ ent** *s* ondt varsel; **ˌ'entous** *a* illevarslende.
'porter (*å:*) *s* dørvokter, bærer, portier; en ølsort.
port'folio (*ou*) *s* mappe, portefølje.
'portion (*å*) *s* del, porsjon; medgift; skjebne; *v* (ut)dele, utstyre.
'portly (*å:*) *a* anselig, stor og verdig.
port'manteau (æ) *s* håndkoffert.
por't|ray (*ei*) *v* male, tegne; **'ˌ rait** (*å:*) *s* portrett.
Portu'guese (*i:*) *s* (*a*) portugiser, -sisk.
pose (*ou*) *s* (opp)stilling, sitten (for kunstner); *v* plassere, sitte (som modell), anstille seg; **'ˌ r** *s* hard nøtt (fig).
po'sition *s* stilling, posisjon.
'positive (*å*) *a* virkelig, uttrykkelig; sikker.
pos'sess (ze) *v* eie *vr* bemektige seg; **ˌ ed** *s* besatt; i besittelse (av-**of**); **ˌ ion** *s* besittelse, besettelse, *pl* eiendom; **ˌ ive** *a* eiendoms-.
'possib|le (*å*) *a* mulig; **ˌ' ility** *s* mulighet.
post (*ou*) *s* stolpe; post; stilling; skyss; *v* poste, postere, ile; *prp* etter; **'ˌ age** *s* porto; **'ˌ al,** a post-; **'ˌ er** *s* reklameplakat.
pos't|erior (*iə*) *a* senere, bakre; **ˌ'erity** (e) *s* etterkommere.
'posthumous (*å*) *a* etterlatt, født etter fars død.
'post|man (*ou*) *s* postbud; **'ˌ -'mortem** (*a:*) *s* is. obduksjon; **'ˌ -office** *s* postkontor, -vesen.
post'pone (*ou*), *v* utsette.
'postscript (P.S.) (*ousk-*) *s* etterskrift.
'post|ulate (*å*) *s* postulat; *v* kreve, påstå.
'posture (*ou*) *s* stilling, holdning; *v* stille.
pot (*å*) *s* gryte, potte; kanne, krukke, digel; *v* nedlegge, sylte; **'ˌ -ash** *s* pottaske.
po'tation (*ei*) *s* drikking, slurk.
po'tato (*ei*) *s* potet.
'pot|ent (*ou*) *a* kraftig; **ˌ'ential** *a* mulig; **ˌ enti'ality** (æ) *s* mulighet, skjult kraft.
'pother (*å*) *s* mas, rot.
'potion (*ou*) *s* (dosis av) medisin, drikk.
'potter (*å*) *s* pottemaker; *v* pusle, somle; **'ˌ y** *s* p.-arbeid.
pouch (*au*) *s* taske; sekk.
'poulterer (*ou*) *s* fjærfehandler.
'poultice (*ou*) *s* grøtomslag.
'poultry (*ou*) *s* fjærfe.
pounce (*au*) *v* slå ned (på).
pound (*au*) *s* innhegning; pund (vekt, mynt); *v* banke, mase, støte; **ˌ age** *s* gebyr.
pour (*å:*) *v* helle, øse, skjenke.
pout (*au*) *v* lage trut.
'poverty (*å*) *s* fattigdom.
'powder (*au*) *s* pulver, pudder; krutt; *v* pulverisere, pudre; **'ˌ - puff** *s* pudderkvast.
power (*au*) *s* kraft, makt, *pl* evner; fullmakt; **'ˌ ful** *a* kraftig **'ˌ less** *a* avmektig; **'ˌ -plant** kraftanlegg.
'pow-wow (*au*) *s* konferanse.
pox (*å*) *s med* kopper.
'pract|ice (æ) *s* skikk; øvelse, praksis, framgangsmåte; list;

'˷ **icable** *a* gjørlig, farbar; '˷ **ical** *a* praktisk; '˷ **ically** *av* p.talt; '˷ **ise** *v* drive, (ut)øve, begå, praktisere, utnytte (**p. on**); ˷'**itioner** *s* praktiserende lege, jurist.
praise (*ei*) *s* (*v*) ros(e).
pram (æ) *s* barnevogn; pram.
prance (*a:*) *v* steile, spankulere, være hoven.
prank (æ) *s* krumspring, strek; *v* utstaffere.
prate (*ei*) *v* skravle (dumt).
prattle (æ) *v* pludre.
prawn (*å:*) *s* reke.
pray (*ei*) *v* be; '˷ **er** (*εə*) *s* bønn, *pl* andakt; '˷ **er-book** (*εə*) *s* ritual; andaktsbok.
preach (*i:*) *v rel* preke; '˷**er** *s* predikant.
pre- (*i:*, *i*, e) *pref* foran, forut.
pre|'**amble** (æ) *s* fortale; '˷ **-ar**'**range** *s* ordne i forveien.
pre'**carious** (*εə*) *a* usikker.
pre'**caution** (*å:*) *s* forsiktighet; ˷ **ary** *a*.
pre'**cede** (*i:*) *v* gå forut for, ha rang foran; ˷**nce** *s* forrang.
'**precedent** (e) *s* presedens, sidestykke.
'**precept** (*i:*) *s* forskrift.
'**precincts** (*i:*) *s* område el. omgivelser.
'**precious** (e) *a* kostelig; affektert; *av* svært.
'**pre**|**cipice** (e) *s* styrtning; ˷'**cipitate** *v* styrte; framskynde; *a* hodekulls, ubesindig; ˷ **cipi**'**tation** *s* ubesindighet; nedbør; ˷'**cipitous** *a* stupbratt.
'**précis** (*preisi:*) *s* resymé.
pre|'**cise** (*ai*) *a* nøyaktig, striks, pertentlig; ˷'**cisian** (*i*) *s* pedant; ˷'**cision** *s* nøyaktighet; ˷'**clude** *v* utelukke; ˷'**cocious** *a* tidlig moden, veslevoksen; ˷'**cocity** (*å*) *s*; '˷ **con**'**ceived** (*i:*) *a* forutfattet; '˷ **con**'**cert** *v* forut avtale; ˷'**cursor** *s* forløper; ˷'**cursory** *a* forutgående.
'**predatory** (e) *a* røver-.
'**pre**|**decessor** (*i:*) *s* forgjenger; ˷'**destine** *v* forutbestemme.
pre'**dicament** *s* knipe.
'**predicate**(e)*s* predikat(-sord); '˷**tory a** prekende.
pre'**dict** *s* spå.
pre|**di**'**lection** *s* forkjærlighet; ˷'**dominance** *s* overvekt; ˷'**dominate** *v* (be)herske; '˷'**eminent** (e) *a* ypperst; *av* (˷**ly**) framfor alle; '˷'**emption** *s* forkjøp(srett).
preen (*i:*) *v* pusse (om fjær).
'**prefa**|**ce** (e) *s* forord; ˷ **tory** *a* innledende.
'**pre**|**fect** (*i:*) *s* klasseformann.
prefer (*ə:*) *v* foretrekke; forfremme; framføre.
'**prefer**|**able** (e) *a* bedre; *av* helst; '˷ **ence** *s* forrang, begunstigelse; ˷'**ential** *a* preferanse-.
pre|'**ferment** (*ə:*) *s* forfremmelse.
'**prefix** (*i:*) *s* forstavelse; ˷'**fix** *v* sette foran.
'**pregnant** *a* svanger, *fig* vektig.
'**prejud**|**ice** (e) *s* fordom; skade; *v* forutinnta, skade; ˷'**icial** *a* skadelig.
pre'**liminary** *a* innledende; *s pl* første skritt.
'**prelude** (e) *s* forspill.
pre|**ma**'**ture** (*uə*) *a* for tidlig (moden); ˷'**meditated** (e) *a* overlagt.
'**premier** (e) *a* først; *s* førsteminister.
'**premises** (e) *s* premisser; eiendom, område.
pre'**mise** (*ai*) *v* forutskikke.
'**premium** (*i:*) *s* premie.
pre|**occu**'**pation** (*ei*) *s* opptatthet, distraksjon; '˷ **or**'**dain** *v* forutbestemme; '˷'**pay** *v* frankere.

pre|ˈpare (*εə*) *v* forberede, tilberede, skaffe; **⌣paˈration** *s* ogs. preparat; **⌣ˈparatory** (æ) *a* forberedende.

pre|ˈponderate (*å*) *v* ha overvekt; **⌣ posˈsess** *v* påvirke, *fig* innta; **⌣ posˈsessing** *a* vinnende; **⌣ˈposterous** *a* urimelig.

preˈrogative (*å*) *s* kongelig rett.

preˈsage (*ei*) *v* varsle.

pre|sˈcribe (*ai*) *v* foreskrive; **⌣ sˈcription** *s jur* hevd; tradisjon; resept; **⌣ sˈcriptive** *a* hevdvunnen.

ˈpre|sence (e) *s* nærvær, overvær; vesen, ytre; **ˈ⌣ sent** *a* tilstede(-værende), nå-(da-) værende; rede; *s* presang, *gr* nåtid; **⌣ˈsent** *v* presentere, innlevere, forære; **ˈ⌣ sently** *av* straks.

preˈsentiment *s* anelse, forutfølelse.

preˈser|ve (*ə:*) *v* bevare; nedlegge; redde *s* viltpark; syltetøy; **⌣ˈvation** *s* bevarelse, etc.; stand, vedlikehold.

preˈside (*ai*) *v* presidere.

ˈpresid|ent (e) *s* formann, president; **ˈ⌣ ency** *s* forsete, presidentstilling; **⌣ˈential** *a* formanns-.

press *v* presse, trenge, nøde, be; haste, stimle; *s* presse; trengsel; skap; **ˈ⌣ ing** *a* presserende, innstendig; **ˈ⌣ man** *s* journalist; **ˈ⌣ ure** *s* trykk, press.

pre|sume (*ju:*) *v* anta; våge; **⌣ˈsuming** *a* anmassende; **⌣ˈsumption** (ʌ) *s* dristighet, anmasselse; **⌣ˈsumptuous** (ʌ) *a*.

pre|ˈtence *s* påskudd, krav; **⌣ˈtend** *v* foregi; kreve (**p. to**); **⌣ tender** *s* tronkrever; **⌣ˈtension** *s* krav; **⌣ˈtentious** *a* fordringsfull.

ˈpreterite (e) *s gr* fortid.

preterˈnatural (æ) *a* overnaturlig.

ˈpretext (*i:*) *s* påskudd.

ˈpretty (*i*) *a* pen; *av* temmelig, ganske.

preˈvail (*ei*) *v* seire, ha overhånd; formå (**p. upon**).

ˈprevalent (e) *a* fremherskende, på mote.

preˈvent *v* hindre; **⌣ ion** *s*; **⌣ ive** *a*.

ˈprevious (*i:*) *a* foregående.

ˈpre-war (*i:*) *a* førkrigs-.

prey (*ei*) *s* rov, bytte; *v* **⌣ on** etterstrebe, tære på.

price (*ai*) *s* pris; *v*; **ˈ⌣ less** *a* uvurderlig.

prick *v* stikke, spore; jage; *s* stikk; **⌣ le** *s* torn, pigg; **ˈ⌣ ly** *a* pigget.

pride (*ai*) *s* stolthet, prakt; *vr* være kry (av-**on**).

priest (*i:*) *s* prest; **ˈ⌣ ess** *s*; **ˈ⌣ hood** *s* presteskap.

prig *s* pedant, selvgod person; *sl* tyv; **ˈ⌣ gish** *a*.

prim *a* stiv, snerpet.

ˈprim|ary (*ai*) *a* viktigst, elementær; **ˈ⌣ ate** *s* primas; **⌣ e** *a* viktigst; *s* blomsten; *v* legge fengkrutt på; stive opp; grunne (m. maling); **ˈ⌣ e-ˈminister** *s* førsteminister; **ˈ⌣ er** (*ai, i*) begynnerbok; **⌣ˈeval** (*i:*) *a* ur-; **ˈ⌣ ing** *s* tennsats, fengkrutt; grunning.

ˈprimitive (*i*) *a* opprinnelig; **⌣ˈordial** *a ib.*

ˈprimrose *s* kusymre.

prin|ce *s* prins, fyrste **ˈ⌣ˈcess** *s*.

ˈprinci|pal *a* hoved-; *s* hovedmann, bestyrer, prinsipal; kapital; **⌣ˈpality** *s* fyrstendømme.

ˈprinciple *s* prinsipp.

print *s* merke, preg, spor, trykt skrift, kopi (av foto); kattun; kobberstikk; *v* trykke, prege, utgi; **ˈ⌣ ing-office** *s* trykkeri.

ˈpri|or (*ai*) *s* prior; *a* tidligere;

⁀'**ority** *s* forrett, forkjørsrett.
prism *s* prisme.
'**prison** (*i*) *s* fengsel; '⁀ **er** *s* fange.
'**pristine** (*i*) *a* urgammel.
'**priv|acy** (*ai*) *s* is. ro, enrom; '⁀ **ate** *a* privat, *mil* menig; hemmelig; ⁀ **a'teer** (*iə*) *s* kaper(skip); ⁀'**ation** *s* savn.
priv|ilege (*i*) *s* privilegium; *v* privilegere; '⁀ **y** *a* hemmelig, privat; *s* klosett; **P⁀y Council** geheimeråd.
prize (*ai*) *s* pris, belønning, gevinst, *mar* prise; *v* skatte, vurdere; åpne med brekkstang; '⁀ **-fighter** *s* prof. bokser.
pro (*ou, oə*) *pref* for; fram.
'**probab|le** (*å*) *a* sannsynlig; ⁀'**ility** *s*.
'**prob|ate** (*ou*) *s jur* skifte (-rett), testamentrett; ⁀ '**ation** *s* prøve(tid).
probe (*ou*) *s* (*v*) sonde(re).
'**probity** (*å*) *s* ærlighet.
'**problem** (*å*) *s* oppgave, problem; ⁀'**atic** *a*.
pro|'cedure (*i:*) *s* fremgangsmåte; ⁀'**ceed** (*i:*) *v* gå fram, begi seg; fortsette, komme (av **-from**); anlegge sak; ⁀'**ceeding** *s* opptreden, *pl* forhandlinger, rettsligeskritt.
'**pro|ceeds** (*ou*) *s* utbytte; '⁀ **cess** *s* prosess; ⁀'**cession** *s* (opp)tog.
pro|'claim (*ei*) *v* utrope; ⁀ **cla'mation** *s*; ⁀'**clivity** *s* hang; ⁀ **crasti'nation** *s* oppsettelse
'**procreate** (*ou, -ieit*) *v* avle.
proctor *s* advokat (ved geistlig rett); ordensinspektør (ved universitet).
pro'cure (*juə*) *v* skaffe; ruffe.
prod (*å*) *s* (*v*) stikk(e).
'**prod|igal** (*å*) *a* ødsel; *s* ødeland; '⁀ **igy** *s* (vid)under; ⁀'**igious** *a* fabelaktig, uhyre.
'**pro|duce** (*å*) *s* (jord-)produkter; ⁀'**duce** *v* frembringe, føre el. ta fram; oppføre; '⁀**ducts** produkt; ⁀'**duction** (ʌ) *s* frembringelse, produksjon; ⁀**ductive** (ʌ) *a* fruktbar.
pro|'fane (*ei*) *a* verdslig, hedensk, uinnvidd; besmitte, spotte; ⁀ **fa'nation** *s*; ⁀'**fanity** (*æ*), *s* ogs. banning.
pro'fess *v* erklære, bekjenne, utøve; ⁀ **ion** *s* bekjennelse; fag; stand; ⁀ **ional** *a* faglig, profesjonell; *s* profesjonist.
'**proffer** (*å*) *v* by fram; *s*.
pro'ficien|t *a* kyndig; ⁀ **cy** *s* dyktighet, ferdighet.
'**profit** (*å*) *s* fordel, gevinst; *v* gagne, ha gagn (av-**by**); '⁀ **able** *a* lønnsom.
'**profligate** (*å*) *a* lastefull.
pro'found (*au*) *a* dyp(-sindig).
pro'fus|e (*ju:*) *a* rikelig; ⁀ **ion** *s* overflod.
prog (*å*) *s* mat, niste.
pro|'genitor (*dzhe*) *s* (stam-) far; '⁀ **geny** (*å*) *s* avkom.
'**pro|gress** (*ou*) *s* (fram-)gang, ferd; ⁀'**gress** *v* gå (fremad); ⁀'**gression** *s* framgang, progresjon; ⁀'**gressive** *a* fremadskridende.
pro|'hibit *v* forby; ⁀ **hi'bition** *s* forbud; ⁀'**hibitive** *a*.
'**pro|ject** (*å*) *s* plan; ⁀'**ject** *v* skyte fram; planlegge; rage fram; ⁀'**jection** *s* framspring.
prole'tarian (*εə*) *s* (*a*) proletar(isk).
pro'lific *a* fruktbar.
'**prolix** (*ou*) *a* uttværet.
'**prologue** (*ou*) *s* prolog.
pro'long (*å*) *v* forlenge.
prom *s fam* friluftskonsert.
'**prominent** (*å*) *a* framstående.
pro'miscuous *a* i fleng.
'**promise** (*å*) *s* løfte; *v* love.
'**promontory** (*å*) *s* nes.
pro'mote (*ou*) *v* (for-)fremme, stifte; ⁀ **r** *s* forretningsfører (f. bokser o. l.).

prompt (å) *a* snar, villig, prompte; *v* tilskynde, suffleres; '~ **er** *s* sufflør; '~ **itude** *s* raskhet.

'**promulgate** (å) *v* offentliggjøre.

prone (*ou*) *a* liggende (på ansiktet), tilbøyelig.

prong (å) *s* klo, tind.

'**pronoun** (*ou*) *s gr* pronomen.

pro|'nounce (*au*) *v* uttale, avsi, erklære; ~'**nounced** *a* utpreget; ~ **nunci'ation** *s*.

proof (*u:*) *a* tett, sikker (mot); *s* bevis, prøve, korrektur.

prop (å) *s* støtte, *pl* **(pit)-prop** *s* gruvetømmer; *fam* flypropell; *v* avstive.

'**propagate** (å) *v* forplante(s).

pro'pel *v* drive (fram); ~ **ler** *s* skrue, propell.

pro'pensity *s* hang.

'**proper** (å) *a* egen, eiendommelig; riktig, passende, ordentlig; '~ **ty** *s* eiendom, *pl* (scene)utstyr.

'**pro|phet** (å) *s* profet; '~**phecy** *s* spådom; '~ **phesy** (*-sai*) *v* spå; ~'**phetic** *a*.

prophy''lactic (æ) *a* forebyggende.

pro|'pinquity *s* nærhet; ~'**pitiate** *v* formilde; ~'**pitious** *a* nådig, gunstig.

pro'portion *s* forhold; ~ **al** *a* f.-smessig; ~ **ate** *a ib*.

pro'pos|e (*ou*) *v* foreslå; akte; fri; ~ **al** *s* forslag; frieri; ~'**ition** *s* sats, setning, *sl* affære.

pro'pound (*au*) *v* framsette.

pro'pri|etor (*ai*) *s* (gods-)eier; ~ **ety** *s* sømmelighet.

pro'pul|sion (ʌ) *s* framdrift; ~ **sive** *a* driv-.

pro'rogue (*ou*) *v* avbryte, oppløse.

pro'saic (*ei*) *a* prosaisk.

pro|s'cribe (*ai*) *v* utstøte, fordømme; ~ **s'cription** *s*.

prose (*ou*) *s* prosa.

'**prosecut|e** (å) *v jur* forfølge, saksøke, drive (studium); ~ **ion** *s* søksmål, tiltate; '~ **or** *s* aktor.

'**pro|spect** (å) *s* utsikt; ~**s'pect** *v* lete; skjerpe; ~ **s'pective** *a* framtidig; ~ **s'pector** *s* skjerper; ~ **s'pectus** *s* innbydelse, plan.

pro|sper (å) *v* trives, blomstre; ~ **s'perity** *s* velstand, framgang; '~ **sperous** *a* gunstig, velstående.

'**prostitute** (å) *s* skjøge; *v* nedverdige.

'**pro|strate** (å) *a* utstrakt; ~ **s'trate** *v* kaste ned, knekke.

'**prosy** (*ou*) *a* kjedelig.

pro'tagonist (æ) *s* hovedperson.

pro'tect *v* beskytte; ~ **ive** *a* beskyttelses-; ~ **or** *s* beskytter, regent.

'**pro|test** (*ou*) *s* innvending; ~'**test** *v* protestere, hevde; ~ **tes'tation** *s* erklæring.

'**prototype** (*ou*) *s* original.

pro|'tract (æ) *v* trekke ut; ~ '**trude** *v* stikke fram; ~'**tuberance** (*ju:*) *s* kul, opphøyning.

proud (*au*) *a* stolt.

prove (*u:*) *v* bevise, prøve; vise seg (å være).

'**provender** (å) *s* fôr; niste.

'**proverb** (å) *s* ordspråk.

pro|'vide (*ai*) *v* sørge (for), skaffe, forsyne, bestemme; sikre seg; ~'**vided** *k* forutsatt (at); '~ **vidence** *s* forsyn; '~ **vident** *a* omtenksom; ~ **vi'dential** *a* bestemt av forsynet.

'**pro|vince** (å) *s* provins, område; ~ '**vincial** *a* provins-, pr.-iell.

provision *s* forsorg, anskaffelse, bestemmelse, *pl* proviant; *v* proviantere; ~ **al** *a* foreløpig.

pro'visory (*ai*) *a* provisorisk, betinget.
pro|vo'cation (*ei*) *s* utfordring; ⌣'**vocative** (*å*) *a* uteskende; ⌣'**voke** (*ou*) *v* tirre, fremkalle.
prow (*au*) *s* forstavn.
'**prowess** (*au*) *s* tapperhet.
prowl (*au*) *v* luske, snike omkring.
'**prox|imate** (*å*) *a* nær(mest); ⌣'**imity** *s* nærhet; '⌣ **y** *s* fullmakt, fullmektig, stedfortreder; *merk* prokura.
prude (*u:*) *s* snerpe; '⌣ **ry** *s*.
'**pru|dence** (*u:*) *s* klokskap, forsiktighet; '⌣ **dent** *a*; ⌣'**dential** *a* forsiktighets-.
prune (*u:*) *s* sviske; *v* beskjære (tre).
pry (*ai*) *v* kikke; bryte opp.
psalm (*sa:m*) *s* (Davids) salme; '⌣ **ist** *s* David; '⌣ **ody** *s* salmesang.
'**pseud|onym** (*sju:*) *s*; ⌣'**onymous** (*å*) *a* psevdonym.
'**psychic** (*saik*) *a* psykisk.
'**ptarmigan** (*ta:*) *s* rype.
pub (ʌ) *s* kneipe.
'**puberty** (*pju:*) *s* pubertet.
'**pub|lic** (ʌ) *a* offentlig; *s* publikum; ⌣ **lication** *s* bok, skrift; ⌣**lic-house** *s* vertshus, kafé; '⌣**lic-school** *s* pensjonatskole *am* folkeskole, høyere skole; ⌣'**licity** *s* offentlighet, reklame; '⌣ **lish** *v* offentliggjøre, utgi, forlegge; '⌣ **lisher** *s* forlegger.
'**pucker** (ʌ) *v* snurpe, rynke.
'**pudding** (*u*) *s* pudding.
'**pudgy** (ʌ) *a* tykk.
puddle (ʌ) *s* pytt; *v* rote, grumse; pudle (leire).
pu'dicity (*pju-*) *s* bluferdighet.
'**puerile** (*juə*) *a* barnaktig.
puff (ʌ) *s* blaff, pust; kvast; puff (på kjole); bakkels; reklame; *v* blåse, oppspille(-s), reklamere, skryte av; '⌣ **y** *a* oppustet, andpusten.
pug (ʌ) *s* mops.
'**pugilist** (*ju:ðzh*) *s* bokser.
pug|'nacious (*ei*) *a* stridbar; ⌣'**nacity** (æ) *s*.
'**pug-nosed** *a* med oppstoppernese.
pule (*ju:*) *v* tyte, klynke.
pull (*u*) *v* trekke, rive; ro; *s* rykk, drag, dyst, rotur.
'**pullet** (*u*) *s* unghøne; backfisch.
'**pulley** (*u*) *s* remskive, trisse.
'**pulmonary** (ʌ) *a* lunge-.
pulp (ʌ) *s* fruktkjøtt, (tre)-masse;) *v* mase.
'**pulpit** (*u*) *s* prekestol.
'**pulpy** (ʌ) *a* kjøttfull, bløt.
pul|se (ʌ) *s* puls; *v* pulsere; ⌣'**sate** (*ei*) *v* pulsere.
'**pulverize** (ʌ) *v* finstøte.
'**pumice** (ʌ) *s* pimpstein.
'**pummel** (ʌ) *v* slå løs (på).
pump (ʌ) *s* pumpe; *pl* dansesko; *v* pumpe, lense.
'**pumpkin** (ʌ) *s* gresskar.
pun (ʌ) *s* ordspill; *v*.
punch (ʌ) *v* slå, lage hull i; *s* dor; neveslag; punsj.
punc'tilious *a* ytterst nøye.
'**punct|ual** (ʌ) *s* punktlig; '⌣ **uate** *v* sette skilletegn; '⌣ **ure** *v* punktere; *s* stikk, punktur.
'**pungent** (ʌ) *a* pikant, skarp.
'**punish** (ʌ) *v* straffe.
'**punitive** (*ju:*) *a* straffe-.
punk (ʌ) *s* skrap; tull.
'**punster** (ʌ) *s* vitsemaker.
punt (ʌ) *s* flat båt; innsats; *v* stake seg fram; *sp* sparke.
'**puny** (*ju:*) *a* bitte liten.
pup (ʌ) *s* hvalp.
'**pupil** (*ju:*) *s* elev; pupill.
'**puppet** (ʌ) *s* dokke; marionett.
'**puppy** æ (ʌ) *s* hvalp.
'**purblind** (*ə:*) *a* stærblind.
'**purchase** (*ə:*) *v* kjøpe, erverve; *s* anskaffelse; *sp* tak.
pure (*juə*) *a* ren; '⌣ **ly** *av* bare.
'**pur|gatory** *s* skjærsild; '⌣ **gative** *a* avførende; ⌣ **ge** (*dzh*) *v* rense, lutre; laksere.

'pur|ify (*juə*) *v* rense; **'~ itan** *s* puritaner **(P.)**; *a*; **'~ ity** *s* renhet.
purl (*ə:*) *v* skvulpe, risle; vrangstrikke; *s* brem, kant.
purlieus (*ə:*) *s* strøk, omegn.
'purloin (*ə:*) *v* stjele.
purple (*ə:*) *s* purpur.
'pur|port (*ə:*) *s* mening, innhold; **~'port** *v* gå ut på, synes.
'purpose (*ə:*) *s* hensikt, forsett; *v* akte; **'~ ly** *av* forsettlig.
purr (*ə:*) *v* male (om katt).
purse (*ə:*) *s* pung; penger; (penge)premie; *v* sammentrekke; rynke; **'~ r** *s* (skips) regnskapsfører.
pur'su|e (*ju:*) *v* forfølge; sysle med; **~'suit** (*ju:*) *s* jakt, forfølgelse; syssel, interesse.
'pursy (*ə:*) *a* astmatisk, tykk; snurpet.
pur'vey (*ei*) *v* skaffe; **~ ance** *s*; **~ or** *s* leverandør.
'purview (*ə:*) *s* område.
pus (ʌ) *s* materie, verk.
push (*u*) *v* puffe, drive, gå på; *s* puff, framdrift, *fig* tak; **'~ ful** *a* pågående.
pusil'lan|imous *a* feig, forsagt; **~'imity** *s*.
'puss(y) (*u*) *s* pus; *bot* rakle.
'pustule (ʌ) *s* verkeblemme.
put (*u*) *v* legge, putte, sette, stikke; uttrykke.
'put|refy (*ju:*) *v* råtne; **'~ rid** *a* råtten.
'putty (ʌ) *s* (*v*) kitt(e).
puzzle (ʌ) *s* rådvillhet, gåte, puslespill; *v* forvirre, undre; spekulere; finne ut **(p. out)**; **~ d** *a* rådvill, uforstående.
'pygmy (*i*) *s* dverg.
pyre (*ai*) *s* likbål.
'python (*ai*) *s* kvelerslange.

Q.

quack (æ) *v* snadre; *s* kvaksalver, sjarlatan.
quad|'rangle (æ) *s* firkant, (skole)gård; **'~ rant** *s* 90F bue; **~'rille** *s* kvadrilje (dans); **'~ruped** (*å*) *s* firbent dyr; **~ ruple** (*å*) *v* firdoble; *a* firdobbelt.
quaff (*a:*) *v* drikke ut.
'quagmire (æ) *s* hengemyr.
quail (*ei*) *s zo* vaktel; *v* tape motet, krype sammen.
quaint (*ei*) *a* original, eiendommelig.
quak|e (*ei*) *v* riste, skjelve; *s* rystelse; **'~ er** *s* kveker; **'~ y** *a* skjelvende.
'qual|ify (*å*) *v* gjøre skikket, berettige; moderere, modifisere; **~ ifi'cation** *s*; **'~ ity** *s* egenskap, beskaffenhet, rang, kvalitet.
qualm (*å:*) *s* illebefinnende; skruppel.
'quandary (*å*) *s* dilemma.
'quantity (*å*) *s* kvantum.
'quarantine (*å*) *s* karantene.
'quarrel (*å*) *s*, *v* trette; **'~ some** *a* trettekjær.
'quarry (*å*) *s* fangst, vilt; steinbrudd.
quart (*å:*) *s* 1,14 l.
'quarter (*å:*) *s* fjerdedel; kvartal, kvarter, (dyrs) part; egn; nåde; *pl* losji; mål; 2,9 hl, 12,5 kg; *v* firdele, forene (i skjold), -innkvartere, (gjennom-)streife; **'~ -deck** *s mar* skanse (-dekk); **'~ ly** *a* fjerdedels-, kvartals-; **'~ master** *s* kvartermester.
'quarto (*å:*) *s* kvartformat.
quartz (*å:*) *s* kvarts.
quash (*å*) *v* annullere, undertrykke.
'quatrain (*å*) *s* 4-linjet vers.
'quaver (*ei*) *v* skjelve, dirre; trille; *s*.
quay (*ki:*) *s* molo, kai.
queasy (*i:*) *a* kresen, ømtålig, kvalmende.
queen (*i:*) *s* dronning, dame (i spill); **'~ like, '~ ly** *a*.

queer (*iə*) *a* underlig; utilpass; tvilsom.
quell *v* dempe, kue.
quench *v* slokke (tørst).
quern (*ə:*) *s* kvern.
ˈ**querulous** (e) *a* gretten.
ˈ**query** (*i:*) *s* spørsmål; *v* spørre; betvile.
quest *s* leting.
ˈ**question** *s* spørsmål; *v* (ut)-spørre, forhøre; betvile; ˈ⌣ **able** *a* tvilsom.
queue (*kju:*) *s* kø; hårpisk; ⌣ **up** *v* stille seg i kø.
quibble *s* ordspill, spissfindighet.
quick *a* rask, gløgg; *s* levende kjøtt, ømt punkt; ˈ⌣ **en** *v* gi (få) liv, anspore, påskynde; ˈ⌣ **lime** *s* kalk; ˈ⌣ **sand** *s* flygesand; ˈ⌣ **silver** *s* kvikksølv; ˈ⌣ -ˈ**tempered** *a* hissig; ˈ⌣ -ˈ**witted** *a* snarrådig.
quid *s* buss (skrå), *sl* pund.
ˈ**quiet** (*ai*) *a* rolig, fredelig; *v* stagge, stille; *s* ro.
quill *s* fjær(-penn).
quilt *s* vatteppe; *v* stoppe.
quiˈ**nine** (*i:*) *s* kinin.
ˈ**quinsy** *s* halsbyll.
quip *s* vits, morsomhet.
quire (*ai*) *s* bok (24 ark).
quirk (*ə:*) *s* is. spydighet.
quit *v* forlate, oppgi; is. *am* flytte, dra (sin veg).
quite (*ai*) *av* ganske.
quits *a* skuls, kvitt.
quiver (*i*) *s* kogger; *v* skjelve, sitre.
quiz *v* erte, gjøne med, se spotsk på; *s* gjettekonkurranse; ˈ⌣ **zical** *a* spotsk, snurrig.
ˈ**quondam** (*å*) *a* fordums.
ˈ**quorum** (*å:*) *s* stemmedyktig antall.
quot|e (*ou*) *v* sitere, anføre *merk* notere; ˈ⌣ **a** *s* kvote; ⌣ˈ**ation** *s* sitat, (pris)notering; ⌣ˈ**ation-marks** *s* anførselstegn.

R.

ˈ**rabbet** (æ) *s* (*v*) fals(e).
ˈ**rabbit** (æ) *s* kanin.
rabble (æ) *s* pøbel, berme.
ˈ**rabid** (æ) *a* gal, vill.
racˈ**e** (*ei*) *s* rase; fart, (kapp-)løp, veddeløp; *v* jage, kappløpe, kappes (med); ˈ⌣ **ial** *a* rase-.
rack (æ) *s* pinebenk; hylle, rekke, stativ; *v* pine; anspenne; tappe om.
ˈ**racket** (æ) *s* snøsko; tennisracket; leven, røre; *sl* knep; *v* leve lystig; være med; ⌣ˈ**eer** (*ə*) *s am* pengeutpresser; ˈ⌣ **y** *a* bråkende, utsvevende.
raˈ**coon** (*u:*) *s* vaskebjørn.
ˈ**racy** (*ei*) *a* akte, frisk; pikant.
ˈ**radi|ant** (*ei*) *a* strålende; ˈ⌣ **ance** *s* glans; ˈ⌣ **ate** *v* stråle; ⌣ **ator** *s* radiator; ˈ⌣ **o** *s* r.-telegraf, -telefon, -telegram, -apparat.
ˈ**radical** (æ) *a* rot-, radikal; *s* rot (i ord).
ˈ**radish** (æ) *a* reddik.
raft (*a:*) *s* (tømmer)flåte; *v* fløte; ˈ⌣**er** *s* fløter; taksperre.
rag (æ) *s* fille, klut; *sl* leven; klær *v* erte, holde leven.
rage (*ei*) *v* (*s*) rase(-ri).
ˈ**rag|ged** (æ, *id*) *a* fillet, tagget, kupert; ˈ⌣ **time** *s* synkopert takt, jazz.
raid (*ei*) *s* streiftog.
rail (*ei*) *s* ribbe, gjerdestav, skinne; *pl* stakitt, rekkverk; *v* inngjerde; skjelle; ˈ⌣ **ing** *s* stakitt; ˈ⌣ **road** *s am* = ˈ⌣ **way** *s* jernbane.
rain (*ei*) *s* (*v*) regn(e); ˈ⌣ **coat** *s* regnkappe; ˈ⌣ **y** *a* regn-, r.-full.
raise (*ei*) *v* løfte, reise, (opp-)vekke; dyrke; oppdrette, oppdra; *am* gasjepålegg.
ˈ**raisin** (*ei*) *s* rosin.

rak|e (*ei*) *s* rive, rake; uthaler; *v* rake; ransake; helle (om mast, stevn); '~ **ish** *a* utsvevende.

rally (æ) *v* spøke; samle(s), komme seg; *s* samling, nye krefter, dyst, stevne.

ram (æ) *s* (ram)bukk, murbrekker; *v* ramme (ned), støte.

rambl|e (æ) *v* streife om, fantasere; '~ **ing** *a* spredt.

'**ramify** (æ) *v* forgrene.

rammer (æ) *s* stempel, jomfru.

ramp (æ) *v* stige opp; steile, rase; '~ **ant** *a* oppstigende, steilende; tøylesløs.

'**rampart** (æ) *s* festningsvoll.

'**ramshackle** (æ) *a* brøstfeldig.

ranch (*a:*) *s* kvegfarm.

'**ran|cid** (æ) *a* harsk; '~ **cour** *s* nag.

'**random** (æ), **at** ~, på måfå; *a* tilfeldig; slumpe-.

range (*ei*) *s* rekke, kjede, område, rekkevidde, skuddvidde, synsvidde; komfyr; *v* ordne, rekke; fare; streife om (i); '~ **r** *s* bl. a. skogvokter.

rank (æ) *s* rekke, geledd; rang, stand; *v* oppstille, ordne; *a* altfor yppig; motbydelig, voldsom.

rankle (æ) *v* nage.

'**ransack** (æ) *v* ransake.

'**ransom** (æ) *s* løsepenger; *v*.

rant (æ) *v* deklamere, skråle, bruke fraser.

rap (æ) *s* (*v*) bank(e).

ra'p|acious (*ei*) *a* rovgrisk; ~'**acity** (æ) *s*.

rape (*ei*) *s* rov, voldtekt; *v*.

'**rapid** (æ) *a* hurtig, bratt; *s* *pl* fossestryk.

'**rapier** (*ei*) *s* kårde.

rapt (æ) *a* henført; '~ **ure** *s* ekstase; '~**urous** *a*.

rar|e (*ɛə*) *a* sjelden, tynn (luft); '~ **efy** *v* fortynne(-s); '~ **ity** *s* sjeldenhet.

'**rascal** (*a:*) *s* slyngel.

rash (æ) *s* utslett; *a* ubesindig.

'**rasher** *s* skive.

rasp (*å:*) *s* (*v*) rasp(e).

'**raspberry** (*a:zb*) *s* bringebær.

rat (æ) *s* rotte.

'**rat|able** (*ei*) *a* skattbar; ~ **e** *s* grad, takst, skatt; fart; rate; *v* anslå, beskatte, reagere; skjenne på.

'**rather** (*a:*) *av* heller; nokså.

'**ratify** (æ) *v* stadfeste.

'**ratio** (*eish*) *s* forhold.

'**ration** (æ) *s* (*v*) rasjon(ere).

'**rational** (æ) *a* fornuftig.

rattl|e (æ) *v* klapre, klirre, skravle; *s* rangle, skravl, leven; '~ **e-snake** *s* klapperslange; '~ **ing** *a* feiende, flott.

'**raucous** (*å:*) *a* hes.

'**ravage** (æ) *v* herje, plyndre; *s* hærverk.

rave (*ei*) *v* tale over seg.

'**ravel** (æ) *v* opptrevle, floke.

'**raven** (*ei*) *s* *zo* ramn.

'**rav|enous** (æ) *a* forsluken.

ra'vine (*i:*) *s* juv, kløft.

'**ravish** (æ) *v* voldta, bortføre; henrive; ~ **ment** *s* fryd.

raw (*å:*) *a* rå, umoden; hudløs, sår; *s* hudløst sted.

ray (*ei*) *a* stråle.

raz|e (*ei*) *v* rasere; '~ **or** *s* barterkniv.

reach (*i:*) *v* nå; levere, strekke (seg); *s* rekkevidde, strekk.

re- (*i:*, *i*, e) *pref* igjen, på ny, tilbake etc.

re'act (æ) *v* reagere, virke tilbake; ~ **ion** *s* omslag, reaksjon; ~ **ionary** *a* reaksjonær.

read (*i:*) *v* lese; tyde; behandle (lov); lyde; '~ **able** *a* leseverdig; '~ **er** *s* leser; lærebok; '~ **ing** *s* lesning, (lov)behandling.

read'just (ʌ) *v* tillempe.

'**ready** (e) *a* rede, ferdig; rask, bekvem; '~ -'**made** *s* (*a*) konfeksjon(s-).

re|al (*iə*) *a* virkelig, ekte, fast (om eiendom); **'~ al es'tate** *s* jordeiendom; **~'ality** *s* virkelighet; **~ ali'zation** *s* virkeliggjørelse; anbringelse; **'~ alize** *v* realisere; fatte; *merk* tjene, betinge (pris).
realm (e) *s* rike, *fig* felt.
ream (*i:*) *s* ris (20 bøker).
re'animate (æ) *v* gjenopplive.
reap (*i:*) *v* skjære, høste; **'~ er** *s* slåmaskin, *pl* høstfolk.
reap'pear (*iə*) *v* vise seg på ny; **~ ance** *s* gjenopptreden.
rear (*iə*) *v* reise, oppdrette, oppfostre; steile; *s* bakerste del; baktropp, bakgrunn; *a* bak-; **'~ most** *a* bakerst; **'~ guard** *s* baktropp.
re'arm (*a:*) *v* gjenoppruste.
reason (*i:*) *s* fornuft, grunn, rett; *v* tenke, resonnere; **'~ able** *a* fornuftig, rimelig.
reas's|urance (*uə*) *s* beroligelse, reassuranse; **~'ure** *v* berolige, forsikre på ny.
'reb|el (e) *s* opprører; **~'el** *v* gjøre opprør; **~'ellion** *s* opprør; **~'ellious** *a* opprørsk.
're|'birth (*ə:*) *s rel* gjenfødelse, -komst; **~'bound** (*au*) *v* prelle av, kastes tilbake; **~'buff** (ʌ) *v* avvise, stagge; **~'build** (*i*) *v* ombygge.
re'buke (*ju:*) *v* dadle; *s*.
re|'calcitrant (æ) *a* gjenstridig; **~'call** (*å:*) *v* tilbakekalle; minnes; **~'cant** (æ) *v* ta i seg; **~ ca'pitulate** *v* gjengi i korthet; **'~'cast** (*a:*) *v* (*s*) omarbeide(lse); **~ 'cede** *v* vike, trekke seg bakover, dale; **~'ceipt** (*i:t*) *s* kvittering, oppskrift; mottagelse; *pl* inntekt; *v* kvittere; **~ 'ceive** (*i:*) *v* motta, anta, oppta; **~'ceiver** *s* bobestyrer; heler; beholder; mikrofon (på telefon).
're|cent (*i:*) *a* ny(lig), fersk.
re|'ceptacle *s* gjemme(sted); **~'ception** *s* mottagelse; **~'ceptive** *a* mottagelig.
re'cess *s* ferie, frikvarter; krok; **~ ion** *s* tilbaketreden, -slag.
'recipe (*resipi*) *s* oppskrift.
re'cipient *s* mottager.
re'cipro|cal (*i*) *a* gjensidig; **~ cate** *v* veksle, gjøre gjengjeld.
re'cit|al (*ai*) *s* opplesning, (solo)konsert; **~ e** *v* framsi.
'reckless *a* uvøren, sorgløs.
'reckon *v* telle, (be)regne, anse for; **'~ ing** *s* regnskap, *mar* bestikk.
re|'claim (*ei*) *v* omvende, innvinne (land); **~ cla'mation** *s* innvinning; **~'cline** *v* bøye (seg) bakover; **~'cluse** (*u:*) *a* ensom; *s* eneboer.
recog|'nition *s* anerkjennelse, gjenkjennelse; påskjønnelse; **'~ nize** (e) *v* gjenkjenne, (an)erkjenne.
re|coil (*åi*) *v* fare (vike) tilbake; **~ col'lect** *v* huske; **~ col'lection** *s* erindring; **~ com'mence** *v* begynne igjen.
recom'mend *v* anbefale; **~'ation,** *s*.
'recompense (e) *v* gjengjelde, lønne; *s* lønn, etc.
'reconcile (e) *v* forsone, forlike.
re|'connaissance (*å*) *s* rekognosering(-spatrulje); **~ con'noitre** (*åi*) *v* rekognosere.
recon'struct (ʌ) *v* is. gjenopprette.
'record (e) *s* opptegnelse, dokument, protokoll; grammofonplate; *pl* arkiv; rekord, *fig* rulleblad.
re'cord (*å:*) *v* opptegne, berette; **~ er** *s* bydommer; **tape ~ er** *s* lydbåndopptager.
re'count (*au*) *v* berette.
re'course (*å:*) *s* tilflukt.
re'cover (ʌ) *v* få tilbake, inn-

hente; komme seg, summe seg; ~ **y** *s* helbredelse, gjenervervelse.

'**recreant** (e) *a* feig, falsk.

'**recreate** (e, *ieit*) *v* atspre(de), kvikke, omskape.

re'cruit (*u:*) *s* rekrutt, begynner; *v* rekruttere, fornye, styrke (seg).

rect|ify *v* rette; ~ **itude** *s* rettskaffenhet.

'**rector** *s* sokneprest; '~ **y** *s* soknekall, prestegård.

'**rectum** *s* endetarm.

re'cumbent (ʌ) *a* tilbakelenet.

re|'cuperate (*ju:*) *v* gjenvinne; ~'**cur** (*ə:*) *v* opptre på ny; ~'**current** (ʌ) *a* periodisk.

red *a* rød; *s* rødt; '~ **breast** *s* rødstrupe; '~ **coat** *s* britisk soldat; '~ '**currant** *s* rips; '~ **den** *v* gjøre (bli) rød; '~ **dish** *a* rødlig.

re'dact (æ) *v* utgi, redigere.

re|'deem (*i:*) *v* innløse, forløse, løskjøpe; ~'**deemer** *s rel* forløser; **the Redeemer** Kristus; ~'**demption** *s* innløsning, *rel* frelse.

'**red-**|'**hand(ed)** *a* på fersk gjerning; '~ -'**hot** *a* rødglødende.

re'dintegrate *v* fornye.

'**red|lead** (e) *s* mønje; '~'**letter day** høytidsdag, merkedag; '~ **skin** *s* rødhud; '~ -'**tapism** *s* kontorpedanteri.

'**redolent**(e) *a* duftende.

re|'double (ʌ) *v* fordoble; ~'**doubt** (*aut*) *s* feltskanse; ~'**doubtable** *a* drabelig; ~'**dress** *v* rette på; *s* oppreisning, hjelp; ~'**duce** (*ju:*) bringe tilbake, forringe, nedsette, svekke, betvinge; ~ '**uction** (ʌ) *s*; ~'**dundant** (ʌ) *a* overlesset; ~'**duplicate** (*ju:*) *v* fordoble; ~'**echo** (e) *v* gjenlyde, ljome.

reed (*i:*) *s bot* rør, *poet* fløyte; '~ **y** *a* ogs. pipende.

'**reef** (*i:*) *s* rev; *v* reve.

reek (*i:*) *v* stinke, dunste.

reel (*i:*) *s* (tråd)snelle, garnvinde; *v* vinde; rave.

'**re|-es'tablish** *v* gjenopprette; ~'**fection** *s* forfriskning; ~'**fectory** *s* spisesal.

re|'fer (*ə:*) *v* henvise, henføre; henvende seg, hentyde; '~**ference** (e) *s* henvisning, forbindelse, referanse; ~ **fe'ree** (*i:*) *s* voldgiftsmann *sp* dommer; ~ **fe'rendum** *s* folkeavstemning.

re'fine (*ai*) *v* rense, forfine(s); ~ **ment** *s* kultur, raffinement; ~ **r** *s* raffinør; ~ **ry** *s* raffineri.

re|'fit *v* reparere, utbedre; ~'**flect** *v* gjenspeile(s), tenke (på); ~'**flection** *s* refleks, overveielse, tanke; ~'**flective** *a* reflekterende, tenksom; ~'**form** (*å:*) *v* omdanne, forbedre (seg); *s* reform; ~'**formatory** *a* reform-; ~'**former** *s* reformator; ~'**fract** (æ) *v* bryte (lys); ~'**fraction** *s*; ~'**fractory** *a* gjenstridig; ~'**frain** (*ei*) *v* avholde seg; *s* refreng; ~'**fresh** *v* forfriske, oppfriske; ~'**freshment-room** restaurant; ~'**frigerate** (*idzh*) *v* kjøle; ~'**frigerator** *s* kjøleskap, iskasse.

re'fuel (*u:ə*) *v* fylle brensel.

'**refu|ge** (e) *s* tilflukt(ssted); ~'**gee** (*i:*) *s* flyktning.

re'fund (ʌ) *v* tilbakebetale.

'**refuse** (e) *s* avfall, søppel.

re'fuse (*ju:*) *v* avslå, nekte, avvise; ~'**fusal** (*ju:*) *s*; ~'**fute** (*ju:*) gjendrive, ~'**gain** (*ei*) *v* gjenvinne.

'**re|gal** (*i:*) *a* konge-(lig); ~'**galia** (*ei*) *s* kronjuvelér.

re'gale (*ei*) *v* traktere.

re'gard (*a:*) betrakte; akte; angå, ense; *s* blikk, aktelse, hensyn, *pl* hilsen; ~ **ful** *a* hensynsfull; ~ **less** *a* likegyldig (for-of).

'reg|ency (*i:*) *s* regentskap.
re'generate (*dzhe*) *v* gjenføde, fornye.
'regent (*i:dzh*) *s* regent.
'regicide (*edzh*) *s* kongemord (-er).
'regimen (*edzh*) *s* diet.
'regi|ment (*edzh*) *s* regiment; ~**'mental** *a* regiments; *s pl* uniform.
'region (*i:dzh*) *s* egn, *fig* felt.
'regist|er (*edzh*) *s* protokoll, liste; spjeld; *v* bokføre, tinglese, innregistrere; '~ **er 'ton** *s* 2,83 m³; '~ **ered** *a* rekommandert; '~ **rar** *s* notar, protokollfører; '~ **ry** *s* bl. a. festekontor.
'regress (*i:*) *s* is. *jur* regress, tilbakevending.
re'gret *v* sakne, beklage; *s* b.-lse, etc.; ~ **fully** *av* med beklagelse; ~ **table** *a* beklagelig.
'regul|ar (*e*) *a* regelmessig; formelig, ordentlig, reglementert; ~**'arity** *s* regelmessighet; '~ **ate** *v* regulere, styre; ~**'ation** *s* regulering, regel, forskrift; *a* reglementert.
re|ha'bilitate *v* gi oppreisning; ~**'hearse** (*ə:*) *v* framsi, ramse opp; *teat* holde prøve; ~**'hearsal** *s* prøve.
reign (*ei*) *s* regjering(stid); *v* regjere.
re-im'bursement (*ə:*) *s* dekning.
rein (*ei*) *s v* tøyle.
'reindeer (*ei*) *s* reinsdyr.
're|-in'force (*å:*) *v* forsterke; '~**-in'state** (*ei*) *v* gjeninnsette; '~ **-in'sure** (*huə*) reassurere; ~ **-'iterate** *v* atter gjenta.
re'ject *v* forkaste, avvise.
re'joice (*åi*) *v* juble, glede seg.
rejoin (*åi*) *v* igjen slutte seg til; svare; ~ **der** *s* svar, duplikk.
re'juven|ate (*u:*) *v* forynge; ~ **escence** *s*.
re'lapse (*æ*) *v* falle tilbake; *s* tilbakefall.
re'lat|e (*ei*) *v* fortelle; angå **(r. to)**; ~ **ed** *a* beslektet; ~ **ion** *s* firbindelse, forhold, slektskap, slektning; ~ **ionship** *s* s.-skap.
'relative (*e*) *a* relativ; *s* slektning.
re'lax *v* koble av, slappe av; ~**'ation** *s* atspredelse; avslapping.
re'lay (*ei*) *s* skifte; hold; relé.
re'lease (*i:*) *v* slippe fri, løse, frafalle; *s* løslatelse; kvittering.
'relegate (*e*) *v* forvise.
rel'ent *v* formildes, gi etter; ~**less** *a* ubøyelig.
're-'let *v* framleie.
'relevan|t (*e*) *a* (saken) vedkommende; '~ **ce**, ~ **cy** *s*.
re'li|able (*ai*) *a* pålitelig; ~**ance** *s* tillit.
'relic (*e*) *s* relikvie, levning.
re|'lief (*i:*) *s* lindring, trøst, avveksling; understøttelse, avløsning; unnsetning; relieff; ~**'lieve** (*i:*) *v* (fram-)heve, lindre, etc.
re'ligi|on *s*; ~ **ous** *a* religiøs, religions-; from.
re'linquish *v* oppgi.
'relish (*e*) *v* like, smake (godt); *s* (vel)smak, anstrøk, krydder.
re'luctant (*ʌ*) *a* uvillig.
re'ly (*ai*) *v* stole.
re'main (*ei*) *v* forbli, være igjen, vedbli, bestå; *s pl* levninger, etterlatenskaper; ~ **der** *s* rest.
re'mand (*a:*) *s jur* varetekt.
re'mark (*a:*) *v* bemerke; *s* bemerkning; ~**able** *a* merkelig, fremragende.
'rem|edy (*e*) *s* (lege)middel, råd; *v* råde bot på; ~**'ediable** (*i:*) *a* som kan rettes på.
re|'member *v* huske, minne

om; hilse fra; ~ **membrance** *s* erindring, *pl* hilsener.
re'**mind** (*ai*) *v* minne; ~ **er** *s* påminnelse.
remi'**niscence** *s* erindring.
re|**miss** *a* slapp; ~'**mission** *s* ettergivelse; ~ **mit** *v* tilgi, ettergi; slappe; avta; remittere; ~'**mittance** *s* remisse; ~'**mittent** *a* periodisk.
'**remnant** *s* levning.
re'**model** (*å*) *v* omdanne.
re'**monstr**|**ance** (*å*) *s* bebreidelse; ~ **ate** *v* protestere.
re'**morse** (*å:*) *s* samvittighetsnag; ~ **less** *a* hjerteløs.
re'**mote** (*ou*) *a* fjern.
re'**mount** (*au*) *v* igjen bestige *s* frisk hest.
re'**move** (*u:*) *v* fjerne, flytte, oppheve; *s* grad, ledd, oppflytning; ~ **able** *a* flyttbar; ~ **al** *s* fjernelse.
re'**muner**|**ate** (*ju:*) *v* belønne; ~'**ation** *s* godtgjørelse; ~ **ative** *a* lønnsom.
re|'**naissance** (*ei*) ~'**nascence** (æ) *s* gjenfødelse, renessanse.
'**renal** (*i:*) *a* nyre-.
rend *v* flenge, splitte.
'**render** *v* gi tilbake, gi, gjøre, gjengi; '~ **ing** *s* gjengivelse.
'**rendezvous** (*råndi-*) *s* møtested.
'**renegade** (e) *s* renegat.
re'**new** (*ju:*) *v* fornye.
re'**nounce** (*au*) *v* oppgi, forsage, fornekte; *s* renons.
'**renovate** (e) *v* fornye.
re'**nown** (*au*) *s* ry, berømmelse; ~ **ed** *a* berømt.
rent *s* rift; (hus)leie, jordavgift; *v* (ut)leie, forpakte.
renunci'ation (*ei*) *s* avkall, forsagelse.
re'**pair** (*εə*) *v* begi seg; reparere, gi oppreisning for; *s* reparasjon, stand.
'**repar**|**able** (e) *a* som kan bøtes, opprettelig; ~'**ation** *s* erstatning, oppreisning.

repar'tee (*i:*) *s* vittig svar.
re'**past** (*a:*) *s* måltid.
re'**pay** (*ei*) *v* *fig* lønne; betale tilbake.
re'**peal** (*i:*) *v* (*s*) oppheve(lse).
re'**peat** (*i:*) *v* gjenta, framsi; ~ **edly** *av* stadig.
re'**pel** *v* frastøte, drive tilbake; ~ **lent** *a* frastøtende.
re'**pent** *v* angre; ~ **ance** *s* anger; ~ **ant** *a* angrende.
reper'cussion (ʌ) *s* tilbakestøt, gjenlyd.
'**repertory** (e) *s* repertoar; lager, funn.
repe'tition *s* gjentagelse, utenatlæring.
re'**pine** (*ai*) *v* gremme seg.
re'**place** (*ei*) *v* erstatte, avløse; ~ **ment** *s*.
re'**plete** (*i:*) *a* full, overfylt; ~ **ion** *s* overflod.
'**replica** (e) *s* (kunst-)kopi.
re'**ply** (*ai*) *s* (*v*) svar(e).
re'**port** (*å:*) *v* melde, innberette, fortelle; *s* beretning, melding, innstilling, referat; rykte; knall; ~ **er** *s* (avis-) referent.
re|'**pose** (*ou*) *v* hvile; legge; nære (tillit); ~'**pository** (*å*) *s* gjemme-(sted).
repre'hensible *a* daddelverdig.
repre'sent *v* framstille, forestille, bety, beskrive, representere; ~'**ation** *s* forestilling, framstilling; ~ **ative** *a* som representerer; *s* representant.
re'**press** *v* holde nede.
re'**prieve** (*i:*) *v* (*s*) benåde, utsette(lse), benådning.
'**reprimand** (*e*) *v* (*s*) irettesette(lse).
re'**prisal** (*ai*) *s* gjengjeld.
re'**proach** (*ou*) *v* (*s*) bebreide-(lse); ~ **ful** *a* bebreidende.
'**reprob**|**ate** (e) *v* fordømme; *a* fordømt, ryggesløs; *s* ryggesløs person; ~'**ation** *s* fordømmelse.

repro|ˈ**duce** (*ju:*) *v* gjengi, forplante; ⌣ˈ**duction** (ʌ) *s*.
re|ˈ**proof** (*u:*) *s* daddel; ⌣ˈ**prove** (*u:*) *v* dadle.
ˈ**reptile,** *s* kryp(dyr).
reˈ**publican** (ʌ) *s* republikaner; *a*.
reˈ**pudiate** (*ju:*) *v* forkaste, forstøte, desavuere.
reˈ**pugnan**|**ce** (ʌ) *s* motvilje; ⌣ **t** *a* is. frastøtende.
reˈ**pul**|**se** (ʌ) *v* avvise; *mil* slå tilbake; ⌣ **sive** *a* frastøtende.
ˈ**reputable** (e) *a* aktverdig.
repuˈ**tation** *s* rykte, ry.
reˈ**pute** (*ju:*) *s* rykte; ⌣ **d** *a* formodet, omtalt.
re|ˈ**quest** *v* anmode; *s*; ⌣ˈ**quire** *v* kreve; ⌣ˈ**quirement** *s* behov.
ˈ**requi**|**site** (e) *a* (*s*) fornøden(het); ⌣ˈ**sition** *s* krav, rekvisisjon; *v* rekvirere.
reˈ**quit**|**e** (*ai*) *v* gjengjelde; ⌣ **al** *s*.
ˈ**rescue** (*reskju*) *v* redde, befri, unnsette; *s*.
re|ˈ**search** (*ə:*) *s* forskning; ⌣ˈ**semble** *v* likne; ⌣ˈ**semblance** *s* likhet; ⌣ˈ**sent** *v* oppta ille; ⌣ˈ**sentful** *a* harmfull; ⌣ˈ**sentment** *s* nag, harme; ⌣ˈ**serve** (*ə:*) *v* spare, reservere, bestille; *s* reserve, unnatak, forbehold, tilbakeholdenhet; ⌣ **ser**ˈ**vation** *s* forbehold; ⌣ˈ**served** (*ə:*) *a* reservert; ⌣ˈ**side** (*ou*) *v* bo, ligge.
ˈ**res**|**idence** (e) *s* bopel, opphold; ˈ⌣**ident** *a* bofast; *s* fastboende; ⌣**i**ˈ**dential** *a* bolig-.
ˈ**res**|**idue** (e) *s* rest, bunnfall; ⌣ˈ**idual,** ⌣ˈ**iduary** *a* rest-.
re|ˈ**sign** (*ai*) *v* ta avskjed, oppgi, resignere; ⌣ **sig**ˈ**nation** *s* avskjed(-søknad), resignation.
ˈ**resin** (e) *s* harpiks, kvae; ˈ⌣ **ous** *a*.
reˈ**sist** *v* motstå; ⌣ **ance** *s* motstand.
reˈ**sole** (*ou*) *v* (halv-)såle.
ˈ**resol**|**ute** (e)) *a* besluttsom; ⌣ˈ**ution** (*u:*) *s* oppløsning; beslutning.
reˈ**solve** (*å*) *v* oppløse; beslutte; *s* besluttsomhet; ⌣ **d** *a* bestemt.
ˈ**resonance** (e) *s* gjenlyd.
re|ˈ**sort** (*å:*) *v* ferdes, ty; *s* tilhold(ssted), kursted, turisthotell.
reˈ**sound** (*au*) *v* gjenlyde.
reˈ**source** (*å:*) *s* utvei, *pl* hjelpekilder; ⌣ **ful** *a* oppfinnsom.
resˈ**pect** *s* aktelse, henseende, *pl* hilsen; *v* akte; angå; ⌣ **able** *a* aktverdig, anselig; ⌣ **ful** *a* ærbødig; ⌣ **ive** *a* respektive.
resˈ**pir**|**e** (*ai*) *v* ånde; ⌣ **ation** *s* åndedrett.
ˈ**respite** (e) *s* frist.
resˈ**plendent** *a* strålende.
resˈ**pond** (*å*) *v* svare, være mottakelig; (*å*); ⌣ **s**ˈ**ponse** *s* svar; ⌣ **sponsi**ˈ**bility** *s* ansvar(lighet); ⌣**s**ˈ**ponsible** (*å*) *a* ansvarlig, ansvarsfull, vederheftig; ⌣ **s**ˈ**ponsive** (*å*) *a* (til-)svarende; sympatisk.
rest *s* hvil(e), pause; stativ, bukk; rest; *v* hvile, støtte, grunne; forbli; ˈ⌣ **ful** *a* rolig; ˈ⌣ **ive** *a* sta; ˈ⌣ **less** *a* rastløs.
restiˈ**tution** (*ju:*) *s* erstatning, tilbakelevering.
resˈ**tor**|**e** (*å:*), *v* gi tilbake, gjenopprette, erstatte, helbrede; ⌣ **ative** *a* styrkende; ⌣ˈ**ation** *s*.
resˈ**train** (*ei*), *v* tøyle; ⌣ **t** *s* tvang.
resˈ**trict** *v* innskrenke; ⌣ **ion** *s* bånd.
reˈ**sult** (ʌ) *v* resultere, følge; *s* resultat.
re|ˈ**sume** (*ju:*) *v* gjenoppta, fortsette; ⌣ˈ**sumption** (ʌ) *s*.
resurˈ**rection** *s* oppstandelse.
ˈ**re**|**tail** (*i:*) *s* detalj(salg); ⌣ˈ**tail** (*ei*) *v* selge i d.
reˈ**tain** (*ei*) *v* tilbakeholde, be-

holde; ~ **er** *s* hirdmann; salær.
re'taliate (æ) *v* gjengjelde.
re'tard (*a:*) *v* forsinke.
re'ten|tion *s* forvaring; *med* retensjon; ~ **tive** *a* god (om hukommelse).
'reticence (e) *s* fåmælthet.
'reticule (e) *s* dameveske.
'retinue (e) *s* følge, hird.
re'tire (*ai*) *v* trekke (seg) tilbake; gå av; ~ **ment** *s* avgang, tilbaketrukkenhet.
re'tort (*å:*) *s* skarpt svar, gjengjeld; retorte; *s.*
re'touch (ʌ) *v* retusjere.
re|'trace (*ei*) *v* ettergå; ~**'tract** *v* tilbakekalle; ~**'traction** *s.*
re'treat (*i:*) *s* retrett, tilbaketreden, tilflukt(ssted); *v* trekke seg tilbake.
re'trench *v* innskrenke; ~ **ment** *s* innskrenkning; festningsavsnitt.
retri'bution (*ju:*) *s* gjengjeld.
re'triev|e (*i:*) *v* få igjen, redde, gjenopprette; ~ **al** *s*; ~ **er** *s* støver (hund).
'retro|grade (e) *a* tilbakegående; '~ **spect** *s* tilbakeblikk; ~**'spection** *s ib*; ~**'spective** *a* tilbakeskuende; -virkende.
re'turn (*ə:*) *v* vende tilbake; svare; returnere, gjengjelde, (inn)sende; velge; *s* tilbakevenden; retur; gjengjeld, innberetning; valg; *pl* utbytte.
re'union (*ju:*) *s* forening.
re'veal (*i:*) *v* åpenbare.
'revel (e) *v* svire; fryde seg; *s* svir, *pl* moro.
revelation *s* åpenbaring.
'revelry *s* festing.
re'venge *s* hevn(lyst), revansje; *v* hevne; ~ **ful** *a* hevngjerrig.
'revenue (e) *s* (stats)inntekt.
re'verberate (*ə:*) *v* kaste(s) tilbake, (gjen)lyde.
re'vere (*iə*) *v* ære.
'rever|ence (e) *s* ærefrykt, ærbødighet; kompliment; velærverdighet (tittel); *v* ære; '~ **end** *a* ærverdig; pastor **(the Rev.)**; '~ **ent** *a* ærbødig; ~**'ential** *a ib.*
'reverie (e) *s* tanker, drømmerier.
re|'versal (*əe*) *s* omstøtelse, omslag; ~**'verse** (*e:*) *v* vende om, snu opp ned; omstøte; *a* motsatt; *s* motsetning, omslag, motgang; revers; ~**'version** (*ə:*) *s jur* hjemfall(-srett), arv; ~**'vert** (*ə:*) *v* vende tilbake; *jur* hjemfalle.
re'view (*ju:*) *s* anmeldelse; tidsskrift, revy; *v* anmelde, bedømme.
re'vile (*ai*) *v* skjelle ut.
re|'vise (*ai*) *v* revidere; ~**'vision** *s* revisjon, korrektur.
re'visit *v* besøke på ny.
re|'vival (*ai*) *s* gjenopplivelse, *rel* vekkelse; ~**'vive** (*ai*) *v* gjenopplive(s), vekke.
re'voke (*ou*) *v* tilbakekalle; ikke følge farge (i kort).
revolt (*ou*) *s* (*v*) (*gjøre*) opprør; ~ **ing** *a* opprørende.
revo'lution (*u:*) *s* omdreining, omløp; omveltning; ~ **ary** *a*; ~ **ize** *v* revolusjonere.
re'volve (*å*) *v* rotere; overveie.
re'vue (*ju:*) *s teat* revy.
re'vulsion (ʌ) *s* (følelses-)omslag.
re'ward (*å:*) *s* belønning; *v.*
'Rhenish (*i:*) *s* rhinskvin.
'rheum|atism (*u:*) *s* revmatisme; ~**'atic** *a.*
rhi'noceros (*å*) *s* neshorn.
'rhubarb (*u:*) *s* rabarbra.
rhyme (*ai*) *s* (*v*) rim(e).
rhythm (*i*) *s* rytme, takt.
rib *s* ribbe, ribben.
'ribald (*i*) *a* gemen, rå; '~ **ry** *s* rått snakk.
'ribbon, 'riband (*i*) *s* bånd, sløyfe.
rice (*ai*) *s* ris.

rich *a* rik; fet; **ˈ~ es** *s* rikdom(mer).
rick *s* såte, stakk.
ˈricket|s *s* engelsk syke; **ˈ~ y** *a* gebrekkelig; rakitisk.
rid *a* kvitt; *v* befri; **ˈ~ dance** *s* befrielse.
riddle *s* gåte.
ride (*ai*) *v* ride, kjøre; ligge (for anker); ritt, ridetur, -vei, distrikt.
ridge *s* (ås)rygg, kam.
ˈrid|icule (*i*) *v* latterliggjøre; *s* spott; **~ˈiculous** *a* latterlig.
rife (*ai*) *a* hyppig, full (av- **with**).
ˈriff-raff *s* pakk.
rifle (*ai*) *s* rifle; plyndre, røve.
rift *s* rift, revne.
rig *s* rigg; utstyr, drakt; *v* rigge; **ˈ~ ging** *s* takkelasje.
right (*ai*) *a* riktig; høyre; *av* rett, like, nettopp; til høyre; *s* rett(-ighet); høyre; *v* rette (på); **ˈˈ~ eous** *a* rettsindig; **ˈ~ ful** *a* rettmessig.
ˈri|gid (*idzh*) *a* stiv, hard; **ˈ~ gorous** (*ig*) *a* streng; **ˈ~ gour** *s*.
rile (*ai*) *v* erte, ergre.
rim *s* kant.
rind (*ai*) *s* bark; svor.
ring *s* ring; *sp* (kamp-)plass, bane, *merk* gruppe; lyd; *v* ringe, klinge; **ˈ~ leader** *s* hovedmann; **ˈ~ let** *s* lokk.
rink *s* skøytebane (kunstig).
rinse *v* skylle.
ˈriot (*ai*) *s pl* opptøyer, oppløp; **ˈ~ ous** *a* tøylesløs.
rip *v* sprette; rakne; *s* spjære; **~ -cord** *s* utløsningssnoren på fallskjerm.
ripe (*ai*) *a* moden; **~ n** *v*.
ˈrip|per *s fam* kjernekar; **ˈ~ ping** *a sl* storartet.
ripple *v* kruse, skvulpe; *s*.
rise (*ai*) *v* stige, reise seg, oppstå, stå opp, utspringe; *s* stigning, oppgang, etc.
ˈrisible (*i*) *a* latter-(-mild).
ˈrising (*ai*) *s* reisning.
risk *s* risiko *v*; **~ y** *a*.
rite (ai) *s* ritus.
ˈritual (*i*) *a* rituell; *s*.
ˈrival (*ai*) *s* medbeiler *v* rivalisere; *a* rivaliserende; **ˈ~ ry** *s* kappestrid.
rive (*ai*) *v poet* rive, kløve.
river (*i*) *s* elv; **~ain** (*ˈ-ein*) *s* beboer av elvebredd; **ˈ~bed** *s* elveleie; **ˈ~horse** *s* (flodhest; **ˈ~side** *c* (land ved) elvebredd.
rivet (*l*) *s* nagle; *v* nagle.
ˈrivulet (*i*) *s* liten elv, å.
road (*ou*) *s* vei, *pl* red; **ˈ~ way** *s* kjørebane (i gate).
roam (*ou*) *v* streife om; *s*.
roan (*ou*) *a* (*s*) rødskimlet (hest).
roar (*å:*) *v* brøle; dure, bruse; *s* brøl etc.; **ˈ~ ing** *a* tøylesløs, vill, storartet.
roast (*ou*) *v* steke; *a* stekt; **~beef** *s* oksestek.
rob (*å*) *v* røve, bestjele, berøve; **~ ber** *s*; **~ bery** *s*.
robe (*ou*) *v* iføre; *s pl* galladrakt; embetsdrakt.
ˈrobin (*å*) *s zo* rødstrupe.
roˈbust (ʌ) *a* sterk, kraftig.
rock (*å*) *s* berg, stein, klippe, skjær *v* rugge, vogge, gynge.
ˈrocket (*å*) *s* rakett.
ˈrocky (*å*) *a* klippefull, steinet.
rod (*å*) *s* kjepp, stav,
ˈrodent (*ou*) *s zo* gnager.
roe (*ou*) *s* rådyr; rogn.
rogu|e (*oug*) *s* skøyer; **ˈ~ery** *s* skøyeraktighet; **ˈ~ ish** *a* skøyeraktig.
ˈroister|er (*åi*) *s* bråkmaker; **ˈ~ ing** *a*.
role (*ou*) *s teat, fig* rolle.
roll (*ou*) *v* rulle, kjevle, virvle *s* rull(e), rulling, valse; rundstykke; liste, virvel, *pl* arkiv; **ˈ~ er** *s* rulle, valse; bølge.
ˈrollicking (*å*) *a* lystig, kåt.
ˈRom|an (*ou*) *a* romersk; *s* romer; **R~ˈance** (*æ*) *a* romansk; *s* (med *r*) roman(se),

romantikk; ~'**any** (*å*) *s* sigøyner, taterspråk; *a*.
romp (*å*) *v* tumle seg; *s* viltring (pike); vill lek.
rood (*u:*) *s* krusifiks; ¼ acre.
roof (*u:*) *s* tak.
rook (*u*) *s* tårn (i sjakk); (blå) kråke; *v* snyte (i spill).
room (*u*(:)) *s* rom, værelse, grunn; '~ **y** *a* rommelig.
roost (*u:*) *s* vagle, hønsehus; *v* sette seg (f. natten).
root (*u:*) *s* rot, knoll; *v* rotfeste; rote; rykke.
rop|**e** (ou) *s* rep, line, strikke, knippe *v* binde, hale; '~ **y** *a* seig, klebrig.
'**ros**|**ary** (*ou*) *s* rosenkrans; ~ **e** *s* rose; '~ **-mary** *s* rosmarin; '~ **y** *a* rosenrød.
'**rostrum** (*å*) *s* snabel, snute.
rot (*å*) *v* råtne; tøve, *sl* erte; *s* tøv; råte.
'**rot**|**ary** (*ou*) *a* dreie-, vekslende; ~'**tate** *v* rotere, veksle; ~'**ation** *s* vekselbruk; veksling.
rote (*ou*), **by** ~ utenat.
'**rotten** (*å*) *a* råtten *sl* dårlig (gjort), ekkel.
ro'**tund** (ʌ) *a* rund, svulstig.
rouge (*u:zh*) *s*, *v* sminke.
rough (ʌ) *a* ujevn, ru, kupert; uferdig; opprørt; ragget; rå; barsk; tarvelig, omtrentlig; *s* slusk; *v* skarpsko; '~ **-and-**'**ready,** *a* improvisert; '~ **-cast** *v* rappe, skissere; ~ **en** *v* gjøre (bli) ujevn.
round (*au*) *a* rund, rask; hel, god; *s* runde, krets, omvei, salve, omgang; *av* rundt, til stede(t); *prp* omkring; *v* (av-)runde, gå rundt; '~**about** *a* omstendelig; lubben; *s* karusell; '~ **ly** *av* likefram; grundig.
rouse (*au*) *v* vekke.
rout (*au*) *s* vill flukt; *v* jage på flukt.
rout|**e** (u:) *s* rute; ~'**ine** (*i:*) *s* rutine, arbeidsorden, ensformighet.
rove (*ou*) *v* streife om; ~ **r** *s* vandrer; speider.
row (*ou*), *s* rad, rekke; *v* ro.
row (*au*), *s* leven, skjenn.
'**rowan** (*ou*) *s bot* rogn
'**rowdy** (*au*) *a* bråket; *s* pøbel.
'**rowel** (*au*) *s* sporetrinse.
'**rowlock** (*r*ʌ*l*) *s* tollegang, åregaffel.
'**royal** (*åi*) *a* kongelig; '~ **ty** *s* kongeverdighet; de kongelige; rettighet; prosenter.
rub (ʌ) *v* gni, skrubbe, pusse; '~ **ber** *s* gummi, viskelær; rubber (i kort).
'**rub**|**bish** (ʌ) *s* avfall, tøv, juks; ~**ble** *s* (mur)grus, stein.
'**rub**|**icund** (*u:*) *a* rødlig; '~ **ric** *a* tittel, avsnitt; ~ **y** *s* rubin.
ruche (*u:sh*) *s* rysj.
ruck (ʌ) *v* rynke; *s* hop.
rucksack (*u*) *s* ryggsekk.
'**rudder** (ʌ) *s* ror.
rud|**dle** (ʌ) *s* rødkritt; ~ **dy** *a* rødmusset.
rud|**e** (*u:*) *a* primitiv, grov; uoppdragen, uhøflig; '~**iment** *s* rudiment, *pl* elementer; ~ **i**'**mentary** *a* uutviklet, begynnelses-.
rue (*u:*) *v* angre; '~ **ful** *a* bedrøvelig, trist.
ruff (ʌ) pipekrage.
'**ruffian** (ʌ) *s* banditt, råtamp.
ruffle (ʌ) *v* kruse, ruske i; *s* krusning, (kruset) mansjett.
rug (ʌ) *s* reiseteppe; kaminteppe, sengeforlegger; '~ **ged** (= *id*) *a* ujevn, barsk.
'**rugger** (ʌ) *s* Rugbyfotball.
ruin (*u*(:)) *s* ruin, ødeleggelse; *v* ruinere; forspille; '~ **ous** *a* ødeleggende.
rule (*u:*) *s* regel; herredømme; *v* herske; linjere; *jur* kjenne; '~ **r** *s* linjal; hersker.
rum (ʌ) *s* rom; *a sl* snodig.

rumble (ʌ) *v* buldre; *s* bulder; baksete.
'**rumin|ate** (*u:*), *v* tygge drøv, gruble; ⌣ **ant** *s* drøvtygger.
'**rummage** (ʌ) *v* romstere (i), lete; *s* visitasjon.
'**rumour** (*u:*) *s* rykte.
rump (ʌ) *s* bakpart, gump.
rumple (ʌ) *v* pjuske, krølle.
run (ʌ) løpe; renne, lede; lyde; *teat* oppføres; drive, la løpe, støte; *s* løp, ferd, kurs, *merk* panikk; reise; '⌣ **away** *s* rømling.
rung (ʌ) *s* stigetrinn, sprosse.
'**run|let** (ʌ) *s* bekk; '⌣ **ner** *s* løper; gjenge; utløper; mei; '⌣ **way** *s* rullebane.
'**rupture** (ʌ) *s* brudd.
'**rural** (*uə*) *a* landlig.
ruse (*u:*) *s* list.
rush (ʌ) *v* fare, styrte, suse; jage (på), storme, påskynde; *s* siv; jag, angrep; '⌣ **-light** *s* svakt lys.
rusk (ʌ) *s* kavring.
'**russet** (ʌ) *a* rødbrun.
'**Russian** *s* russer; *a*.
rust (ʌ) *s* (*v*) rust(e).
rustic (s) *a* landlig, enkel; *s* bonde; '⌣ **ate** *v* bo på landet; forvise (fra univ.).
rustle (ʌ*sl*) *v* (*s*) rasle(n).
'**rusty** (ʌ) *a* rusten, falmet.
rut (ʌ) *s* hjulspor; brunst.
'**ruthless** (*u:*) *a* hensynsløs, ubarmhjertig.
'**rutty** (ʌ) *a* oppkjørt (om vei).
rye (*ai*) *s* rug.

S.

'**sabbath** (æ) *s* sabbat, søndag.
sable (*ei*) *zo* sobel; *a* sort, mørk.
'**sabotage** (æ) *s* sabotasje.
sabre (*ei*) *s* sabel.
sack (æ) *s* sekk, kappe, løpepass; *v* plyndre; avskjedige; ⌣**ing** *s* strie.
'**sacra|ment** (æ) *s* sakrament; ⌣'**mental** *a*.
'**sacred** (*ei*) *a* hellig.
'**sac'rifice** (æ) *s* ofring, offer; *v* ofre; ⌣**ri'ficial** *a* offer-; '⌣ **rilege** *s* helligbrøde; ⌣ **ri'legious** (*i:*) *a* vanhellig; '⌣ **rosanct** *a* høyhellig.
sad (æ) *a* bedrøvet, bedrøvelig, trist; '⌣ **den** *v* gjøre (bli) trist.
saddle (æ) *s* sal; rygg; *v* sale; bebyrde; '⌣ **-backed** *a* svairygget; '⌣ **r** *s* salmaker.
safe (*ei*) *a* uskadd, trygg, sikker *s* pengeskap, '⌣'**conduct** *s* leide; '⌣ **guard** *s* vern; *v* trygge, verne; '⌣**ty** *s* sikker-het; ⌣ **ty-belt** *s* sikkerhetsbelte.
'**saffron** (æ) *s* safran.
sag (æ) *v* gi seg, sige, synke (ujevnt); *s* sig.
sa'g|acious (*ei*) *a* skarpsindig; ⌣'**acity** (æ) *s*.
sage (*ei*) *s bot* salvie; vismann; *a* klok, erfaren.
said (e) *a* ovennevnt.
sail (*ei*) *s* seil(-as), skip; *v* seile, befare; '⌣ **er** *s* seiler; '⌣ **ing** *a* seil-; '⌣ **or** *s* sjømann.
saint (*ei*) *s* from person, helgen; '⌣ **ed** *a* kanonisert; '⌣ **ly** *a* helgenaktig.
sake (*ei*) *s* **for -** ⌣ for — skyld.
'**salable** (*ei*) *a* salgbar.
'**salad** (æ) *s* salat (som rett).
'**salary** (æ) *s* (*v*) gasje(re).
sale (*ei*) *s* salg, auksjon; ⌣ **sman** *s* selger, ekspeditør; '⌣ **swoman** *s* ekspeditrise.
'**salient** (*ei*) *a* (fram)springende, -tredende.
'**saline** (*ei*) *a* salt-.
sa'liva (*ai*) *s* spytt.
'**sal|low** (æ) *s* vidje; *a* gusten.
'**sally** (æ) *s mil* utfall; kvikt påfunn; *v* gjøre u.
'**salmon** (*æm*) *s* laks.
sa'loon (*u:*) *s* salong (-vogn), *am* utskjenkningssted.
salt (*å:*) *s*, *a* (*v*) salt(e); '⌣ **-cel-**

lar *s* saltkar; **⌣ˈpetre** (*i:*) *s* salpeter; **ˈ⌣ ish, ˈ⌣ y** *a* salt(aktig).

ˈsal|utary (æ) *a* sunn, gagnlig; **⌣ uˈtation** *s* hilsen; **⌣ˈute** (*u:*), *v* hilse, saluttere; *s* hilsen, honnør, salutt.

ˈsal|vage (æ) *v* berge, redde; *s* berging, bergelønn, vrakgods; **⌣ˈvation** *s rel* frelse; **⌣ ve** *v* berge.

ˈsalver (æ) *s* presenterbrett.

same (*ei*) *pron* samme.

sample (*a:*) *s* prøve, mønster; **ˈ⌣ r** *s* navneduk.

ˈsanatory (æ) *a* helbredende, sunnhets-.

ˈsanct|ify (æ) *v* helliggjøre; **⌣ iˈmonious** (*ou*) *a* skinnhellig.

ˈsanction (æ) *s* sanksjon, bifall; *v* godkjenne.

ˈsanct|ity (æ) *s* hellighet, ukrenkelighet; **ˈ⌣ uary** *s* helligdom; fristed.

sand (æ) *s* sand; *am fam* futt, mot; *pl* s.-strand, -banke; **ˈ⌣ ed** *a* sandet; **ˈ⌣ man** *s* Ole Lukkøye.

sandwich (æ*n*) *s* dobbelt smørbrød; *v* innlegge; **⌣ man** *s* plakatbærer.

ˈsandy (æ) *a* sandig, rødblond.

sane (*ei*) *a* sunn, tilregnelig, moderat, fornuftig.

ˈsang|uinary (æ) *a* blodig, blodtørstig; **ˈ⌣ uine** *a* sangvinsk; **⌣ uˈineous** (*wi*) *a* blod-, blodrød, blodrik, sangvinsk.

ˈsanit|ary (æ) *a* sanitær; **ˈ⌣ aryˈtowel** (dame)bind; **⌣ˈation** *s* hygiene; **ˈ⌣ y** *s* tilregnelighet, fornuft.

sap (æ) *s* saft, sevje; løpegrav; *v* tappe; undergrave; **ˈ⌣ less** *a* utslitt; **ˈ⌣ ling** *s* lite tre; **ˈ⌣ per** *s* sapør; **ˈ⌣ py** *a* saftig.

ˈsapphire (*æf*) *s* safir.

ˈsar|casm (*a:*) *s* spydighet; **⌣ castic** (æ) *a*.

sarˈdine (*i:*) *s* sardin.

sarˈdonic (*å*) *a* kynisk, bitter.

sash (æ) *s* skjerf; vindusramme; **ˈ⌣ -window** *s* skyvevindu.

ˈsatchel (æ) *s* (bok)taske.

sate (*ei*) *v* mette, blasere.

saˈteen (*i:*) *s* sateng.

ˈsatellite (æ) *s* drabant.

ˈsatiate (*seish-*) *v* mette.

saˈtiety (*tai*) *s* (over)metthet.

ˈsatin (æ) *s* atlask, silke.

ˈsat|ire (æ) *s* satire; **ˈ⌣ irist** *s* satiriker.

satis|ˈfaction (æ) *s* tilfredsstillelse, tilfredshet, oppreisning; **⌣ˈfactory** *a* tilfredsstillende; **ˈ⌣ fy** *v* tilfredsstille; *vr* forvisse seg.

ˈSaturday (æ) *s* lørdag.

ˈsaturate (æ) *v* mette, bløyte.

ˈsaturnine (æ) tung, mørk, barsk.

sauc|e (*å:*) *s* saus; *v* sause, krydre; **ˈ⌣ epan** *s* kasserolle; **ˈ⌣ er** *s* skål; **⌣ y** *a* frekk, nesevis; *sl* flott.

ˈsaunter (*å*) *v* slentre.

ˈsausage (*ås-*) *s* pølse.

ˈsavage (æ) *a* vill, barbarisk, grusom; *s* vill(-mann), barbar; **ˈ⌣ ry** *s* villskap.

sav|e (*ei*) *v* redde, bevare, spare; *prp* unntagen; **ˈ⌣ ings** *s* sparepenger; **⌣ ings-bank** *s* sparebank; **ˈ⌣ iour** *s* frelser **(S.)**.

ˈsavour (ei) *s* smak, duft; *v* smake **(av-of)**; **ˈ⌣ y** *a* (*s*) velsmakende, -luktende, pikant (om rett).

saw (*å:*) *s* (*v*) sag(e); **ˈ⌣ -mill** *s* sagbruk; **ˈ⌣ yer** *s* sager.

Saxon (æ) *s* (angel)sakser *a*.

say (*ei*) *v* si, fremsi; *s* replikk, besyv; **ˈ⌣ ing** *s* munnhell, ordtak.

scab (æ) *s* skorpe; skabb.

ˈscabbard (æ) *s* slire, skjede.

ˈscabrous (*ei*) *a* ru; våget.

ˈscaffold (æ) *s* stillas; skafott; **ˈ⌣ ing** *s* stillas.

scald (*å:*) *v* skålde, gi oppkok; *s* (vått) brannsår.
scale (*ei*) *s* skjell; vektskål; skala, målestokk; stige; *v* klatre.
ˈscallop (æ) *s* musling.
scalp (æ) *s* (*v*) skalp(ere).
scamp (æ) *s* slubbert; *v* slurve med.
ˈscamper (æ) *v* fare av sted, flykte; *s* jag, flukt.
scan (æ) *v* ransake; skandere.
ˈscandal (æ) *s* skandale, forargelse; **ˈ~ ize** *v* forarge; **~ ous** *a* forargelig.
ˈscansion (æ) *s* skandering.
scant (æ) *a* knapp; *v* knappe av; **ˈ~ y** *a* snau.
scape (*ei*) *s* (*søyle*)skaft, stilk.
ˈscape|goat (*ei*) *s* syndebukk; **ˈ~ grace** *s* døgenikt.
scar (*a:*) *s* stup; *s* (*v*) arr(e).
scarc|e (*εə*) *a* knapp, sjelden; **ˈ~ ely** *av* neppe; **ˈ~ ity** *s* knapphet.
scare (*εə*) *v* skremme, *s* skrekk; **ˈ~ crow** *s* fugleskremsel.
scarf (*a:*) *s* skjerf; lask; **ˈ~ -pin** *s* slipsnål.
scar|laˈtina (*i:*) *s* skarlagensfeber; **ˈ~ let** *s* (*a*) skarlagen (-rød).
scarp (*a:*) *s* eskarpe, skrent.
ˈscathing (*ei*) *a fig* knusende.
ˈscatter *v* spre (seg), splitte; **ˈ~ brained** *a* vimset.
ˈscavenger (æ) *s* gatefeier.
scene (*si:*) *s* scene, opptrinn; **ˈ~ ry** *s* kulisser, natur.
scent (*se-*) *v* lukte, være, parfymere; *s* duft, parfyme, teft, sporsans.
ˈsceptic (*ske-*) *s* skeptiker; **ˈ~ al** *a* skeptisk.
sceptre (*se*) *s* septer.
ˈschedule (*she, am sk*) *s* fortegnelse, *am* togtabell, plan.
scheme (*ski:*) *s* plan, anslag; *v* legge skumle planer; **ˈ~ r** *s* renkesmed.
schism (*si*) *s* skisma.
schist (*sh*) *s* skifer.
ˈscholar (*skå*) *s* elev; lærd; **ˈ~ ly** *a* vitenskapelig; **ˈ~ ship** *s* lærdom; stipendium.
schoˈlastic *a* skolastisk, skole-.
school (*sm:*) *s* skole; stim; *v* tukte, skolere; **ˈ~ ing** *s* skolegang; **ˈ~ fellow** *s* s.-kamerat; **ˈ~ master, ˈ~ mistress** *s* lærer, l.-inne.
ˈschooner (*sk:*) *s* skonner(t).
sciˈatic (*saiæ-*) *a* hofte-; **~ a** *s med* isjias.
ˈscien|ce (*sai*) *s* viten(-skap); **~ˈtific** *a* vitenskapelig, kyndig; **ˈ~ tist** *s* (natur)vitenskapsmann.
ˈscintillate (*si*) *v* glitre.
ˈscion (*sai*) *s* podekvist.
ˈscissors (*siz-*) *s* saks.
scobs (å) *s* spon, sagflis.
scoff (å) *v* håne, spotte; *s*.
scold (*ou*) *v* skjenne (på).
sconce (*å*) *s* lampett.
scone (*ou*) *s* sl. flat kake.
scoop (*u:*) *s* skovl, skuffe, øsekar; *v* øse; hule.
scoot (*u:*) *v* fare, pile.
scope (*ou*) *s* (spille)rom; virkefelt, frihet.
scorˈbutic (*ju:*) *a* skjørbuks-.
scorch (*å:*) *v* svi, brenne.
score (*å:*) hakk, merke *merk* regnskap; fordel, målsiffer, poengsum; snes; *v* hakke; merke; notere, beregne; vinne.
scorn (*å:*) *s* (*v*) forakt(e); **ˈ~ ful** *a* foraktelig.
Scot (*å*) *s* skotte; **~ ch** *a* skotsk; **ˈ~ chman** *s* skotte; **ˈ~ tish** *a* skotsk.
scotch (*å*) (*v*) *s* støtte (under).
ˈscot-free (*å, i:*) *a* fri og frank.
ˈscoundrel (*au*) *s* kjeltring.
scour (*au*) *v* skure; fare, (gjennom)streife.
scourge (*ə:*) *s* strafferedskap, -dom; *v* hjemsøke.
scout (*au*) *v* (*s*) speide(r).
scow (*au*) *s am* lekter.

scowl (*au*) *v* (*s*) skule(n).
scrabble (æ) *v* rote, kare; risse.
scrag (æ) *s* vantriving; *v* kverke; ˈ~ **gy** *a* skinnmager.
scram (æ) *v am* pigge av.
scramble (æ) *v* klatre, krafse; *s* klatring; kappestrid; ~ **d eggs,** eggerøre.
scrap (æ) *s* bete, *pl* rester, utklipp; *v* kassere.
scrape (*ei*) *v* skrape; skure; *s fig* klemme.
scratch (æ) *v* klore, ripe, klø; *s* skrubb; *sp* start-, mållinje, fellesstart; ~ **y,** *a* tilfeldig, ujevn.
scrawl (*å:*) *v* rable (ned); *s.*
scream (*i:*) *s* (*v*) skrik(e).
scree (*i:*) *s* (stein)ur.
screech (*i:*) *s* (*v*) skrik(e).
screen (*i:*) *s* (*v*) skjerm(e).
screw (*u:*) *a* skrue; utsuger, gnier; *v* skru, presse; knipe; ˈ~ **-driver** *s* skrujern; ˈ~**-gear** *s* tannhjul.
scribble *v* rable, smøre sammen; karde; *s.*
scribe (*ai*) *s* skriftklok, skribent.
ˈ**scrimmage** *s* kamp (om ballen i Rugby).
ˈ**scrimpy** *a* knepen, snau.
script *s* (hånd)skrift, dokument, manuskript; ˈ**S**~**ure** *s* Bibel.
ˈ**scrofulous** (*å*) *a* kjertelsyk.
scroll (*ou*) *s* rull; snirkel.
scrub *v* skrubbe; *s* kratt(-skog); ˈ~ **woman** *s* skurekone.
scruff *s* nakke.
scrum *s* = **scrimmage**.
scrunch (ʌ) *v* knase (om lyd).
scrup|**le** (*u:*) *s* skruppel (ogs. i vekt); ˈ~ **ulous** *a* samvittighetsfull.
ˈ**scrutin**|**ize** (*u:*) *v* granske; ˈ~ **y** *s* granskning.
scud (ʌ) *v* fare; *mar* lense; *s pl* drivskyer.
scuffle (ʌ) *s* håndgemeng.
scull (ʌ) *s* åre; *v* ro, vrikke; ˈ~ **er** *s* roer, robåt.
ˈ**scullery** (ʌ) *s* oppvaskrom.
ˈ**sculpt**|**ure** (ʌ) *s* skulptur; ˈ~ **or** *s* billedhugger.
scum (ʌ) *s* skum, berme.
ˈ**scummy** (ʌ) *a* skummende.
ˈ**scupper** (ʌ) *s mar* spygatt.
scurf (*ə:*) *s* flass, skurv; ˈ~ **y** *a.*
ˈ**scurrilous** (ʌ) *a* plump, grovkornet.
ˈ**scurry** (ʌ) *v* pile.
ˈ**scurvy** (*ə:*) *s* skjørbuk; *a* sjofel.
ˈ**scutcheon** (ʌ) *s* skjold, skilt.
scuttle (ʌ) *s* kullboks; luke, ventil; *v* bore hull i.
scythe (*sai*) *s* ljå.
sea (*i:*) *s* hav, sjø, *pl* farvann; ˈ~ **board** *s* kyst; ˈ~ **-dog** *s* sel; sjøulk; ˈ~ **-horse** *s* hvalross; ~ **man** *s* matros; ˈ~ **-mew** *s* måke; ~ **plane** *s* sjøfly; ˈ~ **port** *s* havneby; ˈ~ **sick** *a* sjøsyk; ˈ~ˈ**side** *s* kyst; ˈ~ **weed** *s* tang; ˈ~ **worthy** *a* sjødyktig (om skip).
seal (*i:*) *s* segl, signet; *zo* sel; *v* forsegle, besegle; ˈ~ **er** *s* selfanger; ˈ~ **ing-wax** *s* lakk.
seam (*i:*) *s* søm, linje; åre, lag; ~ **ed** *a* furet; ˈ~ **stress** (*sem-*) *s* sydame; **the** ~ **y side** vrangen, vrangsiden.
ˈ**sear** (*iə*) *v* brenne(merke), svi, tørke, forherde.
search (*ə:*) *v* lete, ransake, granske; *s* leting etc; ˈ~ **ing** *a* inngående.
ˈ**season** (*i:*) *s* årstid, sesong; *v* modne; krydre, tilsette; ˈ~ **able** *a* beleilig, heldig; ˈ~ **ing** *s* krydder(i).
seat (*i:*) *s* sete, benk, plass; *v* anbringe; *vr* sette seg; ~ **-belt** *s* sikkerhetsbelte (fly); ˈ~ **ed** *a* sittende.
seˈ**cede** (*i:*) *v* tre ut.
seˈ**clu**|**de** (*u:*) *v* avsondre; ~ **sion** *s.*

'second (e) *a* annen, nummer to; *av* nest; *s* sekundant; sekund; *v* støtte; **'˷ ary** *a* bi-, underordnet; **'˷ ary 'school** høyere skole; **'˷ -'hand** *a* annenhånds, brukt; **'˷ -'rate** *a* annenrangs; **'˷ -'sight** *s* synskhet.

'secr|et (*i:*) *a* hemmelig; *s* h.-het; **'˷ ecy** *s* diskresjon, taushet.

'secretary (e) *s* sekretær; minister.

se'cre|te (*i:*) *v* utsondre; skjule; **˷ tion** *s* sekret; **˷ tive** *a* hemmelighetsfull.

sec'tarian (*εə*) *s* sekterer; *a.*

'section *s* avdeling, paragraf; skjæring.

'secular (e) *a* hundreårs-; verdslig; **'˷ ize** *v* v.-gjøre.

se'cur|e (*juə*) *a* sikker, fast; *v* sikre, feste, få fatt på; beskytte; **'˷ ity** *s* sikkerhet; dekning, kausjon(-ist).

se'dan (æ) *s* lukket bil.

se'date (*ei*) *a* rolig, satt.

'sedative (e) *a med* beroligende.

'sedentary (e) *a* stillesittende; *zo* stand- (is. om fugl).

'sediment *s* avleiring.

sedge *s* starrgras.

se'diti|on *s* oppvigleri; **˷ ous** *a* opphissende.

se'duce (*ju:*) *v* forføre.

'sedulous (e) *a* iherdig.

see (*i:*) *s* bispesete; *v* se, forstå, påse; besøke, ta imot.

seed (*i:*) *s* sæd, frø; **'˷ ling** *s* frøplante; **'˷ y** *a* loslitt, utilpass.

'seeing (*i:*) *k* ettersom.

seek (*i:*) *v* søke, begjære.

seem (*i:*) *v* synes; **'˷ ing** *a* tilsynelatende; **'˷ ly** *a* nett, høvelig, sømmelig.

seep (*i:*) *v* sive, tyte.

'seesaw (*i:*) *v* vippe, huske.

seethe (*i:*) *v* koke, syde.

'segregate (e) *v* utskille

seine (*ei*) *s* not, steng.

seiz|e (*i:*) *v* gripe, ta; beslaglegge, inndra; **'˷ ure** *s.*

'seldom *av* sjelden.

se'lect *v* (ut)velge; *a* utsøkt; **˷ ion** *s* utvalg.

self *s* selv, jeg; **'˷ -'conscious** *a*, forsagt, sjenert; **˷ confident** *a* selvbevisst; **'˷ -con'tained** *a* behersket; **'˷ ˷de'nial** *s* selvfornektelse; **'˷ -in'dulgence** *s* nytelsessyke; **'˷ -'interest** *s* egennytte; **'˷ ish** *a* egoistisk; **'˷ less** *a* selvforglemmende; **'˷ -pos'sessed** *a* fattet, rolig; **'˷ -'seeking** *a* egoistisk; *s* egoisme; **'˷ -suf'ficient** *a* is. selvforsørgende; **'˷ -sup'porting** *a* selvhjulpen; **'˷ -'willed** *a* egenrådig.

sell *v* selge; forråde; *sl* snyte; **'˷ er** *s* selger, salgsvare.

'selvage *s* list, kant.

'semblance *s fig* skinn.

'semicircle (e) *s* halvsirkel.

'semi|nal (e) *a* sæd-, frø-; **'˷ nary** *s* seminar, planteskole.

'semitone (e) *s mus* halvtone.

'senate (e) *s* senat.

send *v* sende, s. bud.

'sen|ile (*i:*) *a* senil; **'˷ ior** *a* eldre, eldst, høyere (av rang); **˷ i'ority** *s* ansiennitet.

sen'sation (*ei*) *s* sansing, følelse; oppsikt; **˷ al** *a* følelses-; sensasjonell.

sen|se *s* sans(ing), oppfatning, omtanke, mening, betydning; **'˷ seless** *a* sanseløs, vettløs; **'˷ sible** *a* fornuftig, bevisst, merkbar; **˷ si'bility** *s* følsomhet; **'˷ sitive** *a* føle-, sanse-, sensibel; **'˷ sual** *a* sanselig; **'˷ suous** *a* sanse-, sansbar.

'sen|tence *s* setning; dom; *v* dømme; **˷ tentious** *a* fyndig.

'senti|ment *s* følelse, oppfat-

ning, følsomhet; ⌣ˈ**mental** *a* følelsesfull; ⌣ˈ**mentalism** *s* føleri.
ˈ**sent|inel,** ˈ⌣ **ry** *s* skiltvakt.
ˈ**separ|able** (*e*) *a* atskillelig; ˈ⌣ **ate** *a* særskilt, atskilt; *v* skille(s); ⌣ˈ**ation** *s.*
ˈ**sepoy** (*i:*) *s* indisk soldat.
sepˈt|ennial sjuårig; ˈ⌣ **uple** *a* sjudobbelt; *v.*
ˈ**se|pulchre** (e, *k*) *s* grav; ⌣ˈ**pulchral** (ʌ); ˈ⌣ **pulture** *s* begravelse.
ˈ**se|quel** (*i:*) *s* fortsettelse, resultat; ˈ⌣ **quence** *s* orden, rekke- (følge), serie.
seˈquest|er ⌣ **rate** *v* beslag: legge, avsondre.
seˈr|ene (*i:*) *a* klar, rolig; ⌣ˈ**enity** (e) *s.*
serf (*ə:*) *s* livegen; ˈ⌣ **age,** ˈ⌣ **dom,** ˈ⌣ **hood** *s.*
serge (*ə:*) *s* et sl. ulltøy.
ˈ**sergeant** (*a:dzh*) *s* sersjant, overkonstabel.
ˈ**ser|ial** (*iə*) *a* rekke-; *s* føljetong (som fortsettes); ˈ⌣ **ies** *s* serie, rekke.
ˈ**serious** (*iə*) *a* alvorlig.
ˈ**serjeant** (*a:*) *s* advokat; ˈ⌣ **-at-ˈarms** ordensmarskalk.
sermon (e:) *s* preken.
ˈ**serpent** (e:) *s* slange; ˈ⌣ **ine** *a* buktet.
ˈ**serried** (e) *a* tettsluttet.
ˈ**ser|vant** (*ə:*) *s* tjener, tjenestpike; ˈ⌣ **ve** *v* (be)tjene, oppvarte, servere; ˈ⌣ **vice** *s* tjeneste, betjening; servise; bordsetning; ritual *sp* utspill; rute; **the Services** *s* militærvesenet; ˈ⌣**viceable** *a* brukbar; ˈ⌣**vile** *a* slave-; slavisk; ⌣ˈ**vility** *s* kryperi; ˈ⌣ **vitude** *s* trelldom.
ˈ**session** *s* sesjon; ting.
set *v* sette; innfatte; anslå; gå ned (om sol); ⌣ **about** ta fatt på; *a* stivnet; bestemt, stadig (om vær), stående (om frase); *s* sett, lag, krets, klikk; apparat; ˈ⌣ **-ˈback** *s* tilbakeslag; ˈ⌣ **-ˈdown** *s fig* skrape; ˈ⌣ **-ˈoff** *s* vederlag.
set|ˈtee *s* sofa; ˈ⌣ **ting** *s* innfatning, bakgrunn, oppsetting.
settle *v* sette, etablere, ordne, avgjøre, betale, ekspedere; festne seg, slå seg ned, synke, falle til ro; ⌣ **d** *a* stadig (om vær), fastboende; ˈ⌣ **ment** *s* pensjon, forsørgelse, koloni (-sering); ˈ⌣ **r** *s* nybygger.
seven (e) *num* sju; ˈ⌣ **fold** sjudobbelt; ⌣ˈ**teen** sytten; ˈ⌣ **ty** sytti.
ˈ**sever** (e) *v* skille, avskjære; ˈ⌣ **ance** *s*; ˈ⌣ **al** *a* atskillige; særskilt(e), respektive.
seˈv|ere (*iə*) *a* streng, voldsom; ⌣ˈ**erity** (e) *s.*
sew (*ou*) *v* sy.
ˈ**sew|age** (*ju*(:)) *s* kloakkinnhold; ˈ⌣ **er** *s* kloakk.
sex *s* kjønn.
ˈ**sexton** *s* kirketjener, graver.
ˈ**sex|ual** *a* kjønns-; ⌣ **uˈality** *s.*
shabby (æ) *a* loslitt; sjofel; smålig; ˈ⌣ **-genˈteel** *a* fattigfornem.
shack (æ) *s am* hytte.
shackles (æ) *s* (fot)lenker.
shade (*ei*) *s* skygge; skjerm; nyanse, grann; *v* skygge, skjerme; sjattere.
ˈ**shadow** (æ) *s* (slag)skygge; *v* antyde; følge, skygge.
ˈ**shady** (*ei*) *a* skyggefull; lyssky, uhederlig.
shaft (*a:*) *s* skaft, stilk; pil, stråle, vogndrag; sjakt.
ˈ**shaggy** (æ) *a* ragget.
shaˈgreen (*i:*) *s* sjagreng.
shak|e (*ei*) *v* riste, rokke, skjelve; *s* rystelse; trille; ˈ⌣ **y** *a* ustø, skjelvende; sjaber.
shale (*ei*) *s* leirskifer.
shall (æ) *v* skal, vil.
ˈ**shallot** (æ) *s* sjalottløk.

ˈshallow (æ) *a* grunn; *s* grunne; *v* gjøre g.
sham (æ) *v* hykle; *s* humbug, komediespill; *a* forloren, skinn-.
shamble (æ) *v* dra bena etter seg, subbe; *s pl* slakteri.
shame (*ei*) *s* skam(-følelse); *v* gjøre skam på, vanære, gjøre skamfull; **ˈ⁓ faced** *a* unnselig; **ˈ⁓ ful** *a* skammelig.
shamˈpoo (*u:*) *s* hårvask.
ˈshamrock (æ) *s bot* (is. gul-) kløver.
shank (æ) *s* legg, skaft.
ˈshanty (æ) *s* skur, sjapp; sjømannssang.
shape (*ei*) *s* form, snitt, figur; *v* forme; **ˈ⁓ less** *a* uformelig; **ˈ⁓ ly** *a* velskapt.
share (*εə*) *s* (an)del; aksje; part; *v* dele, delta, få del; **ˈ⁓ -holder** *s* aksjonær.
shark (*a:*) *s* hai; svindler, ågerkarl; *v* snyte, flå.
sharp (*a:*) *a* skarp, spiss; *mus* dur, falsk, med kryss; gløgg; *av* presis; *s mus* kryss (-note); *v* snyte; **ˈ⁓ en** *v* skjerpe, spisse; **ˈ⁓ er** *s* svindler (i kort).
ˈshatter (æ) *v* splintre, ødelegge, sprenge.
shavˈe (*ei*) *v* skave, streife; barbere; *s fig* hårsbredd; **ˈ⁓ ings** *s* høvelspon.
shawl (*å:*) *s* sjal.
she (*i:*) *pron* hun; *a* hunn-.
sheaf (*i:*) *s* bunt, nek.
shear (*iə*) *v* klippe (sau); *s pl* saks.
sheath (*i:*) *s* slire; **⁓ e** *v* stikke i s.; dekke, kle.
shed *v* utgyte; felle (tårer), kaste (lys), felle (løv); *s* skur, fjøs.
sheen (*ʌ:*) *s* glans; **ˈ⁓ y** *a.*
sheep (*i:*) *s* sau; **ˈ⁓ ish** *a* forlegen, sjenert.
sheer (*iə*) *a* skjær, ren; rett, bratt; *v* vike unna; *mar* gire.
sheet (*i:*) *s* ark; laken, svøp, flate, plate, *mar* skjøt.
shelf *s* hylle; båe.
shell *s* skall; skjell, musling; granat; *v* skalle, pille, bombardere; **ˈ⁓ -fish** *s* skalldyr; **ˈ⁓ -proof** *a* bombesikker.
ˈshelter *s* ly, vern; *v* huse, gi ly, dekke; **ˈ⁓ ed** *a* lun.
shelve *v* skråne, *fig* legge på hyllen.
ˈshepherd (e) *s* gjeter; *v.*
sherd (*ə:*) *s* potteskår.
sheriff (e) *s* foged; *am* politimester.
shield (*i:*) *s* skjold, vern; *v* beskytte.
shift *v* skifte, legge om, lempe bort; flytte seg, springe, greie seg; *s* skift; nødhjelp, knep; **ˈ⁓ less** *a* upraktisk; rådløs; **ˈ⁓ y** *a* upålitelig, ustadig.
ˈshimmer *s* skimre; *s.*
shin *s* skinneben.
shine (*ai*) *v* skinne, briljere; pusse; *s* skinn; *sl* bråk.
shing|le *s* takspon; singel, sl. frisyre; *v* klippe jevnt; **ˈ⁓ ly** *a* steinet, gruset.
ˈshiny (*ai*) *a* skinnende.
ship *s* skip; *v* (inn)skipe, ta inn (årer); **ˈ⁓ ment** *s* skipning, **ˈ⁓-owner** *s* skipsreder; **ˈ⁓ ping** *s* skipsfart, tonnasje; **ˈ⁓ wreck** *s* skibbrudd; *v (la)* forlise; **ˈ⁓ wrecked** *a* forlist, havarert; **ˈ⁓ wright** *s* s.-bygger; **ˈ⁓ yard** *s* verft.
shire (*a:*) *s* grevskap.
shirk (*ə:*) *v* skulke unna.
shirt (*ə:*) *s* skjorte; **ˈ⁓ -front** *s* s.-bryst; **ˈ⁓ y** *a* sint.
ˈshiver (*i*) *v* skjelve; splintre; *s* splint; gys(en).
shoal *s* stim, sverm; grunne; *v* stime.
shock (*å*) *s* stabel (av nek), høysåte; hårlugg; rystelse; *v* forarge, støte; **ˈ⁓ ing** *a* anstøtelig, rystende.

shoddy (*å*) *s* ull (av filler); *a* dårlig, *uekte*.
shoe (*u:*) *s v* sko; ˈ⁓ **black** *s* skopusser.
shoot (*u:*) *s* skyte, avfyre; skyve, tømme; spire; *s* skudd; ˈ⁓ **ing** *s* jakt(-rett); skarp smerte.
shop (*å*) *s* butikk, verksted, *sl* plass; fagprat; *v* gjøre innkjøp; ˈ⁓ **keeper** *s* kjøpmann; ˈ⁓ **ping** *s* innkjøp; ˈ⁓ **py** *a* butikk-, fag-; ˈ⁓- **walker** *s* b. inspektør.
shore (*å:*) *s* kyst; støtte; *v* stive, støtte.
short (*å:*) *a* kort, liten av vekst; sprø, skjør; mutt; *s pl* korte bukser; ˈ⁓ **age** *s* mangel, underskudd; ˈ⁓ **bread** ˈ⁓ **cake** *s* kavring; ⁓**-circuit** *s* kortslutning; ⁓ˈ**coming** *s* brist; ˈ⁓ˈ**cut** *s* snarvei; ˈ⁓ **en** *v* forkorte, knappe av; ˈ⁓ **hand** *s* stenografi; ˈ⁓ **-l**ˈ**ived** *a* kortvarig; ˈ⁓ **ly** *av* kort; snart; ˈ⁓ **-**ˈ**sighted** *a* nærsynt.
shot (*å*) *a* isprengt, changeant; *s* skudd, hagl(-ladning), ammunisjon; skytter; del, part.
ˈ**shoulder** (*ou*) *s* skulder, bog; *v* skubbe, ta på seg.
shout (*au*) *s* (*v*) rop(e).
shove (ʌ) *v* skyve, puffe.
shovel (ʌ) *s v* skuffe, skyffel.
show (*ou*) *v* vise (seg); *s* framvisning, skue(spill), opptog; ytre, skinn; ˈ⁓ **down** *s am* oppgjør, å vise kortene.
ˈ**shower** (*au*) *v* regne, drysse; *s* byge, skur.
ˈ**show|room** (*ou*) *s* utstillingslokale; ˈ⁓ **y** *a* gild.
shrapnel *s* granatkardeske.
shred *s* trase, strimmel; *v* oppskjære, strimle(s).
shrew (*u:*) *s fig* huskors; ⁓ **d** *a* lur, gløgg; ˈ⁓ **ish** *a* arrig.
shriek (*i:*) *s* (*v*) hyl(e), hvin(e).
shrill *a* skingrende.
shrimp *s zo* reke.
shrine (*ai*) *s* (helgen)skrin.
shrink *v* krympe (seg), krype, vike, svinne; ˈ⁓ **age** *s* svinn, kryping.
ˈ**shrivel** (*i*) *v* skrumpe.
shroud (*au*) *s* liksvøp, hylle, *mar pl* vanter; *v* hylle.
shrub (ʌ) *s* (pryd)busk.
shrug (ʌ) trekke på skulderen.
ˈ**shrunk(en)** (ʌ) *a* krympet, vissen, rynket.
shuck (ʌ) *s* hams, belg.
ˈ**shudder** (ʌ) *v* gyse.
shuffle (ʌ) *v* blande (kort); prakke, smugle; gå slepende.
shun (ʌ) *v* sky.
shunt (ʌ) *v* rangere, skifte, unngå; *s* sidespor, shunt; ˈ⁓ **er** *s* sporskifter.
shut (ʌ) *v* lukke (seg); ˈ⁓ **ter** *s* vinduslem.
shuttle (ʌ) *s* skyttel; ˈ⁓ **-cock** *s* fjærball.
shy (*ai*) *a* sky, sjenert; *v* være sky, skvette (om hest etc).
ˈ**sibilant** (*i*) *s* vislelyd.
sick *a* syk; kvalm; lei; ˈ⁓ **en** *v* bli s. etc, skrante, kvalme.
sickle *s* sigd.
ˈ**sick|ly** *a* sykelig, bleik; ˈ⁓ **ness** *s* kvalme.
side (*ai*) *s* side; *v* ta parti; ˈ⁓ **board** *s* buffet; ˈ⁓ **light** *s* streiflys; ˈ⁓ **long** *av* sidelengs; ⁓⁓ **ways** *av ib*.
sidle (*ai*) *v* gå sidelengs.
siege (*i:dzh*) *s* beleiring.
sieve (*i*) *s* såld.
sift *v* sikte.
sigh (*ai*) *s* (*v*) sukk(e).
sight (*ai*) *s* syn; sikt(e); severdighet; *v* få i sikte; ˈ⁓ **ly** *a* pen.
sign (*ain*) *s* tegn, skilt; *v* undertegne, gjøre tegn.
ˈ**signal** (*ign*) *s* signal; *v* s.-ere; *a* glimrende; ˈ⁓ **ize** *v* utmerke, utheve.
ˈ**signature** (*ign*) *s* underskrift.
sigˈ**ni|ficance** (*igni*) *s* betyd-

ning(sfullhet); ˽ **ficant** *a* betegnende, megetsigende; ˽ **ficative** *a* betegnende, viktig; ˽ **fi'cation** *s* betydning; '˽ **fy** *v* bety; tilkjennegi.
'silen|ce (*ai*) *s* taushet, stillhet; *v* bringe til t.; ˽ **t** *a* taus, lydløs, stilltiende.
silk *s* silke; '˽ **en** *a* silke-; '˽ **y** *a* silkebløt.
sill *s* dørstokk; vinduskarm.
'silly *a* dum, tankeløs; *s* tosk.
silt *s* mudder, slam; *v* mudre.
'silver *s* sølv; *v* forsølve; ˽ **y** *a* sølv-, s.-blank.
'simian (*i*) *s* (*a*) ape(-).
'sim|ilar *a* lignende, ens; ˽ **i'larity** *s* likhet; '˽ **ile**(*ili*) *s* lignelse; ˽**'ilitude** *s* likhet.
'simmer *v* putre.
'simper *v* smile fjollet el. affektert.
sim|ple *a* enkel(t), klar, tydelig; troskyldig; '˽ **ple-minded***a* ; '˽ **pleton** *s* enfoldig person; ˽**'plicity** *s* enkelhet; troskyldighet; '˽ **plify** *v* forenkle.
'simulate *v* fingere, hykle.
simul'taneous (*ei*) *a* samtidig.
sin *s* (*v*) synd(e); '˽**ful** *a* syndig.
since *av*, *k* siden.
sin|'cere (*iə*) *a* oppriktig; ˽**'cerity** (e) *s*.
'sinew *s* sene; '˽ **y** *a* senet.
sing *v* synge; '˽ **er** *s*.
singe (*dzh*) *v* svi, brenne.
single *a* enkelt, eneste, enslig, ugift; tur (-billett); *v* plukke (ut); '˽ -'**breasted** *a* enkeltknappet; ˽ **engined** *a* énmotors; '˽ '**file** *s* gåsegang; '˽ -'**handed** *av* uten hjelp; '˽ -'**hearted** *a* ærlig; '˽ **ton** *s* en eneste, ett kort i fargen.
'sing-song *a* ensformig; *s* bl. a. viseaften.
'singul|ar *a* enkelt; usedvanlig; *s gr* entall; ˽**'arity** *s* eiendommelighet.
'sinister *a* illevarslende, ond.
sink *v* synke, anbringe (penger); *s* kloakk, vask, avløp.
'sinu|ous *a* buktet, slynget; ˽**'osity** *s*.
sip *v* nippe (til).
'siphon (*ai*) *s* hevert, sifong.
sir! (*ə:*) min herre! **Sir,** baronett-tittel.
sire (*ai*) *s poet* far; opphav (hest); **Sire** *s* Deres Majestet.
siren (*ai*) *s* sirene.
'sirloin (*ə:*) *s* mørbrad.
'sissy *s* feminin mann.
'sister *s* søster; '˽ **ly** *a* s.-lig; '˽ **-in-law** *s* svigerinne; '˽ **hood** *s* s.-skap.
sit *v* sitte (på); ruge; ˽ **down** sette seg.
site (*ai*) *s* tomt, plass.
'sitting *s* møte, sesjon; '˽ **room** *s* dagligstue.
'situ|ated *a* beliggende, stillet; ˽**'ation** *s* beliggenhet, situasjon, post, plass.
siz, seks; ˽**'teen,** seksten; ˽ **th,** sjette; '˽ **ty,** seksti.
size *ai*) *s* størrelse, format, målestokk; lim, klister; *v* måle, ordne, taksere **(s. up).**
sizzle *v* brase, frese.
skate (*ei*) *s* skøyte; *v*.
skein (*ei*) *s* fedd, dukke.
'skeleton (e) *s* skjelett, ramme.
sketch *s* (*v*) skisse(re), kroki (-ere); '˽ **y** *a* henkastet.
skew (*ju:*) *a* skrå; '˽ **bald** *a* skimlet (om hest).
'skewer (*juə*) *s* stekepinne.
skid *s* lunn; bremse; *v* gli (på glatt føre).
skiff *s* skjekte, pram.
'skilful *a* dyktig.
skill *s* dyktighet; '˽ **ed** *a* faglært.
skim *v* skumme; fare over, stryke.
skimp *v* knipe, spinke.
skin *s* hud, skinn, bark; *v* dekke; flå, skrelle; heles; '˽ **flint** *s* gnier; '˽ **ny** *a* skinnmager.

skip *v* hoppe (tau), springe over, puffe; *s* hopp(-ing).
ˈ**skipper** *s* skipper (is. på skip, fly).
ˈ**skirmish** (*ə*:) *s* (lett) kamp.
skirt (*ə*:) *s* skjørt; kant; *v* kante; ˈ~ **ing** *s* fotlist.
ˈ**skittish** *a* skvetten; kåt.
skittles *s* kilespill.
skulk (ʌ) *v* snike, luske bort el. omkring; skulke.
skull (ʌ) *s* skalle.
skunk (ʌ) *s zo* stinkdyr.
sky (*ai*) *s* himmel; ˈ~ **lark** *s* lerke; *v* holde leven; ˈ~ **light** *s* takvindu, overlys.
slab (æ) *s* plate, tavle.
slack (æ) *a* slapp, løy, treg, flau; *s* hvil; langbukser (for damer); ˈ~ **en** *v* slappe (av), saktne, sakke, minske (om seil);
slake (*ei*) *v* leske, slokke (tørst).
slam (æ) *v* smelle; *s* smell; **grand**~, storeslem; **little** ~, lilleslem.
ˈ**slander** (*a*:) *v* (*s*) bakvaske(lse); ˈ~ **ous** *a*.
slang (æ) *s* sjargong, slang.
slant (*a*:) *v* skråne, helle, vippe; *s* skråning.
slap (æ) *s* (*v*) klask(e); *av* vips, rett; ˈ~ **dash** *a* (*av*) uvøren(t).
slash (æ) *v* flenge, hogge.
slate (*ei*) *s* skifer, tavle, flise; *v* skifertekke; rakke ned.
ˈ**slatternly** (æ) *a* sjusket.
ˈ**slaughter** (*å*:) *s* slaktning, blodbad; *v* nedsable.
slav|e (*ei*) *s* slave; *v* trelle; ˈ~ **er** *s* s.handler, -skip; ˈ~ **ery** *s*; ˈ~**ish** *a* slavisk.
slaver (æ) *s* sikle.
slay (*ei*) *v* drepe.
sled(ge) *s* slede; ~ **-hammer** *s* slegge.
sleek (ʌ:) *a* (*v*) glatt(e).
sleep (ʌ:) *s* søvn; *v* sove.
sleeper (*i*:) *s* sville; sovevogn.
ˈ**sleep|less** (*i*:) *a* søvnløs; ˈ~ **y** *a* søvnig.
sleet (*i*:) *s* sludd, slut.
sleeve (*i*:) *s* erme.
sleigh (*ei*) *s* slede.
ˈ**sleight** (*ai*) **-of-**ˈ**hand** *s* taskenspillerknep.
ˈ**slender** *a* slank; skral.
sleuth (*u*:) *s fam* detektiv; ~ **(hound)** *s* blodhund.
slice (*ai*) *s* skive, spade, spatel; *v* oppskjære.
slick *a fam* flink, *am* pyntet, sleip.
slid|e (*ai*) *v* gli, skli, rutsje, skyve; *s* sklie, glidebane, skred; skyveglass, lysbilde; ˈ~ **ing-scale,** glideskala.
slight (*ai*) *a* tynn, spe(d); ringe, lett; *v* tilsidesette, være uhøflig mot; *s* hensynsløshet.
slim *a* slank, grasiøs; ˈ~ **ming** *s* slankekur.
slim|e (*ai*) *s* slim; ˈ~ **y** *a*.
sling *s* slynge, bærerem; *v* slynge; henge, slenge; ˈ~ **ing** *a* jevn (om god fart).
slink *v* luske, snike.
slip *v* gli, smutte, slippe; liste; *s* glidning, feil; bedding; underkjole; ˈ~ **per** *s* tøffel; ˈ~ **pery** *a* glatt, sleip; ˈ~ **shod** *a* slurvet; ˈ~ -ˈ**slop** *s* skvip; pjatt.
slit *s* spalte; *v* oppklippe.
ˈ**slither** *v fam* gli, gå ustøtt.
ˈ**sliver** (*i*) *s* flis, trevl.
ˈ**slobber** (*å*) *v* sikle; fleipe.
sloe (*ou*) *s bot* slåpetorn.
slog (*å*) *v* slå hardt.
ˈ**slogan** (*ou*) *s* slagord.
slop (*å*) *v* spille, søle, skvalpe; ˈ~ **basin** *s* skyllebolle.
slope (*ou*) *s* skråning; *v*.
slop|py *a* sølet, vassen; ˈ~ **-pail** *s* toalettbøtte; ~ **s** *s* skyllevann.
slot (*å*) *s* sprekk, hull.
sloth (*ou*) *s* dovenskap; dovendyr; ~ **ful** *a* lat.
slouch (*au*) *v* lute, henge slapt; *s*.
slough (*au*) *s* sump, myr.

slough (ʌf) *s* ham, skorpe.
ˈ**slovenly** (ʌ) *a* slusket.
slow (*ou*) *a* langsom, sen; *v* saktne; ˷ **worm** *s* stålorm.
sludge (ʌ) *s* søle, sørpe.
slug (ʌ) *s* snile; ˈ˷ **gard** *s* lathans; ˈ˷ **gish** *a* treg.
sluice (*u*:) *s* sluse, kanal; *v* slippe (vann), spyle.
slum (ʌ) *s* fattigkvarter.
slumber (ʌ) *v* slumre; ˈ˷ **ous** *a* døsig, søvndyssende.
slump (ʌ) *s* pris- el. kursfall, dårlige tider; *v* slå sammen.
slur (ə:) *v* sløre, viske ut, jaske av; *s* (skam)plett.
slush (ʌ) *s* slaps, søle.
ˈ**sluttish** (ʌ) *a* sjusket.
sly (*ai*) *a* listig.
smack (æ) *s* smak(-ebit), snev; fiskebåt; smekk, klask; *v* smake (av), smekke, smatte, kysse.
small (*å*:) *a* liten; *s* smal del; ˷ **change** *s* småpenger; ˈ˷ **pox** *s* kopper; ˈ˷ **-talk** lett konversasjon.
smart (æ:) *a* skarp, kvikk, fiks, smakfull; *v* smerte, svi; *s* svie.
smash (æ) *v* smadre(s); støte; *s* (sammen)støt; krakk.
ˈ**smattering** (æ) *s* halvlærdom, teft.
smear (*iə*) *v* smøre.
smell *s* (*v*) lukte.
smelt *v* smelte (om malm).
smile (*ai*) *s* (*v*) smil(e).
smirch (ə:) *v* grise til (is. *fig*).
smirk (ə:) *v* smile selvgodt el. smørblidt.
smite (*ai*) *v* slå, is. *fig*.
smith *s* smed; ˷ **y** *s* smie.
smitheˈ**reens** (*i*:) *s* småbiter.
ˈ**smitten** *a* *fig* betatt, slått.
smock (*å*) *s* kittel, barneforkle; *v* sy m. vaffelsøm.
smoke (*ou*) *s* røk, røyk; *v* røyke, ryke; ˈ˷ **-dry** *v* røyke (kjøtt); ˈ˷ **r** *s* is. røykekupé; ˈ˷ **-stack** *s* skorstein.
smooth (*u*:) *a* jevn, glatt, smul; *v* jevne, rydde.
ˈ**smother** (ʌ) *v* kvele, dempe, neddysse.
ˈ**smoulder** (*ou*) *v* ulme.
smudge (ʌ) *s* (*v*) flekk(e).
smug (ʌ) *a* dydig, selvtilfreds; *s* dydsmønster.
smuggle (ʌ) *v* smugle.
smut (ʌ) *s* sot(flekk); rust (på plante); *v* sote.
snack (æ) *s* lett måltid, niste; *pl* smørbrød på pinne; ˈ˷ **-bar** *s* spisebar.
snag (æ) *s* grein, trestump; *fig* ulempe, hindring.
snail (*ei*) *s* snegl.
snake (*ei*) *s* slange.
snap (æ) *v* glefse, snappe; knipse, kneppe; *s* glefs etc; smekklås; *av* raskt, tvers; ˈ˷ **pish** *a* bisk, sint; ˈ˷ **shot** *s* fluktskudd, øyeblikksfotografi.
snare (*εə*) *s* (*v*) (fange i) snare.
snarl (*a*:) *v* snerre.
snatch (æ) *v* snappe; *s* grep, rykk; stubb, tørn; ˈ˷ **y** *a* rykkevis.
sneak (*i*:) *v* snike (seg); *sl* sladre; *s* lumsk fyr, sladderhank, kryper.
sneer (*iə*) *v* håne, flire.
sneeze (*i*:) *v* nyse.
snick *s* hakk, *fig* antydning.
sniff *v* snuse, snufse.
snigger *v* fnise.
snip *s* (*v*) klipp(e).
snip|**e** (*ai*) *s* zo bekkazin; *v* *mil* snikskyte; ˈ˷ **er** *s* s.skytter.
ˈ**snivel** (*i*) *v* ha snue; tyte.
snood (*u*:) *s* fortom.
snooze (*u*:) *s* (*v*) blund(e).
snore (*å*:) *v* snorke.
snort (*å*:) *v* snøfte, fnyse.
snout (*au*) *s* tryne, mule.
snow (*ou*) *s* (*v*) snø; ˈ˷ **y** a.
snub (ʌ) bite av, irettesette; ˈ˷ **-nosed** *a* stumpneset.
snuff (ʌ) *s* snus; tande; *v* pusse (lys); snuse.

snuffle (ʌ) snøvle.
snug (ʌ) *a* lun, pen (om inntekt); ⌣ **gle** *v* legge (seg) inn til.
so (*ou*) *av* så(led s), altså; 'ˇ **-and-so,** (hr.) den og den; ⌣ **long,** adjø så lenge.
soak (*ou*) *v* bløyte, væte.
soap (*ou*) *s* såpe; '⌣ **-suds** *s* s.-skum; '⌣ **y** *a* smiskende, såpe-.
soar (*å:*) *v* fly høyt, sveve.
sob (*å*) *v* (s) hulke(n).
'**sob|er** (*ou*) edru, nøktern; ⌣ **riety** (*ai*) s.
'**soc|iable** (*ou*) *a* selskapelig, omgjengelig; '⌣ **ial** *a* sosial, borgerlig, selskapelig; ⌣'**iety** (*ai*) *s* selskap, samfunn, sosietet.
sock (*å*) *s* halvstrømpe, innleggssåle.
'**socket** (*å*) *s* grop, hulning.
sod (*å*) *a* grastorv; *v* torvlegge; '⌣ **den** *a* vasstrukken, vassen (om mat), fordrukken.
soda-fountain (*ou*) *s* sifong; *am* isbar.
soft (*å*) *a* bløt, glatt, dempet; '⌣ **en** *v* gjøre bløt, formilde(s).
'**soggy** (*å*) *a* vassen (om jord).
soil (*åi*) *s* flekk; jord(-smonn); *v* tilsøle, besudle.
'**sojourn** (ʌ*dzh*) *v* oppholde seg; *s*.
'**solace** (*å*) *v* trøste; *s*.
'**solar** (*ou*) *a* sol-.
'**solder** (*å*) *v* lodde.
'**soldier** (*ou*) *s* soldat, militær; *v* være s.; '⌣ **ship,** *s* militær dyktighet; '⌣ **y** *s* *koll* soldater.
sole (*ou*) *s* tungeflyndre; såle; *v* såle; *a* eneste.
'**solecism** (*å*) *a* språkfeil.
'**sol|emn** (*å*) *a* høytidelig; '⌣ **emnize** *v* h.-holde; ⌣'**emnity** *s*.
so'**licit** *v* be (*om*); antaste; ⌣ **ation** *s*; ⌣ **or** *s* sakfører; ⌣ **ous,** *a* ivrig, bekymret; ⌣ **ude** *s* iver, omhu.
sol|id (*å*) *a* fast, massiv, sterk, pålitelig; *s* (fast) legeme; ⌣ '**i**'**darity** *s* samfølelse; ⌣ '**idify** *v* festne(s); ⌣'**idity** *s* fasthet.
so'**liloquy** *s* enetale.
'**soli|tary** (*å*) *a* ensom, eneste; ⌣ **tude** *s* e.-het.
'**solstice** (*å*) *s* solverv.
'**sol|uble** (*å*) *a* (opp)løselig; ⌣'**ution** *s* (opp)løsning.
solv|e (*å*) *v* løse; '⌣ **ent** *a* solvent; oppløsende; '⌣ **ency** *s* solvens.
so'**matic** (*æ*) *a* legems-.
sombre (*å*) *a* trist, mørk.
some (ʌ) *pron* noen; litt; '⌣ **body,** en (eller annen); '⌣ **how** *av* på en vis; '⌣ **thing,** noe; '⌣ **times** *av* stundom; '⌣ **what** *av* noe; '⌣ **where** *av* ensteds.
'**somersault** (ʌ) *s* rundkast.
'**somn|olent** (*å*) *a* søvnig; ⌣'**ambulist** *s* søvngjenger.
son (ʌ) *s* sønn; '⌣ **-in-law** *s* svigersønn.
song (*å*) *s* sang, vise; '⌣ **ster** *s* sangfugl.
'**sonny** (ʌ) *s* veslegutt(en).
'**sonorous** (*å:*) *a* malmfull.
soon (*u:*) *av* snart, tidlig.
soot (*u*) *s* (*v*) sot(e).
soothe (*u:*) *v* berolige, godsnakke med.
'**sooty** (*u*) *a* sotet.
sop (*å*) *s* oppbløtt brødstykke; *v* dyppe, bløyte(s).
'**soph|istry** (*å*) *s* sofisteri; ⌣'**isticate** *v* forvrenge, -derve; ⌣'**isticated** *a* unaturlig; blasert, verdensklok, raffinert.
sopo'**rific** (*i*) *a* sove-.
'**sor|cery** (*å:*) *s* hekseri; '⌣ **ceress,** '⌣ **cerer** *s* heks (-emester).
'**sordid** (*å:*) *a* smussig, grisk, gjerrig.

sore (*å:*) *a* sår, øm(-tålig); *s* sårt sted.
'**sorr|ow** (å) *s* sorg; '~ **owful** *a* sorgfull; '~ **y** *a* bedrøvet.
sort (*å:*) *s* slag(s), *fam* fyr; *v* sortere.
sot (*å*) *s* fyllefant.
sough (*au*) *s* sus(ing); *v*.
soul (*ou*) *s* sjel.
sound (*au*) *s* lyd; sund; sonde, blære; *v* klinge, blåse; sondere lodde; *a* frisk, god, ordentlig, dyp (om søvn), fornuftig; *av* fast; '~ **ings** *s* loddskudd, dybdeforhold.
soup (*u:*) *s* suppe.
sour (*au*) *a* sor, gretten; *v* forbitre.
source (*å:*) *s* kilde, is. *fig*.
souse (*au*), *v* sylte; dyppe; dukke, styrte; *s* plask; lake, pikkels.
south (*au*) *s* syd, sør; '~ **erly** (ʌ) *a* sørlig; ~ **ern** (ʌ) *a* sør-, sydlandsk; '~ **erner** is. *am* sydstatsboer; '~ **ward** (*au*) *av* sørover, sørfra; '~ **-wester** *s* sydvest.
'**sovereign** (*å*) *a* suveren; probat; *s* hersker; pund (20 sh.); '~ **ty** *s* suverenitet, høyeste makt.
sow (*au*) *s* purke; *v* (*ou*) så.
spac|e (*ei*) *s* rom, tid, areal; '~ **ious** *a* rommelig.
spade (*ei*) *s* spade, *pl* spar.
'**Spain** (*ei*) *s* Spania.
spam (æ) *s* hermetisk skinke.
span (æ) *s* spenn, spann (9 tommer); *v* spenne over, krysse, omspenne.
spangle (æ) *s* paljett, flitter.
'**Span|iard** (æ) *s* spanier; '~ **ish** *a* spansk.
'**spaniel** (æ) *s* sl. fuglehund.
spank (æ) *v* klaske, rise.
'**spanner** (æ) *s* skrunøkkel.
spar (*a:*) *s* stake; rundholt; *min* spat; *v* bokse, fekte.
spar|e (*εə*) *v* spare, unnvære, la være; *a* sparsom; ledig, overflødig; reserve-; '~ **ing** *a* nøysom.
spark (*a:*) *s* gnist; sprade; *v* gnistre; '~ **ing-plug** *s* tennplugg; ~ **le** *v* funkle, boble, perle.
'**sparrow** (æ) *s* spurv.
sparse (*a:*) *a* sparsom.
spasm (æ) *s* krampe(-trekning); ~'**odic** *a*.
spate (*ei*) *s* flom, ogs. *fig*.
spats (æ) *s* herregamasjer.
'**spatter** *v* (til)skvette.
'**spatula** (æ) *s* spatel, sparkel.
'**spavin** (æ) *s* spatt.
spawn (*å:*) *s* rogn; avkom; *v* gyte; avle.
speak (*i:*) *v* tale, snakke, ytre; '~ **er** *s* taler; president i Underhuset; '~**ing-trumpet** *s* ropert.
spear (*iə*) *s* spyd, lanse; *v* spidde; ~ **side** *s* sverdside.
'**special** (e) *a* spesiell; spesial-, ekstra-; *s* ekstranummer; '~ **alize** *v*; ~'**ality**, '~ **alty** *s*.
'**species** (*i:*) *s* art.
spe'cific *a* (sær)egen, bestemt, spesifikk.
'**speci|fy** (e) *v* spesifisere; '~ **men** *s* eksemplar.
'**specious** (*i:*) *a* plausibel, besnærende.
speck *s* flekk; ~ **le** *s* prikk, flekk; '~ **led** *a* spettet.
specs *s* *fam* briller.
'**spec|tacle** *s* skue(spill) *pl* briller; ~'**tacular** *a* prangende; ~'**tator** *s* tilskuer; '~ **tral** *a* spektral-; spøkelsesaktig; '~ **tre** *s* spøkelse.
'**speculat|e** *v* spekulere; '~ **ive** *a*.
speech (*i:*) *s* tale, språk; replikk; ~ **less** *a* målløs.
speed (*i:*) *s* fart, hastighet; *v* haste, ile; *v* lykkes; fremme; ~'**ometer** (*å*) fartsmåler; '~ **way** *s* motorsykkelbane; '~ **y** *a* rask.
spell *s* trylleformel, -ri; skift,

tørn, ri; *v* stave, skrives; '⌣ **bound** *a* fjetret, fortryllet.
spend *v* (for)bruke, tilbringe; '⌣ **thrift** *a* ødsel; *s* ødeland.
spent *a* utslitt, -mattet.
sperm (*ə:*) *s* sæd.
sphere (*fiə*) *s* kule, klode; stjerne, sfære.
spic|e (*ai*) *s* krydder(i); '⌣ **y** *a* pikant.
'**spider** (*ai*) *s* edderkopp.
spiffy *a fam* fin, smart.
'**spigot** (*i*) *s* tapp, propp.
spike (*ai*) *s* pigg, spiker *bot* aks; *v* nagle.
spile (*ai*) *s* plugg, spuns.
spill *v* spille, utgyte; kaste av (rytter); *s* fall.
spin *v* spinne, snurre, gå i spinn (fly).
'**spinach** (*-idzh*) *s* spinat.
spindle *s* ten, spindel.
spin|e (*ai*) *s* ryggrad; torn; '⌣ **al** *a* ryggrads-; '⌣ **eless** *a* veik.
'**spin|ning-wheel** *s* rokk; '⌣ **ster** *s* ugift kvinne.
'**spire** (*ai*) *s* spir, topp.
'**spirit** (*i*) *s* ånd, liv, lyst, mot; *pl* sprit, brennevin; humør; *v* trylle; '⌣ **ed** *a* ildfull, kjekk; '⌣ **less** *a* forsagt; '⌣ **ual** *a* åndelig, geistlig.
spirt (*ə:*) *v* sprute.
spit *s* (*v*) spidd(e); spytt(e); '⌣ **fire** *s* jagerfly; hissigpropp.
spite (*ai*) *s* ondskap; **in** ⌣ **of** *prp* tross; '⌣ **ful** *a* ondskapsfull.
spit|tle *s* spytt; ⌣'**toon** (*u:*) *s* spyttebakke.
splash (æ) *v* skvette.
splay (*ei*) *v* vende ut, gjøre skrå; *s* skråkant; *a* skrå.
spleen (*i:*) *s* milt; dårlig humør, livslede.
'**splen|did** *a* prektig; '⌣ **dour** *s* glans, prakt.
splice (*ai*) *v* spleise, laske.
splint *s* spjelkeskinne; '⌣ **er** *s* (*v*) splint(re), flis(e).
split *v* kløyve, splitte; *s* splittelse, kløft.
'**splutter** (ʌ) *v* sprute.
splurge (*ə:*) *s* (*v*) skryt(e).
spoil (*åi*) *s* bytte, fangst; *v* plyndre; spolere.
spoke (*ou*) *s* eike; trinn; '⌣ **sman** *s* talsmann.
spoli'atiom (*ei*) *s* plyndring.
spong|e (ʌ) *s* svamp; *v* viske ut; snylte; '⌣ **er** *s* snyltegjest; '⌣ **y** *a* svampet.
'**sponsor** (*å*) *s* fadder; garantist; *am* ogs. averterende; *v* støtte, gå god for.
spon'taneous (*ei*) *a* spontan, naturlig, frivillig.
spool (*u:*) *s* spole, snelle, rull.
spoon (*u:*) *s* skje; *v sl* elske; '⌣ **-feed** *v* holde kunstig oppe; '⌣ **y** *a* forlibt; *s* fjols.
spoor (*uə*) *s* (dyrs) spor.
spore (*å:*) *s bot* spore.
sporran (*å*) *s* beltepung.
sport (*å:*) *s* atspredelse; idrett, sport; jakt; fiske; *v* leke, sporte; '⌣ **ive** *a* leken; '⌣ **sman** *s* jeger, s.-mann.
spot (*å*) *s* flekk, prikk, sted, *fam* grann, drink; *v* flekke, bite merke i, utpeke; '⌣ **less** *a* plettfri.
spouse (*aa*) *v* ektefelle.
spout (*au*) *s* rør, renne, tut, stråle; *v* sprute.
sprain (*ei*) *v* forstuve, vrikke.
sprat (æ) *s* brisling.
sprawl (*å:*) *v* sprelle, sprike.
spray (*ei*) *s* gren, kvast; dusj, stenk; sjøsprøyt.
spread (e) *v* spre; strekke; dekke (bord), bre (seg); *s* omfang; *sl* oppdekning.
spree (*i:*) *s* rangel.
sprig *s* kvist; nudd.
'**sprightly** (*ai*) *a* livlig.
spring *v* springe; skyte, komme (av-**from**); *s* sprang; kjelde; vår; fjær, spenstighet; ⌣ **y** *a* spenstig.
springe (*dzh*) *s* done, snare.

sprinkl|e *v* stenke; **a'⌣ ing,** noen få, et anstrøk.
sprint *v* spurte; **⌣ er** *s sp* kortdistanseløper.
sprit *s mar* spristake.
sprite (*ai*) *s* ånd, spøkelse; fe, nisse.
sprout (*au*) *v* gro, skyte; *s* spire; *pl* rosenkål.
spruce (*u:*) *s bot* gran; *a* fjong.
spry (*ai*) *a* sprek.
spud (ʌ) *s* lukejern.
spue (*ju:*), spew (ju:) *v* spy.
spume (*ju:*) *s* skum, fråde.
spur (*ə:*) *s v* spore.
'spurious (*juə*) *a* uekte.
spurn (*ə:*) *v* sparke, jage (m. forakt).
spurt (*ə:*) *v* sprute, *sp* spurte; *s* sprut; spurt.
sputnik (*u:*) *s* russisk jordsatellitt.
'sputter (ʌ) *v* sprute, frese.
spy (*ai*) *s* (*v*) spion(ere).
squab (*å*) *a* tykk; *s* t.-sak.
squabble (*å*) *s* (*v*) kjekl(e).
squad (*å*) *s* tropp; **'⌣ ron** *s* eskadre, eskadron; **⌣ ron leader** *s* major i flyvåpnet.
'squalid (*å*) *a* skitten.
squall (*å:*) *v* storskrike; *s* vindby(g)e; *pl* skrik.
'squalor (*å*) *s* smuss.
'squander (*å*) *v* ødsle.
square (*εə*) *a* firkantet; undersetsig; ærlig, real; skikkelig; oopgjort; *av* rett; *s* firkant, rute; karré, plass; *v* kvadrere; avpasse, stemme, gjøre opp.
squash (*å*) *v* kryste, mase.
squat (*å*) *a* liten, lavbent; *v* sitte på huk.
squaw (*å:*) *s* indianerkone.
squawk (*å:*) *s* fugleskrik.
squeak (*i:*) *v* pipe.
squeal (*i:*) *v* kvine.
'squee'gee (*i:*) *s* gummirull.
'squeamish (*i:*) *a* kvalm; nøye, kresen.
squeeze (*i:*) *v* trykke, presse; *s* trykk, klem(me).
squelch *v* skvulpe.
squid *s* blekksprut.
squint *v* skjele.
squire (*ai*) *s* godseier.
squirm (*ə:*) *v* vri seg.
'squirrel (*i*) *s* ekorn.
squirt (*ə:*) *s* sprøyte, sprut.
stab (æ) *v* stikke, gjennombore; *s*.
stable (*ei*) *s* stall; *a* fast, stø; varig, stabil.
stack (æ) *s* stakk, stabel.
staff (*a:*) *s* stav, stang; stab, personale; **⌣ officer** *s* officer ved stab.
stag (æ) *s* hjort.
stage (*ei*) *s* stillas; scene; skifte; stadium; **'⌣ -coach** *s* diligence; **'⌣ -manager** *s* regissør.
'stagger (æ) *v* rave; forbløffe.
'stag|nant (æ) *a* stillestående; **⌣ nate** *v* stagnere.
'stagy (*eidzh*) *a* teatralsk, flott.
staid (*ei*) *a* atstadig.
stain (*ei*) *v* farge, flekke; *s* farge, beis; (skam)plett.
stair (*εə*) *s pl* trapp(egang); **'⌣ case** *s* trappegang.
stake (*ei*) *s* stake, pel; innsats; *v*; **at ⌣** på spill.
stale (*ei*) *a* bedervet, gammel (om mat), fortersket; **'⌣'mate** *s* patt (i sjakk).
stalk (*å:*) *s* stengel, stilk; *v* spankulere; lure seg inn på (vilt).
stall (*å:*) *s* spiltau; bod, bu; *teat* parkett; korstol.
'stallion (æ) *s* hingst.
'stalwart (*å:*) *a* traust, stø.
'stamina (æ) *s* styrke, kraft.
'stammer (æ) *v* stamme.
stamp (æ) *v* stampe, stemple; *s* tramp; stempel; preg, art; frimerke.
stam'pede (*i:*) *s* (masse-) panikk.
'stanchion (*a:*) *s* stiver.
stand (æ) *v* stå, ligge; måle; gjelde; tåle, *fam* spandere; *s*

standplass, holdeplass; stans; oppsats; stativ.
'**standard** (æ) *s* fane, flagg; normal, mønster, målestokk; *a* mønstergyldig; '~ **ize** *v*.
'**stand|ing** (æ) *a* stadig, varig; *s* anseelse; varighet; '~ -'**off-fish** *a* reservert, sky; '~ **still** *s* stans.
stanza (æ) *s* strofe.
staple (*ei*) *s* krampe; hovedartikkel; kvalitet.
star (*a:*) *s* stjerne; '~ **board** *s* styrbord, høyre.
starch (*a:*) *v* (*s*) stive(lse).
stare (*εə*) *v* (*s*) stirre(n).
stark (*a:*) *a* stiv; ren, skjær *av* rent.
'**starling** (*a:*) *s zo* stær.
'**starry** (*a:*) *a* stjerneklar.
start (*a:*) *v* fare opp, stusse; begynne, sette i gang, vekke, styrte; *s* sett; start, tilløp, forsprang.
startle (*a:*) *v* forskrekke.
starv|e (*a:*) *v* sulte; ~**ation** *s* sult.
state (*ei*) *s* tilstand; rang, stand; stat; prakt; *a* galla-, stats-; *v* konstatere, framsette; '~ **ly** *a* statelig; '~ **ment** *s* anførsel, uttalelse, framstilling; '~**room** *s* kahytt, salong.
station (*ei*) *s* stasjon; standplass, stand, stilling; *v* anbringe; '~ **ary** *a* stillestående; '~ **er** *s* papirhandler; '~ **ery** *s* papirsaker.
sta'tistics *s* statistikk.
'**stature** (æ) *s* legemshøyde, -vekst.
'**status** (*ei*) *s* stilling.
'**statute** (æ) *s* lov.
staunch (*å:*) *v* stanse (blod); *a* tro(fast).
stave (*ei*) *s* tønnestav; strofe; *v* ~ **in**, slå hull i; ~ **off**, holde fra livet.
stay (*ei*) *s* støtte, bardun; opphold, *pl* korsett; *v* bli, bo, vente, oppholde seg.
stead (e) *s* sted; '~ **fast** *a* fast, stø; '~ **y** *a* stø, stadig, jevn; *v* støe, bli stø.
steak (*ei*) *s* biff.
steal (*i:*) *v* stjele (seg).
stealth (e) *s* list; **by** ~ hemmelig; '~ **y** *a* listende, hemmelig.
steam (*i:*) *s* (*v*) damp(e).
steed (*i:*) *s* ganger.
steel (*i:*) *s* stål; *v* herde; '~ **y** stål-, hard.
steep (*i:*) *a* bratt; *s* skrent; *v* dyppe, bløyte; '~ **en** *v* bli bratt.
steeple (*i:*) *s* (spisst) tårn; '~ **-chase** *s* hinderritt.
steer (*iə*) *s* gjeldokse; *v* styre; '~ **age** *s* 3dje plass (på skip); '~ **ing-wheel** *s* ratt.
stem *s* stilk; stett; stavn; *v* hemme, stanse.
stench *s* stank.
stencil *s* (*v*) sjablon(ere).
ste'nographer (*å*) *s* stenograf.
step *v* trå, gå; *s* skritt, trinn; *pl* trapp (ute); '~ **father** *s* stefar; '~ **ping-stone** *s fig* springbrett.
'**stepney** *s* reservehjul (på bil).
'**sterilize** (e) *v* gjøre bakteriefri.
sterling *a* ekte, gedigen.
stern (*ə:*) *a* barsk, hard; *s* akterspeil.
'**stertorous** (*ə:*) *a* snorkende.
'**stevedore** (*i:*) *s mar* stuer.
stew (*ju:*) *v* småkoke, surre; *s* frikassé; fiskedam.
steward (*juə*) *s* forvalter, restauratør (på skip), (fest)arrangør; '~ **ess** *s* restauratrise; flyvertinne; '~ **ship** *s* bestyrelse.
stick *v* stikke, feste, klebe; sitte fast, klenge, holde fast (ved-to); *s* stokk, stake; stikk; ~ **y** *a* klebrig; *fig* vrang.
stiff *a* stiv, lemster; *s sl* lik; '~ **en** *v* bli (gjøre) stiv.

stifle (*ai*) *v* kvele(s).
ˈ**stigmatize** *v* brennemerke.
stile (*ai*) *s* gjerdeovergang.
stiˈletto *s* dolk.
still *s* stillhet; *a* stille, taus; *av* ennå; dog; *v* stagge, berolige; destillere; ˈ⁓ **-born** *a* dødfødt.
stilt *s* (*v*) (opp)stylte.
ˈ**stimul|us** (*i*) *s* stimulans; ˈ⁓ **ant** *s* styrkemiddel; ˈ⁓ **ate** *v* stimulere.
sting *s* brodd; stikk; smerte; *v* stikke; svi; ˈ⁓ **y** (*dzh*) *a* gjerrig.
stink *v* stinke; *s* stank.
stint *v* spare på, holde knapt; *s* knapphet.
ˈ**stipend** (*ai*) *s* gasje.
stipple *v* punktere (i kunst).
ˈ**stpu|late** (*i*) *v* betinge, avtale; ⁓ˈ**ation** *s* betingelse.
stir (*ə:*) *v* bevege, røre i, kare, hisse, egge; røre seg, være oppe; *s* bevegelse, liv; ˈ⁓**ring** *a* spennende.
ˈ**stirrup** (*i*) *s* stigbøyle.
stitch *s* sting, hold; sting, maske; *v* sy, hefte.
ˈ**stiver** (*ai*) *s* styver.
stoat (*ou*) *s* røyskatt.
stock (*å*) *s* stamme, stokk; ætt, slekt; skaft; bedding; gapestokk (*pl*); besetning; kveg; kjøttkraft; kapital; lager, forråd; aksje; *v merk* føre, lagre; *a* fast på lager; ˈ⁓ **broker** *s* aksjemegler; ˈ⁓ ˈ**company** *s* aksjeselskap; ˈ⁓ **fish** *s* tørrfisk; ˈ⁓ **holder** *s* aksjonær; ˈ⁓ **-ˈstill** *a* bom stille.
ˈ**stockings** (*å*) *s* strømper.
ˈ**stodgy** (*å*) *a* tung, svær.
stoic (*oui*) *s* stoiker; ˈ⁓ **al** *a*.
stoker (*ou*) *s* fyrbøter.
stole (*ou*) *s* stola, boa.
ˈ**stolid** (*å*) *a* treg, rolig.
ˈ**stomach** (*ʌ*, *k*) *s* mage; appetitt; *v fig* svelgje.
ston|e (*ou*) *s* stein, bismerpund (14 eng. pund); *v* steine, pille (rosiner); ˈ⁓**e -blind** *a* stokk blind; ˈ⁓ **y** *a* steinhardt, steinet.
stooge (*u:*) *s am* lokkedue, hjelper.
stool (*u:*) *s* taburett, krakk; stolgang.
stoop (*u:*) *v* bøye seg, lute; nedlate seg.
stop (*å*) *v* stanse, (til)stoppe, plombere, stenge; oppholde seg; *s* stans, skilletegn; ˈ⁓ **page** *s* stans, hindring; ˈ⁓ **gap** *s* nødhjelp; ˈ⁓ **per** *s* propp; ˈ⁓ **ping** *s* plombe, kork.
ˈ**stor|age** (*å:*) *s* lagring, lagerrom; ⁓ **e** *s* forråd, magasin, *am* butikk; *v* lagre, forsyne.
ˈ**storey** (*å:*) *s* etasje.
stork (*å:*) *s* stork.
storm (*å:*) *s* uvær, *mil* storm; *v* storme, rase; ˈ⁓ **y** *a*.
story (*å:*) *s* historie, eventyr, skrøne.
stout (*au*) *a* kraftig, kjekk; korpulent; *s* sterkt øl.
stove (*ou*) *s* ovn.
stow (*ou*) *v* stue, laste, pakke; ˈ⁓ **age** *s* lasterom, pakking; ⁓ **away** *s* blindpassasjer (på skip).
straddle (*æ*) *v* skreve, sitte skrevs fig balansere.
straggl|e (*æ*) *v* streife, opptre spredt; spre seg, sakke etter; ⁓**er** *s* etternøler, omstreifer; ˈ⁓ **ing** *a* spredt, enslig.
straight (*ei*) *a* rett, like, glatt; ærlig; *av* bent; ˈ⁓ **en** *v* rette (seg); ⁓ˈ**forward** *a* likefrem, åpen.
strain (*ei*) *s* rase; spenning, anspennelse, forsterkning; *mus* tone, musikk; tendens, drag; *v* stramme, tøye, anstrenge; filtrere; ⁓ **ed** *a fig* tvungen; ˈ⁓ **er** *s* sil, filtrérpose.
strait (*ei*) streng; *s* snever; *s*

pl strede; knipe; 'ˍ **laced** *a* streng; *fig* bornert; 'ˍ **en** *v* innskrenke.
strand (æ) *s* strand; streng (i tau); *v* strande.
strange (*ei*) *a* fremmed, merkelig, rar; 'ˍ **r** *s* ukjent (person), fremmed.
strang|le (æ) *v* kvele, strupe; 'ˍ **ulate** *v* kvele, stoppe.
strap (æ) *s* rem, stropp; *v* fastspenne; stryke; 'ˍ **ping** *a* røslig.
'**strat|agem** (æ) *s* list; 'ˍ **egy** *s*; 'ˍ **egist** *s* strateg.
'**stratum** (*ei*) *s* lag.
straw (*å:*) *s* halm, strå; 'ˍ**berry** *s* jordbær.
stray (ei) *v* forville seg, vike ut; *a* villfarende, løs.
streak (*i:*) *s* strek, strime; *fig* snev; 'ˍ **y** *a* randet.
stream (*i:*) *s* strøm, elv; *v* strømme, flagre; 'ˍ **er** *s* vimpel *pl* nordlys; ˍ **-lined** *a* strømlinjet.
street (*i:*) *s* gate; 'ˍ **-walker** *s* gatepike.
strength *s* styrke; 'ˍ **en** *v* styrke(s).
'**strenuous** (e) *a* flittig; anstrengende.
stress *s* (etter)trykk; *v* betone.
stretch *v* strekke (seg), blokke; *s* strekning, strekk.
strew (*u:*) *v* strø, spre.
'**stricken** *a* rammet.
strict *a* nøye, streng.
stride (*ai*) *s* (langt) skritt; *v* skride.
'**strident** (*ai*) *a* skingrende.
strife (*ai*) *s* strid (*fig*).
strike (*ai*) *v* slå, treffe, anslå, stryke (flagg); streike, støte (mot); *s* streik; *am* funn, hell.
string *s* snor, hyssing, streng; knippe; *v* trekke på snor, knytte sammen.
'**stringent** (*dzh*) *a* streng, konsis, knapp.
strip, *v* flå, avkle, blotte, berøve; kle av seg; *s* strimmel, tegneserie.
stripe (*ai*) *s* stripe, tresse.
'**stripling** *s* jypling.
strive (*oi*) *v* streve.
stroke (*ou*) *s* slag; tak; strøk; trekk; *v* stryke.
stroll (*ou*) *v* spasere.
strong (*å*) *a* sterk; 'ˍ **-box** *s* pengeskrin; 'ˍ **hold** *s* fast borg (*fig*); 'ˍ **-room** *s* kassahvelv.
strop (*å*) *v* (*s*) stryke(rem).
struck (ʌ) *a* inntatt (i-**upon**).
'**structure** (ʌ) *s* byggverk, struktur.
struggle (ʌ) *v* kjempe, streve; *s* kamp, strev.
strum (ʌ) *v* klimpre.
strut (ʌ) *v* spankulere.
stub (ʌ) *s* stubb, stump; *v* avstubbet; ˍ *bed* *a* stump; ˍ **ble** *s* (gras-, skjegg-)stubb.
'**stubborn** (ʌ) *a* hårdnakket.
'**stucco** (ʌ) *s* kalkpuss.
stuck (ʌ) *a am* bundet, sittende fast; forelsket; kvitt; innbilsk (**s. up**).
stud (ʌ) *s* stutteri; veddeløpsstall; bolt, (skjorte-, mansjett), knapp; *v* besette, spekke.
'**stud|ent** (*ju:*) *s* forsker; student, *am* elev; 'ˍ **io** *s* atelier; studio; 'ˍ **ious** *a* leselysten, omhyggelig, tenksom; boklig.
'**stud|y** (ʌ) *s* studium, fag; arbeidsværelse; *v* studere; 'ˍ **ied** *a* overlagt; belest.
stuff (ʌ) *s* stoff, tøy; juks, tøv; *v* proppe, slappe; 'ˍ **y** *a* kvelende, varmt.
stumble (ʌ) *v* snuble.
stump (ʌ) *s* stubbe, stump; *v* humpe; 'ˍ **y** *a* firskåren.
stun (ʌ) *v* svimeslå, forbløffe; ˍ **ning** *a* lammende; *sl* fin.
stunt (ʌ) forkrøple; *s am* flott ting, fiff.
stupe (*ju:*) *s* (varmt) omslag.

ˈ**stup|efy** (*ju:*) *v* bedøve, sløve; ⁀ **eˈfaction** *s*; ⁀ˈ**endous** *a* overveldende; ˈ⁀ **id** *a* (*s*) dum(rian); ˈ⁀ **or** *s* døs, sløvhet.

ˈ**sturdy** (*ə:*) *a* sterk, staut.

ˈ**sturgeon** (*ə:*) *s zo* stør.

ˈ**stutter** (ʌ) *v* stamme.

sty (*ai*) *s med* sti; svinesti.

styl|e (*ai*) *s* stil, maner, tittel; griffel; *v* titulere; ˈ⁀ **ish** *a* flott, på mote; ˈ⁀ **o(graph)** *s* fyllepenn.

su|ave (*sweiv*) *a* høflig; slepen; ⁀ˈ**avity** (æ) *s*.

sub- (*a*) *pref* under-.

ˈ**sub|altern** (ʌ) *a* underordnet; ˈ⁀**conscious** *a* halvt bevisst; ˈ⁀ **division** *s* underavdeling; ⁀ˈ**due** *v* undertvinge, dempe.

ˈ**sub|ject** (ʌ) *a* underlagt; *av* under forutsetning av (**to**); *s* undersått; emne, sak; subjekt; ⁀ˈ**ject** *v* underkaste; ⁀ˈ**jection** *s* undertvingelse; ⁀ˈ**jective** *a* subjectiv.

sub|ˈjoin (*ắi*) *v* vedlegge; ˈ⁀ **jugate** *v* undertvinge; ⁀ˈ**junctive** (ʌ) *s* konjunktiv; ˈ⁀ˈ**lease** (*i:*) *s* framleie; ˈ⁀ˈ**let** *v* framleie.

ˈ**sub|limate** (ʌ) *v* sublimere; ⁀ˈ**lime** (*ai*) *a* opphøyet.

ˈ**sub|maˈrine** (*i:*) *a* (*s*) undervanns(-båt); ⁀ˈ**merge** *v* dukke ned, oversvømme; ⁀ˈ**mersion** (*ə:*) *s* senkning; ⁀ˈ**mission** *s* underkastelse; ⁀ˈ**missive** *a* føyelig, ydmyk; ⁀ˈ**mit** *v* underkaste seg; henvise, forelegge, legge opp (pensum); ⁀ˈ**ordinate** (*ắ:*) *a* underordnet; *v* underordne; ⁀ˈ**scribe** (*ai*) *v* skrive under; tegne seg, abonnere; ⁀ˈ**scription** *s* tegning, bidrag, abonnement; ˈ⁀ **sequent** *a* påfølgende; ⁀ˈ**servient** (*ə:*) *a* tjenlig, tjenstivrig; ⁀ˈ**side** (*ai*) *v* avta, synke, gå over.

ˈ**sub|sidy** (ʌ) *s* bidrag, bevilgning; ⁀ˈ**sidiary** (*i*) *a* hjelpe-; ˈ⁀ **sidize** *v* hjelpe, statsunderstøtte.

subˈsist *v* ernære; klare seg; ⁀ **ence** *s* utkomme.

ˈ**sub|stance** (ʌ) *s* substans, kjerne; ⁀ˈ**stantial** (æ) *a* materiell; solid, nærende; ⁀ ˈ**stantiate** (æ) *v* bevise, godtgjøre, virkeliggjøre.

ˈ**sub|stantive** (ʌ) *a* selvstendig, fast; *s gr* substantiv; ˈ⁀ **stitute** *s* stedfortreder, surrogat; *v* sette isteden; ˈ⁀ **terfuge** *s fig* smutthull; ⁀ **terˈranean** (*ei*) *a* underjordisk.

subtle (ʌ*tl*) *a* fin, lur, skarp(sindig); ˈ⁀**ty** *s* finesse.

subˈtract (æ) *v* trekke fra.

ˈ**sub|urb** (ʌ) *s* forstad; ⁀ˈ**urban** (*ə:*) *a*; ⁀ˈ**vention** *s* statstilskudd; ⁀ˈ**version** (*ə:*) *s* omstyrtelse; ⁀ˈ**versive** (*ə:*) *a* nedbrytende; ⁀ˈ**vert** (*ə:*) *v* omstyrte, nedbryte; ˈ⁀ **way** *s* tunnel, undergang; undergrunnsbane.

suc|ˈceed (*ksi:*) *v* følge etter; arve (**s. to**); lykkes, være heldig; ⁀ˈ**cess** *s* hell, lykke; ⁀ˈ**cessful** *a* heldig; ⁀ˈ**cession** *s* rekke(følge), tronfølge; ⁀ˈ**cessive** *a* på rad; ⁀ˈ**cessor** *s* etterfølger.

sucˈcinct (*ksi*) *a* kortfattet, konsis.

ˈ**succour** (ʌ) *s* (*v*) (komme til) unnsetning.

ˈ**succulent** (ʌ) *a* saftig.

sucˈcumb (ʌ*m*) *v* bukke under.

such (ʌ) *pron* slik; ⁀ **and** ⁀ *a pl* visse; ⁀ **like** *a* liknende.

suck (ʌ) *v* suge, die; ˈ⁀ **er** *s* sugeskål; rotskudd; ⁀ **le** *v* gi die; ˈ⁀ **ling** *s* pattebarn.

ˈ**suction** (ʌ) *s* suging.

ˈ**sudden** (ʌ) *a* plutselig; ⁀ **ly** *av.*

suds (ʌ) *s* såpeskum.

sue (*ju:*) *v* be, saksøke.

suéde (*sweid*) *a* semsket.
suet (*ju:*) *s* nyretalg.
ˈ**suffer** (ʌ) *v* lide, utstå, tillate; ˈ‿ **ance** *s* samtykke; ˈ‿ **ing** *s* lidelse.
suf|ˈ**fice** (*ai*) *v* være nok, strekke til; ‿ˈ**ficient** (*i*) *a* tilstrekkelig.
ˈ**suffocate** (ʌ) *v* kvele(s).
ˈ**suffrage** (ʌ) *s* stemme(rett).
sufˈ**fuse** (*ju:*) *v* overgyte(s), fylle(s).
ˈ**sugar** (*shu*) *s* sukker; *v* sukre; ˈ‿ **-candy** *s* kandis-s.; ˈ‿ **loaf** *s* s.topp.
sugˈ**gest** (*dzhe*) *v* inngi, antyde, foreslå; ‿ **ible** *a* påvirkelig; ‿ **ion** *s* forslag; antydning; ‿ **ive** *a* (tanke-)vekkende, talende.
ˈ**suic**|**ide** (*ju:*) *s* selvmord(-er); ‿ˈ**idal** (*sai*) *a*.
suit (*sju:t*) *s* bønn; rettssak; kortrekke (-farge); drakt, dress; *v* passe, høve, tillempe; ˈ‿ **able** *a* passende, egnet.
ˈ**suit-case** (*ju:*) *s* (lett) koffert.
suite (*wi:*) *s* rekke, sett.
ˈ**suit**|**ing** (*ju:*) *s* dresstøy; ‿ **or** *s* frier, *jur* part; ansøker.
sulk (ʌ) *v* (*s*) furte(-ri); ˈ‿ **y** *a* furten; *s* travvogn.
ˈ**sullen** (ʌ) *a* tverr, muggen.
ˈ**sully** (ʌ) *v* tilsøle, plette.
ˈ**sulphur** (ʌ) *s* svovel; ‿ **ous** *a*.
ˈ**sultry** (ʌ) *a* lummer.
sum (ʌ) *s* sum, regnestykke; *v* (opp)summere (**s. up**); ˈ‿ **mary** *a* kortfattet, summarisk; *s* resymé.
ˈ**summer** (ʌ) *s* sommer; ˈ‿ **house** *s* lysthus.
ˈ**summit** (ʌ) *s* topp.
ˈ**summon** (ʌ) *v* stevne, (inn-)kalle, oppfordre, oppby; ‿ **s** *s* stevning, kallelse.
ˈ**sumptuous** (ʌ) *a* overdådig.
sun (ʌ) *s* sol; *v* sole (seg); ‿ **burn** *s* solbrann; **S‿day** søndag.
ˈ**sunder** (ʌ) *v* skille(s).
ˈ**sundial** (ʌ) *s* solur.
sundry (ʌ, *-ri*) *a* diverse; *s pl* diverse.
ˈ**sun**|**flower** (*v*) *s* solsikke; ˈ‿ **ny** *a* sol- (-lys); ˈ‿ **rise** *s* s.-oppgang; ˈ‿ **set** *s* s.-nedgang; ˈ‿ **shade** *s* parasoll; ˈ‿**stroke** *s* s.-stikk.
sup (ʌ) *v* spise aftens.
super- (*ju:*) *pref* over-.
superˈ**annuated** (æ) *a* uttjent, avdanket.
suˈ**perb** (*ə:*) *a* storartet.
ˈ**sup**|**ercargo** (*ju:*) *s* kargadør; ‿ **er**ˈ**cilious** *a* storsnutet; ‿ **er**ˈ**ficial** *a* overfladisk; ‿ˈ**erfluous** (*ə:*) *a* overflødig; ‿**er**ˈ**fluity** (*u:*) *s*; ‿ **er**ˈ**human** (*hju:*) *a* overmenneskelig; ‿ **erin**ˈ**tend** *v* tilse, lede; ‿**erin**ˈ**tendent** *s* bestyrer.
suˈ**peri**|**or** (*iə*) *a* over-, høyere; overlegen, utmerket; *s* foresatt, overmann; ‿ˈ**ority** *s* fortrinn, overlegenhet.
suˈ**perlative** (*ə:*) *a* overordentlig; *s gr*.
ˈ**super**|**man** (*ju:*) *s* overmenneske; ‿ˈ**natural** (æ) *a* overnaturlig; ‿ˈ**numerary** (*ju:*) *a* overtallig, reserve-; ‿ˈ**sede** (*i:*) *v* avløse, fortrenge; ‿ **sonic** *a* hurtigere enn lyden; ‿ˈ**stition** *s* overtro; ‿ˈ**stitious** *a* overtroisk; ‿ˈ**vise** *v* tilse; ‿ˈ**vision** *s* oppsyn.
suˈ**pine** (*ai*) *a* liggende (på ryggen), doven.
ˈ**supper** (ʌ) *s* aftensmat.
supˈ**plant** (*a:*) *v* fortrenge.
supple (ʌ) *a* myk.
ˈ**supplement** (ʌ) *v* supplere; *s* tillegg, bilag.
ˈ**supplicate** (ʌ) *v* bønnfalle (om).
supˈ**ply** (*ai*) *v* skaffe, forsyne, erstatte; *s* forsyning, tilgang.
supˈ**port** (*å:*) *v* bære, støtte, utholde, underholde; *s* støtte.

sup'pos|e (*ou*) *v* anta; ⁓ **ing** *k* forutsatt (at); ⁓**'ition** *s* antagelse; ⁓ **i'titious** *a* fingert.
sup'press *v* undertrykke, fortie; inndra.
'suppurate (ʌ) *v* verke, gi verk.
su'pr|eme (*ju, i:*) *a* høyest; ⁓**'emacy** (e) *s* overhøyhet.
sure (*uə*) *a* sikker; '⁓ **ty** *s* kausjon(ist).
surf (*ə:*) *s* brenning.
'surface (*ə:*) *s* overflate.
'surfeit (*ə:*) *v* blasere(s), forspise (seg); *s* lede; forspisning.
surge (*ə:*) *s, v* bølge.
'sur|geon (*ə:*) *s* kirurg, *mil* lege; '⁓ **gery** *s* kirurgi; '⁓ **gical** *a* kirurgisk.
surly (*ə:*) *a* sur, tverr.
sur'mise (*ai*) *s* formodning.
sur'mount (*au*) *v* overvinne, stige over.
'surname (*ə:*) *s* tilnavn, etternavn.
sur'pass (*a:*) *v* overfløye, -gå.
'surplice (*ə:*) *s* messeserk.
'surplus (*ə:*) *s* overskudd.
sur'prise (*ai*) *v* (*s*) overraske(lse).
sur'render *v* overgi (seg), levere.
surrep'titious *a* hemmelig.
sur'round (*au*) *v* omgi, omringe; ⁓ **ings** *s* omgivelser.
sur'vey (*ei*) *v* overskue; befare, oppmåle; '⁓ **vey** (*ə:*) *s* oppmåling, befaring; ⁓ **or** *s* landmåler.
sur'viv|e (*ai*) *v* overleve, være i live; ⁓ **al** *s*; ⁓ **or** *s*.
sus'ceptible (*se*) *a* mottakelig, nærtagende.
sus'pect *v* ane, mistenke.
sus'pen|d *v* henge opp; avbryte, oppheve, suspendere; ⁓ **se** *s* uvisshet; ⁓ **sion** *s* opphevelse etc.
sus'pici|on *s* mistanke; ⁓ **ous** *a* mistenkelig, mistenksom.
sus'tain (*ei*) *v* holde oppe; tåle, hevde; ⁓ **ed** *a* jevn, vedholdende.
'sustenance (ʌ) *s* underhold.
'sutler *s* marketenter(ske).
swab (*å*) *s* svaber.
swaddle(*å*) *s* (*v*) rev(e),svøp(e).
'swagger (æ) *v* braute, skryte, sprade; *s* blæreri.
swallow (*å*) *s* svale; *v* svelgje, sluke; '⁓ **tail** *s* snibel.
swamp (*å*) myr, sump; *v* fylle, oversvømme.
swan (*å*) *s* svane.
swank (æ) *s* (*v*) skryt(e).
sward (*å:*) *s* grønnsvær.
swarm (*å:*) *s* sverm; *v* sverme, yre; klatre.
'swarthy (*å:*) *a* mørk (om hud).
swash (*å*) *v* plaske, skvulpe.
swathe (*ei*) *s* (*v*) rev(e).
sway (*ei*) *v* svaie; beherske; *s* sving; makt.
swear (*εə*) *v* sverge, banne.
sweat (e) *v* svette; slite, drive hardt; *s*; '⁓ **er** *s* genser.
'Swed|e (*i:*) *s* svenske; '⁓ **en** *s* Sverige; '⁓ **ish** *a* svensk.
sweep (*i:*) *v* feie, stryke; *s* sving; feier.
sweet (*i:*) *a* søt; yndig, blid; *s* søtsak (drops, dessert); '⁓**en** *v* bli (gjøre)søt; '⁓ **heart** *s* kjæreste; '⁓ **meat** *s* sukkertøy.
swell *v* svulme, øke; *s* svulmen; dønning; *fam* sprade, fin mann; *a fam* fin, flott.
'swelter *v* forgå av varme; ⁓ **ing** *a* trykkende.
swerve (*ə:*) *v* bøye av, skjene.
swift *a* hurtig.
swill *v* skylle, vaske; *sl* tylle i seg; *s* fyll.
swig *s* stor slurk; *v* tylle.
swim *v* svømme, sveve; *s* s-tur; '⁓ **mingly** *a* feiende flott.
swindle *v* (*s*) snyte(ri).
swine (*ai*) *s* svin; *koll* griser.

swing *v* svinge, dingle; *s* sving, sleng, huske.
swipe (*ai*) *v* slå hardt.
swirl (*ə:*) *v* virvle, *s*.
swish *v* (la) suse.
Swiss *s* sveitser; *a* -isk.
switch *s* pisk; skifting, bryter; *v* snerte; slå av, på **(off, on)** bryter; ˈ~ **-board** *s* sentralbord.
ˈ**Switzerland** *s* Sveits.
ˈ**swivel** (*i*) *s mar* tapp; ˈ~ **-chair** *s* svingstol.
swoon (*u:*) *v* (*s*) besvime(lse).
swoop (*u:*) *v* slå ned (om rovfugl); *s* nedslag.
swop (*swap*) (*å*) *v* bytte.
sword (*så:*) *s* sverd, sabel, kårde; ˈ~ **sman** *s* fekter.
sworn (*å:*) *a* (ed)svoren.
ˈ**sycophan|t** (*i*) *s* kryper, smigrer; ˈ~ **cy** *s*.
ˈ**syllable** (*i*) *s* stavelse.
ˈ**symbolize** (*i*) *v* betegne, symbolisere.
ˈ**sym|metry** (*i*) *s* symmetri; ~ˈ**metric** *a* symmetrisk.
ˈ**sympa|thy** (*i*) *s* sympati, deltakelse; ~ˈ**thetic** *a* sympatisk, deltakende, forståelsesfull; ˈ~**thize** *v*.
ˈ**symphony** (*i*) *s* symfoni.
ˈ**synchronize** (*i*) *v* hende (gjøre) samtidig.
ˈ**syndicate** (*i*) *s* kompani, konsortium.
ˈ**synod** (*i*) *s* kirkeforsamling.
syˈ**nonymous** (*å*) *a* synonym.
syˈ**nopsis** (*å*) *s* oversikt.
ˈ**syringe** (*i*, *-dzh*) *s med* sprøyte.
ˈ**syrup** (*i*) *s* saft, sukkervann.
ˈ**system** (*i*) *s* system; ~ˈ**atic** *a* systematisk.

T.

tab (*æ*) *s* hempe, merkelapp; *am* tabell, regnskap.
table (*ei*) *s* bord; tavle, tabell, liste; ˈ~ **-cloth** *s* duk; ˈ~**-land** *s* høyslette.
ˈ**tab|let** (*æ*) *s* tavle, tablett; blokk; ˈ~ **loid** *s* tablett.
taˈ**boo** (*u:*) *s* bann, tabu; *a* hellig, forbudt; *v*.
ˈ**tabular** (*æ*) *a* tavleformet, tabell-.
ˈ**tacit** (*æ*) *a* taus; stilltiende; ˈ~ **urn** *a* ordknapp; ~ˈ**urnity** (*ə:*) *s*.
tack (*æ*) *s* nagle, stift; nest; *mar* baut, strekk; kurs, spor; *sl* mat; *v* neste, feste; *mar* baute; ~ **le** *v* gi seg i kast med; *s* greier; *mar* rigg, tauverk.
tact (*æ*) *s* takt; ˈ~ **ful** ˈ~ **less** *a*.
ˈ**tac|tics** (*æ*) *s* taktikk; ~ˈ**tician** *a* taktiker.
ˈ**tadpole** (*æ*) *s* rumpetroll.
ˈ**taffeta** (*æ*) *s* taft.
tag (*æ*) *s* stump, tipp; merkelapp; *v* henge på.
tail (*ei*) *s* hale; mynts bakside.
ˈ**tailor** (*ei*) *s* skredder; *v* sy, være skredder; ˈ~ **made** *a* s.-sydd (damedrakt).
taint (*ei*) *v* smitte, forderve, besudle; *s* (skam)plett, smitte.
take (*ei*) *v* ta, bringe, kreve; forstå; ~ **in** narre; abonnere på; ~ **off** ta av, starte (fly); ~ **up** arrestere; ~ **to** like.
tale (*ei*) *s* fortelling; ~ **-bearer** *s* sladderhank.
talent (*æ*) *s* talent; ˈ~ **ed** *a* talentfull.
talk (*å:*) *v* tale, snakke; tøve; *s* passiar, snakk; ˈ~ **ative** *a* snakksom; ˈ~ **ie** *s* talefilm; ˈ~ **ing-to** *s* skrape.
tall (*å:*) *a* høy; *sl* drøy, utrolig; ˈ~ **boy** *s* høy kommode.
ˈ**tallow** (*æ*) *s* talg.
tally (*æ*) *s* merkekjepp, regnskap, make; *v* ~ **with**, stemme med.
ˈ**talons** (*æ*) *s* klør.

tame (*ei*) *a* tam, spak, matt; *v* temme, kue.
tamper (æ) **with** *v* klusse med, røre ved, blande seg i.
tan (æ) *a* garvebark; solbrenthet; *v* garve, brune(s); **'~ ner** *s* garver.
tang (æ) *s fig* skarp bismak; klang *v* klinge.
tangible (*ændzh*) *a* påtakelig, følbar.
tangle (æ) *s*, *v* floke.
tank (æ) *s* cisterne, kum, tank; **'~ ard** *s* seidel, krus.
'tantalize (æ) *v* pine, erte.
'tantamount (æ) **to** *a* ensbetydende med.
'tantrum (æ) *s* dårlig lune.
tap (æ) *s* kran; skjenk; tapp; vinsort; lett slag; *v* tappe, banke lett.
tape (*ei*) *s* bendel(-bånd) *sp* målsnor; telegrafpapir.
'taper (*ei*) *a* avsmalnende; *v* smalne, spisse; *s* kjerte.
'tapestry (æ) *s* tapet, åkle, veggteppe, gobelin.
'tap|room (æ) *s* skjenk(-estue); **'~ ster** *s* (vin)tapper.
tar (*a:*) *s* tjære; *fam* sjømann; *v* tjære(-bre).
'tardy (*a:*) *a* sen, treg.
tare (*εə*) *s merk* tara; pl *rel* klinte.
'target (*a:g*) *s* skive, mål.
'tariff (æ) *s* tolltariff, priskurant.
'tarnish (*a:*) *v* anløpe(s), plette(s), falme.
tar'paulin (*å:*) *s* presenning.
'tarry (æ) *v* nøle.
'tarry (*a:*) *a* tjæret.
tart (*a:*) *s* terte, kake; *sl* tøs; *a* sur, skarp.
tartan (*a:*) *s* (ternet) tøy.
'tartar (*a:*) *s* vinstein; tannstein; **'Tartar** *s* farlig person.
task (*a:*) *s* verv, oppgave, lekse; *v* plage, drive.
'tassel (æ) *s* kvast, dusk.
tast|e (*ei*) *s* smak, anstrøk; *v* smake; **'~ eful** *a* smakfull, delikat; **'~ eless** *a* s.-løs; **'~ er** *s* prøver; **'~ y** *a* pikant.
'tat|ers (æ) *s pl* filler; **'~ tered** *a* fillet.
'tattings (æ) *s* nupereller.
tattle (æ) *v* sladre, la munnen løpe; *s* prek, sladder.
tat'too (*u:*) *s mil* tappenstrek, militæroppvisning; tatovering; *v* tromme; tatovere.
taunt (*å:*) *s* (*v*) hån(e).
taut (*å:*) *a* tott, stram; i fin stand; **~ en** *v* hale tott.
'tavern (æ) *s* kafé.
'tawdry (*a:*) *a* gloret.
'tawny (*å:*) *a* gulbrun, solbrent.
tax (æ) *s* skatt *fig* krav; *v* beskatte, bebyrde, anstrenge; beskylde; **'~ able** *a* skattepliktig; **~'ation** *s* beskatning; **'~ -payer** *s* skatteborger.
'taxi (æ) *s* bildrosje.
tea (*i:*) *s* te; **'~ -cosy** *s* tevarmer; **~ -pot** *s* tekanne; **'~ -things** *s* teservise.
teach (*i:*) *v* undervise; **'~ able** *a* lærenem; **'~ er** *s* lærer(inne); **'~ ing** *s* lærdom, undervisning.
team (*i:*) *s* spann(-dyr) *sp* lag; **~ -work** *s* samarbeid, -virke.
tear (*iə*) *s* tåre.
tear (*εə*) *v* rive i stykker, rykke; jage, storme; *s* spjære; **'~ ing** *a fam* voldsom.
tease (*i:*) *v* erte, plage; karde; *s* ertekrok.
teat (*i:*) *s* brystvorte, spene.
'tech|nical (*ek*) *a* teknisk, fag-; **~'nique** (*i:*) *s* teknikk.
ted *v* bre, kaste (om høy).
'Teddy boy *s* «barsk» ungdom.
'tedious (*i:*) *a* langtekkelig, trettende.
teem (*i:*) *v* yre, vrimle.

teen|s (*i:*) *s* alder 13-19; **ˈ~ager** *s* tenåring.

ˈteething (*i:*) *s* tannskifte.

teeˈtotal|ism (*ou*) *s* totalavhold; **~ er** *s* totalist.

ˈtele|graph (e) *s* (*v*) telegrf (-ere); **ˈ~ phone** *s* (*v*) telefon(ere); **ˈ~ printer, ˈ~ type** *s* fjernskriver **ˈ~ scope** *s* kikkert *v* skyve(s) sammen, iile(s); **~ˈ vision** *s* fjernsyn; **~vision set** *s* fjernsynsapparat.

tell *v* fortelle sladre: skjelne; virke, monne, lete på; telle; **ˈ~ er** *s* bl. a. bankkasserer; **ˈ~ tale** *a* sladrende *s* sladderhank, angiver.

teˈmerity (e) *s* dumdristighet.

ˈtemper *v* blande riktig; herde; mildne; *s* hardhetsgrad; lynne, fatning; sinne; **ˈ~ ance** *s* måtehold, avhold; **ˈ~ ate** *a* måteholden, temperert; **ˈ~ ature** *s* temperatur, *med* feber.

ˈtempest *s* storm; **~ˈestuous** *a* stormfull.

temple *s* tempel; tinning.

ˈtempor|al *a* timelig; verdslig; **ˈ~ ary** *a* midlertidig; **ˈ~ ize** *v* vinne tid, somle, føye seg.

tempt *v* friste; **~ˈation** *s*; **ˈ~ er, ˈ~ ress** *s*.

ten *num* ti.

ˈten|ace (e) *s* saks (i bridge); **~ˈacious** (*ei*) *å* hårdnakket; klebrig; **~ˈacity** (æ) *s*.

ˈtenant (e) *s* vasall; leieboer; forpakter; *v* leie; **ˈ~ ry** *s koll* forpaktere.

tend *v* peke (mot), tendere; stelle, passe; **ˈ~ ency** *s* tendens; **ˈ~ er** *v* tilby; *s* tilbud, anbud; *a* mør, øm, sart, skjør, varsom.

ˈtendon *s* sene.

ˈtendril *s* slyngtråd.

ˈtenement (e) *s* leilighet, bolig.

ˈtenet (e) *s* læresetning.

ˈtenfold *a av* tifold.

ˈtenor (e) *s* gang; tankegang.

tens|e *s gr* tid; *a* stram, spent; **ˈ~ ion** *s* spenning.

tent *s* telt.

ˈtent|acle *s* følehorn, fangarm; **ˈ~ ative** *a* forsøksvis.

ˈtenterhooks, on ~ spent.

ˈtenure (e) *s* besittelse; embetstid.

ˈtepee (e) *s* indianertelt.

ˈtepid (e) *a* lunken.

term (*ə:*) *s* grense: termin, periode; *pl* vilkår, *fig* fot; uttrykk, betegnelse; *v* benevne.

ˈtermagant (*ə:*) *s* huskors.

ˈtermin|al (*ə:*) *a* ende-; ytter-; termin-; *s* grense, *am* endestasjon; **ˈ~ ate** *v* ende; **~ˈation** *s* endelse, avslutning; **ˈ~ us** *s* ende(-stasjon).

tern (*ə:*) *s zo* terne.

ˈterrace (e) *s* terrasse, husrekke.

terˈrestrial (e) *a* jord-, (-isk).

ter|rible *a* fryktelig; **~ˈrific** *a* skrekkelig, voldsom; **ˈ~ ify** *v* forferde.

ˈterri|tory *s* område, enemerker; **~ˈtorial** (*å*) *a* jord-, land-, distrikts-.

ˈterror *s* redsel, skrekk; **ˈ~ ize** *v* skremme, terrorisere.

terse (*ə:*) *a* klar, konsis (om stil).

test *v s* prøve(-lse), tentamen.

ˈtesti|fy *v* (be)vitne, erklære; **ˈ~ mony** *s* vitnesbyrd; **~ˈmonial** (*ou*) *s* attest.

ˈtesty *a* hissig.

ˈtetchy *a* irritabel.

ˈtether *s* (*v*) tjor(e).

ˈtetra *pref* fir-, fire.

Teuˈtonic (*tju, å*) *a* germansk.

text *s* tekst; skriftsted; **ˈ~ -book** *s* lærebok; **ˈ~ ual** *a* tekst-, ordrett.

ˈtext|ile *a* vevet; *s* tekstil; **ˈ~ ure** *s* vevning, bygning.

than (æ) *k* enn.

thank (æ) *v* takke; *s pl* takk;

ˈ~ **ful** *a* t.-nemlig; ~ **less** *a is* fig ut.-nemlig; ~ **sˈgiving** *s* takkefest.
that (æ) *pron* den, det; som; *av* så; *k* at, forat.
thatch (æ) *s* (halm-)tak; *v* tekke; ˈ~ **er** *s*; ˈ~ **ing** *s*.
thaw (å:) *v* (s) tø(-vær).
the-the *k* jo-desto.
the|atre (iə) *s* teater, auditorium, skueplass; ~ˈ**atrical** (æ) *a* teater-, teatralsk; *s pl* amatørforestilling(er).
thee (i:) *pron* deg, du.
theft *s* tyveri.
theme (i:) *s* tema, stil.
then *av* da, derpå; *a* daværende; ~ **ce** *av* derfra; ˈ~ **ceˈforward** *av* fra da av.
theoˈlogian (ou) *s* teolog.
ˈ**theo|ry** (iə) *s* teori; ˈ~ **rist** *s* teoretiker.
there (εə) *av* der, dit; ˈ~ **about (-s)** *av* der omkring; ˈ~ **fore** *av* derfor; ˈ~ **uˈpon** *av* derpå.
ˈ**ther|mal** (ə:) *a* varm, varme-; ~ˈ**mometer** (å) *s* termometer.
ˈ**thesis** (i:) *s* tese; (doktor)avhandling.
thews (ju:) *s* muskelkraft.
thick *a* tykk, tett; ˈ~ **en** *v* tykne, fortykke; ˈ~ **et** *s* tett kratt; ˈ~ **-set** *a* tett, firskåren.
thief (i:) *s* tyv.
thiev|e (i:) *v* stjele; ˈ~ **ish** *a* tyvaktig.
thigh (ai) *s* lår.
thimble *s* fingerbøl.
thin *a* tynn; *v* tynne, spe, rydde (opp i).
thine (ai) *pron* din, ditt, dine.
thing *s* ting, sak.
think *v* tenke, tro, synes, anse for; ˈ~ **ing** *a* tenksom; *s* tenkning.
third (ə:) *num* tredje.
thirst (ə:) *s* tørst; *v* tørste; ˈ~ **y** *a* tørst.
ˈ**thir|ˈteen** (ə:, i:) *num* tretten ~ **ty** tretti.
this *pron* denne, dette.
thistle (sl) *s* tistel.
ˈ**thither** (i) *av* dit(hen).
thole (ou) *s* tollepinne.
thong (å) *s* rem.
thorn (å:) *s* torn; ˈ~ **y** *a*.
ˈ**thorough** ˈ-ʌrə) *a* grundig; ˈ~ **bred** *a* fullblods, dannet; ˈ~ **fare** *s* gjennomgang, beferdet gate; ˈ~ **going** *a* grundig.
thou (au) *pron* du.
though (ou) *k* enskjønt, enda om; *av* allikevel.
thought (å:) *s* tanke, tenkning; ˈ~ **ful** *a* (om-)tenksom, tankefull, hensynsfull; ˈ~ **less** *a* t.-løs, lettsindig.
ˈ**thousand** (au) *num* tusen.
thrall (å:) *s* trell; ˈ~ **dom** *s*.
thrash (æ) **(thresh)** *v* banke, pryle, slå; ˈ~ **ing** *s* pryl.
thread (e) *s* tråd, garn; *v* træ, sno seg; ˈ~ **bare** *a* loslitt.
threat (e) *s* trusel; ˈ~ **en** *v* true (med).
three (i:) *num* tre; ˈ~ **fold,** tredobbelt; ˈ~ˈ**score,** seksti.
tresh (e) **(thrash)** *v* treske; *s*.
ˈ**threshold** *s* terskel.
thrice (ai) *av* tre ganger.
thrift *s* økonomi; ˈ~ **less** *a* ødsel; ˈ~ **y** *a* økonomisk.
thrill *s* gysen, dirren, spenning; *v* gjennombeve(s); ˈ~ **ing** *a* spennende, gripende.
thrive (ai) *v* blomstre (*fig*), trives, ha framgang.
throat (ou) *s* svelg, strupe.
throb (å) *v* banke.
throes (ou) *s* veer, kvaler.
throne (ou) *s* trone.
throng (å) *s* trengsel, mengde; *v* stimle, pakke.
throstle (åsl) *s* måltrost.
throttle (å) *v* kvele, dempe.
through (u:) *prp* (*av*) gjennom, ved, av; ~ˈ**out** *prp av* helt igjennom.

throw (*ou*) *s* (*v*) kast(e).
thrum (ʌ) *s* trådende; *v* klimpre, tromme.
thrush (ʌ) *s* (is. mål-)trost.
thrust (ʌ) *s* (*v*) støt(e), stikk(e).
thud (ʌ) *s* klask, dumpt slag; *v* dunke, støte.
thug (ʌ) *s am* banditt.
thumb (ʌ*m*) *s* tommelfinger; *v* fingre med, bla (i), håndtere klosset.
thump (ʌ) *s* (*v*) dunk(e).
ˈ**thunder** (ʌ) *s* torden; *v* tordne; ˈ~ **bolt** *s* lynstråle; ˈ~ **ous** *a* tordnende.
ˈ**Thursday** (*ə:z*) torsdag.
thus(ʌ) *av* så(ledes).
thwack (æ) *s* (*v*) klapp(e), dask(e).
thwart (*å:*) *s* tofte; *v* hindre, krysse.
thy (*ai*) *pron* din, ditt, dine.
thyme (*taim*) *s* timian.
tick *s* tikk(ing), merke; bolster; putevar; *zo* midd; *fam* kreditt; *v* tikke, markere.
ˈ**ticket** *s* billett, etikett, kupong; *v* etikettere; ˈ~ **collector** *s* billettør.
tick|le *v* kile, krisle; ˈ~ **lish** *a* kilen, *fig* kilden.
tid|e (*ai*) *s* tidevann, *fig* strømning; *v* ~ **e on** holde det gående; ˈ~ **al** (*ai*) *a* tidevanns-.
ˈ**tidings** (*ai*) *s* tidende(r).
ˈ**tidy** (*ai*) *a* nett, ordentlig; *s* stativ, antimakassar; *v* ordne, rydde opp, pynte.
tie (*ai*) *v* binde; *s* slips, bånd.
tier (*iə*) *s* rekke, rad.
tiff *s fam* strid, trette.
ˈ**tiger** (*ai*) *s* tiger; tjener i (gult) livré.
tight (*ai*) *a* tett, trang; *sl* full; *s pl* trange bukser, trikot; ˈ~ **en** *v* stramme(s), spenne(s); ˈ~ **-rope** *s* line.
tike (*ai*) *s* kjøter; slusk.
tile (*ai*) *s* takstein; flise; *v*.
till *prp k* (inn)til; **not-** ~ ikke -før; *s* pengeskuff; *v* dyrke; ˈ~ **age** *s* pløying.
ˈ**tiller** *s* rorpinne.
tilt *v* vippe, helle, bikke; støte med lanse; *s* hell(-ing), vinkel; turnering.
ˈ**timber** *s* tømmer.
time (*ai*) *s* tid, *mus* takt; gang; *v* avpasse, beregne, ta tiden; ~ **-honoured** *a* hevdvunnen, ærverdig; ˈ~ **ly** *a* betimelig; ˈ~ **-server** *s fig* værhane; ˈ~ **-table** *s* timeplan, togtabell.
ˈ**tim|id** (*i*) *a* fryktsom; ˈ~ **orous** *a* forsagt, redd.
ˈ**timothy** *s* timotei.
tin *s* tinn, blikk; *am* mynt; blikkboks; *v* fortinne; nedlegge hermetisk.
ˈ**tincture** *s* nyanse, skjær, snev, tinktur; dråper; *v* farge, gi anstrøk.
ˈ**tinder** *s* knusk.
tine (*ai*) *s* tind (på harv).
ˈ**tinfoil** *s* tinnfolie.
ting *v* klinge.
tinge (*dzh*) *s* skjær, anstrøk; *v* farge, gi anstrøk.
tingle *v* krible; suse.
ˈ**tinker** *s* fusker; lappverk.
tinkle *v* klirre; *s*.
ˈ**tin|man** *s* blikkvarehandler, -smed; ˈ~ **-plate** *s* blikk; ˈ~ **-ˈpot** *s* blikk-kasserolle; *a* fille-, simpel.
ˈ**tinsel** *s* flitter, stas.
tint *s* farge(-tone); *v* farge.
ˈ**tiny** (*ai*) *a* bitte liten.
tip *s* spiss, smalende, endebeslag; dytt, vipp; drikkepenger; *sp* vink, råd; *v* beslå; gi dusør til; vippe, velte.
ˈ**tippet** *s* pelskrage.
tip|ple *v* pimpe, supe; ˈ~ **sy** *a* beruset.
ˈ**tipˈtoe** *s*, **on** ~, på tå; *v* gå på tå.
tire (*ai*) *s* hjulring (metall-, gummi-); *v* sette ring på; bli (gjøre) trett; ˈ~ **d** *a* trett;

ˈ⁓ **less** *a* utrettelig; ˈ⁓ **some** *a* plagsom.
ˈ**tiro** (*ai*) *s* nybegynner.
ˈ**tissue** (*isju*) *s* vev.
tiˈ**tanic** (æ) *a* veldig.
ˈ**titbit** *s* godbit.
ˈ**tit(mouse)** *s* kjøttmeis.
tithe (*ai*) *s* tiende.
ˈ**titillate** (*i*) *v fig* kildre.
title (*ai*) *s* tittel; *jur* hjemmel; ˈ⁓ **d** *a* betitlet; ˈ⁓ **deed** *s* skjøte.
ˈ**titter** *s* (*v*) knis(e).
tittle *s* tøddel.
ˈ**tittup** *v* være kåt.
ˈ**titular** (*i*) *a* tittel-.
to *prp* til, mot etc; ⁓ **-and-**ˈ**fro** (*ou*) *av* fram og tilbake; ⁓ **-**ˈ**be** *a* vordende; ⁓ **-**ˈ**do** *s* ståhei.
toad (*ou*) *s* padde; ˈ⁓ **y** *s* snylter, kryper; ˈ⁓ **yism** *s*.
toast (*ou*) *s* ristet brød; skål (-tale); *v* riste; skåle for.
toˈ**bacco** (æ) *s* tobakk; ⁓ **nist** *s* t.-shandler.
toˈ**boggan** (*å*) *s* kjelke; *v*.
toˈ**day** *av* i dag.
toddle (*å*) *v* stabbe ustøtt (om småbarn).
toe (*ou*) *s* tå.
ˈ**toffee** (*å*) *s* (spise-)knekk.
toˈ**gether** *av* sammen.
toil (*åi*) *s* slit, *pl* garn, snare; *v* slite; ˈ⁓ **some** *a* s.-som.
ˈ**toilet** (*åi*) *s* toalett, drakt, *am* W.C.
ˈ**token** (*ou*) *s* tegn.
ˈ**toler able** (*å*) *a* tålelig; ˈ⁓**ance** *s* fordragelighet; ˈ⁓ **ate** *v* tåle, tolerere; ⁓ **ation** *s* toleranse.
toll (*ou*) *s* (bru-, vei-) toll; klient; *v* ringe, slå.
toˈ**mato** (*a:*) *s* tomat.
tomb (*u:*) *s* grav(mæle); ˈ⁓ **stone** *s* gravstein.
ˈ**tom|boy** (*å*) *s* vilter pike; ˈ⁓ **cat** *s* hannkatt.
tome (*ou*) *s* bind, del.
tomˈ**fool** (*u:*) *s* narr, flåsemaker; ⁓ **ery** *s* flåseri, tøys.
ˈ**tommy** (*å*) *s sl* menig soldat.
toˈ**morrow** (*å*) *av* i morgen.
ˈ**tomtit** (*å*) *s* blåmeis.
ton (ʌ) *s* 1016 kg, *am* 907 kg; 100 fot (kubikk).
tone (*ou*) *s* tone, grad, spennkraft; *v* stemme.
tongs (*å*) *s* tang.
tongue (ʌ) *s* tunge, språk; ˈ⁓ **-tied** *a* målløs.
ˈ**tonic** (*å*) *a* nervestyrkende.
toˈ**night** (*ai*) *av* i aften, i natt.
ˈ**tonnage** (ʌ) *s* drektighet, skipsrom.
ˈ**tonneau** (*å*) *s* bils baksete.
ˈ**tonsil** (*å*) *s med* mandel.
ˈ**tonsure** (*å*) *s* kronraking.
too (*u:*) *av* altfor; også.
tool (*u:*) *s* verktøy; ⁓ **-kit** *s* verktøykasse.
toot (*u:*) *v* tute (i horn).
tooth (*u:*) *s* tann; ˈ⁓ **-ache** *s* t.pine; ˈ⁓ **some** *a* lekker.
tootle (*u:*) *v* tute svakt (med horn).
top (*å*) *s* topp; overside; kapsel; *mar* mers; snurrebass; *a* øverst, prima; *v* toppe (seg), rage over, overgå; ⁓ˈ**gallant** *a mar* bram-; ˈ⁓ˈ**hat** *s* flosshatt.
ˈ**toper** (*ou*) *s sl* dranker.
topic (*å*) *s* emne, tema; ˈ⁓ **al** *a* lokal; aktuell.
ˈ**top|mast** (*å*) *s* mersestang; ˈ⁓ **most** *a* øverst; ˈ⁓ **ping** *a sl* finfin.
topple (*å*) *v* ramle, falle ut over.
ˈ**top|sail** (*åpsl*) *s* merseseil; ⁓ˈ**sawyer** *s* førstemann, leder; ⁓ **syturvy** *a* opp ned.
torch (*å:*) *s* fakkel, freser, lykt.
ˈ**tor|ment** (*å:*) *s* kval, pinsel; ⁓ˈ**ment** *v* pine; ⁓ ˈ**mentor** *s*.
torˈ**nado** (*ei*) *s* virvelstorm.
ˈ**tor|pid** (*å:*) *a* sløv, følelsesløs; ˈ⁓ **por** *s* sløvhet.
ˈ**torrent** (*å*) *s* stri tørn, regnskyll.
ˈ**torrid** (*å*) *a* het, tørr.
ˈ**tortoise** (*å:*) *s* skilpadde.

'tor|tuous (*å:*) *a* kroket, snodd; **'~ ture** *s* tortur; *v* pine.
tosh (*å*) *s* tøys, skrap.
toss (*å*) *s* kast; *v* kaste, slenge (seg), bølge, rulle.
tot (*å*) *v fam* summere **(t. up).**
'tot|al (*ou*) *a* hel, total; *s* hovedsum; *v* beløpe seg til; **~'ality** *s* helhet.
tote (*ou*) *v am* bære, løfte, føre.
'totter (*å*) *v* vakle.
touch (*ʌ*) *v* (be)røre; anløpe; bevege; heve (penger); *s* berøring; følesans; strøk, trekk; anstrøk; **'~ ing** *a* rørende; *prp* angående; **'~ stone** *s* prøvestein; **'~ y** *a* prippen, ømfintlig.
tough (*ʌ*) *a* seig, vrien; **'~ en** *v* gjøre (bli) seig.
tour (*uə*) *s* rundreise, turné; *v* is. bile; **~ ist** *s*; **'~ nament** *s* turnering.
tousle (*au*) *v* pjuske, ruske (i hår).
tout (*au*) *s* (*a*) spion(ere).
tow (*ou*) *v* buksere, taue; *s* buksering; stry; **'~ age** *s* buksering.
'toward (*ou*) *a* lærvillig.
toward(s) (*tå:dz, tə'wå:dz*), *prp* (*hen*)*imot.*
'towel (*au*) *s* håndkle.
'tower (*au*) *s* tårn; *v* rage opp, kneise.
town (*au*) *s* by, *am* landkommune; **'~ hall** *s* rådhus; **'~ sfolk** *s* byfolk; **'~ ship** *s* kommune, *am* herred.
'toxic(al) (*å*) *a* gift-.
toy (*åi*) *v* (*s*) leke(tøy).
trace (*ei*) *s* spor; riss; dragrem; *v* markere, risse, (etter)spore, påvise; **'~ able** *a* påviselig.
track (*æ*) *s* spor; far; kjølvann; fotsi; *v* (opp)spore, forfølge, slepe.
tract (*æ*) *s* egn, strøk; småskrift, traktat; **'~ able** *a* medgjørlig.
trade (*ei*) *s* handel; næringsvei, håndverk, *mar* fart; bedrift; *v* handle; **'~ -mark** *s* fabrikkmerke; **'~ sman** *s* kjøpmann, faglært håndverker; **'~'union** *s* fagforening; **'~ -wind** *s* passat.
tra'dition *s* tradisjon; **~ al** *a* t. -ell.
tra'duce (*ju:*) *v* bakvaske.
traffic (*æ*) *s* trafikk, omsetning; *v* handle, trafikere.
'trag|edy (*æ*) *s* tragedie; **~'edian** (*i:*) *s* tragiker, tragisk skuespiller; **'~ ical** *a.*
trail (*ei*) *v* slepe; krype; *s* spor, sti, vei, slep; **'~ er** *s* tilhengervogn, hengende grein.
train (*ei*) *v* opplære, utdanne (seg), trene, dressere; *s* slep; følge; opptog; tog.
traipse (trapes) (*ei*) *v fam* farte, reke, traske.
trait (*trei*) *s fig* trekk.
trait|or, ('~ ress) *s* forræder (-ske); **'~ orous** *a* f.-sk.
tram (*æ*) *s* sporvogn **(t. car),** sporvei **(t.way).**
'trammel (*æ*) *v* belemre; *s pl* bånd, garn.
tramp (*æ*) *v* trampe; streife om; bereise til fots; *s* tramping; fottur; landstryker, gesell; lastebåt; **~ le** *v* trampe (på).
trance (*a:*) *s* dvale.
'tran|quil (*æ*) *a* rolig; **'~ quillize** *v* berolige; **~'quillity** *s* ro.
trans- (*a:*, æ, *-s, z*) *pref* over, gjennom.
tran'sact (*zæ*) *v* drive, føre; **~ ion** *s* utførelse; forretning, *pl* forhandlinger.
transat'lantic (*æ*) *a* hinsides Atlanterhavet.
tran'scend (*se*) *v* overgå, heve seg over, overskride; **~ ent** *a* fortreffelig.
trans'cribe (*ai*) *v* omskrive; ta opp på lydbånd.
'tran|script (*æ*) *s* avskrift,

gjenpart; 'ˌ **sept** *s* tverrskip.
'**trans|fer** (æ) *s* overdragelse; ˌ'**fer** (ə:) *v* overdra, overdra, overføre; 'ˌ **ferable** (ə:) *a* som kan overdras; 'ˌ **ference** *s* overdragelse; ˌ'**figure** *v* omdanne, *rel* forklare; ˌ'**fix** *v* gjennombore, fastnagle; ˌ'**form** (å:) *v* forvandle(s); ˌ'**fuse** (ju:) *v* inngyte, fylle; ˌ'**gress** *v* overtre, bryte.
'**trans|ient** (æ) *a* flyktig; 'ˌ **it** *s* gjennomgang; ˌ'**ition** *s* overgang; ˌ'**itional** *a* overgangs-; 'ˌ **itory** *a* forbigående.
trans|'late (ei) *v* oversette, overføre; ˌ'**lucent** (u:) *a* gjennomskinnelig; ˌ **mi'gration** *s* (sjele-)vandring; ˌ '**mission** *s* oversendelse, overførelse, smitte; ˌ'**mit** *v* befordre, meddele, forplante; ˌ'**parent** (εə) *a* gjennomsiktig; ˌ'**pire** (ai) *v* svette, dunste; *fig* sive ut; ˌ **pi'ration** *s* svette; ˌ'**plant** (a:) *v* omplante; 'ˌ **port** *s* transport; lidenskap, utbrudd; ˌ'**port** (å:) *v* befordre; ˌ '**ported** *a* henført; ˌ'**pose** (ou) *v* omflytte; 'ˌ **verse** *a* tverr-; *av* på tvers.
trap (æ) *s* felle, *pl* greier; *v* fange i f., besnære, pynte; 'ˌ **-'door** falldør, luke.
'**trap|per** *s* fellejeger; 'ˌ **pings** *s* ridetøy, stas.
trash (æ) *s* skrap; tøv.
travel (æ) *v* reise (i), beferde; *s* reise; 'ˌ **led** *a* bereist; 'ˌ **ler** *s* passasjer, reisende.
'**trav|erse** (æ) *v* gjennomreise, befare, krysse; *jur* bestride.
'**travesty** (æ) *s* (*v*) parodi(ere).
trawl (å:) *s* bunngarn, trål, sildenot; *v* tråle.
tray (ei) *s* brett; trau.
'**treacher|ous** (e) *a* forrædersk; ' **y** *s* forræderi.
treacle (i:) *s* sirup.
tread (e) *v* (*be*)trå, vandre, trampe på, *s* fottrinn, gang.
treadle (e) *s* tråbrett.
'**treason** (i:) *s* (høy)forræderi; 'ˌ **able** *a* forrædersk.
'**treasur|e** (e) *s* skatt; *v* samle, gjemme på; ˌ **er** *s* kasserer, skattmester; '**y** *s* skattkammer, finansdepartement.
treat (i:) *v* behandle, traktere; forhandle; *s* traktement, nytelse-
treatise (i:) *s* avhandling.
treatment *s* behandling.
treaty *s* traktat.
treble (e) *a* tredobbelt; *v* tredoble; *s* diskant, sopran.
tree (i:) *s* tre.
'**trefoil** (e) *s* kløver(blad).
'**trellis** *s* lekter, tremmer, spalier.
tremble *v* skjelve.
tre'mendous *a* veldig, skrekkelig.
'**trem|or** (e) *s* skjelving; 'ˌ **ulous** *a* skjelvende.
trench *s* grøft, skyttergrav; *v* grave, grøfte, spavende; ˌ **on** gjøre inngrep i.
'**trenchant** *a* skarp, bitende.
'**trencher** *s* tretallerken.
trend *v fig* gå, løpe, tendere; *s* tendens, retning.
tre'pan (æ) *s* (*v*) *med* sag(e).
trepi'dation *s* skrekk.
'**trespass** *v* gå inn i (over) ulovlig, gjøre inngrep (i-**on**); *s* eiendomskrenkelse, overgrep; 'ˌ **er** *s* uvedkommende.
tress *s* flette; *pl* lokker.
trestle (*sl*) *s* bukk, understell.
'**trial** (ai) *s* prøve(-lse), forsøk; rettsforhandling, sak, prosess.
'**tri|angle** (ai) *s* trekant; ˌ'**angular** *a* trekantet.
trib|al (ai) *a* stamme-; ˌ **e** *s* stamme, slekt.
tri'bunal (ju:) *s* domstol.
'**tribut|ary** (i) *a* skattskyldig;

bi-; *s* bielv; 'ˬ **e** *s* skatt; hyllest.
trice (*ai*) **in a** ˬ i ett nu.
tricycle *s* trehjulssykkel.
trick *s* list, knep, strek, kunst; vane; lag, evne; stikk (i kort); *v* lure, narre; 'ˬ **ery** *s* lumskeri.
trickle *v* dryppe, piple, sildre.
'**trick|ster** *s* lurendreier; 'ˬ **sy** skøyeraktig; ˬ **y** *a* lur, vrien.
'**trident** (*ai*) *s* trefork.
tri'ennial *a* treårig, -års.
trifl|e (*ai*) *s* bagatell; *v* fjase, spøke; 'ˬ **ing** *a* ubetydelig.
'**trigger** *s* avtrekker.
tri'lateral (æ) *a* tresidet.
trill *s*, *v* trille (lyd).
'**trillion** *s* *am* billion.
'**trilogy** (*i*) *s* trilogi.
trim *a* velordnet, velstelt, nett, fiks; *v* stelle, pusse, klippe, stusse; rette, stille; balansere; *s* puss, tilstand; 'ˬ **mer** *s* politisk værhane; 'ˬ **ming** *s* pynt, besetning *pl* tilbehør.
'**trinity** (*i*) *s* treenighet; **T.** ˬ vårsemester (i Oxford).
'**trinket** *s* lite smykke.
trip *s* tur; *v* trippe; snuble; ˬ **up** spenne ben for.
tripe (*ai*) *s* innmat.
triple (*ai*) *a* tredobbelt.
trite (*ai*) *a* forslitt, banal.
'**tri|umph** (*ai s* (*v*) triumf(-ere); ˬ'**umphal** (ʌ) *a* triumf-; ˬ'**umphant** (ʌ) *a* triumferende, seirende.
'**trivet** (*i*) *s* trefot (av jern).
'**trivial** (*i*) *a* hverdagslig, ubetydelig.
troll (*ou*) *v* synge; dorge.
'**trolley** (*å*) *s* dresin, trinse.
'**trombone** (*å*) *s* (trekk)basun.
troop (*u:*) *s* tropp, flokk, *pl* tropper; *v* stimle, toge; dra; 'ˬ **er** *s* kavalerist.
trophy (*ou*) *s* trofé.
'**tropic** (*å*) *s* vendekrets, *pl* troper; ˬ **al** *a* tropisk.
trot (*å*) *v* (la) trave, traske; *s* trav; 'ˬ **ter** *s* travhest, fot, labb.
trouble (ʌ) *s* uro, uleilighet, bry, plage; *v* engste, plage, bry (seg), røre (i); være bekymret; 'ˬ **some** *a* brysom.
trough (*å:f*) *s* trau.
troupe (*u:*) *s* trupp.
'**trousers** (*au*) *s* bukser.
'**trousseau** (*-u:sou*) *s* brudeutstyr.
trout (*au*) *s* ørret.
'**trowel** (*au*) *s* murskje.
troy (*åi*) *s* vekt (gull, mynt, *med*).
'**truant** (*u:*) *s* skulker.
truce (*u:*) *s* våpenhvile, frist.
truck (ʌ) *s* åpen lastevogn; byttehandel; *v* bytte, tuske.
truckle (ʌ) *v* *fig* logre, krype.
'**truculent** (ʌ) *a* brutal, hoven.
trudge (ʌ) *v* traske.
tru|e (*u:*) *a* sann, riktig, tro, ekte; 'ˬ**e** -'**hearted** *a* tro; 'ˬ **ly** *av* trofast, oppriktig, sannferdig; ærbødigst (i brev).
'**truism** (*u:*) *s* banalitet.
trump (ʌ) *s* trumf; **no**ˬ**s,** grand; *fam* kjernekar, knupp; *v* trumfe.
'**trumpery** (ʌ) *s* flitter, juks; *a* skarve, simpel.
'**trumpet** (ʌ) *s* trompet; *v* skralle, utbasunere; 'ˬ **er** *s* hornblåser.
'**truncheon** (ʌ) *s* stav, kølle.
trundle (ʌ) *v* trille; *s* hjul, stokk.
trunk (ʌ) *s* stamme; kropp; snabel; stor koffert; *pl* (bade-)bukser.
truss (ʌ) bunt (av høy).
trust (ʌ) *s* tillit, kreditt; ring, trust; verv; håp; forvaring, betrodd gods; *v* lite på, tro, håpe sikkert; betro; ˬ'**ee** (*i:*) *s* kurator, bobestyrer; 'ˬ **ful,** 'ˬ **ing** *a* tillitsfull; 'ˬ **-worthy** *a* pålitelig.

truth (*u:*) *s* sannhet; **'⁓ ful** *a* sannferdig.
try (*a:*) *v* forsøke, prøve, anstrenge; *s* forsøk; **'⁓ ing** *a* plagsom, slitsom.
tryst (*i*) *s* (stevne)møte, m.-sted.
tub (ʌ) *s* balje, stamp; **'⁓ by** *a* tykk og rund.
tube (*ju:*) *s* rør, slange; undergrunnsbane.
'tuber (*ju:*) *s* knoll; **'⁓ cle** *s* tuberkel.
'tubular (*ju:*) *a* rørformet.
tuck (ʌ) *s* legg (på tøy); *fam* gotter; *v* pakke, stappe; **⁓ up** brette, tulle inn.
'Tuesday (*ju:*), tirsdag.
tuft (ʌ) *s* dusk, kvast, dott; **'⁓ -hunter** *s* snylter.
tug (ʌ) *v* hale, slite; *s* rykk, tak; bukserbåt; **'⁓ -of-'war** *s* dragkamp; **'⁓ boat** *s* sleper.
tu'ition (*i*) *s* undervisning.
'tulip (*ju:*) *s* tulipan.
tulle (*ju:*) *s* tyll.
tumble (ʌ) *v* tumle, rulle, falle sammen; boltre seg; rote i, krølle; *s* rot; fall; **'⁓ -down** *a* falleferdig; **'⁓ r** *s* ølglass; akrobat, *zo* nise.
'tumbrel (ʌ) *s* møkkjerre.
'tum|id (*ju:*) *a* oppsvulmet; **'⁓ our** *s* svulst.
'tum|ult (*ju:*) *s* forvirring, tumult; **⁓'ultuary** *a* opprørsk; **⁓'ultuous** *a* voldsom.
tun (ʌ) *s* vinfat.
tune (*jur*) *s* melodi; *v* (i)stemme; **⁓ in,** stille inn (rdio); **'⁓ ful** *a* melodiøs.
'tunic (*ju:*) *s* bluse.
'tunnel (ʌ) *s* tunnel.
'turbid (*ə:*) *a* grumset, gjørmet.
'turbine (*ə:*) *s* turbin.
'turbot *ə:*) *s zo* piggvar.
'turbulent (*ə:*) *a* urolig, stormende, ustyrlig.
tu'reen (*i:*) terrin.
turf (*ə:*) *s* grastorv; *sp* hestesport(-bane); *v* torvlegge.
'turgid (*ə:*) *a* oppstyltet.
'Turk(ish) *s* (*a*) tyrk(isk).
'turmoil (*ə:*) *s* ståk.
turn (*ə:*) *v* vende, svinge; forandre; omsette; gjøre sur; danne; snu seg, bøye av, bli; surne; *s* vending, tørn; preg, sving; anlegg; tjeneste; puss; **'⁓ er** *s* dreier; **'⁓ ing-point** *s* vendepunkt; **'⁓ key** *s* slutter; **'⁓ -'out** *s* bl. a. produksjon; **'⁓ over** *s* bl. a. omsetning; **'⁓ pike** *s* veibom; **'⁓ table** *s* dreieskive.
'turnip (*ə:*) *s* turnips, nepe.
'turpentine (*ə:*) *s* terpentin.
'turquoise (*tə:kwæ:z*) *s* turkis.
'turret (ʌ) *s* lite tårn.
turtle (*ə:*) *s* turteldue; havskilpadde; **turn ⁓** kantre.
tusk (ʌ) *s* støttann.
tussle (ʌ) *v fam* nappes.
'tussock (ʌ) *s* grastue, -tust.
'tut|elage (*ju:*) *s* formynderskap; **'⁓ elar(y)** *a* skytsverne-; **'⁓ or** *s* studieleder, (privat)lærer; *v* gi timer.
tu'xedo (*si:*) *s am* smoking.
twaddle (*å*) *s* sludder.
twang (æ) *v* klinge (som en streng); snøvle; *s.*
tweak (*i:*) *v* klype.
tweezers (*i:*) *s* pinsett.
twel|ve *num* tolv; **⁓ fth** tolvte.
twenty *num* tjue.
twice (*ai*) *av* to ganger.
twiddle *v* tvinne, dreie.
twig *s* kvist.
'twilight (*ai*) *s* tusmørke, grålysning.
twill *s* flammet tøy.
twin *s* tvilling.
twine (*ai*) *s* seilgarn; *v* sno, tvinne, slynge (seg).
twinge (*dzh*) *s* knip, sting.
twinkle *s* (*v*) blink(e).
twirl (*ə:*) *v* virvle, snurre.
twist *v* vri (seg), sno, flette

vrikke; *s* garn; *fig* egenhet, drag; *s* vrikkedans.
twit *v* erte.
twitch *v* rykke, nappe, rive, dirre; *s* trekning.
'twitter *v* kvitre.
two (*u:*) *num* to.
ty'coon (*u:*) *s am* storkar.
typ|e (*ai*) *s* type, sats; *v* maskinskrive; **'⌣ ewriter** *s* skrivemaskin; **⌣ ist** *s* maskinskriver.
'typhoid (*ai*) **fever,** tyfus.
ty'rannical (*æ*) *a* tyrannisk.
'tyran|nous (*i*) *a* tyrannisk; **'⌣ nize** *v* tyrannisere; **'⌣ ny** *s*.
'tyrant (*ai*) *s* tyrann.
tyre (*ai*) *s* = **tire.**
'tyro = **'tiro** (*ai*).
Tzi'gany (*a:*) *s* sigøyner.

U.

u'biquitous *a* allestedsnærværende.
'udder (ʌ) *s* jur.
'ugly (ʌ) *a* stygg, *am* ond, slem.
'ulcer (ʌ) *s* betent sår.
ul|'terior (*iə*) *a* bortre, ytterligere; **'⌣ timate** (ʌ) *a* sist.
'ultra (ʌ) *pref* hinsides.
'umbel (ʌ) *s bot.* skjerm.
'umbra (ʌ) *s* ambra.
'umbrage (ʌ) *s* skygge; mistro.
um'brella *s* paraply.
'umpire (ʌ) *s* oppmann.
'un|a'bashed (*æ*) *a* uforknytt; **'⌣'able** (*ei*) *v* ute av stand (til-to); **'⌣ ac'countable** (*au*) *a* uforklarlig; uansvarlig; **'⌣ af'fected** *a* uaffektert; upåvirket; **'⌣'aided** (*ei*) *a* uten hjelp; **⌣'alterably** (*å:*) *a* uforanderlig; **'⌣'amiable** (*ei*) *a* uelskverdig.
u'nan|imous -(*junæ*) *a* enstemmig; **⌣'imity** *s*.
un|answerable (*a:*) *a* uimotsigelig; **⌣ ap'preciable** *a* umerkelig, utakserbar; **'⌣ ap'preciative** (*i:*) uskjønnsom, lite takknemlig; **⌣ ap'proachable** (*ou*) *a* utilnærmelig; **'⌣ as'suming** (*ju:*) *a* beskjeden; **'⌣ a'vailable** (*ei*) *a* utilgjengelig; **'⌣ a'vailing** (*ei*) *a* fruktesløs; **'⌣ a'ware** (*εə*) *a* ikke oppmerksom (på-of); **'⌣ a'wares** *av* uforvarende.
'un|'balanced (*æ*) *a* ubalansert (av sinn); **'⌣'bar** (*a:*) *v* åpne; **'⌣be'coming** (ʌ) *a* upassende, ukledelig; **'⌣ be'lieving** (*i:*) *a* vantro; **'⌣'bend** *v* slappe, tø opp, atspre; **'⌣'bending** *a* stiv, ubøyelig; **'⌣'biassed** (*ai*) *a* uhildet; **'⌣'bind** (*ai*) *v* løse; **'⌣'bolt** (*ou*) *v* åpne; **⌣'bosom** (*u*) *vr* betro seg; **'⌣'bound** (*au*) *a* heftet (om bok); **⌣'bounded** (*au*) *a* ubegrenset; **⌣'bridled** (*ai*) *a* tøylesløs; **'⌣'broken** (*ou*) *a* uavbrutt, utemmet; **⌣'burden** (*ə:*) *v* lette (for-of); **'⌣'button** (ʌ) *v* knappe opp.
un|'called-for (*å:*) *a* upåkrevet; **⌣'canny** (*æ*) *a* uhyggelig; **⌣'certain(ty)** (*ə:*) *a* (*s*) uviss(-het); **'⌣'chain** (*ei*) *v* løse; **⌣'changing** (*ei*) *a* stadig; **'⌣'clasp** (*a:*) *v* åpne(-s).
uncle (ʌ) *s* onkel.
'un|'clean (*i:*) *a* uren; **⌣'comfortable** (ʌ) *a* ubehagelig, ubekvem; uvel, ille til mote; **⌣'compromising** (*å*) *a* fast; **'⌣ con'cern** (*ə:*) *s* ubekymrethet; **'⌣ed** *a* ubekymret; **'⌣ con'ditional** *a* ubetinget; **⌣'conscious** (*å*) *a* ubevisst, bevisstløs; **'⌣'cork** (*å:*) *v* trekke opp; **'⌣'couple** (ʌ) *v* kople av; **⌣'couth** (*u:*) *a* tvungen, rå, klosset; **⌣'cover** (ʌ) *v* avdekke.
'unct|ion (ʌ) *s* salve(lse), salving; **'⌣ uous** *a* fet, salvelsesfull.
un|'daunted (*å:*) *a* uforferdet; **⌣ de'niably** (*ai*) *av* unektelig.

under *prp* under; 'ᴗ'**bred** *a* udannet; ᴗ **carriage** *s* understell (fly); 'ᴗ **dog** *s* paria, stakkar; 'ᴗ **done** *a* halvrå; 'ᴗ'**estimate** *v* undervurdere; 'ᴗ'**feed** (*i:*) *v* sultefore; ᴗ'**graduate** (æ) *s* ung student; 'ᴗ **ground** *a* underjordisk; *av*; *s* undergrunnsbane; 'ᴗ**hand** *a* hemmelig; ᴗ'**lie** (*ai*) *v* ligge til grunn, l. under; ᴗ'**line** (*ai*) *v* understreke; 'ᴗ **ling** *s* underordnet; ᴗ'**lying** (*ai*) *a* bærende, grunn-; ᴗ'**neath** (*i:*) *prp* under; nedentil; 'ᴗ'**pay** (*ei*) *v* lønne slett; ᴗ'**rate** (*ei*) *v* undervurdere; 'ᴗ'**sized** (*ai*) *a* undermåls,, for liten; ᴗ'**stand** (æ) *v* forstå, erfare, underforstå; ᴗ'**standing** *s* forstand, forståelse; ᴗ'**take** (*ei*) *v* påta seg, overta, foreta seg; ᴗ'**taking** *s* forehavende; 'ᴗ **wear** *s* undertøy; 'ᴗ**writer** *s* (sjø)assurandør.

'**un|de'serving** (*ə:*) *a* uverdig; 'ᴗ **de'signed** (*ai*) *a* uforsettlig; 'ᴗ**de'sirable** (*ai*) *a* ikke ønskverdig; 'ᴗ'**do** *v* oppheve; løse; ødelegge; 'ᴗ'**doing** *s* ulykke; 'ᴗ'**done** (ʌ) *a* ugjort, ødelagt; ᴗ'**doubtedly** (*au*) *av* utvilsomt; 'ᴗ'**dress** *v* kle av (seg); 'ᴗ'**due** (*ju:*) *a* utilbørlig, overdreven.

'**undulate** (ʌ) *v* bølge.

un'dying (*ai*) *a* uforgjengelig.

'**un|'earth** (*ə:*) *v* grave opp; ᴗ'**earthly** *a* åndeaktig; ᴗ'**easy** (*i:*) *a* ille til mote, ubekvem, engstelig; tvungen; 'ᴗ **em'barrassed** (æ) *a* utvungen, *jur* ubeheftet; 'ᴗ **e'motional** (*ou*) *a* kald, upåvirkelig; 'ᴗ **em'ploed** (*åi*) *a* arbeidsløs; 'ᴗ **em'ployment** *s* a-het; ᴗ'**ending** *a* endeløs; 'ᴗ **en'gaged** (*ei*) *a* ledig; 'ᴗ'**enterprising** *a* initiativløs; 'ᴗ'**equal** (*i:*) *a* ulike, ujevn; udyktig; 'ᴗ '**equalled** *a* uten sidestykke; 'ᴗ'**erring** (*ə:*) *a* ufeilbar; 'ᴗ'**even** (*i:*) *a* ujevn; 'ᴗ **ex'ampled** (*a:*) *a* enestående; 'ᴗ **ex'ceptional** *a* nokså alminnelig.

un|'failing (*ei*) *a* ufeilbar, årviss; 'ᴗ'**fair** (*εə*) *a* uærlig, ubillig; 'ᴗ'**fasten** (*a:*) *v* åpne, løse; ᴗ'**fathomable** (æ) *a* bunnløs, uutgrunnelig; ᴗ '**feeling** (*i:*) *a* hjerteløs; ᴗ'**feigned** (*ei*) *a* uforstilt; 'ᴗ'**fetter** *v* frigjøre, løse; 'ᴗ'**fit** *a* uskikket; ᴗ'**flagging** (æ) *a* utrettelig; 'ᴗ'**fledged** *a* ikke flygedyktig; 'ᴗ'**fold** (*ou*) *v* utfolde, utvikle; røpe; 'ᴗ **for'giving** *a* uforsonlig; 'ᴗ'**formed** (*å:*) *a* uformelig; ᴗ'**fortunate** (*å:*) *a* ulykkelig, uheldig; 'ᴗ'**founded** (*au*) *a* ugrunnet; ᴗ'**furl** (*ə:*) *v* utfolde, slå ut; 'ᴗ'**furnished** (*ə:*) *a* umøblert.

un|'gainly (*ei*) *a* klosset; ᴗ'**governable** (ʌ) *a* uregjerlig; 'ᴗ'**gracious** (*ei*) *a* is. uhøflig; 'ᴗ'**guarded** (*a:*) *a* uforsiktig.

un|'happy (æ) *a* ulykkelig, uheldig; 'ᴗ'**harness** (*a:*) *v* sele av; ᴗ '**healthy** (e) *a* usunn, sykelig; ᴗ'**heard-of** (*ə:*) *a* uhørt; 'ᴗ'**hinge** *v* løfte av, rokke, forvirre; 'ᴗ'**hook** (*u*)) *v* hekte av; 'ᴗ'**horse** (*å:*), *v* kaste av hesten.

'**uni|corn** (*ju:*) *s* enhjørning; 'ᴗ **form** *a* ensartet, uforanderlig; *s* uniform; ᴗ'**formity** (*å:*) *s* ensartethet; 'ᴗ **fy** *v* samle, forene; ᴗ'**lateral** (æ) *a* ensidig.

'**un|i'maginative** (æ) *a* fantasiløs; ᴗ **im'peachable** (*å:*) *a* udadlelig; 'ᴗ'**influenced** *a* upåvirket.

'**union** (*ju:*) *s* forening, enighet; '**U.**ᴗ'**Jack** *s* unionsflagg.

'unin'**tentional** *a* utilsiktet.
u'**nique** (*ju, i:*) *a* enestående, eneste.
'**un**|**ison** (*ju:*) *s* harmoni, enklang; '⌣ **it** *s* ener, enhet; ⌣'**ite** (*ai*) *v* forene (seg); **U⌣ited Kingdom,** Storbritannia og Nord-Irland; '⌣ **ity** *s* enhet, enighet; '⌣ **iverse** *s* verden(salt); ⌣ **i**'**versal** (*ə:*) *a* alminnelig, almen, allsidig; ⌣'**versity** (*ə:*) *s* universitet.
'**un**|'**just** (*a*) urettferdig; ⌣'**justifiable** (ʌ) *a* uforsvarlig; '⌣'**kempt** *a* lurvet, ustelt; ⌣'**kind** (*ai*) *a* ukjærlig, uvennlig; '⌣'**knit** (*ni*) *v* trevle opp; '⌣'**knowingly** (*ou*) *av* uten å vite det.
'**un**|'**lace** (*ei*) *v* smøre opp; '⌣'**lade** (*ei*) *v* losse; '⌣'**lawful** (*å:*) *a* ulovlig; ⌣'**learn** (*ə:*) *v* glemme, venne seg av med; ⌣'**less** *k* med mindre; '⌣'**lettered** *a* ulærd; '⌣'**like** (*ai*) *a* ulik(e), motsatt; ⌣'**likely** *a* usannsynlig, lite lovende; '⌣'**load** (*ou*) *v* losse, lesse av; '⌣'**lock** (*å*) *v* låse opp; ⌣'**looked-for** (*u*) *a* uventet; '⌣'**make** (*ei*) *v* gjøre ugjort; '⌣'**man** (æ) *v* nedslå; '⌣ '**manly** (æ) *a* umandig; ⌣'**mannered** (æ) *a* ubehøvlet; '⌣'**mask** (*a:*) *v* demaskere; ⌣'**meaning** (*i:*) *a* intetsigende, tom; '⌣ **mis**'**takable** (*ei*) *a* umiskjennelig; ⌣'**mitigated** *a* fullblods, rendyrket, ublandet; ⌣'**necessary** (e) *a* unødvendig; '⌣'**nerve** (*ə:*) *v* avkrefte, lamme; '⌣'**occupied** (*å*) *a* ledig, herreløs; '⌣ **of**'**fending** *a* harmløs.
'**un**|'**pack** (æ) *v* pakke opp, lesse av; ⌣'**paralleled** (æ) *a* eksempelløs; ⌣'**pleasant** (e) *a* ubehagelig; ⌣'**precedented** (e) *a* ny, uhørt; ⌣'**prejudiced** (e) *a* fordomsfri; '⌣ **pre**'**meditated** (e) *a* uoverlagt; ⌣'**principled** *a* prinsippløs; ⌣'**profittable** (*å*) *a* ulønnsom; '⌣ **pro**'**voked** (*ou*) *a* umotivert; '⌣'**qualified** (*å*) *a* uskikket; absolutt; ⌣'**questionable** *a* utvilsom; ⌣'**ravel** (æ) *v* re ut, greie; ⌣'**reasonable** (*i:*) *a* urimelig; '⌣ **re**'**liable** (*ai*) *a* upålitelig; '⌣'**re**'**mitting** *a* uopphørlig; '⌣ **re**'**sisting** *a* passiv; ⌣'**rivalled** (*ai*), uten like; '⌣'**rivet** (*i*) *v* løsne, rokke; '⌣'**root** (*u:*) *v* rykke opp; '⌣'**ruffled** (*a*) *a* rolig, blank; ⌣'**ruly** (*u:*) *a* ustyrlig.
'**un**|'**saddle** (æ) *v* kaste; '⌣'**safe** (*ei*) *a* utrygg, upålitelig; ⌣ '**savoury** (*ei*) *a* usmakelig; '⌣'**say** (*ei*) *v* ta i seg; '⌣ '**screw** (*u:*) *v* skru løs; ⌣'**scrupulous** (*u*() *a* samvittighetsløs; ⌣'**seasonable** (*i:*) *a* ubeleilig; '⌣'**seat** (*i:*) berøve setet, kaste; ⌣'**seemly** (*i:*) *a* utekkelig, usømmelig; '⌣ **settle** *v* rokke, bringe av lage; '⌣'**settled** *a* uavgjort, ubetalt, ustø, usikker; '⌣'**sew** (*ou*) *v* sprette opp; '⌣'**shrinking** *a* uforferdet; ⌣'**sightly** (*ai*) *a* uskjønn; '⌣'**skilled** *a* ikke faglært; ⌣'**sociable** (*ou*) *a* uselskapelig; '⌣'**solder** (*å*), oppløse; skille; '⌣ **so**'**phisticated** *a* uforfalsket; '⌣ '**sound** (*au*) *a* syk, bedervet; uriktig, uholdbar; ⌣'**sparing** (*εə*) *a* gavmild; ⌣'**speakable** (*i:*) *a* usigelig; '⌣'**stable** (*ei*) *a* ustadig; ⌣'**steady** (e) *a* ustø, ustadig; '⌣'**strung** (ʌ) *a* i ulage; '⌣'**suitable** (*ju:*) *a* uskikket; '⌣ **sur**'**passed** (*a:*) *a* uovertruffen; '⌣ **sus**'**pecting** *a* godtroende.
'**un**|'**tangle** (æ) *v* re ut; '⌣'**tarnished** *a* uplettet; '⌣'**thinkingly** *av* uten å tenke;

ˈ⏑ˈ**tie** *v* knyte opp, åpne; ⏑ˈ**til** *k* inntil; ⏑ˈ**timely** *a* ubeleilig, altfor tidlig; ⏑ˈ**tiring** *a* utrettelig; ˈ⏑ˈ**tried** *a* uprøvd, upådømt; ˈ⏑ˈ**true** *a* usann, utro; ˈ⏑ˈ**used** *a* uvant; ⏑ˈ**utterable** *a* usigelig; ˈ⏑ˈ**varnished** *a* usminket; ⏑ˈ**veil** *v* avsløre; ⏑ˈ**warrantable** *a* ubeføyd; ⏑ ⏑**wearying** (*iə*) *a* iherdig; ˈ⏑ˈ**well** *a* upasselig, uvel; ⏑ˈ**wieldy** *a* tungvint; ⏑ˈ**willing**, *a* uvillig; ˈ⏑ˈ**wind** (*ai*) *v* vinde av (*ut*), greie; ⏑ˈ**wittingly** *av* uforvarende; ⏑ ˈ**wonted** (*ou*) *a* uvant; ˈ⏑ ˈ**wrap** *v* avdekke; ⏑ˈ**yielding** *a* ubøyelig.

up *av*, *prp* opp(e); ⏑ˈ**braid** *v* bebreide; ˈ⏑ **bringing** *s* oppdragelse; ⏑ˈ**heaval** *s* omveltning; ˈ⏑ˈ**hill** *av* oppover; ⏑ˈ**hold** *v* støtte; ⏑ˈ**holster** (*ou*) *v* polstre, tapetsere; ⏑ˈ**holsterer** *s* tapetserer.

uˈ**pon** (*å*) *prp* på.

ˈ**upper** (ʌ) *a* øvre, over-; *s* overlær; ˈ⏑ **cut** *s* hakeslag (nedenfra); ˈ⏑ˈ**hand** *s* overtak; ˈ⏑ **most** *a* øverst.

up|ˈ**rear** (*iə*) *v* reise; ˈ⏑**right** *a* opprett, rettskaffen; ˈ⏑**roar** *s* oppstyr; ⏑ˈ**roarious** *a* ustyrlig; ⏑ˈ**set** *v* velte, kantre; ergre, forstyrre, bringe ut av humør; ˈ⏑ **shot** *s* resultat, ende; ˈ⏑ **side** *s* overside; ˈ⏑ **side-**ˈ**down,** opp ned, bakvendt; ˈ⏑ˈ**stairs** *av* ovenpå, opp (i hus); ˈ⏑ **start** *s* oppkomling; ˈ⏑ **-to-date** *a* tidsmessig, *à* jour; ˈ⏑ **wards** *av* oppad.

ˈ**ur**|**ban** (*ə:*) *a* by-; ⏑ˈ**bane** (*ei*) beleven, slepen; ˈ⏑ **banize** *v* gjøre bymessig; ⏑ˈ**banity** (æ) *s* belevenhet.

ˈ**urchin** (*ə:*) *s* (skøyer)gutt.

urg|**e** (*ə:dzh*) *v* drive, egge; fremheve, ivre for; ˈ⏑ **ent** *a* presserende, inntrengende; ˈ⏑ **ency** *s* viktighet, iver.

urn (*ə:*) *s* urne.

ˈ**us**|**age** (*ju:z*) *s* bruk, sedvane; medfart; ⏑ **ance** *s merk* uso, vekselfrist; ⏑ **e** (*s*) *s* øvelse, bruk, nytte, skikk; *v* (*z*) bruke, pleie, behandle, venne; ⏑ **d to** (*sl*) pleide å, vant til; ⏑ **eful** (*s*) *a* nyttig, brukbar; ˈ⏑ **eless** *a* unyttig, forgjeves.

ˈ**usher** (ʌ) *s* seremonimester; *v* føre, vise; varsle.

ˈ**usual** (*ju:*) *a* vanlig.

ˈ**usur**|**er** (*ju:*) *s* ågerkarl; ˈ⏑ **y** *s* åger.

uˈ**surp** (*zə:*) *v* tilrane seg; ⏑ **er** *s* tronraner.

uˈ**tensil** *s* redskap.

uˈ**t**|**ility** *s* nytte(-gjenstand), ⏑ˈ**ility article,** masseprodukt; ⏑ **ili**ˈ**tarian** (*εə*) *a* nytte-; ˈ⏑**ilize** (*ju:*) utnytte.

ut|**most** (ʌ) *a fig* ytterst.

utter (ʌ) *a* fullstendig; *v* ytre; ˈ⏑ **ance** *s* ytring, språkføring; ˈ⏑ **most** *a* ytterst.

uxˈ**orious** (*å*) *a* konekjær, svak (om mann).

V.

ˈ**vacan**|**cy** (*ei*) *s* tomrom, ledig plass; ˈ⏑ **t** *a*.

vaˈ**c**|**ate** (*ei*) *v* rømme, fratre, fraflytte; ⏑ˈ**ation** *s* ferie.

ˈ**vacillate** (æs) *v* vakle.

ˈ**vacuous** (æ) *a* tom.

vaˈ**gary** (*εə*) *s* grille.

ˈ**vagrant** (*ei*) *a* omvandrende; *s* omstreifer.

vague (*ei*) *a* ubestemt.

vain (*ei*) *a* forgjeves, forfengelig; **in**⏑forgjeves; ⏑ˈ**glorious** *a* pralende.

vale (*ei*) *s poet* dal.

ˈ**valet** (æ) *s* kammertjener.

ˈ**valiant** (æ) *a* tapper.

'val'id (æ) *a* gyldig; **'~ idate** *v*; **~'idity** *s*.
va'lise (*i*:) *s* skreppe, vadsekk.
'valley (æ) *s* dal.
'valour (æ) *s* tapperhet; **'~ ous** *a* tapper.
'val|uable (æ) *a* verdifull; **'~ ue** *s* verdi, valør, valuta; *v* verdsette, vurdere; **~ u'ation** *s* takst.
valve (æ) *s* klaff, ventil; **five ~** femlampers (om radio).
vamp (æ) *s* overlær; *fam* vampyr; *v* **~ up** improvisere, lappe sammen; **'~ ire** *s* vampyr.
van (æ) *s* godsvogn; varebil; fortropp.
vane (*ei*) *s* vindfløy; vinge.
van|ish (æ) *v* (for)svinne; **'~ ity** *s* forfengelighet.
'vanquish (æ) *v* beseire.
'vantage (*a*:) *s sp* fordel
'vapid (æ) *a* flau, doven.
'vap|our (*ei*) *s* damp, tåke, *v* prale; **'~ orixe** *v* fordampe(s); **'~ orous** *a a* dampfylt, luftig.
'var|iable (*εə*), *a* foranderlig; **'~ iance** *s* uoverensstemmelse; **~ i'ation** avvikelse, forandring; **'~ iegated** *a* broket; **~'iety** (*ai*) *s* avveksling, utvalg, mengde, avart; **~'iety theatre,** varieté; **'~ ious** a diverse, forskjellig(e).
'varnish (*a*:) *s* (*v*) ferniss(ere).
'vary (*εə*) *v* variere.
'vascular (æ) *a* kar-.
vase (*a*:) *s* vase, kar.
vast (*a*:) *a* umåtelig.
vat (æ) *s* bryggekar.
vault (*å*:) *s* hvelv(ing); sprang; *v* hoppe, svinge seg over; (over-)hvelve.
vaunt (*å*:) *s* (*v*) skryt(e).
veal (*i*:) *s* kalvekjøtt.
veer (*iə*) *v* snu, svinge (om vind).
veget|able (e) *a* plante-; *s* kjøkkenvekst, *pl* grønnsaker; **'~ al** *a* plante-; **'~ ate** *v* vegetere.
'vehement (*i*:) *a* voldsom.
'vehicle (*i*:) *s* kjøretøy.
veil (*ei*) *s* (*v*slør(e).
vein (*ei*) *s* åre; anlegg.
ve'locity (*å*) *s* hastighet.
'velvet *s* fløyel; **'~ y** *a* f.-sbløt.
'ven|al (*i*:) *a* til fals, bestikkelig; **~'ality** *s*.
'vend'ible *a* salgbar; **'~ or** *s* selger.
ve'neer (*iə*) *s* (*v*) finer(e).
'vener|able (e) *a* ærverdig; **'~ ate** *v* høyakte; **~'ation** *s* ærefrykt.
ve'nereal (*iə*) *a* venerisk.
'venge|ance *s* hevn; **'~ ful** *a* hevngjerrig.
'venial (*i*:) *a* tilgivelig.
'venison (e) *s* is. hjortekjøtt.
'venom(e) *s* gift; **'~ ous** *a* giftig.
'venous (*i*:) *a* åre-.
vent *s* (luft)hull; *fig* avløp; *v* gi luft, utløse; **'~ ilate** *v* ventilere, sette under debatt.
'ventr|al *a* underlivs-, buk-; **~'iloquist** *s* buktaler.
'venture *s* vågestykke, spekulasjon, risiko; *v* våge(seg), spekulere; **'~ some** *a* dristig.
ve'r|acious (*ei*) *a* sannferdig; **~'acity** (æ) *s*.
'verb|al (*ə*:) *a* muntlig, ordrett, verbal; **'~ iage** *s* ordgyteri; **~'ose** (*ou*) ordrik; **~'osity** (*å*) *s*.
'verdant (*ə*:) *a* grønn(kledd).
'verdict (*ə*:) *s jur* kjennelse.
verdure (*ə*:) *s* lauv, grønt.
verge (*ə*:) *s* kant, rand; *v* helle; utvikle seg; **~ on** *v* grense til; **'~ r** *s* kirketjener.
'veri|fy (e) *v* bevise, bekrefte; **'~ table** *a* is. ekte; **'~ty** *s* sannhet.
'verjuice (*ə*:) *s* sur saft.
ver'milion *s* sinoberrød.
'vermin (*ə*:) *s* skadedyr, utøy.

ver'nacular (æ) *a* hjemlig, fedrelands-; *s* morsmål, talespråk.
'vernal (*ə:*) *a* vår-.
'versa|tile *a* (ånds)smidig, allsidig; **˜'ility** *s*.
vers|e (*ə:*) *s* vers(elinje), poesi; **'˜ ed** *a* bevandret.
'version (*ə:*) *s* gjengivelse, utgave.
'vertebr|al *a* ryggvirvel; **'˜ ate** *s* virveldyr.
'vertex (*ə:*) *s* topp, spiss.
'vertical (*ə:*) *a* loddrett.
ver'tiginous (*idzh*) *s* svimlende.
'very *a* selve, selvsamme; *av* meget; aller-.
'vesicle (e) *s* liten blære.
'vessel *s* kar; fartøy.
vest *s* undertrøye; vest; *v* forlene, overdra; tilfalle (**v.in**); **'˜ ed** *a* hevdvunnen.
'vestal *s* vestalinne.
'vestige *s* spor.
'vestment *s* plagg, skrud.
'vestry *s* sakristi, sokneråd.
vet *s fam* dyrlege.
vetch *s bot* vikke.
'veteran (e) *a* øvet, stridsvant; *s*.
'veterinary (e) *s* dyrlege.
vex *v* ergre, plage; **˜'ation** *s* ergrelse; **˜'atious** *a* fortredelig, sjikanøs; **'˜ ed** *a* omtvistet; ergerlig.
vial (*ai*) *s* medisinflaske.
'viands (*ai*) *s* mat.
vi'brate (*ai*) *v* vibrere.
'vic|ar (*i*) *s* vikar; (sokne-) prest; **'˜ arage** *s* prestegård; **˜'arious** *a* stedfortredende, konstituert.
vice (*ai*) *s* last, lyte; kraft; skruestikke; *a* vise-; **'˜ -'gerent** (*dzhe*) *s* stedfortreder; **'˜ like** *a* som en skruestikke; **'˜'regent** (*i:*) *s* stattholder; **'˜ roy** *s* visekonge; **'˜'versa** (*vaisi*) *av* omvendt.
vi'cinity *s* naboskap.
'vicious (*ish*) *a* lastefull; forfeilet; slem.
vi'cissitudes *s* omskiftelser.
'victim *s* offer; **'˜ ize** *v* plage, bedra.
'vic|tor *s* seierherre; **'˜ tory** *s* seier; **˜'torious** *a* seierrik.
'victual|s (*vitlz*) *s* levnetsmidler; **'˜ ler** *s* proviantør.
vie (*ai*) *v* kappes.
Vienna (e) Wien.
view (*ju:*) *s* syn, utsikt; betraktning, mening, plan; *v* bese; **'˜ y** *a* svermerisk, *fam* pen.
'vigil (*idzh*) *s* våkenatt, våking; **'˜ ance** *s* årvåkenhet; **'˜ ant** *a*.
'vig|our *s* kraft; **'˜ orous** *a*.
vile (*ai*) *a* sjofel.
'village *s* landsby; **'˜ r** *s* l.-boer.
'villain *s* kjeltring; **'˜ ous** *a*: **˜ y** *s* skurkestrek.
'vindicate *v* forsvare, hevde, rettferdiggjøre.
vin'dictive *a* hevngjerrig.
vine (*ai*) *s* vinranke.
'vinegar (*i*) *s* eddik.
'vin|eyard (*i*) *s* vingård, -berg; **'˜ tage** *s* vinhøst; årgang.
'viol|ate (*ai*) *v* krenke, bryte; **'˜ ence** *s* vold(-somhet); **'˜ ent** *a* voldsom.
'violet (*ai*) *s* fiol; *a* fiolett.
vio'lin (*i*) *s* fiolin.
viper (*ai*) *s* giftslange.
vi'rago (*a:* el. *ei*) *s* arrig kvinne.
'virg|in (*ə:*) *s* jomfru; *a* j.-elig; **'˜ inal** *a ib*; **˜'inity** *s*.
'vir|ile (*i* el. *ai*) *a* manndoms-, mandig; **˜'ility** *s*.
'virtu|e (*ə:*) *s* dyd, verd, kraft; **'˜ al** *a* faktisk, vesentlig; **˜'oso** (*ou*), *s* virtuos; **'˜ ous** *a* dydig.
'virulent *a* giftig.
'visage (*i*) *s* ansikt.
'viscount (*vaik*) *s* vicomte; **˜ ess** *s*.

'vis|cid (*is-*); **'⌣ cous** (*isk*) *a* klebrig.
vis|ible (*iz*) *a* synlig; **'⌣ ion** (*izh*) *s* syn(-sevne), fantasibilde, visjon; **'⌣ ional** *a*; **'⌣ ionary** *a* overspent, fanatisk; *s* drømmer, fantast.
'visit *s* visitt; *v* besøke, hjemsøke, inspisere; **⌣'ation** *s* visitasjon; tilskikkelse; **'⌣ or** *s* gjest.
'visor (*ai*) *s* visir, lueskjerm.
'visual (*iz*, el. *izh*) *a* syns-; **'⌣ ize** *v* anskueliggjøre.
'vit|al (*ai*) *a* livs-; vital, vesentlig; *pl* edle deler; **⌣'ality** *s* livskraft, viktighet.
'vitiate (*ish*) *v* forderve, forvanske.
'vitreous (*i*) *a* glass-.
vi'tuperate (*ju:*) *v* skjelle ut.
vi'v|acious (*ei*) *a* livlig; **⌣'acity** (*æ*) *s*; **'⌣ id** *a* livaktig, levende.
'vixen *s* hunnrev; ondskapsfull kvinne, troll (ofte skøyer).
viz. (*neimli*) *ev* nemlig.
vo'cabulary (*æ*)*s* ordliste, ordforråd.
vocal (*ou*) *a* stemme-, sang-, vokal-; **'⌣ 'chords**, stemmebånd; **'⌣ ist** *s* sanger(inne) is. i radio o. l.
vo'cation (*ei*) *s* kall.
vo'cifer|ate (*i*) *v* skråle; **⌣ ous** *a* høyrøstet.
'vogue (*ou*) *s* mote.
voice (*åi*) *s* stemme *gr* (verbal form; *v* uttrykke; **⌣ d** *a* *gr* stemt; **'⌣ less** *a* *gr* ustemt.
void (*åi*) *a* tom, ugyldig, *s* tomrom; *v* (ut)tømme, rømme, erklære ugyldig.
'volatile (*å*) *a* flyktig.
vol'cano (*ei*) *s* vulkan.
vo'lition *s* vilje.
'volley (*å*) *s* *mil* salve, *sp* fluktslag; *v*.
'volplane (*å*) *s* glideflukt; *v*.
'volub|le (*å*) *a* (tunge-)rapp, flytende; **⌣'ility** *s*.
'vol|ume (*å*) *s* bok, bind; volum; **⌣'uminous** (*ju:*) *a* omfangsrik.
'volun|tary (*å*) *a* frivillig; **⌣'teer** (*iə*) *s* frivillig; *v* tilby (seg), gå inn som f., ytre.
vo'luptu|ary (ʌ) *s* vellysting; **⌣ ous** *a* vellystig, yppig.
vo'lution (*u:*) *s* spiral, spir.
'vomit (*å*) *v* spy (ut).
vo'r|acious (*ei*) *a* glupsk, grådig; **⌣'acity** (*æ*) *s*.
'vortex (*å:*) *s* strømvirvel.
'vot|ary (*ou*) *s* dyrker, innvidd; **⌣ e** *s* stemme(-givning), avstemming; *v* votere, vedta; **'⌣ er** *s* stemmeberettiget.
vouch (*au*) *v* innestå (for-**for**); **'⌣ er** *s* varenota, bevis, bilag, kvittering; **⌣'safe** (*ei*) *v* unne, verdige(s), nedlate seg.
vow (*au*) *s* løfte (høytidelig); *v* love, sverge.
'vowel (*au*) *s* vokal.
'voyage (*åi*) *s* reise (is. sjø, fly).
'vul|gar (ʌ) *a* simpel, vulgær; **'⌣ garism** *s* vulgært ord el. uttrykk; **'⌣ garize** *v* forsimple; **⌣'garity** *s* simpelhet.
'vulnerable (ʌ) *a* sårbar; i faresonen (i bridge).
'vulture (ʌ) *s* gribb.

W.

wad (*å:*) *s* vattplate, stopp, bunke; **'⌣ding** *s* vatt(ering).
waddle (*å*) *v* vralte.
wade (*ei*) *v* va, vasse; **' ⌣r** *s* vadefugl; *pl* vastøvler.
'wafer (*ei*) *s* oblat.
waffle (*å*) *s* vaffel; skravl.
waft (*a:*) *s* vift, pust; *v* bære, føre (i luften).
wag (*æ*) *v* svinge, dingle, logre (med); *s* skøyer.

wage (*ei*) *v* føre (om krig); *s* is. *pl* arbeidslønn, sold, hyre.
wager (*ei*) *v* (*s*) vedde(mål).
ˈ**wag|gery** (*æ*) *s* skøyeraktighet; ˈ⁓ **gish** *a*.
ˈ**waggon** (*æ*) *s* lastevogn, åpen godsvogn, *am* ogs. dekket vogn; ˈ⁓ **er** *s* kjørekar.
waif (*ei*) *s* herreløst gods, h. dyr, hittebarn.
wail (*ei*) *v* jamre; *s*.
wain (*ei*) *s poet* vogn.
ˈ**wainscot** (*ei*) *s* (*v*) panel(e).
waist (*ei*) *s* midje, (bluse-)liv; ˈ⁓ **coat** (*eisk-*) *s* vest.
wait (*ei*) *v* vente; varte opp (**w. on**); *s* vent(etid); bakhold; ˈ⁓ **er,** ˈ⁓ **ress** *s* oppvarter(ske).
waive (*ei*) *v* frafalle, oppgi, se bort fra.
wake (*ei*) *s* kjølvann; *v* vekke, våkne, våke; ˈ⁓ **ful** *a* søvnløs, årvåken; ˈ⁓ **n** *v* vekke, våkne.
wale (= **weal**) (*ei*) *s* hoven stripe; *v* banke, peise.
walk (*å:*) *s* gang, tur, promenade; *v* gå, spasere.
wall (*å:*) *s* mur, vegg; *v* befeste.
ˈ**wallet** (*å*) *s* is. seddelbok.
wallow (*å*) *v* velte seg.
ˈ**walnut** (*å:*) *s* valnøtt.
ˈ**walrus** (*å:*) *s* hvalross.
waltz (*å:ls*) *s* vals.
wan (*å*) *a* blek, gusten.
wand (*å*) *s* (dirigent-, embets-, trylle-)stav.
ˈ**wander** (*å*) *v* vandre, flakke, gå vill; fantasere.
wane (*ei*) *v* avta, synke; *s ast* ne, avtagen(-de).
wangle (*æ*) *v fam* lirke, lure.
want (*å*) *s* mangel, trang, nød, ønske; *v* mangle, ønske, trenge; ˈ⁓ **ing** *a* manglende.
ˈ**wanton** (*å*) *a* kåt; ukysk; yppig; *v* boltre seg.
war (*å:*) *s* krig.
warble (*å:*) *v* trille, synge; ˈ⁓ **r** *s* sangfugl.
ward (*å:*) *s* myndling; rode; sykehussal, *pl* (lås-)gjenge; *v* parere; ˈ⁓ **en** *s* vokter, direktør; ˈ⁓ **er** *s* vokter; ˈ⁓ **robe** *s* klesskap, garderobe; ˈ⁓ **room** *s mar* offisersmesse; ˈ⁓ **ship** *s* verge.
ware (*εə*) *s pl* stein- el. metallvarer; ˈ⁓ **house** *s* lager, magasin.
ˈ**war|fare** (*å:*) *s* krig(førsel); ˈ⁓ **like** *a* krigersk.
warm (*å:*) *a* varm, lun; *v* varme(s); ⁓ **th** *s* varme.
warn (*å:*) *v* varsle, underrette, advare; ˈ⁓ **ing** *s* (ad)varsel; oppsigelse.
warp (*å:*) *s* trosse; rennegarn; (vind)skjevhet; *v* gjøre (bli) skjev (vridd); slå seg (om tre); forkvakle; varpe.
ˈ**warrant** (*å*) *s* fullmakt, bemyndigelse, hjemmel, arrestordre; *v* innestå for, hjemle, berettige; ˈ⁓ **able** *a* forsvarlig; ˈ⁓ **y** *s* garanti.
ˈ**warren** (*å*) *s* kaningård.
ˈ**warrior** (*å*) *s* kriger.
wart (*å:*) *s* vorte.
ˈ**wary** (*zə*) *a* forsiktig.
wash (*å*) *v* vaske (seg), skylle, tåle vask; *s* bølgeslag; grunning; ˈ⁓ **ing** *s* vask(-etøy); ˈ⁓ **-leather** *a* vaskeskinns-; ˈ⁓ **-stand** *s* servant.
wasp (*å*) *s* veps; ⁓ **ish** *a* irritabel, bisk.
waste (*ei*) *a* øde, udyrket; avfalls-; *v* herje, sløse med, tære på; hentæres, gå til spille, svinne inn; *s* ødemark; svinn; sløseri; rester; ˈ⁓ **ful** *a* ødsel; ˈ⁓ **-paper** *s* papiravfall; ˈ⁓ˈ**paper-basket** *s* papirkurv; ˈ⁓ **-pipe** *s* avløpsrenne.
watch (*å*) *s* vakt(hold); ur, klokke; *v* våke, speide, holde vakt; passe på; iaktta, gjete; ˈ⁓**ful** *a* årvåken; ˈ⁓**man** *s* vekter; ˈ⁓ **word** *s* løsen, feltrop.

ˈ**water** (*å:*) *s* vann, *pl* farvann; *v* (ut)vanne, oppspe, ta inn vann; renne; ˈ‿ **course** *s* vassdrag; ˈ‿ **ing-place** *s* badested; drikkested (for dyr); ˈ‿ **man** *s* ferjemann; ˈ‿ **proof** *a* vanntett; ˈ‿**shed** *s* vannskille; ˈ‿ **spout** *s* skypumpe; ˈ‿ **way** *s* lei, løp; ˈ‿ **y** *a* våt, vassen.

wattle (*å*) *s* kvistgjerde; hakelapp (hos hanen).

waul (*å:*) *v* mjaue, hyle.

wave (*ei*) *v* bølge, vaie, vifte, vinkel; *s* bølge etc, ondulering.

ˈ**waver** (*ei*), *v* vakle, svaie.

ˈ**wavy** (*ei*) *a* bølget.

wax (*æ*) *s* voks; *v* vokse; bli; ˈ‿ **en** *a* voksblek; ˈ‿ **work** *s* voksfigur.

way (*ei*) *s* vei, gate, bane; veistykke; kant; måte, middel, fart; ˈ‿ **farer** *s* veifarende; ‿ˈ**lay** *v* passe opp, overfalle; ˈ‿ **ward** *a* egensindig.

weak (*i:*) *a* svak, veik; ˈ‿ **en** *v* bli (gjøre) svak; ˈ‿ **ling** *s* svekling; ˈ‿-ˈ**minded** *a* innskrenket, åndssvak; ˈ‿ **ly** *a* svakelig.

weal (*i:*) *s* velferd; = **wale.**

wealth (e) *s* rikdom; ˈ‿ **y** *a* rik.

wean (*i:*) *v* avvenne (spebarn).

ˈ**weapon** (e) *s* våpen.

wear (*εə*) *v* bære, ha på seg; slite, tære på; bli slitt, slepe seg hen; være holdbar; *s* bruk, slit(asje); soliditet.

ˈ**wear|y** (*iə*) *a* sliten, slitsom; ˈ‿ **isome** *a* trettende.

weasel (*i:*) *s* zo vesel; beltebil; *am* luring.

weather (e) *s* vær; *a* luvarts-; *v* værslå, forvitre; trosse, klare, stå over; ˈ‿ **-beaten** *a* barket, værslått; ˈ‿ **-glass** *s* barometer.

weave (*i:*) *v* veve.

ˈ**weazened** (*i:*) = **wixened.**

web *s* vev, spinn; svømmehud.

wed *v* vie; ekte; *fig* forbinde, fengsle; ˈ‿ **ding** *s* bryllup.

wedge *s* kile; *v* kile fast, k. inn, sprenge.

ˈ**wedlock** *s* ekteskap.

ˈ**Wednesday** (*enz*), onsdag.

wee (*i:*) *a* bitte liten.

weed (*i:*) *s* ugras, *fam* sigar; *v* luke, utrydde; *s pl* enkes sørgedrakt; ˈ‿ **y** *a* full av ugras; strantet, skral.

week (*i:*) *s* uke; ˈ‿ **day** *s* hverdag; ˈ‿ **-ˈend** lørdag til mandag; ˈ‿ **ly** *a* ukentlig; *s* ukeblad.

ˈ**weeny** (*i:*) *a* liten, barnslig.

weep (*i:*) *v* gråte; svette (om ost); ˈ‿ **er** *s* enkeslør.

weft *s* islett, vev.

weigh (*ei*) *v* veie, lette (anker); ‿ **t** *s* vekt, byrde; *v* tynge, belaste; ˈ‿ **ty** *a* tung.

weir (*iə*) *s* dam, demning.

weird (*iə*) trolsk, selsom, vill.

ˈ**welcome** *a* velkommen *am* ingen årsak; *s* velkommen; *v* hilse v.

weld *v* sveise.

ˈ**welfare** *s* velferd.

well *s* brønn, *fig* kilde; *v* velle, springe fram; *a* vel, godt; frisk; *av* vel, godt, langt; ˈ‿**ad**ˈ**vised** *a* velbetenkt; ˈ‿ **- be**ˈ**haved** *a* veloppdragen; ˈ‿ **-**ˈ**being**, *s* velvære; ˈ‿ **-be**ˈ**loved** *a* høytelsket; ‿ˈ**born** *a* av god familie; ˈ‿ **-**ˈ**bred** *a* veloppdragen, dannet; ˈ‿ **-disposed** *a* vennligsinnet; ˈ‿ **-**ˈ**done**, bl. a godt stekt; ˈ‿ **-in**ˈ**formed** *a* kunnskapsrik; velunderrettet; ˈ‿ **-**ˈ**off** *a* velstående; ˈ‿ ˈ**timed** *a* velberegnet; ˈ‿ **-to**ˈ**do** *a* velstående; ˈ‿ **-**ˈ**turned** *a* velformet; ˈ‿ˈ**won** *a* ærlig fortjent; ˈ‿ˈ**worn** *a* forslitt; utslitt.

welsh *v* snyte, bedra.

Welsh *a* valisisk; **'⌣ man** (**'⌣ woman)** *s* valiser(inne).
welt *s* (*v*) rand(-sy).
'welter *v* rulle, velte (seg); *s* kaos, røre.
wen *s med* kul, kong.
wench *s* jente.
wend one's way *v* begi seg.
'werewolf (*ə:*) *s* varulv.
west *s* vest, -lig, -over, -på; **'⌣ erly** *a* vestlig; **'⌣ ern** *a* vesterlandsk; **'⌣ erner** *s* vesterlending; **'⌣ ward(s)** *av* vestover.
wet *a* våt, regnfull; *v* væte, fukte; *s* nedbør.
'wether *s* gjeldbukk.
'wet-nurse *s v* amme.
whack (*æ*) *v* denge.
whal|e (*ei*) *s* hval; *v* fange h.; **'⌣ e-bone** *s* fiskebein; **⌣ er** *s* h.-fanger(-båt); **'⌣ ing** *s* h.-fangst.
whang (*æ*) *s* dunk, smell; *v*.
wharf (*a:*) *s* brygge, kai.
what (*å*) *pron* hva (for), hvilken, hva som; noe; **'⌣ ever,** hva (hvilken) enn, alt hva, hva i all verden; *av* overhodet.
wheat (*i:*) *s* hvete.
wheedle (*i:*) *v* lokke, godsnakke.
wheel (*i:*) *s* hjul, rokk; ratt; *v* kjøre, svinge; **'⌣ barrow** *s* trillebør; **'⌣'wright** *s* hjulmaker.
wheez|e (*i:*) *v* hvese, pese; **'⌣ y** *a* astmatisk.
whelk *s* filipens.
whelp *s fig* (h)valp.
when *k* når, da; **⌣ ce** *av* hvorfra, hvorav; **⌣'ever,** hver gang, når som helst (som), når i all verden.
wher|e (*εə*) *av* hvor; **⌣ea'bouts** *s* oppholdssted; **⌣ e'as** (*æ*) *k* mens derimot; **⌣'ever** *av* hvor enn, hvor i all verden.
'wherry (e) *s* elvebåt, pram.
whet *v* slipe.
'whether *k* (hva-)enten; om.
whey (*ei*) *s* myse.
which *pron* hvem, hvilken, som, hva som; **⌣'ever** *pron* hvilken enn, h. i all verden.
whiff *s* drag, pust.
while (*ai*) *k* mens; *s* stund, tid; *v* **⌣ away**, fordrive (om tid).
whilst (*ai*) *k* mens.
whim *s* nykke, lune.
'whimper *v* sutre, klynke.
'whimsical *a* lunefull, eksentrisk.
whine (*ai*) *v* klynke.
'whinny *v* humre (om hest).
whip *s* svepe, *fam* kusk; partiinnpisker; *v* vispe, piske.
'whippet *s* mynde, liten bil (buss, tank).
whirl (*ə:*) *v* svinge, gyve, virvle; **'⌣ pool** *s* strømvirvel; **'⌣ wind** *s* v.-vind.
whir(r) *v* (*s*) surre(n).
whisk *s* visk, visp; *v* daske, feie, vispe; fare; **'⌣ ers** *s* kinnskjegg, værhår.
'whisper *v* (*s*) hviske(n).
whistle (*sl*) *v* plystre; pipe, kvine; *s* pip(esignal), plystring; pipe.
whit *s* grann.
white (*ai*) *a* hvit, bleik, uskyldig; *s* hvit; hvitt; **'⌣ friar** *s* karmelitt; **'⌣ -livered** *a* feig; **'⌣ n** *v* bli hvit, bleike; **'⌣ wash** *s* hvittekalk; *v* hvitte, pusse.
'whither *av* hvorhen.
'whiting (*ai*) *s zo* hvitting; slemmekritt.
'Whitsun(-tide) *s* pinse.
whittle *v* spikke.
whiz *v* visle, suse.
who (*hu:*) *pron* hvem; (den) som; **⌣'ever,** hvem enn, hver den som, hvem i all verden.
whole (*hou*) *a* hel; *s* hele; **⌣ -'hearted** *a* udelt, hjertelig; **'⌣ sale** *a* en gros.
'wholesome (*hou*) *a* sunn.
'wholly (*hou*) *av* ganske.
whoop (*hu:þ*) *v* hyle, rope;

kike; '⌣ **ing-cough** *s* kikhoste.
whop (*wåp*) *v sl* pryle.
whore (*håə*) *s* hore.
whose (*hu:z*) *pron* hvis, hvem sin.
why (*ai*) *av* hvorfor, *int* å! tja! m. m.
wick *s* veke.
'**wicked** (*-id*) *a* ond.
'**wicker** *s* vidje (-fletning).
wicket *s* port, halvdør; *sp* cricketgrind.
wide (*ai*) *a* vid(strakt), bred; *av* langt, vidt; '⌣ **-a'wake** *a* lys våken; ⌣**n** *v* bli (gjøre) vid; '⌣ **-spread** *a* utbredt.
'**widow** *s* enke; *v* gjøre til e.; '⌣ **er** *s* e.mann; '⌣ **hood** *s* e.-stand.
width *s* vidde, spenn.
wield (*i:*) *v* føre, bruke, svinge; utøve.
wife (*ai*) *s* hustru.
wig *s* parykk.
wild (*ai*) *a* vill, vilter, ustyrlig; *s* villmark; '⌣ *erness* (*i*) *s* vill nis; '⌣ **fire** (*ai*) *s fig* løpeild.
wile (*ai*) *s* list.
'**wilful** *a* egensindig; overlagt.
will *s* vilje; testamente; *v* vil, pleier; ville bestemt, hypnotidere; '⌣ **ing** *a* villig.
'**willow** *s bot* pil.
wilt *v* visne, bli slapp.
'**wily** (*ai*) *a* slu, listig.
win *s* vinne.
wince *v* krympe el. ømme seg.
winch *s* sveiv, kran, *mar* spill.
wind (*i*) *s* vind, pust; *v* være, få teft av, (om vilt); '⌣ **lass** *s mar* spill; '⌣ **pipe** *s* luftrør; '⌣ **-screen** *s* frontglass;⌣ **screen-wiper** *s* frontglasspusser; '⌣ **-sock** *s* vindretningsviser; '⌣ **ward** *a* luvarts-, mot vinden; '⌣ **y** *a* blåsende.
wind (*ai*) *v* blåse (i horn); tvinne, sno, trekke opp **(up)**, vikle; *s* slyng, bukt; '⌣ **ing-sheet** *s* liklaken; '⌣ **ing-stairs** *s* vindeltrapp;' ⌣ **ing-'up** *s* avvikling.
'**window** *s* vindu.
wine (*ai*) *s* vin.
wing *s* ving(e), fløy; ⌣ **-commander** *s* oberstløytnant i flyvåpnet; ⌣ **ed** *a* betvinget.
wink *v* blinke, plire; *s* blink, vink; blund.
'**winnow** *v* rense (såkorn).
'**winsome** *a* vinnende, søt.
'**wint|er** *s* vinter; '⌣ **ry** *a.*
wipe (*ai*) *v* (av)gni, tørke; feie.
wir|e (*ai*) *s* metalltråd, telegraftråd; *fam* telegram; trosse; *v* feste med m., telegrafere; '⌣ **eless** *a* trådløs (telegraf), radio; telegrafere tr.; ⌣**eless operator** *s* radiotelegrafist; '⌣ **y** *a* ogs. senet.
'**wis'dom** (*i*) *s* visdom, klokskap; ⌣ **e** (*ai*) *a* klok, vis; *s* måte.
wish *s* ønske; *v.*
wisp *s* visk, dott.
'**wistful** *a* tankefull, lengselsfull; vemodig.
wit *s* vidd; *pl* vett, forstand; **to** ⌣, nemlig.
witch *s* heks; *v* forhekse; '⌣ **ery** *s* hekseri.
with *prp* med, hos, av etc.; ⌣'**draw** *v* ta tilbake, inndra, ta ut (om penger); trekke seg tilbake; ⌣'**drawal** *s.*
'**wither** *v* visne.
'**withers** *s* ryggkam (på hest).
with|'hold *v* nekte, holde tilbake; ⌣'**in** *prp av* innen(for), innvendig; ⌣'**out** *prp* uten; *av* utenfor; ⌣'**stand** *v* motstå.
'**withy** *s* vidjekvist.
'**witness** *s* vitne(-sbyrd); *v* (be)vitne, være vitne til.
'**wit|ticism** *s* vittighet; '⌣ **tingly** *av* med vitende; '⌣ **ty** *a* vittig.
'**wizard** (*i*) *s* trollmann.
'**wizened** **(= weazened)** *a* inntørket, mager.

wobble (*å*) *v* slingre, rugge.
woe (*ou*) *s* smerte, sorg; ˈ⌣ **-begone** *a* begredelig; ˈ⌣ **ful** *a* sørgelig.
wolf (*u*) *s* ulv; ˈ⌣ **ish** *a*.
woman (*u*) *s* kvinne; ˈ⌣ **hood** *s* voksen alder, kvinnelighet; ˈ⌣ **ish** *a* k.aktig; ˈ⌣ **ly** *a* k.lig.
womb (*u:*) *s* livmor.
ˈ**wonder** (*ʌ*) *s* (vid-)under, forundring; *v* undres (på); ˈ⌣ **ful** *a* vidunderlig.
ˈ**wondrous** (*ʌ*) *a av poet* vidunderlig.
ˈ**wonky** (*å*) *a fam* ustø, upålitelig.
ˈ**wont** (*ou*) *a* vant; *s* vane; ⌣ **ed** *a* vanlig.
woo (*u:*) *v* beile til.
wood (*u*) *s* skog; treverk, ved; ˈ⌣ **cock** *s zo* rugde; ˈ⌣ **en** *a* av tre-; klosset; ˈ⌣ **pecker** *s* hakkespett; ˈ⌣ **y** *a* skogrik; treaktig.
woof (*u:*) *s* vev, islett.
wool (*u*) *s* ull, garn; ˈ⌣ **len** *a* ull-; ˈ⌣ **ly** *a ib*; ⌣ **len gloves** *s* vanter, votter.
word (*ə:*) *s* ord; *v* formulere; ˈ⌣ **ing** *s* ordlyd; ˈ⌣ **y** *a* ordrik.
work *s* arbeid, verk, mekanisme, *pl* gjerninger; *v* arbeide, gå, virke; la arbeide, håndtere, manøvrere, drive, bearbeide, tilvirke, bevirke, volde; ˈ⌣ **able** *a* brukbar; ˈ⌣ **day** *s* hverdag; ˈ⌣ **er** *s* arbeider; ˈ⌣ **fellow** *s* arbeidskamerat; ˈ⌣ **house** *s* fattiggård; ˈ⌣ **ing** *a* brukbar; ˈ⌣ **man** *s* arbeider; ˈ⌣ **manship** *s* fagdyktighet, utførelse; ˈ⌣ **shop** *s* verksted.
world (*ə:*) *s* verden; ˈ⌣ **ly** *a* verdslig, materialistisk.
worm (*ə:*) *s* orm, mark, skrugjenge; *v* lirke, sno; ˈ⌣ **wood** *s* malurt.
worn (*å:*) *a* utslitt.
ˈ**worry** (*ʌ*) *v* rive og slite i; plage, erte; gremme seg, bry seg; *s* plage, kav.
worse (*ə:*) *a* verre.
ˈ**worship** (*ə:*) *s* gudsdyrkelse, tilbedelse, andakt; *v* tilbe, dyrke.
worst (*ə:*) *a* verst, dårligst; *v* beseire.
ˈ**worsted** (*wus-*) *s* (*a*) kamgarn(s-).
worth (*ə:*) *a* verd; *s* verd(i); ˈ⌣ **less** *a* verdiløs, uverdig; ˈ⌣ **y** *a* verdig.
ˈ**would-be** (*u*) *a* foregiven, som pretenderer.
wound (*u:*) *s* (*v*) sår(e).
wrack (*ræ*) *s* (oppskylt) tang.
wraith (*rei*) *s* vardøger.
wrangle (*ræ*) *s* (*v*) kjekl(e).
wrap (*ræ*) *v* innhylle, svøpe; *s* sjal, pledd; ˈ⌣ **per** *s* omslag; løst plagg.
wrath (*rå:*) *a* (*s*) vred(e); ˈ⌣ **ful** *a* vred.
wreak (*ri:*) *v* øve (hevn).
wreath (*ri:*) *s* krans; ⌣ **e** *v* kranse.
wreck *s* ruin, forlis, vrak (-gods); *v* ødelegge, bringe til forlis; **be** ⌣ **ed** forlise; ˈ⌣ **age** *s* vrakgods.
wren (*re*) *s* gjerdesmutt.
wrench (*re*) *v* vri, vriste; *s* rykk, vrid; senestrekk.
wrest (*re*) *v* vriste, rykke.
wrestle (*resl*) *v* brytes; ˈ⌣ **r** *s* bryter.
wretch (*re*) *s* stakkar, usling; ˈ⌣ **ed** (-id) *a* elendig.
wriggle (*ri*) *v* vri, sno seg, sprelle.
wright (*rai*) *s* bygger.
wring (*ri*) *v* vri, kryste.
wrinkle (*ri*) *s* (*v*) rynke.
wrist (*ri*) *s* håndledd; ˈ⌣ **band** *s* mansjett.
writ (*ri*) *s* skrift; *jur* ordre, stevning, innkallelse.
write (*rai*) *v* skrive, stave; ˈ⌣ **r** *s* skribent; skriver.

writhe (*rai*) *v* vri seg.
'**writing** (*rai*) *s* (hånd)-skrift, verk.
wrong (rå) *a* feilaktig, urett, gal; *av* galt; *s* urett, forurettelse; *v* forurette; '~ '**doer** *s* forbryter, synder; '~'**doing** *s* urett; '~ **ful** *a* uberettiget.
wroth (*rou*) (*ou*) *a poet* vred.
wrought (*rå:*) *a* spent **(w. up)**; bearbeidet; utført; ~' -'**iron** *s* smijern.

Y.

yacht (*jåt*) *s* yacht.
yap (*jæ*) *s* (*v*) bjeff(e).
yard (*ja:*) *s* 0,91 m; *mar* rå; tomt, gård(-srom), verft.
yarn (*ja:*) *s* garn; historie.
yaw (*jå:*) *v mar* falle av, komme ut av kurs.
yawl (*jå:*) *s* jolle, slupp.
yawn (*å*) *v* gape, gjespe.
year (*jə:*) *s* år, kull; '~ **ling** *s* årsunge; '~ **ly** *a* årlig.
yearn (*jə:*) *v* hike.
yeast (*ji:*) *s* gjær, skum.
yell (*je*) *s* (*v*) hyl(e).
'**yellow** (*je*) *a* (*v*) gul(ne); '~ **ish** *a* gulaktig.
yelp (*je*) *s* (*v*) bjeff(e).
yen (*je*) *v am* lengte; *s* lengsel.
'**yeoman** (*jou*) *s* fribonde; '~ **ry** *s* frivillig kavaleri.
yes *int* ja, jo, vel?
yesterday *av* i går.
yet *av* enda; dog.
yew (*ju*() *s* barlind.
yield (*ji:*) *v* gi, yte, kaste av seg; gi etter, vike, overgi seg.
yoke (*jou*) *s* åk; *v* harmonere, spenne i åk.
yolk (*jouk*) *s* eggeplomme.
yonder (*jå*) *av* der borte.
young (*j*ʌ) *a* ung; *s zo* unge; '~ **ster** *s* (ung) gutt.
youth (*ju:*) *s* ungdom; ung mann; '~ **ful** *a* ungdommelig.
yule (*ju:*) *s* jul; ~ **-log** *s* julekubbe; ~ **-tide** *s* juletid.

Z.

zeal (*zi:*) *s* iver.
zealous (ze) *a* ivrig, nidkjær; '~ **ot** *s* fanatiker.
'**zenith** (ze) *s* senit.
'**zero** (*zie*) *s* null(-punkt).
zest (ze) *s* krydder, (vel)-smak; glede, nytelse.
zinc (*zi*) *s* sink.
zip(per) (*zi*) *s* glidelås.
'**zither** (*zi*) *s* sitar.
zone (*zou*) *s* sone.
zoo (*zu:*) *s fam* dyrehage **(Z.)**.
zoologist (*zou'å-*) *s* zoolog.

A.

abbed *s* abbot; ~ **i** *s* abbey; ~ **isse** *s* abbess.
A B C *s* primer.
abdisere *v* abdicate.
abnorm *a* abnormal; ~ **itet** *s* abnormity.
abon|nement *s* subscription; ~ **nent** *s* subscriber; ~ **nere** *v* subscribe (på-to).
absint *s* absinth.
absolutt *a* absolute.
absorber|e *v* absorb; ~ **ing** *s* absorption.
abstrakt *a* abstract.
absurd *a* absurd; ~ **itet** *s* absurdity.
asetyl(én) *s* acetyl(ene).
addere *v* add, sum up.
adel *s* nobility; ~ **ig** *a* noble; ~ **smann** *s* nobleman.
adgang *s* admission; ~ **skort,** *s* admission card.
adjutant *s* aide-de-camp.
adjø good-bye; au revoir.
adkomst *s* access; right.
adle *v* create a peer, raise to the peerage.
adlyde *v* obey.
administrasjon *s* administration.
administrere *v* manage, administer.
admiral *s* admiral; ~ **itet** *s* Admiralty.
adop|tere *v* adopt; ~ **sjon** *s* adoption.
adress|at *s* addressee; ~ *s* address; ~ **kalender** *s* directory; ~ **ere,** *v* address, direct.
adstadig *a* sedate.
ad|vare *v* warn; ~ **varsel** *s* warning; ~ **vis** *s* *merk* advice; ~ **vokat,** *s* barrister, counsel.
aero|naut *s* airman, pilot; ~ **plan** *s* (aero)plane, airplane.
affekt *s* passion; ~ **asjon** *s* affectation; ~ **ert** *a* affected.
affisere *v* affect.
affære *s* affair.
afrikansk African.
aften *s* evening, night; ~ **smat** *s* supper.
age *s* **i** ~ in check.
agent *s* agent, representative; ~ **ur** *s* agency.
agere *v* act, play.
aggresjon *s* aggression; ~ **gressiv** *a* aggressive.
agit|asjon *s* agitation; ~ **ator** *s* agitator; ~ **ere,** *v* agitate.
agn *s* bait.
agner (korn) *s* chaff, husks.
agnor (mothake på fiskekrok) *s* barb.
agronom *s* agriculturist.
agurk *s* cucumber, gherkin.
à jour up to date.
akademi *s* academy; ~ **ker,** *s* university man, professional man.
ake *v* coast, sleigh, toboggan; ~ **bakke** *s* coasting-hill, toboggan slide.
aker se åker.
akevitt *s* eau-de-vie.
akk! alas!
akk|limatisere *v* acclimatize.
akk|ompagnere *v* accompany;

~ **ompagnement** *s* accompaniment.

akkord *s mus* chord; (arbeid) contract; *merk* composition; ~ **arbeid** contract work, job work; ~ **ere** *v* bargain.

akkreditiv *s* letter of credit.

akkurat *a* accurate, exact.

akrobat *s* acrobat.

aks *s* spike, ear.

akse *s* axis.

aksel *s* shoulder; (hjul ~) axle; (maskin ~) shaft.

aksent *s* accent; ~ **uere** *v* accentuate.

aksept *s merk* acceptance; ~ **ant** *s* acceptor; ~ **ere**, *v* accept; honour.

aksj|e *s* share, stock; ~ **ekapital** *s* share capital; ~ **emegler,** *s* stock-broker; ~ **eselskap** *s* joint stock company; ~ **espekulant** *s* stock-jobber; ~ **onær** *s* shareholder.

aksjon *s* action.

akt *s* act, ceremony; intention; *pl* papers.

akt|e *vt* respect; **å** ~ **e**, *vi* intend to; ~ **e på,** heed; ~ **else**, *s s* esteem.

aktenfor *av, prp* abaft (innenbords), astern of (utenbords).

akter *av* astern; ~ **dekk** *s* afterdeck; ~ **ende** *s* stern ~ **over** *av* astern.

akt|pågivende *a* attentive; ~ **pågivenhet** *s* attention; ~ **som,** *a* heedful; ~ **verdig** *a* respectable.

aktverdighet *s* respectability.

aktiv *a* active; ~ **itet** *s* activity; ~ **a** *s pl* assets.

aktor *s* counsel for the prosecution.

aktstykke *s* document.

aktu|ell *a* topical; ~ **alitet** *s* topicality.

akustikk *s* acoustics.

akutt *a* acute.

akvarell *s* water-colours.

alabast *s* alabaster.

alarm *s* alarm; ~ **ere** *v* alarm.

albu *s* elbow; *vr* elbow one's way.

album *s* album.

aldeles *av* quite.

alder *s* age; ~ **dom** *s* (old) age; ~ **stegen,** *a* aged.

aldrende *a* elderly.

aldri *av* never.

alen *s* ell.

alene *a* alone; *av* only.

alfabet *s* alphabet.

alge *s bot* sea-weed.

alke *s* .o razor-bill.

alkohol *s* alcohol.

alkove *s* alcove.

alkymi *s* alchemy.

all *a* all; ~ **e** *a* all, everybody.

allé *s* avenue.

aller *av* very, by far.

allerede *av* already.

aller|først first of all; ~ **nådigst** *a* most gracious; ~ **sist** *a* last of all; ~ **underdanigst** *a* most humble; ~ **øverst** *a* (the) very topmost, *av* at the very top.

alle|slags all kinds of; ~ **steds** *av* everywhere; ~ **stedsnærværende** *a* omnipresent.

alli|anse *s* aliance; ~ **ere,** *v* ally; ~ **ert,** *s* ally.

allikevel *av* still, yet, all the same.

all|mektig *a* almighty; ~ **sidig** *a* versatile; ~ **slags** *a* all kinds of; ~ **tid** *av* always; ~ **ting** *s* everything; ~ **vitende** *a* omniscient.

alm *s* elm.

almanakk *s* almanac.

almen *a* general, public; ~ **befinnende** *s* state of health; ~ **dannelse** *s* general education; ~ **gyldig** *a* generally accepted; ~ **ånd** *s* public spirit.

almenning *s* common.

alminnelig *a* common, ordinary, general; **i alminnelighet,** in general.

almisse *s* alms, charity.
almue *s* the common people.
alpefiol *s* cyclamen.
alskens *a* all kinds of.
alt *s mus* (contr)alto; *a, pron* all, everything; *av* already.
altan *s* balcony.
alter *s* altar; ⌣ **gang** *s* communion.
alterert *a* agitated.
alternativ *s* alternative.
altetende *a* omnivorous.
alt|for *av* too; ⌣ **så** *av* so, therefore.
alv *s* elf, fairy.
alvor *s* gravity, earnest, seriousness; ⌣ **lig** *a* serious, grave.
amatør *s* amateur.
ambassad|e *s* embassy; ⌣ **ør,** *s* ambassador.
ambisjon *s* ambition.
ambolt *s* anvil.
ambra *s* ambergris.
ambulanse *s* ambulance
amerikan|er(inne) *s* American; ⌣ **sk olje** castor oil.
amfi *s teat* gallery.
amme *s* nurse; *v.*
ammoniakk *s* ammonia.
ammunisjon *s* ammunition.
amnesti *s* amnesty.
amortisere *v* amortize, pay off, sink.
ampel *s* swing-lamp.
amper *a* fretful, irritated.
amulett *s* amulet.
analog *a* analogous; ⌣ **i** *s* analogy.
analys|e *s* analysis, *gr* parsing; ⌣ **ere,** *v* analyse, *gr* parse.
ananas *s* pine-apple.
anarki *s* anarchy.
anatomi, *s* anatomy.
an|befale *v* recommend; ⌣ **befaling** *s* recommendation, introduction; ⌣ **bringe** *v* place, apply; (penger) invest; ⌣ **bringelse** *s* placing; investment; ⌣ **bud** *s* offer, tender.
and *s zo* duck.
an|dakt *s* devotion; ⌣ **dektig** *a* devout, pious.
andel *s* share, quota.
and|føttes *av* head and tail; ⌣ **pusten,** *a* out of breath.
andra (til) *v* amount (to); ⌣ **gende,** *s* application.
and|rik *s zo* drake ⌣ **unge** *s* duckling.
ane *v* suspect, guess.
anecdote *s* anecdote.
anelse *s* suspicion, foreboding, misgiving; idea.
anemi *s* anaemia.
aner *s pl* ancestors.
an|erkjenne *v* acknowledge; ⌣ **erkjennelse** *s* acknowledgement, recognition; ⌣ **erkjennende** *a* appreciative.
an|fall *s* attack; fit; ⌣ **falle** *v* attack.
an|føre *v* lead, command; *merk* enter, book; allege, plead; ⌣ **fører** *s* leader, commander; ⌣ **førsel,** *s* command; (notat) statement.
angel *s* (fish)hook.
angelsakser *s* Anglo-Saxon.
anger *s* repentance, remorse; ⌣ **given,** *a* repentant, remorseful.
an|gi *v* (røpe) inform against, (vise) indicate; ⌣ **givelig,** *a* alleged; ⌣ **givelse** *s* statement, information; ⌣ **giver** *s* informer; ⌣ **gjeldende** *a* (*s*) (person) concerned.
angre *v* repent (of-på).
an|grep *s* attack; ⌣ **gripe** *v* attack, (tære) corrode; ⌣ **griper** *s* assailant.
angst *s* alarm, anxiety, fear.
an|gå *v* concern; ⌣ **holde** *v* seize, take up; (søke) apply (om-for); ⌣ **holdelse** *s* apprehension.
animalsk *a* animal.
animere *v* animate.
anis (frø) *s* anise, aniseed.
anke *s* complaint; *v* complain (of).

ankel *s* ankle.
anker *s* anchor; ~ **kjetting** *s* cable.
an|klage *s* accusation, *jur* indictment; *v* accuse (of), *jur* indict; ~ **klager** *s jur* prosecutor.
an|komme *v* arrive (at); ~ **komst** *s* arrival.
ankre *v* anchor.
an|ledning *s* occasion; opportunity.
an|legg *s* (bygn.) construction; (elektr.) installation; (plan) plan; (fabr.) works; (evner) talent, turn; (skytn.) rest; ~ **liggende** *s* affair.
an|løpe *v mar* call, touch at; (metall) tarnish; ~ **marsj** *s* coming on; ~ **masse** *vr* presume; ~ **masselse** *s* arrogance; ~ **massende** *a* arrogant.
an|melde *v* announce, (bok) review; ~ **meldelse**, *s* announcement; notice, review; ~ **melder** *s* critic, reviewer; ~ **merke** *v* note down; ~ **merkning** *s* comment(ary), note.
an|mode *v* request; ~ **modning** *s* request.
annek|sjon *s* annexation; ~ **tere,** *v* annex.
annen *a* other; *num* second; ~ **flyver** *s* co-pilot; ~ **rangs** *a* second-rate; ~ **steds** *av* elsewhere.
annerledes *av* otherwise.
annonse *s* advertisement; ~ **re** *v* advertise.
annullere *v jur* annul, cancel.
anonym *a* anonymous.
an|ordning *s* arrangement; ~ **rette** *v* prepare, serve up, (volde) cause; ~ **retning** *s* serving, (rett) course; ~ **rope** *v mil* challenge, (be) implore.
an|se for *v* consider, think; ~ **seelse** *s* esteem, prestige; ~ **selig** *a* considerable; ~ **sett** *a* estemed.
an|sette *v* appoint, engage; ~ **settelse** *s* appointment, engagement.
ansiennitet *s* seniority, date of appointment.
ansikt *s* face; ~ **sfarge** *s* complexion; ~ **strekk** *s* features.
ansjos *s* anchovy.
an|skaffe *v* procure; ~ **skaffelse** *s* acquisition, purchase; ~ **skrik** *s* outcry; ~ **skuelig** *a* intelligible, plain; ~ **skueliggjøre** *v* visualize, illustrate; ~ **skuelse** *s* view; ~ **slag** *s mus* touch; (takst) estimate; (plan) plot; ~ **slå** *v mus* strike; estimate; ~ **spenne** *v* strain; ~ **spore** *v* stimulate; ~ **stalt** *s* preparation; institution; ~ **stand** *s* grace; ~ **standsdame**, *s* chaperon; ~ **stendig** *a* decent; ~ **stendighet** *s* decency; ~ **stifte** *v* cause, raise; ~ **stille** *v* make; ~ **strenge** *v* strain, tax; *vr* exert oneself; ~ **strengelse** *s* effort, exertion; ~ **strengende** *a* trying; ~ **strøk** *s* touch; ~ **anstøt** *s* scandal; ~ **støtelig** *a* indecent; ~ **svar** *s* responsibility; ~ **svarlig** *a* responsible; ~ **svarsløs** *a* irresponsible; ~ **søke** *v* apply (om- for); ~ **søker** *s* applicant; ~ **søkning** *s* application; ~ **ta** *v* (i post) engage; (tro) suppose; (form etc.) assume; ~ **tagelig** *a* acceptable; probable; ~ **tageligvis** *av* probably; ~ **tagelse** *s* engagement, assumption, supposition; ~ **tall** *s* number.
antarktisk *a* antarctic.
an|taste *v* attack ~ **tenne** *v* kindle, light, set fire to.
an|tenne *s* aerial; ~ **tennelig** *a* combustible.
antik|k *a* antique; ~**varisk** *a* antiquarian; ~ **vert** *a* antiquated; ~ **vitet** *s* antiquity.

anti|pati *a* antipathy; ~ **septisk** *a* antiseptic.
an|trekk *s* dress; ~ **tyde** *v* indicate, hint, suggest; ~ **tydning** *s* hint; (spor) trace; ~ **vende** *v* use; (tid) spend; (teori) apply; ~ **vendelig** *a* practicable, of use, applicable; ~ **vendelighet** *s* applicability; ~ **vendelse** *s* use, application; ~ **vise** *v* indicate, (tildele) assign, *merk* draw a cheque; ~**visning** *s* instruction, *merk* cheque, order.
aparte *a* odd.
apatisk *a* apathetic.
ape *s* monkey, ape; *v* mimic, ape.
aplomb *s* assurance.
apopleksi *s* apoplexy.
apostel *s* apostle.
apo|tek *s* chemist's (shop), dispensary; ~ **teker** *s* chemist; ~ **tekvarer** *s* drugs.
apparat *s* apparatus.
appell(ere) *s* (*v*) appeal.
appelsin *s* orange.
appetitt *s* appetite; ~ **lig** *a* delicate, nice, ~ **vekkende** *a* appetizing.
applau|dere *v* applaud; ~ **s** *s* applause.
approbere *v* approve (of).
aprikos *s* apricot.
april April.
à propos, by the by, by the way; **være à propos,** come pat.
arab|er *s* Arab; ~ **isk** *a* Arabian.
arbeid *s* work, labour; employment; task, job; ~ e *v* work; ~ **er** *s* workman, worker; ~ **sdyktig** *a* able to work; ~ **sgiver** *s* employer; ~ **slønn** *s* wages; ~ **sløs** *a* unemployed; ~ **sløshet** *s* unemployment; ~ **som** *a* industrous; ~ **somhet** *s* industry; ~ **sværelse** *s* study.
areal *s* area, stretch.
arg *a* (sint) angry; (ond) wicked; ~ **este** *a* worst.
argument *s* argument; ~ **ere** *v* argue; ~ **ering** *s* argumentation.
arie *s* air, aria.
aristokrati *s* aristocracy.
aritmetikk *s* arithmetic.
ark *s* sheet; (Noas) ark.
arkaisk *a* archaic.
arkeolog *s* archaeologist.
arkitekt *s* architect; ~ **onisk** *a* architectural; ~ **ur** *s* architecture.
arkiv *s* archives; (sted) record office; ~ **ar** *s* keeper of the records.
arktisk *a* arctic.
arm *s* arm; *a* poor; ~ **bånd** *s* bracelet.
arm|é *s* army ~ **ere** *v* arm; ~**ering** *s* armament; ~ **hule** *s* armpit.
armod *s* povery, penury.
arne *s* hearth; ~ **sted** *s fig* hot-bed, seat.
aromatisk *a* aromatic.
arr *s* scar, *bot* stigma.
arrangere *v* arrange.
arrest *s* arrest, *mar* embargo; (sted) prisom; ~ **ant** *s* prisoner; ~ **ere** *v* arrest; ~ **asjon** *s* arrest.
arret *a* scarred.
arrièregarde *s* rear(-guard).
arrig *a* ill-tempered.
arsenal *s* arsenal.
arsenikk *s* arsenic.
art *s sci* species, genus; fashion, nature; ~ **e seg** *vr* turn out; behave.
arterie *s* artery.
artig *a* civil; (rar) curious; ~ **het** *s* compliment.
artikk|el *s* article; (avis-) paragraph, paper; (post) item, head; ~ **ulere** *v* articulate.
artilleri *s* artillery; ~ **st** *s* artilleryman, *mar* gunner.
artist *s* artiste; ~ **isk** *a* artistic.

artium *s* matriculation (degree).
arv *s* inheritance; ⌣ **e** *v* inherit, succeed to; ⌣ **efølge** *s* order of succession; ⌣ **egods** *s* heirloom; ⌣ **elig** *a* hereditary; ⌣ **eløs** *a* disinherited; ⌣ **ing** *s* heir, heires (is. rik).
asbest *s* asbestos.
asen *s* ass; ⌣ **inne** *s* she-ass.
asfalt *s* asphalt; ⌣ **ere** *v* asphalt.
asiatisk *a* Asiatic.
asjett *s* (dessert-)plate.
ask *s* *bot* ash; (eske) box.
aske *s* *pl* ashes; ⌣ **beger** *s* ashtray.
aske|se *s* asceticism; ⌣ **(tisk)** (*a*) ascetic.
asparges *s* asparagus; ⌣ **bønner** *s* haricot beans.
aspir|ant *s* candidate; ⌣ **ere** *v* (uttale med **h**) aspirate; *fig* aspire.
assessor *s* judge.
assimilere *v* assimilate.
assist|anse *s* assistance; ⌣ **ent** assistant; assistant; ⌣ **ere** *v* assist.
assor|tere *v* assort; ⌣ **iment** *s* assortment.
assur|andør *s* insurer, *mar* underwriter; ⌣ **anse** *s* (liv) insurance; ⌣ **ere** *v* insure.
asters *s* *bot* aster.
astma *s* asthma; ⌣ **tisk** *a* asthmatic.
astro|log *s* astrologer; ⌣ **nom** *s* astronomer.
asurblå *a* azure.
asyl *s* asylum; (tilflukt) refuge,
at *kj* that.
ateisme *s* atheism.
atelier *s* studio.
Aten Athens; ⌣ **er** (-sk), *s*(*a*) Athenian.
atferd *s* behaviour, conduct.
atlant|isk *a* Atlantic; A ⌣ **eren** *s* the Atlantic.
atlask *s* satin.
atlet *s* athlete; ⌣ **isk** *a* athletic.
atmospfære *s* atmosphere.
atom *s* atom; ⌣ **bomben** *s* the atomic bomb; ⌣ **våpen** *s* nuclear weapons; ⌣ **reaktor** *s* nuclear reactor.
at|skille *v* separate, part; ⌣ **skillelse** *s* separation; ⌣ **skillig** *a* considerable, *pl* several; ⌣ **skilt** *a* separate; ⌣ **spre** *v* (more) amuse, divert; ⌣ **spredelse**, *s* recreation; ⌣ **spredt** *a* absent (-minded).
atten *num* eighteen.
attentat *s* attempt (upon the life of).
atter *av* again.
attest *s* certificate, testimonial; ⌣ **ere** *v* certify.
attrå *s* desire, craving; *v* desire, aspire to; ⌣ **verdig** *a* desjrable.
audiens *s* audience.
auditorium *s* (sted) lecture room; (folk) audience.
august *s* August.
auksjon *s* auction, sale; ⌣ **arius** *s* auctioner.
aure *s* *zo* trout.
aurikkel *s* auricula.
auspisier *s* auspices.
Aust|ralia Australia; ⌣ **ralsk** *a* Australian.
autentisk *a* authentic.
auto|mat *s* automaton, penny-in-the-slot machine; ⌣ **matisk** *a* automatic(al); ⌣ **mobil** *s* motor-car, *am* automobile.
autor *s* author; ⌣ **isere** *v* authorize; ⌣ **itet** *s* authority.
av, *prp* of; (passiv) by; from; off; *av* off.
avanse *s* *merk* profit; ⌣ **ment** *s* promotion; ⌣ **re** *v* advance; rise.
avantgarde *s* vanguard.
av|art *s* variety; ⌣ **balansert** *a* balanced; ⌣ **bestille** *v* annul, cancel; ⌣ **betale** *v* pay off; ⌣ **betaling** *s* paying off, part-payment, hire-purchase; **på avb.** on the hire purchase

system; ~ **bilde** model, portray; ~ **blomstre** *v* shed the blossoms, *fig* fade; ~ **brekk** *s* check, setback; ~ **bryte** *v* interrupt, discontinue; ~ **brytelse** *s* interruption, break; ~ **bud** *s* excuse, counter-order; ~ **dele** *v* partition; ~ **deling** *s* branch, department, section; *mil* detachment; ~ **drag** *s* part payment, instalment; ~ **dragsvis** *av* by instalments; ~ **drift** *s* deviation, drift; ~ **duke** *v* unveil, ~ **død** *a* late, deceased.

avert|ere *v* advertise; ~ **issement** *s* advertisement.

av|fall *s* refuse, waste; ~ **fatte** *v* draw up, compose; ~ **feldig** *a* infirm, decrepit; ~ **feldighet** *s* decrepitude; ~ **ferdige** *v* turn off, despatch; ~ **finne** *vr* come to terms; ~ **folke** *v* depopulate; ~ **fyre** *v* fire, discharge; ~ **førende** *a* purgative; ~ **føring** *s* evacuation (of the bowels), purgation.

av|gang *s* start, departure, ~ **gi** *v* deliver, furnish; ~ **gift** *s* (fast) rent, tax; rate, duty; ~ **gjøre** *v* decide, settle; ~ **gjørelse** *s* decision; **gjørende** *a* decisive, final; ~ **grense** *v* limit; ~ **grunn** *s* gulf, abyss; ~ **gud** *s* idol; ~ **gå** *v* go, leave, start, depart; ~ **gårde** *av* off, along.

av|handling *s* treatise, essay, paper, (doktor) thesis; ~ **hende** *v* dispose of; ~ **hendelse** *s* alienation, disposal, **henge** *v* depend (on); ~ **hengig** *a* dependent; ~ **hengighet** *s* dependence; ~ **hente** *v* fetch; ~ **hjelpe** *v* remedy, redress.

av|hold *s* abstention; ~ **holde** *v* hold, give; (hindre) prevent; *vr* abstain (from); ~ **holdende** *a* abstemious; ~ **holdenhet** *s* abstinence; ~ **holdsmann** *s* (total) abstainer; ~ **holdt** *a* popular, liked by, *a* great favourite.

aviat|iker *s* aviator; ~ **ikk** *s* aviation.

avis *s* newspaper, journal; ~ **artikkel** *s* article; ~ **kiosk** *s* book-stall.

av|kall *s* **gi avkall på** give up, renounce; ~ **kastning** *s* produce; ~ **kjøle** *v* cool; ~ **kjøling** *s* cooling, refrigeration; ~ **kle** *v* undress, *fig* expose; ~ **knappe** *v* curtail, retrench; ~ **koble** *v* disconnect; ~ **kokt** *a* boiled out.

av|kom *s* offspring; ~ **krefte** *v* weaken, exhaust; ~ **kreftelse** *s* exhaustion; ~ **kreftet** *a* exhausted; ~ **kreve** *v* demand (from).

avl *s* (barn) begetting; (dyr) breeding, ~ **e** *v* breed; (jord) grow, raise; *fig* engender.

av|lang *a* oblong; ~ **lat** *s* indulgence; ~ **lede** *v* divert, (ord) derive; ~ **ledning** *s* derivation, derivative.

av|legge *v* (besøk) pay (a call) (regnsk.) render (an account); ~ **lønne** pay; ~ **legger** *s* cutting; ~ **legs** *a* out of date; ~ **leire** *v* deposit; ~ **levere** *v* deliver; ~ **levering** *s* delivery.

avling *s* crop, harvest.

av|live *v* put to death; ~ **lukke** *s* closet; ~ **lyse** *v* cancel, declare off; ~ **løp** *s* outlet, *fig* vent; ~ **løse** *v* relieve, succeed; ~ **løsning** *s* relief; ~ **magret** *a* emaciated; ~ **makt** *s* impotence; ~ **mektig** *a* impotent; ~ **mønstre**, *v* discharge.

av|passe *v* adapt, adjust; ~ **regning** *s* account; ~ **reise** *s* departure; ~ **runde** *v* round off; ~ **ruste** *v* disarm; ~ **rustning** *s* disarmament.

av|sats *s* ledge; (trappe-)landing; ~ **se** *v* do without, spare; ~ **sende** *v* send; ~ **sender** *s* sender; ~ **sette** *v* dismiss, remove, dethrone; *merk* sell; ~ **setning** *s* sale; ~ **settelig** *a* marketable; ~ **settelse** *s* dismissal, removal.

av|si *v* give, pronounce; ~ **sides** *a* remote; *av* aside; ~ **sindig** *a* mad, frantic; ~ **sinn** *s* madness, frenzy; ~ **sjelet** *a* lifeless; ~ **skaffe** *v* abolish; ~ **skaffelse** *s* abolition; ~ **skjed** *s* leave; dismissal; resignation; ~ **skjedige** *v* dismiss, discharge; ~ **skjedigelse** *s* dismissal; ~ **skjære** *v* intercept, cut off; ~**skrekke** *v* frighten, discourage.

av|skrift *s* copy, transcript; ~ **skrive** *v* copy, transcribe; ~ **skum** *s* brute; ~ **sky** *s* aversion (to); *v* detest, loathe; ~ **skyelig** *a* odious; ~ **slag** *s* refusal; *merk* reduction; ~ **slutning** *s* conclusion; ~ **slutte** *v* end, conclude; (lån) negotiate; ~ **sløre** *v* unveil, expose; ~ **slå** *v* refuse, decline; *mil* repulse; ~ **smak** *s* distaste.

av|snitt *s* section, period; ~ **sondret** *a* isolated; ~ **sondrethet** *s* seclusion; ~ **sondring** *s med* secretion; ~ **sone** *v* serve; ~ **sperre** *v* block up, cut off; ~ **spore** *v* derail; ~ **stamning** *s* descent; ~ **stand** *s* distance; ~ **sted** *av* along, off; ~ **stedkomme** *v* cause.

av|stemning *s* voting, division; ~ **stenge** *v* shut, bar; ~ **stikker** *s* digression; ~ **stive** *v* stay, shore up; ~ **straffe** *v* punish; ~ **stumpet** *a* blunt, dull; ~ **støpning** *s* cast; ~ **stå** *v* give up; (land) cede; ~ **ståelse** *s* cession, renunciation; ~ **sverge** *v* abjure.

av|ta *v* decrease, abate; ~ **tager** *s* buyer; ~ **tale** *s* agreement, appointment; *v* agree upon, arrange.

av|trekker *s* trigger; ~ **trykk** *s* copy, print; ~ **tvinge** *v* wring, extort from.

av|veie *s* **på avveie,** astray; *v* weigh, balance; ~ **vekslende** *a* varying; *av* alternately; ~ **veksling** *s* change, variety; ~ **vende** *v* prevent; ~ **vente** *v* await; ~ **ventende** *a* expecting, waiting; ~ **verge** *v* ward off; ~ **vike** *v* diverge, differ; ~ **vik(else)** *s* difference, divergence; ~ **vikle** *v* *merk* wind up; ~ **vise** *v* reject; repudiate; *mil* repel; ~ **væpne** *s* disarm; ~ **væpning** *s* disarmament.

B.

babord *mar* port(larboard).

backfish *s* flapper.

bad *s* bath, (sjø-) bathe; ~ **e** *v* bath (inne); bathe (ute); ~ **drakt** *s* bathing-costume; ~ **hette** *s* bathing-cap; ~ **ekåpe** *s* b.wrap; ~ **ekar** *s* bath (-tub); ~ **ested** *s* watering-place, seaside resort, (kursted) baths, spa.

bagasje *s* luggage, *am* baggage; ~ **ekspedisjon** *s* l.office, ~ ~ **vogn** *s* van.

bagatell *s* trifle.

baisse *s merk* fall, slump; ~ **spekulant** *s* bear.

bajas *s* buffoon.

bajonett *s* bayonet.

bak *s* back; *prp* behind; *av* behind; ~ **ben** *s* hind leg; ~**binde** *v* pinion; ~ **del** *s* hind part.

bake *v* bake; ~**r** *s* baker; ~**ri** *s* bakery; ~ **rovn** *s* oven.

bak|etter *prp av* behind, afterwards; ~**erst** *a* hindmost; ~ **evje** *s* backwater; ~ **fra** *av* from behind; ~ **hold** *s* ambush; ~ **hode** *s* occiput; ~ **hånd** *s fig* reserve; ~ **kropp** *s* hind part (of body); ~ **lengs** *av* backwards; ~ **lys** *s* rear light; ~ **strev** *s* reaction; ~ **tale** *v* backbite, slander; ~ **talelse** *s* slander, calumny; ~ **talersk** *a* slanderous; ~ **tanke** *s* secret thought, the idea at the back of one's mind; ~ **vendt** *av* the wrong way.

bakke *s* hill, slope; (brett) tray; ~ **mannskap** *s* ground-crew (fly).

bakkels *s* pastry.

bakkenbarter *s* whiskers.

bakst *s* baking, batch.

bakterie (*pl -a*) *s* bacterium.

balanse *s* balance; ~**re** *v* balance, poise, *merk* balance.

baldakin *s* canopy.

balje *s* tub.

balkong *s* balcony, *teat* dress circle.

ball *s* ball; ~ **dame** (kavaler), *s* partner; ~ **tre** *s* bat, racket; ~ **sko** *s* pumps.

ballade *s* ballad.

ballast *s* ballast.

balle *s* (vare-)bale; (fot-)ball.

ballett *s* ballet.

ballistisk *a* ballistic; ~ **rakett** *s* ballistic missile.

ballong *s* balloon.

balsatre *s* balsa.

balsam *s* balsam, *fig* balm; ~ **ere** *v* embalm; ~ **isk** *a* balmy.

balstyrig *a* ungovernable.

bambus *s* bamboo.

banal *a* trivial, banal, commonplace.

banan *s* banana.

bandasje *s* bandage.

bande *s* gang.

banditt *s* bandit, brigand.

bandolær *s* shoulder-belt.

bane *s* death; course, track; *ast* orbit; *v* level, clear; ~ **brytende** *a* pioneering; ~ **sår** *s* mortal wound.

bange *a* afraid, timid.

bank *s* bank; (pryl) drubbing, trashing; ~ **e** *s* bank, bar; *v* beat, knock, throb.

bankerott *s* bankruptcy; *a* bankrupt.

bankett *s* banquet.

bankier *s* banker.

bann *s* excommunication; ~ **bulle** *s* bull of e.; ~ **e** *v* swear, curse; ~ **lyse** *v* excommunicate, *fig* banish.

banner *s* banner.

bar *a* bare; *s* bar; (tre-) pine needles; ~ **bent** *a* bare-legged; ~ **frost** *s* hoar-frost.

barakke *s* barracks.

barbar *s* barbarian; ~ **i** *s* barbarism, barbarity; ~ **isk** *a* barbarous.

barber *s* barber; ~ **e** *v* shave; ~ **blad** *s* blade; ~ **høvel** *s* safety-razor; ~ **kost** *s* shaving-brush; ~ **kniv** *s* razor; ~ **maskin** *s* (electric) shaver.

barde *s* whalebone; (skald) bard.

bardun *s mar* backstay.

bare *av* only, but; *vr* help, refrain (from).

barett *s* bonnet, cap.

bark *s* bark; ~ **asse** *s* barge; ~ **e** *v* tan, bark; ~ **et** *a* tanned, hardened.

barlind *s bot* yew.

barm *s* bosom, bust; ~ **hjertig** *a* merciful; ~ **hjertighet** *s* mercy, pity.

barn *s* child, baby; ~ **aktig** *a* childish, puerile; ~ **dom** *s* childhood, infancy; ~ **ebarn** *s* grandchild; ~ **edåp** *s* baptism, christening; ~ **ekammer** *s* nursery; ~ **epike** *s* nurse; ~ **erov** *s* kidnapping;

~ **eseng** *s* cot; ~ **evogn** *s* perambulator, *fam* pram; ~ **slig** *a* childish, childlike.
barokk *a* baroque, grotesque.
barometer *s* barometer.
baron *s* baron; ~ **esse** *s* baroness; ~ **ett** *s* baronet; ~ **i** *s* barony.
barre *s* bar, ingot.
barri|ère *s* barrier; ~ **kade** *s* barricade.
barsel *s* lying-in, confinement; ~**seng** *s* childbed.
barsk *a* stern, gruff; severe, rough (vær).
bartre *s bot* conifer.
baryton *s* barytone.
basar *s* bazaar, fancy-fair.
bas|ere *v* base; ~ **is** *s* base, basis.
basill *s* bacillus, germ.
baske *v* slap, flap; ~ **tak** *s* bout, struggle.
bass *s mus* bass.
basseng *s* reservoir.
bast *s* bast.
bastant *a* solid.
bastard *s* bastard; (dyr-) mongrel.
baste *v* bind, tie.
basun *s* trombone; ~ **engel** *s* cherub.
bataljon *s* battalion.
batist *s* cambric.
batteri *s* battery.
bauta *s* monolith.
baug *s* bow; ~ **spyd** *s* bowsprit.
baun *s* beacon.
baute *v mar* tack.
bavian *s* baboon.
be *v* beg, ask; *rel* pray.
be|arbeide *v* adapt; work upon; ~ **arbeidelse** *s* adaptation; ~ **bo** *v* inhabit, occupy; ~ **boelig** *a* habitable; ~ **boer** *s* inhabitant, lodger.
be|breide *v* reproach (with); ~ **breidelse** *s* reproach; ~ **breidende** *a* reproachful; ~ **bude** *v* announce; ~ **byrde** *v* burden, encumber.
bed *s* (hage-) bed; plot.
bedding *s* slip.
bede|dag *s* prayer-day; ~ **hus** *s* chapel, oratory; ~ **mann** *s* undertaker.
be|dekke *v* cover; ~ **dekning** *s* cover, *mil* escort; ~ **dervet** *a* damaged, spoiled.
be|drag *s fig* delusion; ~ **drage** *v* deceive, cheat; ~ **drager** *s* impostor; ~ **drageri** *s* fraud; ~ **dragersk** *a* deceitful.
bedr|e *a* better; *v* improve; ~ **ing** *s* improvement; *med* convalescence .
be|drift *s* achievement, exploit; business; ~ **drive** *v* commit; do; ~ **drøve** *v* grieve, ~ **drøvelig** *a* sad, melancholy; ~ **drøvet** *a* distressed; ~ **dømme** *v* judge of, ~ **døve** *v* stun, use an anaesthetic (on); ~ **døvelse** *s* anaesthesis; **dåre** *v* charm; ~ **edige** *v* confirm by oath.
be|fal *s coll* officers; ~ **fale** *v* command, order, tell; ~ **faling** *s* order, command; ~ **fare** *v* survey; ~ **fatning** *s* dealing, concern; ~ **fatte seg med** have to do with; ~ **ferdet** *a* crowded, ~ **feste** *v* strengthen, *mil* fortify; ~ **finne** *vr* be; do, feel, ~ **finnende** *s* health; ~ **fippelse** *s* flurry; ~ **flitte** *vr* apply oneself; ~ **folke** *v* populate; ~**folkning** *s* population; ~ **fordre** *v* forward, convey; ~ **fordring** *s* conveyance; ~ **frakte** *v* charter; ~ **frakter** *s* charterer; ~ **fraktning** *s* chartering, ~ **fri**, *v* free, deliver; **frielse** *s* deliverance; ~ **frier** *s* deliverer; ~ **frukte** *v* impregnate; **frykte** *v* fear; ~**fullmektiget** *a* authorized; ~ **føyet** *a* well-grounded.
be|gavelse *s* gifts, capacity; ~ **gavet** *a* gifted, ~ **geistre** *v* inspire; ~ **geistret** *a* enthu-

siastic; ~ **geistring** *s* enthusiasm.

beger *s* cup, *bot* calyx.

begge *a* both, either.

be|gi *vr*, go, repair; ~ **givenhet** *s* event; ~ **gjær** *s* desire; ~ **gjære** *v* desire, covet; ~ **gjærlig** *a* greedy; ~ **gjærlighet** *s* cupidity; ~ **grave** *v* bury; ~ **gravelse** *s* burial, funeral; ~ **gredelig** *a* deplorable, (trist)woeful; ~ **grense** *v* limit, restrict; ~ **grensning** *s* limitation; ~ **grep** *s* notion, idea; ~ **gripe** *v* understand; ~ **gripelse** *s* comprehension; ~ **grunne** *v* prove; ~ **grunnelse** *s* reasons; ~ **gunstige** *v* favour; ~ **gunstigelse** *s* favour, preference; ~ **gynne** *v* begin, commence; ~ **gynnelse** *s* beginning, outset; ~ **gynner** *s* tiro, novice; ~ **gå** *v* commit, perpetrate.

be|hag *s* pleasure; ~ **hage** *v* please; ~ **hagelig** *a* pleasant, agreeable; ~ **hagelighet** *s* comfort; compliment; ~ **handle** *v* treat, handle; discuss; ~ **handling** *s* treatment, *med* cure; ~ **heftet** *a* encumbered; ~ **hendig** *a* dexterous; ~ **hendighet** *s* dexterity; ~ **herske** *v* command, control; ~ **hjertet** *a* intrepid; **i** ~ **hold**, in reserve, in safety; ~ **holde** *v* keep; ~ **holdning** *s* stock, supply; ~ **hov** *s* need; ~ **hørig** *a* due, proper; ~ **høve** *v* need, want.

beile *v* make love (to); ~ **n** *s* courtship; ~ **r** *s* suitor.

beise *v* stain.

beite *s* pasture; *v* graze.

bek *s* pitch; ~ **et** *a* pitchy.

be|kjempe *v fig* oppose; ~ **kjenne** *v* confess; ~ **kjennelse,** *s* confession, profession; ~ **kjent** *a* wellknown, *s* acquaintance; ~ **kjentgjøre** *v* publish; ~ **kjentgjørelse** *s* notice, advertisement; ~ **kjentskap** *s* acquaintance.

bekk *s* brook.

bekkasin *s* snipe.

bekken *s med* pelvis; *mus* cymbal, (fat) basin.

be|klage *v* deplore, regret, pity; ~ **klagelig** *a* deplorable; ~ **klagelse** *s* regret; ~ **klemmende** *a* sickening; ~ **klemt** *a* oppressed; ~ **klippe** *v* curtail; ~ **kle** *v* clothe, cover, *fig* fill; ~ **kledning** *s* clothing; ~ **koste** *v* pay for; ~ **kostning** *s* cost; ~ **kranse** *v* garland; ~ **krefte** *v* confirm; ~ **kreftelse** *s* corroboration; ~ **kreftende** *a* affirmative; ~ **kvem** *a* convenient, comfortable; ~ **kvemme** *vr* persuade oneself; ~ **kvemmelighet** *s* apartment; ~ **kymre** *v* trouble; ~ **kymre seg om** care about; ~ **kymret** *a* anxious; ~ **kymring** *s* care.

be|laste *v* charge; ~ **lastning** *s* load, weight; ~ **legge** *v* cover; ~ **leilig,** *a* convenient; ~ **leire,** *v* besiege; ~ **leiring** *s* siege; ~ **lemre** *v* encumber; ~ **lesset** *a* loaded.

be|lest *a* well-read; ~ **leven** *a* courteous; ~ **levenhet** *s* courtesy.

belg *s bot* pod; bellows.

Belg|ia Belgium; ~ **ier** Belgian; ~ **isk** Belgian.

beliggen|de *a* situated; ~ **het** *s* site, position.

belte *s* belt, girdle.

be|lyse *v* illuminate, light up; ~ **lysning** *s* illumination; ~ **lære** *v* teach; ~ **lærende** *a* instructive; didactic; ~ **lønne** *v* reward; ~ **lønning** *s* reward; ~ **løp** *s* amount; ~ **løpe seg til** *v* amount to.

be|manne *v* man; ⌣ **mektige** *vr* take possession of, seize; ⌣ **merke** *v* (se) notice, observe (si) remark; ⌣ **merkning** *s* remark; ⌣ **myndige** *v* authorize; ⌣ **myndigelse** *s* authority.

ben *s* leg; bone; *a* short, straight.

bendel *s* tape.

be|nekte *v* deny; ⌣ **nektelse** denial ⌣ **nektende** *av* in the negative; ⌣ **nevne** *v* name, term; ⌣ **nevnelse** *s* designation.

bengel *s* brute, lout.

benk *d* bench, (skole-)form; ⌣**e** *v* seat.

ben|klær *s* trousers; ⌣ **rad** *s* skeleton.

bensin *s* benzine, petrol, *am s* gasolene.

be|nytte *v* employ; ⌣ **nytte seg av** profit by; ⌣ **nyttelse** *s* use; ⌣ **nåde** *v* pardon; ⌣ **nådning** *s* pardon; ⌣ **ordre** *v* order, direct; ⌣ **plante** *v* plant.

ber|ramme *v* fix, appoint; ⌣ **rede** *v* prepare; ⌣ **redskap** *s* readiness; ⌣ **redvillig** *a* willing, ready; ⌣ **regne** *v* calculate; ⌣ **regning** *s* calculation; ⌣ **retning** *s* account, report; ⌣ **rette** *v* relate; ⌣ **rettige** *v* entitle; ⌣ **rettigelse** *s* right; ⌣ **rettiget** *a* legitimate.

berg *s* mountain, rock; ⌣**e** *v* save; *mar* salve; (høy) gather in; ⌣ **full** *a* mountainous; ⌣ **ing** *s* salvage; ⌣ **verk** mine.

be|rike *v* enrich; ⌣ **riktige** *v* correct, rectify; ⌣ **riktigelse** *s* correction.

berme *s* dregs, lees.

be|ro på *v* depend on, be due to; ⌣ **rolige** *v* soothe, reassure; ⌣ **roligende** *a med* sedative; ⌣ **ruse** *v* intoxicate; ⌣ **ruset** *a* drunk, tipsy; ⌣ **ryktet** *a* notorious; ⌣ **rømme** *v* praise; ⌣ **rømmelig** *a* illustrious; ⌣ **rømmelse** *s* fame; ⌣ **rømt** *a* famous; ⌣ **rømthet** *s* celebrity; ⌣ **røre** *v* touch, *fig* t. on; ⌣ **røring** *s* touch, contact; ⌣ **røve** *v* deprive, strip of.

be|se *v* inspect; ⌣ **segle** *v* seal; ⌣ **seire** *v* conquer; ⌣ **setning** *s* (kveg) stock; *mar* crew; *mil* garrison; (på klær) trimming; ⌣ **sette** *v mil* occupy; (pynt) set, trim; ⌣ **settelse** *s* occupation; (av land) possession; *med* obsession; ⌣ **siktige** *v* inspect; ⌣ **siktigelse** *s* inspection; ⌣ **sindig** *a* cool, considerate; ⌣**sinnelse** *s* **komme til besinnelse** come to one's senses; ⌣ **sitte** *v* posses; ⌣ **sittelse** *v* possession, *pl* dominions; ⌣ **sjele** *v* animate.

besk *a* bitter.

be|skadige *v* damage; ⌣ **skadigelse** *s* damage; ⌣ **skaffen** *a* made; ⌣ **skaffenhet** *s* quality, nature, condition; ⌣ **skatte** *v* tax; ⌣ **skatning** *s* taxation; ⌣ **skjed** *s* message, information; ⌣ **skjeden** *a* modest, moderate; ⌣ **skjedenhet** *s* modesty.

be|skjeftige *v* occupy, employ; ⌣ **skjeftigelselse**, *s* occupation, employment; ⌣ **skjemmende** *a* disgraceful; ⌣ **skjære** *v* clip, trip, prune; *fig* curtail; ⌣ **skrive** *v* describe; ⌣ **skrivelse** *a* description; ⌣ **skue** *v* contemplate; ⌣ **skylde** *v* 'accuse (of); ⌣ **skyldning** *s* accusation; ⌣ **skytte** *v* protect; ⌣ **skyttelse** *s* protection; ⌣ **skøyt** *s* biscuit.

be|slag *s* mounting; **legge beslag på** monopolize; ⌣ **slaglegge** *v* seize, confiscate, sequestrate.

be|slektet *a* related; ⌣ **slutte** *v* resolve; ⌣ **slutning** *s* resolution; ⌣ **sluttsom** *a* resolute; ⌣ **slå** *v* mount, *mar* furl; ⌣ **smitte** *v* pollute; ⌣ **smykke** *v fig* gloss over, palliate; ⌣ **snære** *v* ensnare, fascinate; ⌣**snærende** *a* fascinating.

be|sparelse *s* economy, saving; ⌣ **spise** *v* feed; ⌣ **spottelig** *a* blasphemous; ⌣ **spottelse** *s* blasphemy.

best *s* beast, brute; *a* (av) best; ⌣ **efar** *s* grandfather.

be|stand *s* stock, amount; ⌣ **standdel**, *s* ingredient; ⌣ **standig** *av* constantly; ever; **stemme** *v* decide, define; ⌣ **stemmelse** *s* destiny; purpose; determination; regulation; ⌣ **stemt** *a* fixed, set; definite; particular; firm; ⌣ **stemthet** *s* decision, determination.

bestialsk *a* bestial.

be|stige *v* mount; ⌣ **stigning** *s* ascent; ⌣**stikk** *s mar* reckoning; (etui) case; ⌣ **stikke** *v* bribe; ⌣ **stikkelig** *a* corruptible, venal; ⌣ **stikkelighet** *s* venality; ⌣ **stikkelse** *s* bribe(ry); ⌣ **stikkende** *a fig* plausible, specious.

be|stille *v* do; order, (plass) book, reserve; ⌣ **stilling** *s* order; business; ⌣ **stjele** *v* steal from, rob; ⌣ **strebe** *vr* endeavour; ⌣ **strebelse** *s* effort; ⌣ **stride** *v* deny; (utgift) defray; ⌣ **strø** *v* sprinkle; ⌣ **styre** *v* manage, fill; ⌣ **styrelse** direction, management; board of directors; ⌣ **styrer** *s* manager, (skole-) headmaster, (bo-) trustee; ⌣ **styrke** *v* confirm; ⌣ **styrtelse** *s* consternation; ⌣ **styrtet** *a* dismayed; ⌣ **stå** *v* exist, survive ⌣ **stå av** (i) consist of (in); ⌣ **sudle** *v* defile; ⌣ **svangre** *v* impregnate; ⌣ **sverge** *v* adjure, (ånd) conjure.

be|svime *v* faint; ⌣ **svimelse** *s* fainting (fit); ⌣ **svær** *s* trouble; ⌣ **svære** *v* oppress, *vr* complain; ⌣ **sværing** *s* complaint; ⌣ **sværlig** *a* troublesome; wearisome; ⌣ **synderlig** *a* strange, queer.

be|søk *v* visit, call; ⌣ **søke** *v* see, call on, visit, attend; ⌣ **sørge** *v* arrange, look after.

bet *s* to ⌣**er** (kort) two down.

be|tagende *a* impressive; ⌣ **takke** *vr* decline with thanks; ⌣**tale** *v* pay (for); ⌣**talbar** *a* payable; ⌣ **taling** *s* payment; ⌣ **tegne** *v* mark, signify; ⌣ **tegnelse** *s* term; ⌣ **tegnende** *a* characteristic; ⌣ **tenke** *v* consider, *vr* change one's mind; consider, hesitate; ⌣ **tenkelig** *a* serious, doubtful; ⌣ **tenkeligheter** *s* scruples; ⌣ **tenkning** *s* opinion, hesitation; ⌣ **tenksom** *a* considerate, thoughtful; ⌣ **tenne** *v* inflame; ⌣**tennelse** *s* inflammation; **i** ⌣ **tids** in good time; ⌣ **timelig** *a* well-timed, seasonable.

be|tingelse *s* condition; ⌣ **tittlet** *a* titled, ⌣ **tjene** *v* serve, operate; ⌣ **tjening** *s* service, working, attendance; ⌣ **tjent** *s* functionary, officer.

betle *v* beg; ⌣**r** *s* beggar; ⌣**ri** *s* begging.

be|tone *v* stress, accent(uate), emphasize; ⌣ **toning** *s* accentuation, emphasis, stress.

betong *s* concrete; **armert** ⌣ ferro-concrete.

be|trakte *v* look at, regard; ⌣ **traktning** *s* consideration, reflection; ⌣ **tre** *v* enter (on); ⌣ **trekk** *s* cover; ⌣ **tro** *v* confide to; entrust to; ⌣ **trodd** *a* trusted; ⌣ **trygge** *v* secure; ⌣ **tryggende** *a* safe, secure;

~**tuttet** *a* confused; ~**tvinge** *v* subdue, check.

be|tvile *v* doubt (of); ~ **ty** *v* mean, signify; matter; ~**tyde** *v* give to understand; ~**tydelig** *a* considerable; ~**tydning** *s* meaning, sense; importance; ~**tydningsfull** *a* important; ~**tydningsløs** *a* unimportant.

be|undre *v* admire; ~ **undring** *s* admiration; ~**undringsverdig,** *a* admirable; ~ **vare** *v* keep, preserve.

beve *v* tremble, quake.

be|vege *v* move, stir; ~ **vegelig** *a* movable, mobile; ~ **vegelse** *s* movement, motion, (sinns-) emotion; ~ **vege til** *v* persuade to; ~ **veggrunn** *s* motive.

bever *s zo* beaver.

be|verte *v* entertain, regale; ~ **vertning** *s* entertainment; ~ **vilge** *v* grant, vote; ~ **vilgning** *s* grant; **villing** *s* licence, concession; ~ **virke** *v* effect, bring about.

be|vis *s* proof; ~ **vise** *v* prove; ~ **visst** *a* conscious, deliberate; ~ **vissthet** *s* mind, consciousness; ~ **visstløs** *a* senseless; ~ **visstløshet** *s* insensibility; ~ **vitne** *v* testify, attest; express; ~ **vitnelse** *s* attestation, expression; ~ **vokte** *v* watch, guard; ~ **voktning** *s* watch, custody.

bevre *v* twitch.

be|væpne *v* arm; ~ **væpning** *s* arming; armour; ~ **ære** *v* honour; ~ **åndet** *a* inspired.

bi(e) *s zo* bee; *av* **stå** ~, assist; ~ **beholde** *v* keep.

bibel *s* Bible; ~ **sk** *a* biblical, scriptural.

bibliotek *s* library; ~ **ar** *s* librarian.

bibringe *v* convey to.

bidevind *av* close-hauled.

bi|drag *s* contribution, subscription; ~ **dra** *v* contribute, subscribe; ~ **elv** *s* tributary; ~ **fag** *s* secondary (subsidiary) subject; ~ **fall** *s* approbation, applause; ~ **falle** *v* approve (of).

biff *s* beefsteak.

bigami *s* bigamy.

bigott *a* bigoted; ~ **eri** *s* bigotry.

bi|inntekt *s* accidental profit, perquisite; ~ **kake** *s* honeycomb; ~ **kube** *s* bee-hive.

bikke *v* tilt (over).

bikkje *s* dog.

bil *s* motor-car, (drosje) taxi; ~ **dekk** *s* tyre cover ~ **e** *v* motor, drive; ~ **kortesje** *s* motorcade.

bi|lag *s* voucher, enclosure; ~ **land** *s* dependency; ~ **legge** *v* settle.

bil|ist *s* motorist; ~ **ing** *s* motoring.

biljard *s* billiards.

bille *s zo* beetle, chafer.

billed|e *s* picture, image; ~ **hogger** *s* sculptor; ~ **lig** *a* figurative.

billett *s* ticket; **løse** ~ book; ~ **luke** *s* booking office; ~ **ør** *s* ticket-collector.

billig *a* cheap, *fig* fair, ~ **e** *v* approve of; ~ **else** *s* sanction, approbation; ~ **het** *s fig* fairness.

bilpanser *s* bonnet; *am* hood.

bind *s* bandage; (perm) cover; (book) volume; (dame-) sanitary towel; ~ **e** *v* bind, tie; ~ **eledd** *s* link; ~ **estrek** *s* hyphen.

bing(e) *s* bin, butch.

bio|graf *s* biographer; ~ **log** *s* biologist.

bisam *s* musk-rat.

bisarr *a* bizarre, odd.

bi|setning *s* subordinate clause ~ **sette** *v* deposit; ~ **settelse** *s* deposition.

bisk *a* snappish.

biskop *s* bishop; ~ **pelig** *a* episcopal.
bislag *s* porch, penthouse.
bisle *v* bit, bridle.
bismak *s* tinge; subflavour.
bismerpund *s* stone.
bison *s* bison, buffalo.
bisp *s* bishop; (drikk) negus; ~ **edømme** *s* diocese, bishopric.
bissel *s* bit, bridle.
bistand *s* assistance.
bister *a* fierce; biting.
bistå *v* assist.
bit *s* morsel, bit; ~ **e** *v* bite, *fig* sting; ~ **ende** *a fig* sarcastic.
bitt *s* bit, bite; (fiskeb.)rise.
bitte liten *a* tiny, wee.
bitter *a* bitter.
bivuak|k *s* bivouac, camp; ~ **ere** *v* bivouac.
bjeff *s* yelp; ~ **e** *v* yelp.
bjelke *s* beam.
bjelle *s* bell, jingle.
bjørk *s bot* birch.
bjørn *s* bear; ~ **ebær** *s* blackberry.
blad *s* leaf, sheet, (sag-) blade, (avis) paper; ~ **e (bla)** *v* turn over the leaves.
blaf|f *s* (ild-) flicker; (vind-) cat's paw; ~ **fe** *v* flicker; ~ **re** *v* flap.
blakk *a* fallow, dun; (pengelens) penniless, *sl* tight.
blam|asje *v* exposure, disgrace; ~ **ere** *vr* commit oneself; *vt* expose.
bland|e *v* mix, blend, mingle; (kort) make; ~ **e seg i** interfere with; ~ **At** *a* miscellaneous; ~ **ing** *s* mixture, blend.
blank *a* shiny, bright; (hud) sleek; penniless, *fam* broke (tom) blank; **e** *v* polish; (ribbe) pluck.
blank|ett *s* form; ~**polere** *v* polish; ~ **pusse** *v* burnish; ~ **sverte** *s* blacking.
blant *prp* among.
blasert *a* blasé.
blasfemisk *a* blasphemous
blass *a* pallid, wan.
bleie *s* swaddling-clothes.
bleike (tøy) *v* bleach.
blek *a* pale; ~ **fet** *a* flabby; ~ **ne** *v* turn pale.
blekk *s* ink; ~ **hus** *s* i.-stand; ~**sprut** *s zo* squid, octopus.
bleksott *s* chlorosis.
blemme *s* blain, blister.
blend|e *v* dazzle; (åpn.) blind; ~ **er** *s* shade, slide; ~ **ing** *s* black-out; ~ **lykt** *s* dark lantern; ~ **verk** *s* illusion.
bli *v* (passiv) be; (forbli) remain; grow, get, become, turn.
blid *a* gentle, placid; (vennlig) bland; ~ **elig** *av* sweetly; ~ **gjøre** *v* mitigate, soften.
blikk *s* look, glance; sheet-metal, tin.
blikkenslager *s* pewterer.
blikk|stille *a* dead calm; ~ **tøy** *s* tinware.
blind *a* blind; ~ **e** *v* blind; ~ **emann** *s* dummy; ~ **tarmbetennelse** *s* appendicitis.
blingse *v* squint.
blink *s* blink, twinkle, flash; (mål) bull's-eye, centre; ~ **e** *v* twinkle, gleam; (tre) blaze.
blivende *a* enduring.
blod *s* blood; ~ **bad** *s* massacre; ~ **fattig** *a* anemic; ~ **forgiftning** *s* blood poisoning; ~ **full** *a* sanguine; ~ **hevn** *s* vendetta; ~ **ig** *a* sanguinary, deadly; gory; (pris) exorbitant; ~ **kar** *s* vein; ~ **skam** *s* incest; ~ **suger** *s* extortioner; ~ **sutgytelse** *s* bloodshed; ~ **tørstig** *a* b.-thirsty.
blok|ade *s* blockade; ~ **ere** *v* block up.
blokk *s* block; (metall) ingot; ~ **e** *v* tree; stretch.
blomkål *s* cauliflower.

blomme *s* yolk (of egg).
blomst *s* flower, (frukt-) blossom, *fig* bloom; ~ **erhandler** *s* florist; ~ **erstøv** *s* pollen; ~ **re** *v* blossom, flower, *fig* flourish, prosper; ~ **rende** *a* prosperous; efflorescent; ~ **ring** *s* bloom, blossom; efflorescence.
blond *a* fair.
blonde *s* lace.
blondine *s* blonde.
blott *a* bare, sheer; *av* only, but; ~**e** *v* lay bare, expose; ~ **else** *s* exposure; ~ **et** *a* naked, nude; *fig* devoid (of); ~ **stille** *v* expose.
bluferdig *a* modest; ~ **het** *s* modesty.
blund *s* doze, forty winks; ~**e** *v* doze.
blunk *s* twinkle; ~ **e** *v* blink, wink (an eye).
bluse *s* blouse.
bluss *s* fire, blaze, flash; (gass-) jet; ~ **e** *v* blaze; glow, flush; ~ **ende** *a* flushed.
bly *s* lead; *a* leaden; ~ **ant** (lead-) pencil.
blyg *a* bashful, coy.
blære *s* bladder; bubble; *vr* swagger.
blø *v* bleed; ~ **dning** *s* bleeding.
bløt *a* soft, pulpy; ~ **aktig** *a* effeminate; ~ **aktighet** *s* effeminacy; ~ **dyr** *s* mollusk; ~ **gjøre** *v* soften; **kake** *s* pastry ~ **kokt** *a* soft-boiled.
bløyte *v* soak, wet.
blå *a* blue; ~ **blek** *a* livid; ~ **bær** *s* bilberry, whortleberry ~ **grønn** *a* bluish green; ~ **meis** *s* tomtit; ~ **ne** *s* blue mountain, b. distance; *v* become blue,
blår *s* **kaste** ~ *v* hoodwink.
blåse *v* blow; ~ **belg** *s* bellows; ~ **nde** *a* windy.
blåst *s* wind(y weather).
blåveis *s* blue anemone.
bo *v* live, reside; *s jur* estate, effects.
boa *s* boa, fur.
boble *s v* bubble.
bog *s* shoulder.
boggi *s* bogie.
bohave *s* furniture.
boikotte *v* boycott.
bok *s* book; (mål: 24 ark) quire; ~ **føre** *v* enter, book; ~ **førsel** *s* book-keeping; ~ **handler** *s* book-seller, ~ **holder** *s* book-keeper; ~ **lig** *a* bookish, literary; ~ **skap** *s* book-case; ~ **stav** *s* letter; ~ **stavelig** *a* literal; ~ **trykker** *s* printer.
bokfink *s zo* chaffinch.
boks *s* box; ~ **e** *v* box; ~ **er** *s* prize-fighter, boxer, pugilist.
bol *s* trunk; nest, litter.
bold *a* dauntless.
bolig *s* residence, lodgings.
bolle *s* (fat) basin, bowl; (hvete-) bun, muffin; (kjøtt-) croquette.
bolne *v* swell.
bolster *s* bolster, bedtick.
bolt *s* bolt, stud; ~ **e** *v* bolt.
boltre *vr* tumble.
bolverk *s* bulwark.
bom *s* bar, *mar* boom; **skyte** ~ miss.
bombarde|re *v* bombard; ~ **ment** *s* bombardment.
bombe *s* shell.
bomme *s* wooden box; *v* miss; ~ **rt** *s* blunder.
bommesi *s* fustian.
bomull *s* cotton; ~ **støy** *s* c. cloth, *coll* cottons.
bonbon *s* sugar plum.
bond|e *s* peasant, farmer; (sjakk) pawn; ~ **egård** *s* farm; ~ **sk** *a* boorish.
bone *v* polish, wax.
bonjour *s* frock-coat.
bopel *s* domicile.
bor *s* drill, auger.
bord *s* table, board; (kant)

border, trimming; (fjel) deal (plank); ~ **bønn** *s* grace; ~ **dame** *s* (dinner) partner; ~ **e** *v* board; ~ **setning** *s* service.

bordell *s* brothel.

bore *v* bore, drill.

borg *s* castle; (kreditt) credit; ~ **e** *v* take on credit; ~ **e for** guarantee, answer for; ~ **er** *s* citizen, subject; ~ **erlig** *a* civil, civic; ~ **ermester** *s* mayor; ~ **erskap** *s* citizenship; *coll* middle class(es).

borket *a* dun.

bornert *a* narrow-minded.

bort *av* away, off; ~ **e** *av* away; gone, missing; ~ **enfor** *av prp* beyond; ~ **est** *a* (*av*) further, off; ~ **falle** *v* fall away, drop; ~ **forklare** *v* explain away; ~ **føre** *v* carry off. abduct; ~ **førelse** *s* abduction, elopement.

bort|gang (død) decease; ~ **gjemt** *a* solitary; ~ **imot** *av* nearly; ~ **kastet** *a* wasted; ~ **kommet** *a* lost; ~ **leie** *v* let out; ~ **reist** *a* gone away; ~ **se fra** *v* waive, allow for; ~ **skjemt** *a* spoilt; ~ **sette** *v* board, farm; let out; ~ **vise** *v* turn away.

bo|satt *a* resident, living; ~ **sette** *vr* settle; ~ **sted** *s* domicile.

bot *s* (lapp) patch; *rel* penance; *jur* fine, penalty; ~ **emiddel** *s* remedy; ~ **ferdig** *a* penitent.

bra *a* good, well; (frisk) well; (ærlig) honest, worthy; *av* well.

brak *s* crash, bang; ~ **e** *v* crash, thunder.

brakk *a* (vann) brackish; (jord) fallow.

bram|fri *a* unostentatious; ~ **seil** *s* *mar* topgallant sail.

brann *s* fire; *fig* pun; ~ **et** *a* brindled; ~ **farlig** *a* inflammable; ~ **konstabel** *s* fireman; ~ **sikker** *a* fire-proof; ~ **skatte** *v* blackmail, extort from; ~ **slange** *s* fire-hose ~ **sprøyte** *s* fire-engine; ~ **stige** *s* fire-escape; ~ **sår** *s* (ført) burn, (vått) scald; ~ **vesen** *s* fire-brigade.

bransje *s* department, line, trade.

brase *v* *mar* brace, (steke) fry.

bratsj *s* viola.

bratt *a* abrupt, steep.

braute *v* swagger.

bravur *s* bravery; perfect skill; ~ **nummer** *s* star-turn.

bre *s* (is-) glacier, (snø-) snowfield; *v* spread; (tjære-) tar, pitch.

bred *a* broad, wide.

bredd *s* bank, shore; ~ **e** *s* breadth, width; ~ **egrad** *s* latitude; ~ **full** *a* brimfull.

bregne *s* *bot* fern.

breie *v* spread; *vr* swagger.

breke *v* bleat.

brek|k *s* break, flaw; ~ **ke** *v* break, snap, force; *vr* vomit; ~ **ning** *s* vomiting; ~ **kstang** *s* crowbar, *fig* lever.

brem *s* brim, rim.

brems *s* *zo* gadfly.

bremse *s* brake; *v* brake, *fig* check.

brenn|e *vf* burn, scorch; *vi* be on fire, be burned down, ~ **bar** *a* combustible; ~ **emerke** *v* stigmatize, brand; ~ **ende** *a* hot, pungent, *fig* fervent; ~ **eri** *s* distillery; ~ **evin** *s* spirits, brandy; ~ **ing** *s* surf, breakers; ~ **punkt** *s* focus.

brensel *s* fuel.

bresje *s* breach, gap.

brett *s* board, tray; (fold) crease, (i bok) dog's ear; ~ **e** *v* crease, tuck.

brev *s* letter, note; licence; ~ **due** *s* carrier pigeon; ~ **kort** *s* post-card; ~ **papir** *s* notepaper.

brigade *s* brigade.

brigg *s* brig.

brikett *s* briquet, brick.
brikke *s* (fat) trencher, tray; (i spill) piece.
briks *s* plank bed.
briljere *v* shine, show off.
brille|r *s* spectacles, glasses; (støv-) goggles.
brilleslange *s* cobra.
bringe *v* bring, convey, take.
bringebær *s* raspberry.
bris *s* breeze.
brisk *s* *bot* juniper.
briske *vr* swell, show off.
brisling *s* sprat.
brist *s* *fig* flaw; crack; ⌣**e** *v* burst, snap, *fig* fail.
brit|isk *a* British; ⌣ **e** Briton.
brodd *s* sting; *pl* calks.
broder|e *v* embroider; ⌣ **i** *s* embroidery.
broder|lig *a* brotherly, *fig* cordial; ⌣ **skap** *s* brotherhood, fraternity.
brokade *s* brocade.
broket *a* motley, parti-coloured; chequered; tangled.
brokk *s* *med* hernia.
brokk *s* fragment, scrap.
bronkitt *s* bronchitis.
bronse(re) *s* (*v*) bronze.
bror *s* brother; ⌣ **sønn** *s* nephew; ⌣ **datter** *s* niece.
brosje *s* brooch.
brosjyre *s* pamphlet.
brott *s* surf, breakers; ⌣ **sjø** *s* breaker.
bru *s* bridge.
brud *s* bride.
brudd *s* rupture, breach; (ben-) fracture, ⌣ **stykke** *s* fragment.
brud|epar *s* bridal couple; ⌣ **epike** *s* bridesmaid; ⌣ **gom** *s* bridegroom.
bruk *s* use, (skikk) practice, usage; (fabrikk) factory, gards⌣) holding; (fiske-) gear; ⌣ **bar** *a* fit, serviceable.
bruk|e *v* use, employ; (penger) spend; (klær) wear; ⌣ **elig** *a* customary; ⌣ **sanvisning** *s* directions for use; ⌣ **t** *a* second-hand.
bruleg|ge *v* pave; ⌣ **ning** *s* pavement.
brumme *v* grumble.
brun *a* brown; ⌣ **e** *v* (steke) brown, fry, sauter; (hud) tan, brown; ⌣ **gul** *a* brownish yellow.
brunst *s* (hunn) heat, (hann) rut; ⌣ **ig** *a* in heat; rutting.
brus *s* gush, fizz; aerated lemonade; ⌣ **e** *v* gush, rush, roar; foam, fizz; ⌣ **ende** *a* effervescent.
brusk *s* gristle.
brusten *a* *fig* broken.
brutal *a* brutal; ⌣ **itet** *s* brutality.
brutto *a* *merk* in gross.
bry *v* annoy, trouble; ⌣ **seg med** trouble oneself about; ⌣ **seg om** care about (for); ⌣ **(deri)** *s* trouble, worry.
brygge *s* wharf, pier, quay; *v* brew; ⌣ **rhus** *s* scullery, laundry; ⌣ **ri** *s* brewery.
bryllup *s* wedding, marriage.
bryn *s* brow.
brynde *s* lust, passion.
bryne *s* whetstone, hone; *v* hone, whet.
brynje *s* coat of mail.
brysom *a* troublesome.
brysk *a* blunt, brusque.
bryst *s* breast (også *pl*), chest; (barm) bosom; (slakt) ribs; ⌣ **e** *vr* strut; ⌣ **harnisk** *s* corslet; ⌣ **kasse** *s* chest; ⌣ **syk** *a* consumptive; ⌣ **vern** *s* parapet; ⌣ **vorte** *s* nipple.
bryt|e *v* break, (lys) refract; (stein) quarry; ⌣ **e av**, stop; ⌣ **er** *s* wrestler; (elektr). switch; ⌣ **ning** *s* wrestling, *fig* friction.
brød *s* bread; loaf.
brøde *s* guilt, fault.
brød|fø *v* support; ⌣ **løs** *a* unemployed; ⌣ **smule** *s* crumb.

brøk *s* fraction.
brøl(e) *s(v)* roar.
brønn *s* well.
brøst|feldig *a* ramshackle; ~ **holden** *a* aggrieved.
brøyte *v* clear, force.
brå *a* abrupt, sudden; ~ **dyp** *a* deep close-to; ~ **stanse** *v* stop short.
bråk *s* noise; ~ **e** *v* make a noise, bluster; ~ **ende** *a* boisterous.
bråte *s* (mange) heap(s), lot(s); (land) burns, clearing.
bu *s* booth, stall; (pakk-) storehouse.
bud *s* order, command; *rel* commandment; (ærend) message; (person) messenger; (tilbud) offer, bid.
budeie *s* dairy-maid.
bud|sende *v* send for; ~ skap, *s* message.
budsjett *s* budget; ~ **ere** *v* budget, estimate for.
bue *s* bow, curve, arc; arch; ~ **gang** *s* arcade, archway; ~ **lampe** *s* arc-lamp.
buffet *s* sideboard, refreshment bar, buffet.
bugne *v* bulge, swell.
buk *s* belly; ~ **landing** *s* belly landing (fly).
bukett *s* bunch, bouquet.
bukk *sn* bow; *sc zo* buck, ram; (tre-) jack, trestle; (vogn-) box; ~ **e** *v* bow.
buksbom *s bot* box.
bukse *s* (pair of) trousers; (ride ~) breeches; (kne ~) knickers, plus-fours; (under~) drawers, *am* pants.
bukser|e *v* tow, tug; ~ **båt** *s* tow-boat, tug.
bukt *s* turn, bend; (hav ~) bay, gulf; ~ **e** *vr* bend, wind; ~ **et** *a* sinuous.
buld|er *s* crash; din; ~ **re** *v* crash, roar.
bule *s* (kul) bump; ~ **t** *a* bossy, dented, (hatt) crushed.
buljong *s* broth, clear soup.
bulk *s* dent, dint, knock.
bullbiter *s* bull dog.
bulle *s* bull.
bundsforvandt *s* ally.
bunke *s* heap, pile; (melk) milkpan.
bunn *s* bottom; (tøy) ground; (fjord ~) head; ~ **fall** *s* sediment, dregs; ~ **felle** *v* precipitate; ~ **løs** *a* bottomless.
bunt *s* bunch, bundle, faggot; ~ **e** *v* bunch; ~ **maker** *s* furrier.
bur *s* cage.
burde *v* ought to.
buse ut med *v* blurt out.
busemann *s* bugbear.
busk *s* bush, shrub; ~ **aktig** *a* shrubby, bushy.
buskap *s* flock, cattle, live stock.
busket *a* bushy, shaggy.
buss *s* (bil) bus; (tobakk) quid.
busserul *s* smockfrock.
bust *s* bristle; ~ **et** *a* bristly.
butikk *s* shop, store.
butt *a* blunt; *s* tub.
butterdeig *s* puff-paste.
buttet *a* chubby.
by *s* town, city; *v* bid, (til~) offer; ~ **bud** *s* porter; ~ **del** *s* district.
bydende *a* imperious.
byfolk *s* townspeople.
bygd *s* district, parts.
bye *s* shower, squall.
byg|g *s bot* barley; building (operation); ~ **ge** *v* build, construct, *fig* base; ~ **gmester** *s* architect, (master) builder; ~ **ning** *s* building, construction; build.
bygs|el *s* lease; ~ **le** *v ib.*
byks *s* bound; ~ **e** *v ib.*
byll *s* boil, abscess.
bylt *s* bundle, parcel.
byrd *s* birth.
byrde *s* burden, load; ~ **full** *a* burdensome.
byrå *s* agency, office, bureau.

bysse *s mar* galley; *v* lull.
byste *s* bust.
bytt|e *s* exchange, barter; (krigs-) booty; (rov) prey; *v* (ex-)change; ~ **ing** *s* changeling.
bær *s* berry.
bære *v* carry, *fig* bear; (klær) wear; *vr merk* pay; (klage) moan; ~ **r** *s* porter.
bøddel *s* hangman, executioner.
bøffel *s* buffalo, *fig* churl, bear; ~ aktig, *a* boorish.
bøk *s bot* beech.
bøkker *s* cooper.
bølge *s* wave; *v* wave, toss, heave; ~ **formig** *a* undulating, wavy; **i** ~ **gang** fluctuating; ~ **nde** *a* heaving, undulating.
bøling *s* stock, cattle.
bønn *s* prayer; request, entreaty; ~ **falle** *v* implore; ~ **høre** *v* hear; ~ **lig** *a* pleading, appealing.
bønne *s bot* bean; berry.
bør *s* (byrde) burden, load; *mar* (fair) wind; *v* ought to.
børs *s* exchange, change; ~ **spekulant** *s* stockjobber.
børse *s* gun, musket.
børste *s* brush, (bust) bristle, *pl* whiskers; *v* brush.
bøs *a* gruff, grim.
bøsse *s* (spare-) savings-box.
bøte *s pl* fine, penalty; *v* (lappe) repair, mend, (betale) pay (for), be fined; ~ **for,** *fig* suffer for.
bøtte *s* bucket, pail.
bøy *s* bend; ~ **e** *s mar* buoy; *v* bend, bow, *gr* inflect: ~ **elig** *a* flexible, pliable, supple.
bøyle *s* hoop, ring.
bøyning *s* bend, curve, turn, *gr* inflection.
både-og *cf* both-and.
båe *s* sunken rock.
bål *s* fire.
bånd *s* band, tie, string; ribbon, tape, *fig* bond, tie; (hindr.) restraint.
båre *s* litter, (lik~) bier.
bås *s* stall.
båt *s* boat, skiff; ~ **kvelv** *s* bottom; ~ **sman** *s mar* boatswain.

C.

For ord som saknes, se s og sj.

celeber *a* celebrated.
celle *s* cell.
cellofan *s* cellophane.
cello *s* cello.
cellull *s* spun rayon.
celluloid *s* celluloid.
cellulose *s* woodpulp.
celsius *s* centigrade.
centimeter *s* centimeter.
cerebral (hjerne) *a* cerebral.
chance *s* chance.
charm|ant *a* charming; ~ **e(re)** *s* (*v*) charm.
chaussée *s* highroad.
chic *a* smart.
cicerone *s* guide.
cirka *av* about.
cisterne *s* cistern, tank.
crêpe *s* crêpe.

D.

da *av* then; *kj* (tid) when; (årsak), as, because.
daddel *s bot* date; (kritikk) blame, censure; ~ **fri** *a* blameless; ~ **verdig** *a* blameworthy.
dadle *v* blame.
dag *s* day; ~ **blad** *s* daily (newspaper); ~ **bok** *s* diary; ~ **driver** *s* idler; ~ **gry** *s* dawn.
daggert *s* dagger.
dag|lig *a* daily; ~ **ligdags** *a*

commonplace; ~ **ligstue** *s* sitting-room; **-lønn** *s* wage(s).
dakapo encore.
dal *s* valley; ~ **e** *v* sink, *fig* decline.
daler *s* dollar.
dam *s* (vann) pond, pool, puddle; (spill) draughts; (demn.) dam.
damask *s* damask.
dame *s* woman, lady; (i dans) partner; (i kort) queen; ~ **messig** *a* ladylike; ~ **skredder(-ske)**, *s* dress-maker.
damp *s* vapour, steam; ~ båt *s* steamer; **-e** *v* steam, reek, smoke, puff; ~**kjele** *s* boiler.
dank drive ~, idle about.
Danmark Denmark.
danne *v* form, shape; constitute; ~ **lse** *s* culture, education, polish; ~**t** *a* cultured, well-bred.
dans *s* dance; ~**e** *v* dance, (hoppe) gambol; ~ **emoro** *s* dance; ~ **er(inne)**, *s* dancer; ~ **esko** pumps.
dansk *a* Danish; ~**e** *s* Dane.
dask *s* slap, cuff; ~ **e** *v* slap; (henge), dangle, flap.
dat|ere - date; ~ **o** *s* date; ~ **a** *s pl* items, facts.
datter *s* daughter, girl, ~ **datter** *s* grand-daughter; ~ **lig** *a* daughterly.
davit *s mar* davit.
daværende *a* then, existing.
debatt *s* debate; ~ **ant** *s* debater; ~**ere** *v* debate.
deb|et *s* debit; ~ **itor** *s* debtor.
de|but *s* first appearance, début; ~ **butere** *v* make one's début; ~ **cennium** *s* decade; ~ **charge** *s* discharge; ~ **chiffrere** *s* decipher; ~ **disere** *v* dedicate; ~ **fekt** *s* imperfection; *a* defective; ~ **fensiv** *s a* defensive; ~ **fensor** *s* counsel for the defence; ~ **filere** *v* march past; ~**finere** *v* define; ~ **flasjon** *s* deflation.
degener|asjon *s* degeneracy, degeneration, ~ **ere** *v* degenerate; ~ **ert** *a* degenerate.
degge for *v* coddle, pet.
degradere *v* degrade.
deig *s* paste, dough; (kjøtt) mince; ~**et** *a* pasty, doughy.
deilig *a* lovely, sweet; ~**het** *s* charm, sweetness.
de|kadense *s* decadence; ~ **kadent** *a* decadent; ~ **kade** *s* decade; ~ **kan(us)** *s* dean.
dek|k *s mar* deck; cover; ~**ke** *s* cover; *v* cover, (utgift) meet; (bord) lay; *vr merk* reimburse oneself; ~ **ketøy** *s* table-linen; ~ **ning** *s* cover; security; payment.
de|klamere *v* declaim, recite; ~ **klamasjon** *s* recitation, declamation; ~ **klarere** *v* declare, publish; ~ **klinasjon** *s gr* declension; ~ **klinere** *v* decline; ~ **kolletert** *a* low-necked; ~ **korativ** *a* ornamental; ~ **korasjon** *s* decoration; *teat* scenery; (ordenstegn) decorations; ~**korere** *v* decorate; ~ **kret** *s* decree; ~ **kretere** *ib.*
deksel *s* cover, lid.
del *s* part, portion, share; deal; ~ **aktig** (i) *a* party (to), concerned (in); ~**aktighet** *s* (i ondt) complicity; ~ **e** *v* divide, part, share; ~ **elig** *a* divisible.
delegert *s* delegate.
delfin *s* dolphin.
delikat *a* dainty, delicate; ~**esse** *s* dainty.
deling *s* division.
dels *av* partly.
delta *v* take part, share; ~**gelse** *s* participation; (følelse) sympathy; ~ **gende** *a* sympathizing; ~**ger** *s* player, partaker, competitor.
delvis *av* partly.
de|magog *s* demagogue; ~ **magogi** *s* demagogy; ~ **mentere**

v give a denial to; ⌣ **menti** *s* denial.

dem|me *v* dam; ⌣ **ning** *s* embankment, dam.

de|mokrat *s* democrat; ⌣ **mokrati** *s* democracy; ⌣ **mokratisere** *v* democratize; ⌣ **monisk** *a* demoniac; ⌣ **monstrere** *v* demonstrate; ⌣ **montere** *v* strip, dismantle; ⌣ **moralisere** *v* demoralize.

dempe *v* subdue; ⌣ **r** *s fig* check; ⌣ **t** *a fig* low.

demr|e *v* dawn; ⌣ **ing** *s ib.*

dengang *av* then; *kj* when.

de|partement *s* department; ⌣ **pesje** *s* message; ⌣ **ponere** *v* deposit; ⌣ **portere** *v* transport; ⌣ **positum** *s* deposit; ⌣ **pot** *s* depot; ⌣ **presjon** *s* depression; ⌣ **primert** *a* depressed; ⌣ **putasjon** *s* deputation; ⌣ **putert** *s* deputy.

der *av* there; ⌣**for** *av* therefore; ⌣ **imot** *av* on the other hand; ⌣ **nest** *av* next; ⌣ **som** *kj* if, in case.

des|armere *v* disarm; ⌣ **avuere** *v* disavow.

desember December.

desert|ere *v* desert; ⌣ **ør** *s* deserter.

des|idert *av* decidedly; ⌣ **illusjonert** *a* disillusioned; ⌣ **imere** *v* decimate; ⌣ **infisere** *v* disinfect; ⌣ **orientert** *a* bewildered, puzzled; ⌣ **perat** *a* desperate; ⌣ **pot** *s* despot.

dessert *s* dessert, sweets.

dessuten *av* besides.

dessverre *av* unfortunately.

destillere *v* distill.

desto *kj* the.

de|talj *s* detail, *merk* retail; ⌣ **taljere** *v* detail.

detektiv *s* detective.

dette *pron* this; *v* tumble.

dia|dem *s* diadem; ⌣ **gnose** *s* diagnosis; ⌣ **kon** *s* male nurse; ⌣ **konisse** *s* nursing sister.

dia|lekt *s* dialect; ⌣ **log** *s* dialogue; ⌣ **mant** *s* diamond; ⌣ **metral** *a* diametrical.

diaré *s* diarrhæa.

die *s* mother's milk; *v* suck; **gi** ⌣ suckle.

diett *s* diet, regimen.

dif|ferere *v* differ; ⌣ **feranse** *s* difference.

difteri *s* diphteria.

diftong *s* diphthong.

digel *s* crucible; pot.

diger *a* bulky, big.

dike *s* (grøft) ditch; dyke.

dikt *s poem* poetry; ⌣ **afon** *s* dictaphone; ⌣ **at**, *s* dictation; ⌣ **e** *v* make poetry; ⌣ **er** *s* poet; ⌣ **ere** *v* dictate; ⌣ **ning** *s* poetry, fiction; ⌣ **erisk** *a* poetic.

di|lettant *s* amateur; ⌣ **ligence** *s* stage-coach.

dilte *v* jog.

dim *a* hazy, dim.

dimensjon *s* dimension.

dimittere *v* discharge; (eksamen) send up.

dinere *v* dine.

dingle *v* dangle, swing.

di|plom *s* diploma; ⌣ **plomat** diplomat(ist); ⌣ **plomati** *s* diplomacy; ⌣ **reksjon** *s* board of directors.

direkte *a* direct.

di|rektør *s* manager, director; ⌣ **rigere** *v* lead, direct; (møte) hold the chair; ⌣ **rigent** *s* chairman, *mus* conductor.

dirk *s* picklock; **e** ⌣ *v* pick.

dirre *v* vibrate, quiver.

dis *s* haze.

dis|favør *s* disfavour; ⌣ **harmoni** *s* discord; ⌣ **harmonisk** *a* discordant.

disig *a* hazy.

disip|lin *s* discipline; (fag) subject; ⌣ **linere** *v* discipline.

disippel *s* disciple, pupil.

disk *s* counter.
dis|kant *s* treble; ~ **kontere** *v* discount; ~ **konto** *s* discount; ~ **kos** *s* discus; ~ **kresjon** *s* discretion; ~ **kret** *a* discreet.
diskusjon *s* dicussion; ~ **kutere** *v* discuss; ~ **pensere** *v* dispense.
dis|ponent *s* manager; ~ **ponere** *v* dispose, employ; ~ **ponibel** *a* available; ~ **posisjon** *s* disposistion, disposal; ~ **putas** *s* disputation, (avh.) thesis; ~ **putere** *v* argue; ~ **putt** *s* argument; ~ **sens** *s* dissent.
dis|tanse *s* distance; ~ **tansere** *v* distance; ~ **tingvert** *a* distinguished; ~ **tinksjon** *s* badge, distinction; *mil* lace; ~ **trahere** *v* distract; ~ **traksjon** *s* absence of mind; ~ **tré** *a* absent-minded.
distrikt *s* district, *jur* circuit; (post-) round (politi-) beat.
dit *av* there.
ditto *av* likewise, ditto.
divan *s* couch.
di|vergens *s* divergence; ~ **vergere**, diverge; ~ **vidende** *s* dividend; ~ **videre** *v* divide.
djerv *a* bold, outspoken.
djevel *s* devil, *fig* fiend; ~ **sk** *a* devilish, diabolical, fiendish; ~ **skap** *s* devilry.
dobbe *s* pendant, drop.
dobbelt *a* double, twofold; ~ **knappet** *a* double-breasted; ~ **snipp** *s* turndown collar.
doble *v* double.
dog *av* yet, still.
dogg *s* dew.
dogge *s* mastiff.
dogm|atisk *a* dogmatic; ~ **e** *s* dogma.
dokk(-sette) *s* (*v*) dock.
dok|tor *s* doctor, physician; ~ **trinær** *a* doctrinaire.
dokument *s* document, deed; ~ **ere** *v* verify.
dolk *s* dagger, stiletto; ~ **e** *v* stab.
dom *s* dome, cathedral; *jur* sentence, judgment, (mening) opinion; ~ **felle** *v* condemn, convict; ~ **fellelse** *s* conviction.
dom|ene *s* domain; ~**inere** *v* command, bully, dominate.
dom|kirke *s* cathedral; ~ **mer** *s* judge, magistrate; *sp* referee, umpire; ~ **pap** *s zo* bulfinch; ~ **prost** *s* dean; ~ **stol** *s* court of justice, lawcourt, tribunal.
done *s* snare, gin.
doning *s* tools; vehicle.
donkraft *s* (screw-) jack.
dopp *s* knob; ~ sko, *s* ferrule.
dor(e) *s* (*v*), punch.
dorg *s* trolling; ~ **e**, *v* troll.
dorme *v* doze, nap.
dorsk *a* indolent, sluggish; ~ **het** *s* sloth.
dose (=dosis) *s* dose.
dose|nt *s* reader, lecturer; ~ **re** *v* lecture (on); ~ **rende** *a* dogmatic.
dosmer *s* block-head.
dott *s* tuft, wisp, lock; *fig* dough-face.
dov|en *a* lazy, idle, sluggish; (drikk) flat; ~ **endyr** *s* sloth; ~ **enskap** *s* laziness; ~ **ne** *v* (lem) get numb; *vr* drone, idle.
dra *vt* pull, drag, draw; *vi* go, pass; *vr* laze.
drabant *s ast* satellite.
drag *s* pull, tug; (røyk) puff; (slurk) draught; (luft) drift, draught; *fig* touch, strain; (vogn-) shafts; ~ **else** *s* reprimand; ~ **es med** *v* be afflicted with; ~ **ning** *s* attraction.
dragon *s* dragoon.
dragsug *s* back surf.
drake *s* dragon; (leke-) kite.
drakt *s* dress, costume, suit of

clothes, (ride-) habit, (dame-) tailor-made.
dram *s* dram, glass.
drama *s* drama; ~ **tiker** *s* dramatist; ~ **tisere** *v* dramatize.
dranker *s* drunkard.
drap *s* manslaughter ~ **smann** *s* murderer, homicide.
drapelig *a* fierce.
draper|e *v* drape, hang; ~ **i** *s* drapery.
drastisk *a* drastic.
draug *s* water-sprite.
dregg *s* grapnel, creep (-ers); ~**e** *v* drag, creep.
drei|e *v* turn, pivot; (arb.) lathe; (vind) shift; ~**ebenk** *s* lathe, ~**er** *s* turner; ~ **ning** *s* turn; turnery.
drektig *a* big with young; ~ **het** *s* gestation, *mar* capacity.
drener|e *v* drain; ~ **ing** *s* drainage.
drepe *v* kill; ~ **nde** *a* fatal, deadly.
dresin *s* trolley.
dress *s* suit of clothes; ~ **ere** *v* train, break in; ~ **ur** *s* training.
drett *s* haul, take.
drev *s* (hjul-) pinion; (tau) oakum; ~ **en** *a* expert, skilled.
drift *s* instinct, impulse; (ledelse) management; (kveg-) drove; (beveg.) drift; ~ **ig** *a* enterprising, active; ~ **ighet** *s* activity; ~ **sbestyrer** *s* manager; ~ **skapital** *s* working capital.
drikk *s* drink, beverage; (fyll) drinking, *fam* boozing; ~ **e** *v* drink; ~ **elag** *s* carouse; ~ **elig** *a* drinkable; ~ **epenger** *s* tip(s), gratuity; ~ **evarer** *s* drinkables; ~ **feldig** *a* addicted (given) to drink; ~ **feldighet** *s* intemperance.
drill *s* drill; ~ **bor** *s* drill; ~ **e** *v* tease.
drist|e seg *vr* dare; ~ **ig** *a* bold, daring; ~ **ighet** *s* boldness, daring.
drivbenk *s* hotbed.
driv|e *v* drive, work, operate; force; (metall) chase; (late seg) lounge; (båt) drift; ~ **ende** *a* energetic; ~ **hus** *s* greenhouse, hothouse; ~ **kraft** *s* motive power; ~ **våt** *a* drenched.
drogerier *s* drugs.
dromedar *s* dromedary.
drone *s* drone.
dronning *s* queen.
droplet *a* dappled.
drops *s* sugar-pium(s), sweetmeat(s).
drosje *s* cab, taxi.
drue *s* grape; ~ **høst** *s* vintage.
drukken *a* drunk, tipsy, intoxicated, *fam* boozed; ~ **bolt** *s* drunkard, ~ **skap** *s* intoxication, drunkenness.
drukne *v* (be) drown(ed).
dryg *a* substantial; *fig* tough, rough; ~ **e** (drøye) *v* drag on, eke out; delay.
drypp *s* drip, drop; ~**e,** *v* drip; ~ **ert** *s* gonorrhea.
dryss(e) *s* (*v*) drizzle.
drøfte *s* discuss, talk over; ~ **lse** *s* discussion.
drøm *s* dream; ~ **me** *v* dream; ~ **mende** *a* dreamy; ~ **meri** *s* reverie.
drønn(e) *s* (*v*) boom.
drøpel *s med* uvula.
drøv *s* **tygge** ~, chew the cud, ruminate; ~ **tygger** *s zo* ruminant.
dråpe *s* drop.
duble|re *v* double; ~ **tt** *s* duplicate.
due *s* pigeon, dove.
duell(ant) *s* duel(list).
duett *s* duet.
duft *s* scent, fragrance; ~ **e** *v* smell, scent; ~ **ende** *a* fragrant.
duge *v* be good, do, answer; ~ **lig** *a* (cap)able, skilful.

dugg *s* dew; ~ **e** *vi* det ~ **er** the dew falls; *vt* dim; ~ **et** *a* dewy.
duk *s* table-cloth, canvas.
dukat *s* ducat.
dukk|e *s* doll; (fedd) skein; *v* dive, plunge; ~ **ert** *s* dive, dip.
dukknakket *a* stoop-shouldered.
duks *s* head-boy.
dulme *v* soothe.
dult *a* secret; *s* push.
dum *a* foolish, stupid; ~ **dristig** *a* dare-devil; ~ **dristighet** *s* temerity; ~ **het** *s* stupidity; folly.
dump *a* dull, muffled; *s* bottom; (fall) plump; ~ **e** *v* tumble; (eksamen) be floored, be ploughed.
dumrian *s* block-head.
dun *s* down; ~ **bløt** *a* downy.
dundre *v* thunder, bang.
dunk *s* keg. tin; (lyd) bump; ~ **e** *v* bump.
dunkel *a* dim; *fig* abstruse.
dunst *s* vapour, exhalation; ~ **e** evaporate, reek.
dupere *v* hoodwink.
duplikat *s* duplicate.
duppe *v* nod.
dur *s* din, roar; *mus* major; ~ **e** *v* roar; ~ **abel** *a* substantial, strong.
durkdreven *a* cunning, crafty.
dus, være dus med, be on Christian-name terms with; **bli dus med,** drop surnames.
dusin *s* dozen.
dusj *s* showerbath.
dusk *s* tuft, tassel; ~ **regn** *s* drizzle.
dusør *s* gratuity.
duve *v* toss, *mar* pitch.
dvale *s* lethargy, torpor.
dvask *a* indolent.
dvele *v* linger.
dverg *s* dwarf; ~ **aktig** *a* dwarfish.
dy *vr* forbear, help.
dybde *s* depth.
dyd *s* virtue; ~ **ig** *a* virtuous.
dykke *v* dive.
dyktig *a* clever, able, competent, capable, skilful, *av* very; ~ **het** *s* ability, capacity.
dynamitt *s* dynamite.
dynasti *s* dynasty.
dyne *s* feather-bed, eiderdown.
dynge *s* heap, mass, pile; *v* heap, pile, accumulate.
dynn *s* mire, mud.
dyp *a* deep, profound; *s* deep, depth; ~ **t** *av* deep (-ly).
dyppe *v* dip, sop.
dypsindig *a* deep.
dyr *a* dear, expensive; *s* animal, *fig* brute; ~ **ebar** *a* precious, dear; ~ **ehage** *s* zoo; ~ **estek** *s* venison; ~ **isk** *a* animal, bestial.
dyrk|bar *a* cultivable; ~ **e** *v* cultivate, grow, raise; ~ **else** *s rel* worship; ~ **ning** *s* growing, cultivation.
dyr|lege *s* veterinary.
dyrtid *s* dearth.
dyspepsi *s* dyspepsia.
dysse *v* lull (asleep).
dyst *s* tilt, *fam* bout.
dyster *a* gloomy, dismal.
dytt *s* nudge; ~ **e,** *v* nudge; (tette) stop up.
dyvåt *a* soaked, drenched.
dø *v* die.
død *a* dead; *s* death, decease; ~ **blek** *a* ghastly; ~ **bringende** *a* fatal; ~ **e** *v fig* mortify; ~ **elig** *a* mortal, deadly; ~ **elighet** *s* death-rate; ~ **født** *a* stillborn; ~ **ning** *s* ghost; ~ **ningeaktig** *a* cadaverous; ~ **ningehode** *s* death's head; ~ **sangst** *s* terror of death; ~ **sattest** *s* death certificate; **-sdom** *s* sentence of death, *fig* doom; ~ **sens** *a* (a) dead (man) *av* dead; ~ **sfall** *s* death; ~ **sfiende** *s* mortal enemy; ~ **skamp** agonies; ~ **s-leie** *s*

death-bed, ~ **sstraff** *s* capital punishment, pain of death; ~ **strett** *a* dead tired, *fam* dog-tired; ~ **ssynd** *s* deadly sin; ~ **vekt** *s* dead weight.
døgenikt *s* good-for-nothing (fellow).
døgn *s* 24 hours.
dølge *v* conceal.
dølgsmål *s* concealment, secret.
dømme *v* judge, *jur* pass sentence (on), condemn, ~ **kraft** *s* judgment; ~ **nde** *a* judicial.
dønn *s* boom; ~ **e** *v* boom, rumble; ~ **ing** *s mar* swell, heave.
døpe *v* baptize, christen; ~ **font** *s* font; ~ **navn** *s* Christian name; ~ **r** *s* baptist.
dør *s* door.
dørgende *av fam* chock.
dør|hammer *s* knocker; ~ **hank** *s* handle; ~ **hengsel** *s* door-hinge; ~ **klokke** *s* doorbell; ~ **slag** *s* sieve; ~ **vokter** *s* door-keeper; ~ **åpning** *s* doorway.
dørk *s mar* floor, deck.
døs *s* lethargy, doze; ~ **e** *v* doze; ~ **ig** *a* drowzy.
døv *a* deaf; ~ **e** *v* deafen, blunt; ~ **stum** *a* deaf-and-dumb.
døye *v* suffer, endure.
døyt *s* bit, farthing.
døyve *v* dispose of, down; (smerte) palliate.
dåd *s* deed, exploit; ~ **skraft** *s* energy.
dådyr *s* (fallow) deer.
dåne *v* faint.
dåp *s* baptism, christening.
dår|e *s* fool; *v* infatuate.
dår|lig *a* bad, worthless; (syk) ill; ~ **skap** *s* folly.
dåse *s* box, tin, can.

E.

ebbe *s* ebb (-tide).
ed *s* oath; curse.
edderkopp *s* spider.
eddik *s* vinegar.
edel *a* noble, generous; ~ **modig** *a* generous; ~ **modighet** *s* generosity; ~ **sten** *s* gem, precious stone.
ederdun *s* eider-down.
edfeste *v* swear.
edikt *s* edict.
edru *a* sober; ~ **elig** *a* sober; ~ **elighet** *s* sobriety.
effekt *s* effect, sensation, *pl* chattels; ~ **full** *a* impressive; ~ **iv** *a* efficient; ~ **ivitet** *s* efficiency; ~ **uere** *v* effectuate.
eftasverd *s* afternoon meal.
eføy *s bot* ivy.
egen *a* own; proper, particular; peculiar; (rar) odd; ~ **art** *s* distinctive character; ~ **artet** *a* peculiar; ~ **artethet** *s* oddness; ~ **kjærlig** *a* selfish; ~ **kjærlighet** *s* selfishness; ~ **mektig** *a* arbitrary; ~ **navn** *s* proper name; ~ **nytte** *s* self-seeking; ~ **nyttig** *a* self-seeking; ~ **rådig** *a* self-willed; ~ **rådighet** *s* wilfulness; ~ **sindig** *a* obstinate; ~ **sindighet** *s* obstinacy; ~ **skap** *s* quality, capacity; ~ **tlig** *a* (*av*) proper(ly).
egg *s* egg; edge; ~ **e** *v* urge, incite, stir; ~ **edosis** *s* egg-flip; *am* egg-nogs; ~ **ehvite** *s* albumen; ~ **eplomme** *s* yolk; ~ **erøre** *s* scrambled eggs.
egn *s* region, tract.
egne seg *v* be fit, suit.
egnet *a* suitable.
egois|me ego(t)ism, selfishness; ~ **t** *s* ego(t)ist.
Egypt *s* Egypt.
egyptisk *a* Egyptian.

eid *s* isthmus.
eie *v* possess, own; ~**ndeler** *s* belongings, property; ~**ndom** *s* property; estate, (tomt) premises; ~**ndommelig** *a* peculiar; ~ **ndommelighet** *s* peculiarity; ~ **ndomsbesitter** *s* proprietor; ~ **ndomsrett** *s* ownership; ~ **r** *s* owner; ~ **rnne** *s* proprietress.
eik *s* oak.
eike *s* (hjul-) spoke; (båt) punt, canoe; ~ **nøtt** *s* acorn; ~ **panel** *s* wainscoat.
eim *s* vapour.
einer *s bot* juniper.
eitel *s* gland.
eiter (edder) *s* venom.
ekkel *a* loathsome, disgusting.
ekko *s* echo.
eklatant *a* striking, conspicuous, signal.
ekorn *s* squirrel.
ekre *s* acre.
eks|akt *a* exact; ~ **altert** *a* over-excited.
eks|amen *s* exam(ination); ~ **aminand** *s* candidate; ~ **aminasjon** *s* examination; ~ **aminere** *v* examine, try.
eks|ekusjon *s jur* seizure, distress; **gjøre -ekusjon** distrain; ~ **ekutiv** *a* executive; ~ **ekvere** *v* execute; ~ **ellense** *s* excellency; ~ **ellent** *a* excellent, ~ **ellere** *v* excel.
eksem *s* eczema.
eks|empel *s* example, instance; ~ **empelløs** *a* unexampled; ~ **emplar** *s* copy, specimen; ~ **emplarisk** *a* exemplary; ~ **entrisk** *a* eccentric; ~**epsjonell** *a* exceptional; ~ **ersere** *v* drill, ~ **ersis** *s* drill; ~ **esser** *s* excess; ~ **il** *s* exile; ~ **istens** *s* existence; ~ **istere** *v* exist; ~ **kludere** *v* expel; ~ **klusjon** *s* exclusion; ~ **klusiv**(e) *a* (*av*) exclusive.
ekskrementer *s* excrements.
eks|kursjon *s* excursion; ~ **otisk** *a* exotic; ~ **pansjon** *s* expansion; ~ **pedere** *v* forward; (bagasje) register; (kunde) attend to; ~ **pedisjon** sending, expedition, (sted) office; ~ **peditrise** *s* (shop) assistant; ~ **peditør** *s* agent, clerk; (shop-) assistant; ~ **peditt** *a* prompt; ~ **pektanseliste** *s* waiting list.
eks|periment(ere) *s* (*v*) experiment; ~ **pert** *s* expert; ~ **plodere** *v* explode; ~ **plosjon** *s* explosion; ~ **plosiv** *a* explosive.
eks|port *s* export(-ation); ~ **portere** *v* export; ~ **portør** *s* exporter; ~ **press** *s* express; ~ **propriere** *v* appropriate (for public uses).
ekstase *s* ecstasy.
eks|tempore *av* off-hand; ~ **temporere** *v* extemporize.
ekstra *a* (*av*) extra; ~ **arbeid** *s* overtime work; ~**kt** *s* extract; ~ **nummer** *s* special issue; *mus* encore; ~ **ordinær** *a* extraordinary; ~ **tog** *s* special train; ~ **vaganse** *s* extravagance.
ekte *a* genuine, authentic; legitimate; *v* marry; ~ **folk** *s* married couple; ~ **felle** *s* spouse; ~ **mann** *s* husband; ~ **par** *s* married couple; ~ **skap** *s* marriage, matrimony; ~ **skapelig** *a* conjugal; ~ **skapsbrudd** *s* adultery.
ekthet *s* authenticity, genuineness.
ekvator *s* equator.
ekvi|pasje *s* carriage; ~ **pere** *v* fit out, equip.
elasti|sk *a* elastic, springy; ~ **sitet** *s* elasticity.
eld|e *s* (old) age; ~ **es** *v* grow old; ~ **gammel** *a* age-old; ~ **re** *a* older, elder; elderly.

elefant *s* elephant.
ele|gant *a* elegant, fashionable; ⁓ **ganse** *s* elegance; ⁓ **gi** *s* elegy; ⁓ **gisk** *a* elegiac.
elektr|ifisere *v* electrify; ⁓ **iker** *s* electrician; ⁓ **isk** *a* electric; ⁓ **isere** *v* electrify; ⁓ **isitet** *s* electricity; ⁓ **isitetsforsyning** *s* electricity supply.
element *s* element.
elementær *a* elementary.
elendig *a* miserable, wretched; ⁓ **het** *s* misery.
elev *s* pupil.
elev|ator *s* lift, hoist, *am* elevator; ⁓ **ert** *a* elevated.
elfenben *s* ivory.
elg *s* elk, *am* moose.
eliksir *s* elixir.
elite *s* élite, pick.
eller *kj* or (nor); ⁓**s** *av* otherwise, else.
elleve *num* eleven.
ellipse *s* ellipsis.
elsk *s* fancy; ⁓ **e** *v* love; ⁓ **elig** *a* lovely; ⁓**er** *s* lover, admirer; ⁓ **erinne** *s* mistress; ⁓ **ling** *s* darling, sweetheart; ⁓ **ov** *s* love; ⁓ **verdig** *a* amiable; ⁓ **verdighet** *s* amiability; (ord) compliment.
elte *v* knead; puddle.
elv *s* river, stream.
emalje(re) *s* (*v*) enamel.
emansipert *a* emancipated; *fam* fast.
emball|asje *s* packing; ⁓ **ere** *v* pack, bale.
embet|e *s* office, post; ⁓**smann** *s* (government) official, civil servant.
emblem *s* emblem.
emigr|ant *s* emigrant; ⁓ **ere** *v* emigrate.
emi|sjon *s* issue; ⁓ **ssær** *s* evangelist (preacher) ⁓ **ttere** *v* issue.
emmen *a* flat, mawkish.
emne *s* subject, topic; material; *v* shape.
en one; a(n).
enda *av* (as) yet, still.
ende *s* end, close; *v* end, finish, conclude.
endekker *s* monoplane.
ende|lig *a* limited, finite; final, definitive, *av* at length; ⁓ **likt** *s* death; ⁓ **lse** *s* ending, termination; ⁓ **løs** *a* endless; ⁓ **tarm** *s* rectum; ⁓ **til** *a* straightforward; ⁓ **vende** *v* turn upside down.
endog *av* even.
endosse|ment *s* endorsement; ⁓ **re** *v* endorse.
endr|e *v* change, alter; ⁓ **ing** *s* change, alteration.
endrektighet *s* concord.
ene|boer *s* hermit; ⁓ **bær** *s* juniper berry; ⁓ **handel** *s* monopoly; ⁓ **herre** *s* sole master; ⁓ **hersker** *s* absolute monarch; ⁓ **merker** *s* precincts; ⁓ **pike** *s* general servant.
ener *s* one, unit.
enerett *s* monopoly, privilege.
energi *s* energy; ⁓ **sk** *a* energetic.
enerverende *a* enervating.
ene|rådende *a* absolute, undisputed; ⁓ **s** *v* agree; ⁓ **ste** *a* one, only, single; ⁓**stående** *a* unique; ⁓ **tale** *s* soliloquy; ⁓ **velde** *s* absolute power; ⁓ **veldig** *a* absolute.
en face *av* full face.
enfoldig *a* simple, silly.
eng *s* meadow.
en gang *av* once; **ikke** ⁓ not even.
engasje|re *v* engage; ⁓ **ment** *s* e.-ment, *s merk* liability.
engel *s* angel.
eng|elsk *a* English; ⁓ **lender(inne)** *s* Englishman (-woman).
engifte *s* monogamy.
englelig *a* angelic.
en gros *av* wholesale.
engste *v* alarm, distress; *vr* be

nervous; ~ **lig** *a* anxious, uneasy; ~ **lse** *s* anxiety.
enhet *s* unity.
enhjørning *s* unicorn.
enhver *pron* every, each.
enig *a* united, agreed; ~ **het** *s* agreement, concord.
enke *s* widow; ~ **drakt** *s* w.s weeds; ~ **dronning** *s* queen dowager.
enkel *a* homely, plain, simple; ~ **t** *a* single, individual; ~ **billett** *s* single ticket ~ **knappet** *a* single-breasted; ~ **snipp** *s* dress-collar; ~ **tvis** *av* singly, individually.
enkemann *s* widower.
enlig *a* single.
enmannslugar *s* single cabin.
enn *kj* than; ~ **videre** *av* further; ~ **å** *av* still.
enorm *a* enormous.
en passant *av* by the way.
enquete *s* inquiry.
enrom **i** ~, in private.
ens *a* alike, identical, uniform; ~ **artet**, *a* uniform; ~ **betydende med** *a* tantamount to.
ense *v* heed, mind.
ensemble *s* whole.
ens|farget *a* plain, of one colour; ~ **formig** *a* monotonous; ~ **formighet** *s* monotony.
ensidig *a* partial, of one idea; ~ **het** *s* partiality.
enskjønt *kj* although.
en|slig *a* single, solitary; ~ **som** *a* lonely; ~ **stavelse(sord)** *s* monosyllable; ~ **stavelses** *a* monosyllabic; ~ **stemmig** *a* unanimous; *av mus* in unison; ~ **stemmighet** *s* unanimity; ~ **stydig** *a* synonymous.
enten-eller *kj* either-or, whether-or.
entledige *v* dismiss.
entré *s* hall; admission; ~**nøkkel**, *s* latch-key.
entre *v* climb, board.
entrepren|ant *a* enterprising; ~ **ør** *s* (building) contractor.
entusiastisk *a* enthusiastic.
envis *a* opinionated.
enårig *a bot* annual.
ep|idemi *s* epidemic; ~ **igram** *s* epigram; ~ **ikureer**, *s* epicurean.
ep|ilepsi *s* epilepsy; ~ **ilog** *s* epilogue; ~ **isk** *a* epic; ~ **isode** *s* episode; ~ **pistel** *s* epistle.
eple *s* apple; ~ **grøt** *s* charlotte; ~ **kake** *s* apple-pie; ~ **kompott** *s* stewed apples; ~ **vin** *s* cider.
epoke *s* epoch.
epos *s* epic.
epålett *s* shoulder-strap.
eremitt *s* hermit.
erfare *v* experience, learn; ~ **en** *a* experienced; ~ **ing** *s* experience.
erg|erlig *a* irritaded, vexed; (ting) annoying; ~ **re** *v* annoy, vex, *vr* be annoyed; ~ **relse** *s* vexation, annoyance.
er|holde *v* obtain, get; ~ **indre** *v* call to mind, remember; ~ **indring** *s* remembrance; (ting) keepsake.
erke- arch-, arrant; ~ **biskop** *s* archbishop.
er|kjenne *v* acknowledge, recognize; ~ **kjennelse** *s* a. -ment, recognition; comprehension; ~ **kjentlig** *a* grateful; ~ **kjentlighet** *s* gratitude; acknowledgments; ~ **klære** *v* declare; ~ **klæring** *s* declaration; ~ **legge** *v* pay.
erme *s* sleeve.
er|nære *v* nourish; support; ~ **næring** *s* food, nutrition; ~**obre** *v* conquer; ~ **obrer** *s* conqueror; ~ **obring** *s* conquest.
erot|ikk *s* eroticism, lovemaking; ~ **isk** *a* erotic.
erstat|te *v* replace; compen-

sate; ~ **ning** *s* compensation; replacement, ~ **ningsansvar** *s* liability to compensate.
ert *s* pea.
erte *v* tease; ~ **krok** *s* tease.
erts *s* ore.
erverv *s* livelihood, occupation, trade; ~**e** *v* acquire, gain.
ese *v* ferment, rise.
esel *s* ass; donkey.
esing *s* gunwale.
eskadr|e *s mar* squadron; ~ **on** *s* squadron.
eske *s* box, casket.
eskimo *s* Eskimo.
eskorte *s* escort.
esle *v* intend.
espalier *s* trellis (-work).
esprit *s* wit.
ess *s* (kort) ace.
esse *s* forge, furnace.
essens *s* essence; ~ **iell** *a* essential.
esteti|sk *a* aesthetic; ~ **ker** *s* aesthetic.
etabl|ere *v* establish; *vr* settle; ~ **issement** *s* establishment.
etappe *s* station.
et|asje *s* floor, storey; **første etasje** ground f.; **annen etasje** first f.
etat *s* service, profession.
ete *v* eat (greedily).
eter *s* ether; ~ **isk** *a* ethereal.
etikett *s* label.
etikette *s* etiquette.
etikk *s* ethics.
etisk *a* ethical.
etse *v* etch, cauterize; ~ **nde** *a* caustic.
etsteds *av* somewhere.
ettall *s* one, unit.
etter *prp* after, (tid) past; behind; for; *av* after, behind; ~ **ape** *v* ape, mimic; ~ **at** *kj* after; ~ **dønning** *s* after swell, *fig* aftermath, remote effect; ~ **forskning** *s* investigation; ~ **følger** *s* successor; ~ **gi** *v* remit, pardon; ~ **givende** *a* indulgent, compliant; ~ **givenhet** *s* compliance; ~ **gjort** *a* counterfeit; ~ **gå** *v* inspect, retouch; ~ **hvert** *av* by degrees; ~ **hånden** *av* by degrees; **komme** *v* obey, comply with; ~ **kommer** *s* descendant; ~ **krav** *s* cash-on-delivery; ~ **krigs** *a* post war; ~ **late** *v* leave; ~ **latende** *a* negligent, remiss; ~ **latenhet** *s* negligence; ~ **latenskaper** *s* effects; ~ **ligne** *v* imitate, copy; ~ **ligning** *s* imitation; ~ **lyse** *v* advertise for; ~ **mann** *s* successor.
etter|middag *s* afternoon; ~ **mæle** *s* name, renown; ~ **navn** *s* surname; ~ **nøler** *s* straggler, laggard; ~ **på** *av* afterwards; ~ **plapre** *v* echo; ~ **retning** *s* intelligence, notice; ~ **se** *v* inspect, overhaul, see to; ~ **sende** *v* forward, send on; ~ **skrift** *s* postscript (P.S.); ~ **slekt** *s* posterity; ~ **smak** *s* aftertaste; ~ **som** *kj* as; seeing that; ~ **spill** *s* sequel; ~ **spore** *v* track; ~ **spurt** *a* in demand; ~ **spørsel** *s* inquiry, demand; ~ **strebe** *v* persecute.
etter|sykdom *s* complication; ~ **syn** *s* inspection; ~ **søke** *v* search for; ~ **søkning** *s* search; ~ **tanke** *s* reflection; ~ **tenksom** *a* thoughtful; ~ **trakte** *v* covet; ~ **trykk** *s* emphasis, stress; ~ **trykkelig** *a* emphatic(al); ~ **virkning** *s* reaction, after-effect.
etui *s* case.
Europ|a *s* Europe; ~ **eisk** *a* European; ~ **eer** *s* ib.
evangel|ium *s* gospel; ~ **isk** *a* evangelical, ~ **ist** *s* evangelist.
eventu|alitet *s* contingency; ~ **ell** *a* possible; ~ **elt** *av* perhaps, in case.

eventyr *s* adventure; (dikt) fairy-tale, story; ~ **er(-ske)** *s* adventurer (-uress); ~ **lig** *a* romantic, adventurous, fantastic.

ev|ig *a* eternal, perpetual; ~ **ighet** *s* eternity; ~ **innelig** *a* eternal.

evje *s* creek, eddy; (bak-) backwater; mud.

evne *s* power, *pl* parts; *v* be able; ~ **rik** *a* gifted.

F.

fab|el *s* fable, story; ~ **elaktig** *a* fabulous; ~ **le** *v* fable.

fabrik|k *s* factory, mill. works; ~ **ant** *s* manufacturer; ~ **asjon** *s* manufacture; *s* make, product; ~ **ere** *v* manufacture, make.

fadder *s* godfather, (-mother), sponsor.

fader|lig *a* fatherly, paternal; ~ **morder** *s* parricide.

Fadervår *s* the Lord's prayer.

fadese *s* blunder.

fag *s* (reol) pigeon-hole; (skole-) subject; line, profession.

fager *a* fair.

fag|forening *s* trade union; ~ **kunnskap** *s* expert (special) knowledge; ~ **kyndig** *a* expert; ~ **lig** *a* technical; ~ **lært** *a* skilled; ~ **mann** *s* expert, specialist.

fajanse *s* fine earthenware.

fakir *s* fakir.

fakke *v* catch, take up.

fakkel *s* torch.

faksimile *s* facsimile.

fakter *s* gestures.

fakt|isk *a* founded on facts, actual, real; *av* in fact; ~ **or** *s* factor; (boktr.) overseer; ~ **um** *s* fact; ~ **ura** *s merk* invoice; ~ **urere** *v* invoice.

fakult|et *s* faculty; ~ **ativ** *a* optional.

fal *s* socket.

falanks *s* phalanx.

falby *v* offer for sale.

fald(e) *s* (*v*) hem.

falk *s* falcon.

fall *s* fall; case; ~ **dør** *s* trapdoor; ~**e** *v* fall, drop; ~ **eferdig** *a* ramshackle; ~ **gruve** *s* pitfall.

fall|ent *s* bankrupt; ~ **itt** *s* failure, bankruptcy; **gå** ~ fail; ~ **ittbo** *s* bankrupt's estate.

fallskjerm *s* parachute.

falme *v* fade.

fals *s* fold; groove; **til** ~ for sale; ~ **e** *v* fold, groove.

falsett *s* falsetto.

falsk *a* false, couterfeit, forged; *s* forgery; ~ **het** *s* duplicity; ~ **myntner** *s* coiner; ~ **ner** *s* forger; ~ **neri** *s* forgery; ~ **spiller**, *s* cardsharper.

falsum *s* fraud.

famili|e *s* family; **i familie med** related to; ~ **enavn**, *s* surname; ~ **ær** *a* free, familiar; colloquial; ~ **aritet** *s* freedom.

famle *v* grope.

fanati|ker *s* fanatic; ~ **sk** *a* fanatical; ~ **sme** *s* fanaticism.

fanden *s* the devil, the deuce; *int* confound it! ~ **ivoldsk** *a* dare-devil; ~ **skap** *s* devilry.

fane *s* (snø-) drift; banner, standard.

fanfare *s* flourish, fanfare.

fang *s* knee(s), lap; armful, armload;

fang|e *s* prisoner, captive; *v* catch, capture; ~ **arm** *s* tentacle; ~ **enskap** *s* captivity, imprisonment; ~ **etårn** *s* dungeon, keep; ~ **evokter** *s* jailer, keeper; ~ **line** *s* painter; ~ **st** *s*

catching, capture; (fisk) draught, take.
fant *s* gipsy, tramp; knave; beggar; *a* ruined.
fantas|ere *v* rave, wander; imagine things, *mus* play voluntaries; ~ **i** *s* fancy, imagination, *mus* fantasia; ~ **ifoster** *s* chimera; ~ **ifull** *a* imaginative; ~ **iløs** *a* unimaginative; ~ **tisk** *a* fantastic.
fante|ri *s* rascally tricks, trumpery; ~ **strek** *s* knavish trick.
fantom *s* phantom.
far *s* father; *fam* dad(dy); (spor) track.
farao *s* pharaoh.
farbar *a* passable, *mar* navigable, trafficable.
farbror *s* uncle.
fare *s* danger, risk; *v* go; rush, dash; ~ **fri** *a* safe; ~ **full** *a* dangerous; **i** ~ **sonen,** (kort) vulnerable; ~ **truende** *a* perilous.
farfar *s* grandfather.
farge *s* colour; (stoff) dye, point; (kort) suit; *v* dye, stain; ~ **blind** *a* colour-blind.
farge|legge *v* colour; ~ **løs** *a* colourless; ~ **r** *s* dyer; ~ **ri** *s* dye-house; ~ **stoff** *s* dye (stuff).
farin *s* castor (granulated) sugar.
farkost *s* craft.
farlig *a* dangerous, risky, perilous.
farmasøyt *s* chemist's assistant.
farmor *s* grandmother.
farse farce; minced meat; ~ **re** *v* mince, farce.
farsott *s* epidemic.
fart *s* headway; rate; speed; ~ **e** *v* get about *fam* gad about; ~ **småler** *s* speedometer.
far|tøy *s* vessel; ~ **vann** *s* waters, sea(s).
farvel *s* farewell.
fasade *s* front(age).
fasan *s* pheasant.
fascisme *s* Fascism.
fase *s* phase.
fasett *s* facet, bevel.
fasit *s* answer.
fasong *s* shape, make, cut.
fast *a* firm; solid; fixed.
faste *v* fast; *s* fast, Lent; ~ **lavn** *s* Shrovetide.
faster *s* father's sister.
fast|het *s* firmness, solidity; ~ **gjøre** *v* fasten; ~ **grodd** *a* rooted; ~ **holde** *v* hold, *fig* insist on; ~ **land** *s* mainland, continent.
fast|lønnet *a* salaried; ~ **sette** *v* fix, stipulate, lay down; ~ **slå** *v* establish.
fat *s* dish; (tønne) cask.
fatal *a* fatal, unfortunate; ~ **itet** *s* calamity.
fatning *s* composure.
fatt, ta ~ **i** catch (hold of).
fatte *v* catch; understand; ~ **evne** *s* apprehension.
fattes *v* be wanting.
fattet *a* composed.
fattig *a* poor, needy; ~ **dom** *s* poverty; ~ **folk** *s* the poor; ~ **slig** *a* beggarly.
faun *s* faun; ~ **a** *s* fauna.
favn *s* embrace; (mål) fathom; (ved-) cord; ~**e** *v* clasp; ~ **tak** *s* embrace.
fav|orisere *v* favour; ~ **oritt** *s* favourite, minion; ~ **ør** *s* favour.
fe *s* fairy; (kveg) cattle; *fig* block-head; ~ **avl** *s* cattle breeding.
feber *s* fever; ~ **aktig** *a* feverish.
febrilsk *a* fidgety, nervous.
februar *s* February.
fedd *s* skein.
fedme *s* fatness.
fedre|land *s* (mother, native) country; ~ **landskjærlighet** *s* patriotism; ~ **ne** *a* ancestral.

fehode *s* dunce.
fei *s*, **i en** ~ in a jiffy.
feide *s* feud, controversy.
feie, *v* sweep; ~ **kost** *s* broom; ~**r** *s* sweep(er).
feig *a* cowardly; ~ **het** *s* cowardice.
feil *s* error, mistake; defect; *a* wrong; **ta** ~, be mistaken; ~ **aktig** *a* wrong, erroneous, incorrect; ~**e** *v* err; ~ **fri** *a* faultless; ~ **grep** *s* mistake, a wrong move; ~ **tagelse** *s* mistake.
feire *v* celebrate; ~ **t** *a* popular.
feisel *s* mallet.
feisk *a* bestial, stupid.
fekte *v* fence; ~ **ning** *s* fencing; fight.
fele *s* fiddle.
felg *s* felly.
fell *s* pelt, skin-rug.
felle *s* trap, *fig* pitfall; (pers.) associate; *v* fell, slay; shed; *jur* pass.
felles *a* common, joint; ~ **skap** *s* community; ~ **markedet,** *s* the Common Market.
felt *s* field, square, *fig* sphere; ~ **herre** *s* general; ~ **rop** *s* pass-word; ~ **seng** *s* camp bed-stead; ~ **stol** *s* camp-stool ~ **tog** *s* campaign.
fem *num* five.
feminin *a* feminine.
fem|kant *s* pentagon; ~ **mer** *s* five(r); ~ **tall** *s* number five; ~ **ten** *num* fifteen; ~ **ti** fifty.
fendel *s* pennon.
feng|e *s* catch fire; ~ **hull** *s* touch-hole; ~ **hette** *s* cap; ~ **krutt** *s* priming.
fengs|el *s* prison, jail; ~ **le** *v* imprison, fig absorb, enthrall; ~ **ling** *s* imprisonment.
fenomen *s* phenomenon; ~ **al** *a* phenomenal.
fenrik *s* ensign; (i flyvåp.) pilot officer.
ferd *s* expedition; conduct; **på** ~ **e** amiss, the matter; ~ **es** *v* travel; ~ **ig** *a* (før) ready, (etter) finished, done; ~**ighet** *s* skill, dexterity; talent; ~ **sel** *s* traffic, ~ **selsåre** *s* thoroughfare.
ferie *s* holiday(s), vacation.
ferje *s* ferry; ~ **mann** *s* ferryman; ~ **sted** *s* ferry.
ferm *a* clever, smart.
ferniss(ere) *s* (*v*) varnish.
fersk *a* fresh, sweet, *fig* raw, green.
fersken *s* peach.
fert *s* scent.
fest *s* feast, festival; ~ **e** *v* feast; fasten, fix; *s* hold, handle; ~ **forestilling** *s* special (galla) performance; ~ **ivitet** *s* festivity; ~ **lig** *a* festive; ~ **ligholde** *v* celebrate; ~ **måltid** *s* banquet; ~ **ning** *s* fortress; ~ **ong** *s* festoon.
fet *a* fat; (jord) rich; ~ **e** *v* fatten; ~ **evarer** *s* provisions.
fetere *v* make much of.
fetisj *s* fetish.
fett *s* fat, grease; ~ **e** *v* grease; ~ **et** *a* graesy.
fetter *s* cousin.
fettlær *s* graesed leather.
fiasko *s* failure, fiasco.
fiber *a* fibre.
fidibus *s* screw of paper.
fidus *s* confidence.
fiend|e *s* enemy; ~ **skap** *s* enmity; ~ **tlig** *a* hostile; ~ **tlighet** *s* hostility.
fiff *s* trick, *coll* smart people; ~ **ig** *a* clever, sly.
figur *s* figure, shape; ~ **lig** *a* figurative.
fik *s* box on the ear; ~**e** *v* box one's ears.
fiken *s* fig.
fikle med *v* fumble at, tamper with.
fik|s *a* fixed; smart; ~ **se** *v*

dress up; ~ **sere** *v* fix, settle; ~ **sjon** *s* fiction; ~ **tiv** *a* fictive.
fil(e) *s* (*v*) file.
filere *v* net; (fisk) fillet.
filet *s* fillet.
filial *s* branch, (bank) branch-bank.
filigran *s* filigree.
fili|pens *s* pimple; ~ **pine** *s* philippine; ~ **ster** *s* philistine (Ph-).
fille *s* rag, tatter; ~ **ri** *s* trumpery; ~ **rye** *s* patchwork, piece rug; ~ **t** *a* ragged.
film *s* film; ~ **apparat** *s* film projector, ~ **atisere** *v* film; ~ **e** *v* film; flirt; ~ **stjerne** *s* film star.
filo|log *s* philologist; ~ **sof** *s* philosopher; ~ **sofere** *v* philosophize.
filt *s* felt; ~**er** *s* filter, strainer; ~ **rere** *v* strain, filter.
filur *s* sly dog.
fin *a* fine, delicate.
final|e *s* *sp* final, finish; *mus* finale; ~ **ist** *s* finalist.
Finansdepartementet *s* The Treasury.
finans|er *s* finance(s); ~ **iell** *a* financial; ~ **iere** *v* finance; ~ **mann** *s* financier.
finer(e) *s* (*v*) veneer.
finesse *s* nicety, subtlety.
finføle|lse *s* delicacy, sensitiveness; ~ **nde** *a* delicate, sensitive.
finger *s* finger; ~ **bøl** *s* thimble; ~ **tupp** *s* f.tip.
fingere *v* feign, simulate.
finger|ferdighet *s* dexterity; *mus* skill of execution; ~**pek** *s* hint; ~ **setning** *s* *mus* fingering.
finn *s* Lapp (-lander); ~ **e** *s* Finn; (fiske-) fin.
Finnland, Finland.
finne *v* find; ~ **s** exist, be found; ~ **sted** *s* *bot* habitat.
finnet *a* pimpled.
finsk *a* Finnish.
finte *s* feint, *fig* sneer.
fiol *s* violet; ~ **ett** *a* violet; ~ **in** *s* violin; ~ **onsell** *s* violincello.
fippskjegg *s* chintuft.
fir|e *num* four; *v* veer, *fig* yield (the point); ~ **kant** *s* square; ~**edel** *s* fourth, quarter; **fire-motors** *a* four-engined (fly).
firfirsle *s* lizard.
firma *s* firm.
fir|skåren *a* square-built; ~ **spann** *s* team *s* of four; ~ **stemmig** *a* four-part.
fisk *s* fish; ~**e** *s* fishing, fishery; *v* fish, angle; ~ **ekrok** *s* fishing-hook; ~ **er** *s* fisherman; ~ **eri** *s* fishery; ~ **redskap** *s* fishing tackle; ~ **evær** *s* fishing village.
fistel *s* fistula; *mus* falsetto.
fjas *s* foolery ~ **e** *v* trifle, toy.
fjed *s* step.
fjelg *a* tidy.
fjell *s* mountain; rock; ~**bu** *s* mountaineer; ~ **hammer** *s* crag; ~**kjede** *s* chain ~**knaus** *s* knoll; ~ **skrent** *s* cliff; ~ **topp** *s* peak; ~ **vegg** *s* bluff.
fjerd|e *num* fourth; ~ **ing** *s* quarter.
fjern *a* distant, remote; ~**e** *s* distance; *v* remove; *vr* retire; ~ **else** *s* removal; ~ **ere** *a* (*av*) farther, further; ~ **het** *s* *fig* aloofness; ~ **fotografere** *v* televise; ~ **syn** *s* television; ~ **synsapparat** *s* television set.
fjes *s* mug, phiz.
fjesk *s* courting, compliments.
fjetret *a* spell-bound.
fjog *s* dolt.
fjol|le *v* fool; ~ **let** *a* silly; ~ **s** *s* idiot, oaf.
fjong *a* spruce.
fjor, i ~ last year.
fjord *s* bay, firth, fiord.
fjorten *num* fourteen.

fjottet *a* silly.
fjær *s* feather, plume, spring; ⁓**e** *v* be springy; *s* beach, sands; ebb; ⁓ **penn** *s* quill-pen.
fjøl *s* board.
fjørfe *s* poultry.
fjøs *s* cow-house, byre; ⁓ **stell** *s* dairying.
flage *s* fit; gust.
flag|g *s* flag, colours; ⁓ **gduk** *s* bunting; ⁓**ge** *v* put out a flag; ⁓ **germus** *s* bat; ⁓ **ning** *s* flag-flying.
flagre *v* flutter, flap.
flak *s* (is⁓) floe, patch.
flakke *v* straggle, wander; (ild) flicker.
flakong *s* smelling bottle.
flakse *v* flap, flop.
flamme *s* flame; jet; (tre-) vein; *v* flame, blaze; ⁓ **t** *a* veined, streaked.
flamsk *a* Flemish.
flane *s* flirt.
flanell *s* flannel.
flanke(re) *s* (*v*) flank.
flaske *s* bottle, flask.
flass *s* dandruff.
flat *a* flat, level; ⁓ **brød** *s* bannock; ⁓**e** *s* flat, plane; ⁓ **einnhold** *s* area.
flattere *v* flatter.
flau *a* flat, insipid, unsavoury; *merk* dull; *fig* embarrassed; ⁓ **het** *s* insipidity; embarrassment; ⁓ **se** *s* insipid joke; failure.
flegma *s* phlegma; ⁓ **tisk** *a* phlegmatic.
fleinskallet *a* bald (-pated).
flekk *s* speck, spot, stain; *fig* blur; ⁓**e** *v* spot, stain; (bark) peel, split.
fleng, i ⁓ at random, ⁓ **e** *s* (*v*) gash, tear.
flens *s mar* flange; ⁓ **e** *v* flense.
fler|e *a* more; several; ⁓ **emotors** *a* multiple-engined; ⁓ **guderi** *s* polytheism; ⁓ **het** *s* plurality; ⁓ **koneri** *s* polygamy; ⁓ **sidig** *a* many-sided; ⁓ **re** *v* slash; *s*, *ib*; ⁓ **stemmig sang** *s* part-singing, p.-song, glee; ⁓ **tall** *s* plural, majority; ⁓ **tydig** *a* ambiguous.
flesk *s* pork, bacon.
flest *a* most.
flet|ning *s* plait, braid; ⁓ **te** *v* plait, braid; (kurv) make; (krans) wreathe.
flid *s* diligence, industry.
flidd *a* neat, tidy.
flik *s* flap, lap, corner.
flikk *s* patch; ⁓ **e** *v* patch, mend; vamp up.
flimre *v* glimmer, shimmer.
flink *a* clever, smart.
flint *s* flint.
flipp *s* corner; (øre-) lobe.
flire *v* giggle; sneer.
flis *s* splinter, chip; ⁓ **e** *s* flag; *v* chip, splinter; ⁓ **et** *a*chippy.
flitter(stas) *s* tinsel.
flittig *a* industrious, diligent.
flo *s* flood-tide.
flod *s* river; inundation; ⁓ **bølge** *s* tide-wave; ⁓ **hest** *s* hippopotamus; ⁓ **munning** *s* estuary.
floke *s* tangle, ravel; *v* entangle.
flokk *s* troop, band; (kveg) herd, flock; pack; ⁓**e** *vr* gather, crowd.
flokse *v* romp; ⁓ **t** *a* rompish, giddy.
flom *s* flood, overflow; ⁓ **me** *v* swell, flow.
flor *s* crape, gauze; bloom, blossom; ⁓**a** *s* flora, vegetation; ⁓ **ere** *v* flourish.
florett *s* foil.
florissant *a* flush.
floskel *s* set phrase.
floss *s* floss; nap; ⁓ **et** *a* frayed; ⁓ **hatt** *s* tall hat, top-hat.
flott *a mar* afloat; (fin) spruce, smart; liberal, extravagant; ⁓ **het** *s* extravagance; ⁓ **ør** *s mar* float.
flu *s* half-tide rock.

flue *s* fly; ~ **skap** *s* meatsafe.
fluidum *s* fluid.
flukt *s* flight, escape; ~**uere** *v* fluctuate.
flunkende ny brand new.
fly *s* (aero)plane, airplane; ~ **båren** *a* airborne; ~ **fabrikk** *s* aircraft factory; ~ **havn** *s* airport; ~ **mekaniker** *s* flight engineer; ~ **motor** *s* aero-engine; ~ **plass** *s* airfield, aerodrome, airdrome; ~ **post** *s* air mail; ~ **propell** *s* airscrew; ~ **vertinne** *s* stewardess.
fly(ve) *v* fly; aviate.
flygel *s* grand piano.
flykt|e *v* flee, escape; ~ **ig** *a* passing, transient, volatile, *fig* inconstant; hasty; ~ **ning** *s* fugitive.
flyndre *s* sole, flounder, plaice; *coll* flatfish.
flyte *v* float; flow; ~ **nde** *a* liquid; (tale) fluent.
flyt|ning *s* (flyte) floating; (flytte) removal, transfer; ~ **te** *v* (re-)move, shift.
flyv|er *s* airman, pilot; ~ **esand** *s* quicksand; ~ **eskrift** *s* pamphlet; ~ **ning** *s* aviation, flight.
flyvåpenet *s* the Royal Airforce (R.A.F.).
flørt *s* flirtation; ~ **e** *v* flirt.
flømme *v* be flooded.
flöt|e *s* cream; *v* float, raft; ~ **efjes** *s* milksop; ~ **er** *s* raftsman; ~ **ning** *s* floatage.
fløy *s* wing; (vind~) vane.
fløyel *s* velvet.
fløyte *s* flute; pipe, whistle; *v* whistle.
flå *v* flay, skin, fig fleece; ~ **kjeftet** *a* flippant.
flås|eri *s* fippancy; ~ **et** *a* flippant, pert.
flåte *s* float, raft; *mar* fleet, navy.
fnatt *s* itch, scabies.
fnise *v* giggle, titter.
fnokk *s* down, fluff.
fnugg *s* mote, fluff; (snø-) flake.
foajé *s* lobby.
foged *s* sheriff, bailiff.
fokk *s* *mar* foresail; (snø-) driving snow, snowstorm.
fold *s* fold; (kve) pen; ~ **e** *v* fold, clasp; pleat.
fole *s* young colt.
foli|ant *s* folio; ~ **ere** *v* foliate; **på** ~ **o** at call.
folk *s* nation, people, folk; (arbeids-) hands, crew; ~ **eavstemning** *s* plebiscite; ~ **eferd** *s* tribe; ~ **elig** *a* popular; ~ **emengde** *s* population; ~ **erik** *a* populous; ~ **eskikk** *s fig* good manners; ~ **eskole** *s* elementary school; ~ **eslag** *s* nation, race, ~ **evandring** *s* migration; ~ **evett** *s* common sense, ~ **som** *a* crowded.
foll *s* (grøde) fold.
folunge *s* young colt.
fomle *v* fumble.
fond *s* fund, stock(s); background.
fonetikk *s* phonetics.
fonn *s* field of snow, snowdrift.
fonograf *s* phonograph.
font *s* font; ~ **ene** *s* fountain, jet.
for *s* (mat) fodder; (tøy) lining, *kj* for, because; *av* too; *prp* for, to, of, etc.
for|akt *s* contempt, scorn; ~ **akte** *v* despise; ~ **aktelig** *a* contemptible, contemptuous; ~ **an** *av* (*prp*) in front (of); ~ **anderlig** *a* changeable; ~ **andre** *v* change, alter; ~ **andring** *s* change, alteration; ~ **ankre** *v* anchor; **anledige** *v* occasion; ~ **anledning** *s* cause, occasion; ~ **anstalte** *v* arrange; ~ **anstaltning** *s* measure; ~ **arbeide** *v* work; *s* preliminary work; ~ **arge** *v* shock, scandalize; ~ **argelig** *a* scanda-

lous; ~ **argelse** *s* scandal, offence; ~ **armet** *a* impoverished; ~ **at** *kj* (in order) that.

for|banne *v* curse; ~ **bannelse** *s* curse, imprecation; ~ **barme seg over** *v* pity, have mercy on; ~ **basket** *a* confounded; ~ **bause** *v* astonish; ~ **bauselse** *s* astonishment; ~**bedre** *v* improve, better; ~ **bedring** *s* improvement; ~ **behold** *s* reservation; ~ **beholde** *v* (s) reserve; ~ **beholden** *a* reserved; ~ **bein** *s* foreleg; ~**benet** *a* ossified, ~**berede** *v* prepare; ~ **beredelse** *s* preparation; ~ **berg** *s* promontory, cape; ~**bi** *av, prp* by, past; over; ~**bigå** *v* omit; pass over; ~ **bigåelse** *s* neglect; being passed over; ~ **bigående** *a* transitory; **billede** *s* model; ~ **binde** *v* connect; (sår) dress, bandage; ~ **bindelse** *s* connection, communication, *sci* compound; ~ **binding** *s* bandage, bandaging; ~ **bindingssaker** *s* bandages; ~ **bindtlig** *a* obliging; ~ **bindtlighet** *s* obligation; complaisance; ~ **bistret** *a* confounded; ~ **bitre** *v* embitter; ~ **bitrelse** *s* exasperation; ~ **bitret** *a* exasperated; ~ **blinde** *v* infatuate, blind.

for|bli *v* remain, stay; ~ **blommet** *a* covert, ~ **blø** *v* (*r*) bleed to death; ~**blødning** *s* hemorrhage; ~ **bløffe** *v* take aback, amaze, bewilder; ~ **blöffende** *a* staggering; ~ **bokstav** *s* initial; ~ **brenne** *v* burn, scorch; ~ **brenning** *s* combustion; ~ **bruk** *s* consumption; ~ **bruker** *s* consumer; ~**bryte** *vr* offend; ~ **brytelse** *s* crime; ~ **brytersk** *a* criminal; ~ **bud** *s* prohibition; ~ **bund** *s* alliance, league; ~ **bunden** *a* allied; obliged; ~ **bundsfelle** *s* ally.

for|by *v* forbid; ~ **bønn** *s* intercession.

for|dampe *v* evaporate; ~ **dekt** *a* covert; ~ **dektig** *a* suspicious-looking; ~ **del** *s* advantage; ~ **delaktig** *a* advantageous; ~ **dele** *v* distribute; ~ **deling** *s* distribution; ~ **derve** *v* spoil, mar; (moral) corrupt; ~ **dervelig** *a* pernicious; ~ **dervelse** *s* corruption, depravity; ~ **dervet** *a* corrupt.

for|di *kj* because, ~ **doble** *v* (re-)double; ~ **dom** *s* prejudice; ~ **domsfri** *v* unprejudiced; ~ **domsfull** *a* prejudiced; ~ **dra** *v* bear, stand; ~ **dragelig** *a* tolerant.

fordr|e *v* claim, demand, *fig* require; ~**ing** *s* claim; ~ **ingsfull** *a* pretentious, exacting; ~ **ingsløs** *a* unpretending.

for|dreie *v* distort, twist, (hode) turn; ~ **driste** *vr* presume; ~ **drive** *v* drive away, (tid) beguile; ~ **drukken** *a* drunken, given to drink; ~ **dufte** *v fig* make oneself scarce, vanish; ~ **dumme** *v* make stupid; ~ **dums** *a* former; ~ **dunkle** *v fig* eclipse; ~ **dunste** *v* evaporate; ~ **dype** *vr* be absorbed; ~ **dypelse** *s* concentration; ~ **dypning** *s* groove, dent; niche, recess; ~ **dølge** *v* conceal; ~ **dømme** *v* denounce, condemn, *rel* damn; ~ **dømmelse** *s* denunciation, *rel* damnation; ~ **døye** *v* digest; ~**døyelig** *a* digestible; ~ **døyelse** *s* digestion.

fore *v* (tøy) line, fur; (mate) feed; *av* **ha fore** have on hand.

fore|bringe *v* advance; ~ **bygge**

v prevent, ~ **byggende** *a* preventive.
foredle *v* refine.
fore|drag *s* lecture; ~ **dragsholder** *s* lecturer; ~ **gangsmann** *s* pioneer; ~ **gi** *v* pretend; ~ **given** *a* pretended; ~ **givende** *s* pretence; ~ **gripe** *v* anticipate; ~ **gå** *v* take place; set an example to; ~ **gående** *a* previous; ~ **havende** *s* project, doing; ~ **komme** *v* occur, be found; seem; ~ **kommende** *a* obliging; ~ **komst** *s* occurrence.
for|eldet *a* out of date.
foreldre *s* parents; ~ **løs** *a* orphan; *s.*
fore|legg *s* *jur* fine; ~ **legge** *v* submit to, place before; ~ **lese** *v* read, lecture; ~ **lesning** *s* lecture; ~ **ligge** *v* be (at issue).
forelske *vr* fall in love; ~ **lse** *s* (falling in) love; ~**t** *a* in love.
foreløpig *a* provisional, *av* for the present.
for|ende *s* front part, head; ~ **ene** *v* unite, join, combine *vr* join; sml. **De Forente Nasjoner (F.N.)** The United Nations; ~ **enlig** *a* compatible; ~ **ening** *s* union, association, society; ~ **enkle** *v* simplify.
fore|satt *s a* superior; ~ **sette seg** *v* determine; ~ **skrive** *v* prescribe; ~ **slå** *v* propose; ~ **speile** *v* hold out to; ~ **spørre** *v* inquire; ~ **spørsel** *s* inquiry; ~ **stille** *v* (ting) mean, represent; (person) introduce; *vr* imagine, realize; ~ **stilling** *s* introduction, representation; (protest) remonstrance; *teat* performance; idea; ~ **stå** *v* manage, conduct; ~ **stående** *a* imminent, approaching; ~ **sveve** *v* **det** ~ **svever meg** I have a dim notion that; ~**ta** *v* (r) undertake, make; ~ **tagende** *s* enterprise; ~ **taksom** *a* enterprising.
forett *a* over-fed, pampered.
fore|teelse *s* phenomenon; ~ **trede** *s* audience; ~ **trekke** *v* prefer.
forevige *v* perpetuate.
forevis|e *v* show; ~ **ning** *s* exhibition.
for|fall *s* decay, disrepair *fig* decline; *jur* excuse; ~ **falle** *v* decay; *merk* be due, expire; ~ **fallen** *a* decayed; *merk* due; given (to drink); ~ **fallsdag** *s* day of payment; ~ **falske** *v* forge, adulterate; ~ **falskning** *s* forgery, adulteration; ~ **fatning** *s* constitution; condition; ~ **fatte** *v* write, compose; ~ **fatter** *s* author, writer; ~ **fatterinne** *s* author(-ess); ~ **fedre** *a* ancestors; ~ **feile** *s* miss; ~ **feilet** *a* mistaken; ~ **fekte** *v* advocate, champion; ~ **fengelig** *a* vain; ~ **fengelighet** *s* vanity; ~ **ferde** *v* terrify; ~ **ferdelse** *s* terror; ~ **ferdelig** *a* terrific, dreadful; ~ **ferdige** *v* make; ~ **finelse** *s* refinement; ~ **finet** *a* refined; ~ **fjamselse** *s* confusion; ~ **flytte** *v* remove, transfer; ~ **fløyen** *a* giddy, heedless; ~ **fra** *av* over again, anew; ~**fremme** *v* prefer, promote; ~ **fremmelse** *s* promotion, preferment; ~ **friske** *v* refresh; ~ **friskning** *s* refreshment; ~ **frossen** *a* benumbed, shivery; ~ **fryse** *v* freeze; ~ **frysning** *s* frostbite; ~ **fuske** *v* bungle; ~ **følge** *v* pursue, *rel* persecute *jur* prosecute, (spor) trace, follow; ~ **følgelse** *s* pursuit, persecution; ~ **følger** *s* pursuer, persecutor, ~ **føre** *v* seduce; ~ **førelse** *s* seduction; ~ **førersk** *a* seductive.

for|gapet i *a* doting on; ⌣ **gasser** *s* carburettor; ⌣ **gi(fte)** *v* poison; ⌣ **giftning** *s* poisoning, ⌣ **gjeldet** *a* in debt; ⌣ **gjengelig** *a* perishable; ⌣ **gjenger** *s* predecessor; ⌣ **gjeves** *a* vain; *av* in vain; ⌣ **gjort** *a* bewitched; ⌣ **glemmegei** *s bot* forget-me-not; ⌣ **glemmelse** *s* forgetfulness, omission; ⌣ **gnaget** *a* trite, hackneyed; ⌣ **godtbefinnende** *s* **etter** ⌣ **godtbefinnende** at pleasure; ⌣ **gremmet** *a* careworn; ⌣ **grene** *vr* branch; ⌣ **grening** *s* ramification; ⌣ **gripe seg på** *v* make free with; ⌣ **grunn** *s* foreground; ⌣ **grått** *a* red with weeping; ⌣ **gude** *v* idolize; ⌣ **gylle** *v* gild; ⌣ **gylling** *s* gilding, gloss; ⌣ **gå** *v* perish; ⌣ **gård** *s* (fore-) court.

for|hale *v* delay, *mar* haul; ⌣ **handle** *v* negotiate; sell; ⌣ **handler** *s* dealer; ⌣ **handling** *s* negotiation, *merk* sale; *pl* proceedings; ⌣ **haste** *vr* (be in a) hurry; ⌣ **hastet** *a* premature; ⌣ **hatt** *a* detested, hated; ⌣ **hekse** *v* bewitch; ⌣ **hen** av formerly; ⌣ **henværende** *a* former, late, ex-; ⌣ **heng** *s* curtain; ⌣ **herde** *v* harden; ⌣ **herdet** *a* callous; ⌣ **herlige** *v* glorify; ⌣ **hindre** *v* prevent; ⌣ **hindring** *s* obstacle, prevention; ⌣ **hippen på** *a* intent on, bent on; ⌣ **hold** *s* scale, proportion; relation; connection, conduct; circumstance; love intrigue, amour; ⌣ **holde** *vr* keep, remain; *fig* be (the case), stand; ⌣ **holdsmessig** *a* proportionate; ⌣ **holdsregel** *s* measure; ⌣ **holdsvis** *av* comparatively; ⌣ **hutlet** *s* spoiled; ⌣ **hør** *s* examination; ⌣ **høre** *v* interrogate, ask; ⌣ **høye** *v* raise, enhance; ⌣ **høyelse** *s* enhancement, ⌣ **høyning** *s* platform; ⌣ **hånd** *s* (kort) lead; **på forhånd** in advance; beforehand; ⌣ **hånden** *a* at hand, forthcoming; ⌣ **håndenværende** *a* actual; ⌣ **håne(lse)** *v* (*s*) insult; ⌣ **håpentlig** *av* I hope; ⌣ **håpning** *s* hope; ⌣ **håpningsfull** *a* hopeful.

for|innen *av* first; *kj* before; ⌣ **jaget** *a* harassed; ⌣ **jette** *v* promise; ⌣ **jettelse** *s* promise.

fork *s* pitchfork.

for|kalkning *s* calcination; ⌣ **kant** *s* front; ⌣ **kaste** *v* reject; ⌣ **kastelig** *a* objectionable; ⌣ **kjemper** *s* champion; ⌣ **kjetre** *v* denounce; ⌣ **kjæle** *v* spoil; ⌣ **kjærlighet** *s* predilection; ⌣ **kjært** *a* wrong; ⌣ **kjøle** *vr* catch (a) cold; ⌣ **kjølelse** *s* cold, chill; **være** ⌣ **kjølet,** have a cold; ⌣ **kjøpsrett** *s* pre-emption; ⌣ **kjørsrett** *s* priority; ⌣ **klare** *v* explain; ⌣ **klarende** *a* explanatory; ⌣ **klaring** *s* explanation, *jur* evidence; ⌣ **klarlig** *a* explicable.

for|kle *s* apron, (barne-) pinafore; *v* disguise; ⌣ **kledning** *s* disguise; ⌣ **kleinelse** *s* disparagement; ⌣ **kludre** *v* bungle, muddle; ⌣ **knytt** *a* dispirited; diffident; ⌣ **kommen** *a* (sult) famished, (kulde) benumbed; degraded; ⌣ **korte** *v* abridge, shorten; ⌣ **kortelse** *s* abbreviation, shortening; ⌣ **krenkelig** *a* perishable; ⌣ **kropp** *s* fore part (of body); ⌣ **krøplet** *a* stunted; ⌣ **kvakle** *v* spoil; ⌣ **kynne** *v* announce, *rel* preach; ⌣ **kynnelse** *s* preaching.

for|lag *s* publisher(s); ⌣ **lags-**

rett *s* copyright; ~ **lange** *v* demand, call for; (pris) charge; ~ **langende** *s* request, demand, price; ~ **late** *v* leave, desert; pardon; ~ **latelse** *s* pardon; ~ **latt** *a* forsaken; ~ **latthet** *s* desertion; ~ **lede** *v* delude (into); ~ **leden** *av* the other day; ~ **legen** *a* embarrassed; at a loss; ~ **legenhet** *s* embarrassment; dilemma, want; ~ **legge** *v* (miste) mislay; (bok) publish; ~ **legger** *s* publisher; ~ **lene** *v* invest; ~ **lening** *s* fief; ~ **lenge** *v* lengthen, prolong; ~ **lengelse** *s* prolongation; ~ **lengs** *av* forwards; ~ **lengst** *av* long ago; ~ **lest** *a* overread; ~ **libe** *vr* take a fancy (to); ~ **libelse** *s* fancy, infatuation; ~ **libt i** *a* in love with; ~ **lik** *s* agreement; ~ **like** *v* reconcile; *vr* be reconciled; ~ **likes** *v* agree.

for|lis *s* shipwreck; ~ **lise** *v* be wrecked; ~ **loren** *a* false, sham; ~ **lorent egg** poached egg; ~ **lovet** *a* engaged (to) *s* fiancé(e); ~ **lovelse** *s* engagement; ~ **lover** *s* best man, sponsor; ~ **lyde** *v* be reported; ~ **lydende** *s* report; ~ **lyste** *vr* amuse oneself; ~ **lystelse** *s* amusement; ~ **lystelsessyk** *a* pleasure-seeking; ~ **løp** *s* course, lapse; ~ **løpe** *v* elapse, *vr* commit oneself; ~ **løpelse** *s* blunder; ~ **løper** *s* forerunner, precurser; ~ **løsning** *s* (fødsel) delivery, *rel* redemption; ~ **løser** *s* redeemer.

form *s* form, shape; mould; ~ **alitet** *s* form(ality).

for|mane *v* exhort, warn; ~ **maning** *s* exhortation.

for|mann *s* predecessor, foreman, chairman; ~ **mannskap** *s* town council; ~ **masjonsflyvning** *s* formation flying; ~ **maste** *vr* presume; ~ **mastelig** presumptuous; ~ **mastelse** *s* presumption.

form|at *s* size; ~**e** *v* form; mould.

form|el *s* formula; ~ **elig** *a* positive; *av* fairly; ~ **ell** *a* formal.

formen|ing *s* opinion; ~ **tlig** *a* supposed.

former|e *v mil* form; *vr* multiply; ~ **ing** *s* propagation; **mil** formation.

form-fullendt *a* perfect, finished; ~ **fullendthet** *s* elegance.

formidabel *a* formidable.

for|middag *s* morning, forenoon (a. m.); ~ **midle** *v* effect; ~ **midler** *s* agent, instrument, negotiator; ~ **milde** *v* appease, mitigate; ~ **mildende** *a* extenuating, ~ **minske** *v* diminish, reduce; ~ **minskelse** *s* diminution.

formløs *a* formless, shapeless, irregular.

formod|e *v* suppose; ~ **ning** *s* conjecture, supposition; ~ **entlig** *av* probably.

formue *s* fortune, property.

formul|ar *s* form(ula); ~ **ere** *v* formulate.

for|mynder *s* guardian; ~ **mørke** *v* darken, *ast* eclipse; ~ **mørkelse** *s* eclipse; ~ **må** *v* be able; induce; ~ **mående** *a* influential; ~**mål** *s* aim, end.

for|navn *s* Christian name; ~ **nedre** *v* degrade, debase; ~ **nedrelse** *s* degradation; ~ **nekte** *v* renounce, disown; ~ **nektelse** *s* renunciation; ~ **nem** *a* of rank; ~ **nemme** *v* perceive, feel; ~ **nemmelse** *s* feeling, sensation; ~ **nikle** *v* nickel(plate).

for|norske *v* norwegianize; **nuft** *s* reason, sense, ~ **nuftig**

a reasonable, sensible; ~ **nuftsmessig** *a* rational; ~ **nuftsstridig** *a* absurd; ~ **nye** *v* renew, *merk* prolong; ~ **nyelse** *s* renewal, prolongation; ~ **nærme** *v* insult, offend; ~ **nærmelig** *a* offensive; ~ **nærmelse** *s* insult, affront; ~ **nøden** *a* necessary; ~ **nødenhet** *s* necessity, requisite; ~ **nøyd** *a* content(ed); ~ **nøye** *v* please; ~ **nøyelig** *a* pleasant; ~ **nøyelse** *s* pleasure.

for|ord *s* preface; ~ **ordne** *v* order, prescribe; ~ **ordning** *s* decree, regulation; ~ **over** *av* forward; ~ **overbøyd** *a* stooping.

for|pakte *v* farm, rent, ~ **pakter** *s* (farmer), tenant; ~ **peste** *v* infect, poison; ~ **pint** *a* harassed, ~ **pjusket** *a* tousled, tumbled; ~ **plante** *v* propagate, *sci* transmit; *vr* propagate, spread; ~ **plantning** *s* propagation; transmission; ~ **pleining** *s* attendance, board; ~ **plikte** *v* bind, *vr* pledge oneself; ~ **pliktelse** *s* obligation, *merk* liability; ~ **plumre** *v* muddle; ~ **post** *s* outpost; ~ **purre** *v* frustate, ~ **pustet** *a* breathless.

for|rang *s* precedence, ~ **regne** *vr* miscalculate; ~ **rente** *v* pay interest on; *vr* yield interest, ~ **rentning** *s* interest.

forrest *a* foremost.

for|resten *av* by the way; besides; ~ **retning** *s* business, trade; ~ **retningsfører** *s* manager; ~ **retningsmessig** *a* businesslike; ~ **rett** *s* privilege; (mat) entrée; ~ **rette** *v* perform, *rel* officiate; ~ **rettighet** *s* prerogative, privilege; ~ **reven** *a* torn.

forrige *a* former, previous.

for|ringe *v* reduce, depreciate; ~ **rom** *s mar* forehold; ~ **rykende** *a* driving; ~ **rykke** *v* displace, disturb; ~ **rykt** *a* crazy; ~ **ræder** *s* traitor; ~ **ræderi** *s* treason, treachery; ~ **rædersk** *a* treacherous, treasonable; ~ **råd** *s* supply, store; ~ **råde** *v* betray; ~ **råe** *v* brutalize; ~ **råtnelse** decay.

for|sage *v* renounce; ~ **sagelse** *s* renunciation; ~ **sagt** *a* fainthearted; timid; ~ **sagthet** pusillanimity; ~ **salg** *s* advance, sale; ~ **samle** *v* assemble, gather; ~ **samling** *s* assembly; ~ **se** *s* (kort) strong suit; *fig* strong, point, forte; ~ **seelse** *s* fault, slip, error; ~ **segle** *v* seal; ~ **sendelse** *s* sending, transmission; ~ **senkning** *s* hollow, depression; ~ **sere** *v* force; ~ **sert** *a* strained, forced; ~ **sete** *s* front seat; presidency, chair; ~ **sett** *s* purpose; ~ **settlig** *a* intentional.

for|side *s* front, face; ~ **sikre** *v* assure, insure; vow; ~ **sikring** *s* assurance (ins.); ~ **siktig** *a* careful, cautious, prudent; ~ **siktighet** *s* care, caution, prudence; ~ **siktighetsregel** *s* precaution; ~ **simple** *v* vulgarize; ~ **sinke** *v* delay; ~ **sinkelse** *s* delay; ~ **sinket** *a* late, overdue; ~ **sire** *v* decorate; ~ **siring** *s* ornament; ~ **skanse** *v* entrench; ~ **skansning** *s* entrenchment.

forsk|e *v* investigate; ~ **er** *s* investigator, researcher, student.

for|skjell *s* difference, distinction; ~ **skjellig** *a* different, *pl* various; ~ **skjelligartet** *a* varied; ~ **skjelligartethet** *s* diversity; ~ **skjertse** *v* lose by one's own fault; ~ **skjønne** *v* embellish; ~ **skjønnelse** *s* embellishment.

forskning *s* research, investigation.

for|skole *s* preparatory school; ~ **skrekke** *v* frighten; ~ **skrekkelig** *a* dreadful; ~ **skrekkelse** *s* fright; ~ **skremt** *a* scared; ~ **skrift** *s* instructions, directions; ~ **skrive** *v* order; pledge, mortgage; ~ **skrivelse** *s* order, bond; ~ **skrudd** *a* eccentric, high-flown; ~ **skudd** *s* advance; ~ **skuddsvis** *av* in advance; ~ **skyte** *v* disown, repudiate; ~ **skyve** *v* displace; ~ **skyvning** *s* displacement; ~ **skåne** *v* spare; ~ **slag** *s* proposal; (lov-) bill; ~ **slagen** *a* artful; ~ **slagenhet** *s* artfulness; ~ **slitt** *a* trite, hackneyed; ~ **sluken** *a* greedy; ~ **slå** *v* suffice, avail; ~ **slått** *a* bruised; ~ **smak** *s* foretaste; ~ **smedelig** *a* ignominious; ~ **smedelse** *s* ignominy; ~ **små** *v* disdain, slight; ~ **snakke** *vr* let out a secret; make a slip of the tongue; ~ **snakkelse** *s* indiscretion; slip of the tongue; ~ **snevre** *v* contract; ~ **snevring** *s* contraction; ~ **sommer** *s* early summer; ~ **sone** *v* reconcile, conciliate, propitiate; ~ **sonende** *a* (egensk.) redeeming; ~ **soning** *s* reconciliation; ~ **sonlig** *a* placable; ~ **sonlighet** *s* placability; ~ **sorg** *s* relief; ~ **sove** *vr* oversleep oneself; ~ **spann** *s* team; ~ **spill** *s* prelude; ~ **spille** *v* lose, forfeit; ~ **spise** *vr* overeat oneself; ~ **sprang** *s* start; ~ **stad** *s* suburb; ~ **stand** *s* intellect, understanding; meaning; ~ **stander** *s* director, principal; ~ **standerinne** *s* directress, superior; ~ **standig** *a* sensible; ~ **standighet** *s* good sense; ~ **standsmessig** *a* rational; ~ **stavelse** *s* prefix; ~ **stavn** *s* stem, bow; ~ **stemt** *a* out of spirits; ~ **stene** *v* petrify; ~ **stening** *s* fossil; ~ **sterke** *v* fortify, strengthen, *mil* reinforce; ~ **sterkning** *s* reinforcement; ~ **stille** *vr* dissemble, feign; ~ **stillelse** *s* dissimulation; ~ **stilt** *a* feigned.

forstmann *s* forester, forest engineer.

for|stokket *a* obdurate; ~ **stoppelse** *s* constipation; ~ **strekke** *v* (arm) sprain, strain; (m. penger) advance (to one), help; ~ **strekning** *s* strain, sprain; ~ **studium** *s* preliminary study; ~ **stue** *s* hall; *v* sprain; ~ **stuing** *s* sprain, ~ **stumme** *v* be struck dumb, (lyd) die out.

forstvesen *s* forestry.

for|stykke *s* front piece; ~ **styrre** *v* disturb, disorder; intrude; ~ **styrrelse** *s* disturbance, distraction, intrusion; ~ **styrrer** *s* (gjest) intruder; ~ **styrret** *a* *fig* distracted; ~ **større** *v* enlarge, magnify; ~ **størrelse** *s* enlargement; amplification; ~ **størrelsesglass** *s* magnifying glass; ~ **støte** *v* disown, repudiate; ~ **støtte** *v* shore up, steady; ~ **stå** *v* understand, see; ~ **ståelig** *a* intelligible; ~ **ståelse** *s* understanding; terms; ~ **ståelsesfull** *a* understanding; ~ **sulten** *a* famished; ~ **sumpe** *v* stagnate; ~ **sure** *v* embitter; ~ **svar** *s* defence; ~ **svare** *v* defend, advocate; ~ **svarer** *s* defender, *jur* counsel for the defence ~ **svarlig** *a* justifiable; secure; *av* properly, securely; ~ **svarsløs** *a* defenceless; ~ **sverge** *v* forswear; ~ **svinne** *v* disappear; ~ **svinnende** *a* minimal; ~ **svinning** *s* disappearance; ~ **sviret** *a* dissipated; ~ **syn** *s* providence, ~ **synde** *vr* offend; ~ **syndelse** sin, offence; ~ **syne** *v* furnish, supply; help (v. bordet); ~ **syning** *s* supply; ~ **synlig** *a* provident, cautious; ~ **synlighet** *s* foresight; ~ **søk** *s* experiment; attempt, sl. crack (have a crack at); ~ **søke** *v* try, attempt; ~ **søksvis** *av* by way of experiment, ~ **sølve** *v* plate, ~ **sømme** *v* omit, neglect; ~ **sømmelig** *a* negligent; ~ **sømmelighet** *s* negligence; ~ **sømmelse** *s* neglect, omission; ~ **sørge** *v* provide for, support; ~ **sørgelse** maintenance, support; ~ **sørger** *s* bread-winner; ~ **søte** *v* sweeten; ~ **såvidt** *kj* in so for as, *av* so far.

fort *s* fort; *av* fast.

for|tale *s* preface; ~ **tape** *v* lose; ~ **tapelse** *s rel* perdition; *jur* forfeiture; ~ **tau** *s* pavement, *am* sidewalk.

forte seg *v* make haste; (ur) gain.

for|tegn *s* sign; ~ **tegnelse** *s* list; ~ **telle** *v* tell, relate; ~ **telling** *s* tale, story; ~ **tenke (en i)** *v* blame (one for); ~ **tersket** *a* trite; ~ **tette** *v* condense, compress; ~ **tetning** *s* condensation.

fortgang *s* progress, dispatch.

for|tid *s* past, bygones.

for|tie *v* conceal, be silent on; ~ **tielse** *s* suppression; ~ **til** *av* in front; ~ **tinne** *v* tin; ~ **tjene** *v* deserve; ~ **tjeneste** *s* profit, *fig* merit, desert; ~ **tjenestfull** *a* deserving.

fort|løpende *a* progressive; ~ **ne** *v* quicken.

for|tolke *v* interpret, construe; ~ **tolkning** *s* interpretation; ~ **tolle** *v* pay duty on, declare; ~ **tolling** *s* payment of duty; ~ **tom** *s* cast, gut, bottom; ~ **tone** *vr* appear, loom; ~ **tred** *s* harm, mischief; ~ **tredelig** *a* annoying; ~ **tredelighet** *s* annoyance; ~ **tredige** *v* annoy, vex; ~ **treffelig** *a* excellent, ~ **trekke** *v* decamp, retire; ~ **trenge** *v* supplant, supersede; ~ **trin** *s* preference, privilege; merit, superiority; ~ **trinlig** *a* excellent; ~ **trinsvis** *av* preferably; ~ **trolig** *a* confidential; intimate, familiar; ~ **trolighet** *s* confidence, intimacy; ~ **tropp** *s* van(guard); ~ **trukken** *a* distorted; ~ **trylle** *v* enchant, charm; ~ **tryllelse** *s* fascination, spell; ~ **tryllende** *a* charming; ~ **trøstning** *s* trust, confidence.

fortsette continue, go on; ~ **lse** *s* continuation.

for|tumlet *a* confused; ~ **turet** *a* dissipated; ~ **tvile** *v* despair; ~ **tvilelse** *s* despair, desparation; ~ **tvilet** *a* in despair; desperate; ~ **tynne** *v* dilute, thin; ~ **tynning** *s* dilution; ~ **tære** *v* consume, devour; ~ **tæring** *s* consumption; ~ **tørne** *v* offend, anger; ~ **tørnelse** *s* resentment, ~ **tørnet** *a* angry; ~ **tøye** *v mar* moor; ~ **tøyning** *s* mooring.

for|ulempe *v* molest; ~ **ulykke** *v* be lost, miscarry, perish; ~ **underlig** *a* strange, singular; ~ **undre** *v* surprise, *vr* wonder; ~ **undring** *s* surprise, wonder; ~ **undringspakke** *s* surprise packet; ~ **urense** *v* foul, pollute; ~ **urensning** *s* fouling; ~ **urette** *v* wrong, injure;

~ urettelse *s* injury, wrong; ~ urolige *v* alarm; ~ ut *av* in advance, ahead, *mar* forward; ~ utanelse *s* presentiment; ~ utbestemme *v* predestine; ~ utbestemmelse *s* predestination; ~ uten *prp* besides; ~ utfattet *a* preconceived; ~ utgående *a* preceding; ~ utinntatt *a* prejudiced, ~ utse *v* foresee; ~ utseende *a* provident; ~ utseenhet *a* foresight; ~ utsetning *s* qualification; supposition; ~ utsette *v* (pre)-suppose; assume; ~ utsi *v* foretell, predict; ~ utsigelse *s* prediction.

for|valte *v* administer, manage; ~ **valter** *v* agent, steward, ~ **valtning** *s* management; ~ **vandle** *v* transform; ~ **vandling** *s* transformation; ~ **vanske** *v* distort, pervert; ~ **vare** *v* keep; ~ **varing** *s* keeping, charge; ~ **veksle (med)** *v* mistake (for); ~ **vent** *a* spoiled; ~ **ventning** *s* expectation; ~ **ventningsfull** *a* expectant; ~ **verre** *a* aggravate; ~ **verring** *s* aggravation; ~ **vikling** *s* complication; ~ **ville** *vr* go astray; ~ **villelse** *s* aberration; ~ **virre** *v* confuse, bewilder perplex; ~ **virring** *s* confusion; ~ **vise** *v* banish, exile; ~ **visning** *s* banishment, exile; ~ **visse seg om** *v* ascertain, make sure of; ~ **visset** *a* assured; ~ **vitre** *v* decompose; ~ **vitring** *s* disintegration; ~ **volde** *v* cause; ~ **vorpen** *a* depraved; ~**voven** *a* daring; ~ **vovenhet** *s* daring; ~ **vrenge** *v* distort; ~ **vrengning** *s* distortion; ~ **vri** *v* sprain, twist; ~ **vridning** *s* sprain, luxation; ~ **værelse** *s* anteroom; ~ **ynge** *v* rejuvenate; ~ **yngelse** *s* rejuvenation; ~ **ære** *v* present (with); ~ **æring** *s* present, gift; ~ **øke** *v* increase; ~ **økelse** *s* increase; ~ **øket** *a* enlarged; ~ **øve** *v* perpetrate; ~ **øvrig** *av* besides; ~ **årsake** *v* cause.

fosfor *s* phosphorus; ~ **eserende** *a* phosphorescent.

foss *s* waterfall, cascade; ~ **e** *v* foam, gush.

fossil *s* fossil.

fost|er *s med* foetus, *fig* product(ion); ~ **erbror** *s* foster-brother; ~ **re** *v* rear, breed.

fot *s* foot; (glass) stem; *fig* terms; ~ **ball** *s* football; ~ **balldommer** *s* referee; ~ **folk** *s* infantry, ~ **feste** *s* footing, foothold; ~ **gjenger** *s* pedestrian; ~ **såle** *s* sole.

fotograf *s* photographer; ~ **ere** *v* photograph; ~ **i** *s* photo-(graphy); ~ **iapparat** *s* camera.

fra *prp* from; ~ **be** *vr* decline, deprecate; ~ **drag** *s* deduction; ~ **fall** *s* falling off, apostasy; ~ **fallen** *a* apostate; ~ **flytte** *v* leave; ~ **gå** *v* deny.

frakk *s* coat, overcoat.

fraksjon *s* section.

frakt *s* freight, carriage; cargo; ~ **e** *v* freight, charter; ~ **fart** *s* carrying trade; ~ **eman** *s* carrier; ~ **ur** *s* (brudd) fracture; Gothic letter.

fralandsvind *s* off-shore wind.

fralegge seg *v* disavow.

fram (frem) *av* forth, on, out; ~ **ad** *av* forward, ahead; ~ **bringe** *v* produce, yield; ~ **bringelse** *s* product(ion), produce; ~ **brudd** *s* outbreak; dawn; ~ **by** *v* offer, present; ~ **deles** av still; ~ **ferd** *s* conduct; energy; ~ **for** *prp* above, rather than; ~ **fusende** *a* impetuous; ~ **gang** *s* progress; ~ **gangs-**

måte *s* method; ~ **gå** *v* appear; ~ **herskende** *a* prevailing; ~ **heve** *v* emphasize, set off; ~ **kalle** *v* call forth, occasion, (fot.) develop; ~ **kallelse** *s* teat call (foto) development; ~ **kommelig** *a* passable; ~ **legge** *v* produce; ~ **leie** *s* subletting; ~ **me** *av* in, out, on the spot; ~ **møte** *s* attendance; ~ **ragende** *a* eminent; ~ **rykning** *s* advance; ~ **sette** *v* propose, bring in; ~ **si** *v* recite, deliver; ~ **skreden** *a* advanced; ~ **skritt** *s* progress; ~ **skynde** *v* hasten; ~ **spring** *s* projection; ~ **stille** *v* state, produce, personate, *sci* exhibit; *vr* present oneself; ~ **stilling** *s* representation, statement, manufacture; style of writing; ~ **støt** *s* onset, dash; ~ **stå** *v* arise; ~ **syn** *s* foresight; ~ **synt** *a* (synsk) clairvoyant ~ **tid** *s* future; ~ **toning** *s* phenomenon; ~ **treden** *s* appearance, manner; ~ **tredende** *a* prominent, marked; ~ **ture i** *v* persist in; ~ **tvinge** *v* force, enforce; ~ **vise** *v* show; ~ **visning** *s* exhibition.

frank *s* franc; *a* independent; ~ **ere** *v* frank; ~ **ering** *s* prepayment; ~**o** *a* prepaid.

Fran|krike France; ~ **sk** *a* French; ~**skmann** Frenchman.

fransese *s* quadrille.

fra|regnet *a* exclusive of; ~ **råde** *v* dissuade (from); ~ **sagn** *s* legend; news.

frase *s* empty phrase; ~ **maker** *s* ranter.

fra|si *vr* reonunce; ~ **skilt** *a* divorced; ~ **skrive** *vr* renounce; waive; ~ **støtende** *a* repulsive; ~ **ta** *v* deprive of; ~ **tre** *v* resign; ~ **tredelse** *s* withdrawal; ~ **vike** *v* depart from; ~ **vikelse** *s* departure; ~ **vriste** *v* wrest from; ~ **vær** *s* absence; ~ **værende** *a* absent.

fred *s* peace.

fredag Friday.

fred|e *v* protect, preserve; ~ **elig** *a* peaceful; ~ **eligsinnet** *a* peaceable; ~ **lyse** *v* proclaim sacred; ~ **løs** *s* outlaw; ~ **løshet** *s* outlawry; ~ **ning** *s* protection; ~ **sommelig** *a* peaceable.

fregatt *s* frigate.

fregne *s* freckle.

freidig *a* cheerful.

frekk *a* shameless, impudent; ~ **het** *s* impudence, *fam* cheek.

frelse *s* rescue, safety, *rel* salvation; *v* save, rescue; ~ **r** *s* preserver, *rel* Saviour.

fremdeles *av* still.

fremme *s* furtherance; *v* further, promote.

fremmed *a* foreign, alien, strange; *s* stranger, (utl.) foreigner, alien.

fremmelig *a* forward.

frend|e *s* kinsman; ~ **skap** *s* kindred, relationship.

frese *v* hiss, crackle.

fri *a* free, disengaged; *v* propose; deliver; ~ **båren** *a* free-born; ~ **bytter** *s* freebooter; ~ **dag** *s* holiday; day out; ~ **er** *s* suitor; ~ **eri** *s* courtship, proposal; ~ **finne** *v* acquit; ~ **finnelse** *s* acquittal; ~ **gi** *v* release; ~ **givelse** *s* release; ~ **gjøre** *v* free; ~ **gjøring** *s* emancipation; ~ **handel** *s* free trade; ~ **het** *s* freedom, liberty; ~ **idrett** athletics.

frikassé *s* stew.

fri|kjenne *v* acquit; ~ **kjennelse** *s* acquittal; ~ **ksjon** *s* friction; ~ **kvarter** *s* break, recess; ~ **land** *s* open ground; ~ **luft** *s* open air; ~ **merke**

s stamp; ~ **modig** *a* open, frank; ~ **murer** *s* freemason.
frise *s* frieze; ~ **re** *v* dress (the hair).
frisinn *s* liberal views; ~ **et** *a* broad-minded.
frisk *a* new, fresh; well; ~**e** *v* freshen.
frist *s* respite, time limit, term.
friste *v* tempt; try.
fristed *s* refuge.
friste|lse *s* temptation; ~ **r(inne)** *s* tempter (-tress).
fris|yre *s* style of dressing the hair, coiffure; ~ **ør** *s* hairdresser.
fri|ta *v* exempt; ~ **tagelse** *s* exemption; ~ **tid** *s* leisure (time).
fritt *av* (gratis) free of charge; ~ **stående** *a* detached.
fritte ut *v* question.
frivakt, ha ~, be off duty.
frivillig *a* voluntary, spontaneous; *s* volunteer.
frivol *a* frivolous.
frodig *a* lush, luxuriant, vigorous.
frokost *s* breakfast, (sen) lunch(-eon).
from *a* pious; (blid) mild; ~ **het** *s* piety; mildness.
front *s* front; ~ glass (bil) *s* wind-screen; ~ **glasspusser** *s* windscreen wiper.
frosk *s* frog.
frossen *a* frozen.
frost *s* frost; ~ **blemme** *s* chilblain.
frottere *v* rub.
fru Mrs; ~ **e**, *s* mistress; lady, married woman.
frukt *s* fruit, *fig* product; ~ **bar** *a* fertile; ~ **barhet** *s* fertility; ~ **bringende** *a* productive; ~ **e** *v* avail, be of use; ~ **esløs** *a* bootless; ~ **handler** *s* fruiterer; ~ **hage** *s* orchard; ~ **sommelig** *a* pregnant, with child; ~ **sommelighet** *s* pregnancy.
fryd *s* delight; ~ **e** *v* gladden; *vr* rejoice.
frykt *s* fear, dread; ~ **e** *v* fear; ~ **elig** *a* dreadful; ~ **løs** *a* fearless; ~ **som** *a* timid.
frynse *s* fringe.
frys|e *v* (til is) freeze; (pers.) be cold; ~ **ning** *s* shudder.
frø *s* seed.
frøken *s* Miss; unmarried lady (woman).
fråde *s* froth, foam.
fråtse *v* gormandize; ~ **r** *s* glutton; ~ **ri** *s* gluttony.
fuga *s mus* fugue.
fuge *s* groove, joint.
fugl *s* bird; ~ **eperspektiv** *s* bird's-eye view; ~ **eskremsel** *s* scarecrow.
fukt|e *v* moisten, wet; ~ **ig** *a* moist, damp; ~ **ighet** *s* moisture.
ful *a* cunning.
full *a* full, complete; drunk; ~ **blods** *a* thorough-bred; ~ **byrde** *v* accomplish; ~ **ende** *v* finish, complete; ~ **endelse** *s* completion; ~ **endt** *a* *fig* consummate, accomplished; ~ **føre** *v* carry through; ~ **kommen** *a* perfect; ~ **kommenhet** *s* perfection; ~ **makt** *s* authority; ~ **mektig** *s* head clerk; ~ **stendig** *a* complete; ~ **stendiggjøre** *v* complete; ~ **tallig** *a* complete (in number).
fund|ament *s* foundation; ~ **amental** *a* fundamental; ~ **ere** *v* (tenke) muse; (grunne) found, ground.
fungere *v* act.
funk|e *s* spark; ~ **le** *v* sparkle
funksjon *s* duty, function; ~ **ere** *v* (app.) work; act; ~ **ær** *s* functionary, employee, officer.
funn *s* discovery, find.
furasje (hestefôr) *s* provender.
fure *s* furrow, wrinkle.
fur|ie *s* fury; ~ **ore** *s* sensation.

furte *v* sulk; ⌣ **n** *a* sulky.
furu *s* fir, pine; deal.
fusentast *s* mad-cap.
fusk *s* cheating; ⌣ **e** *v* cheat, crib; *fig* dabble (in); (motor) misfire.
fustasje *s* cask.
futt *s* push, energy.
futteral *s* case, cover.
fy! fie!
fyke *v* drift.
fyldig *a* plump; (vin) rich.
fylk|e *s* county, shire; *v* array; ⌣ **ing** *s* array.
fyll *s* stuffing, ballast; drink; ⌣ **e** *v* fill, stuff; complete; ⌣**e bensin** re-fuel; ⌣ **efant** *s* drunkard; ⌣ **ekalk** *s fig* padding; ⌣ **epenn** *s* fountain pen; ⌣ **eri** *s* hard drinking; ⌣ **estgjørende** *a* satisfactory; ⌣ **ing** *s* panel.
fynd *s* pith; ⌣**ig** *a* pithy.
fyr *s* fellow, chap; (ild) fire; (⌣ tårn) light-house; ⌣ **bøter** *s* stoker; ⌣ **e** heat, fire; ⌣ **ig** *a* fiery, ardent; ⌣ **ighet** *s* fire, ardour; ⌣ **skip** *s* fire-ship.
fyrst|e *s* prince; ⌣ **elig** *a* princely, *av* in a princely way; ⌣**endømme** *s* principality; ⌣ **inne** *s* princess.
fyr|stikk *s* match; ⌣ **tårn** *s* light-house; ⌣ **verkeri** *s* fireworks.
fys|ikk *s* physics; ⌣ **iker** *s* physicist; ⌣ **iognomi** *s* countenance; ⌣ **isk** *a* physical.
fæl *a* hideous, ugly.
fælen *a* frightened.
fø *v* feed, provide for; ⌣ **de** *s* food, *v* bear, give birth to; ⌣ **dested** *s* birth-place; ⌣ **dsel** *s* birth (delivery); ⌣ **dselsdag** *s* birthday; ⌣ **dselsveer** *s* throes; ⌣ **dt** *a* born.
førdera|sjon *s* federation; ⌣ **tiv** *a* federal.
føflekk *s* mole.
føl|e *v* feel; ⌣ **bar** tangible, palpable; ⌣ **elig** *a* perceptible, severe; ⌣ **else** *s* feeling, sensation, emotion; touch; ⌣ **elsesløs** *a* unfeeling; ⌣ **eri** *s* sentimentality.
følge *sc* consequence; *sn* company, attendance; *v* (etter) follow, succeed; (sammen) accompany, attend; ⌣ **brev** *s* dispatch note; ⌣ **lig** *av* consequently; ⌣ **svenn** *s* attendant, companion.
føling *s fig* touch.
føljetong *s* serial.
føll *s* foal, colt.
følsom *a* sensitive; ⌣ **het** *s* sensibility, sensitiveness.
før *a* stout *kj*, *prp av* before.
føre *v* carry; lead, guide; *merk* keep; stock, *s* state (of snow, road etc.), going.
førenn *kj* before.
fører *s* guide, leader; ⌣ **rom** *s* cockpit (båt el. fly).
før|het *s* corpulence; ⌣ **lighet** *s* health, vigour; ⌣ **historisk** *a* prehistoric; ⌣ **krigs** *a* prewar.
førsel *s* carriage.
først *a* first; *av* (at) first; ⌣ **kommende** *a* next.
førti *num* forty.
føye *v* humour, please; ⌣ **til** add; *vr* yield; ⌣ **lig** *a* docile, yielding; ⌣ **lighet** *s* docility
få *a* few; *v* get, obtain, receive, have; ⌣ **fengt** *a* futile, vain; *av* in vain; ⌣ **mælt** *a* taciturn; ⌣ **mælthet** *s* taci turnity.
får *s* sheep; (kjøtt) mutton; ⌣ **ekjøtt** *s* mutton.
fåtall *s* minority, few; ⌣ **ig** *a* few in numbers.

G.

gaffel *s* fork, *mar* gaff.
gagn *s* benefit, good; ⌣ **e** *v*

benefit; ~ **lig** *a* beneficial; ~ **løs** *a* unprofitable.
gal *s* crow(ing); *a* mad, frantic; (feil) wrong.
galant *a* polite, gallant; ~ **eri** *s* gallantry; ~ **erivarer** *s* fancy articles.
gale *v* crow; ~ **hus** *s* lunatic asylum, mental hospital.
galei *s* galley.
galen *a* mad, wild.
galeon *s* galleon.
galfrans *s* mad-cap.
galge *s* gallows; ~ **nfrist** *s* short respite; ~ **nfugl** *s* hangdog.
galimatias *s* gibberish.
galla *s* state, gala; ~ **drakt** *s* full dress; ~ **uniform** *s* dress uniform.
galle *s* gall, bile; ~ **stein** *s* gallstone.
gall|eri *s* gallery; ~ **ionsfigur** *s* figure head.
gallupundersøkelse *s* Gallup poll.
galon *s* lace; ~ **ert** *a* laced.
galopp *s* canter, gallop; ~ **ere** *v* gallop.
galskap *s* madness, frenzy; (strek) prank.
galt(e) *s* boar, hog.
galvanisere *v* galvanize.
gamasjer *s* gaiters, leggings; (korte) spats.
gammel *a* old, aged; (tid) ancient, (mat) stale; ~ **dags** *a* old-fashioned; ~ **jomfru** *s* old maid; ~ **manns** *a* senile.
gamp *s* jade, nag.
gane *s* palate, roof (of mouth); *v* gut.
gang *s* walk, gait; course; alley; (i hus) passage, corridor; (gruve) vein; (antall) time; ~ **art** *s* pace; ~ **bar** *a* current; ~ **barhet** *s* currency; ~ **er** *s* steed; ~ **spill** *s mar* capstan; ~ **sti** *s* footpath.
ganske *av* quite, fairly.
gap *s* mouth; gap, chasm; ~ **e** *v* gape; yawn; ~ **estokk** *s* pillory.
garant|ere *v* guarantee, warrant; ~ **i** *s* guaranty.
garasje *s* garage.
garde *s* guard(s); ~ **re** *v* guard, protect; ~ **robe** *s* (tøy) wardrobe; (sted) cloak-room; (skap) wardrobe.
gardin *s* curtain.
gardist *s* guardsman.
garn *s* yarn; thread, cotton; (fiske-) net; ~ **ere** *v* trim.
garnison *s* garrison.
gartner *s* gardener; ~ **i** *s* nursery garden.
garve *s* tan; ~ **r** *s* tanner.
gas *s* (tøy) gauze.
gasell *s* gazelle.
gasje *s* salary, pay; ~ **re** *v* pay.
gass *s* gas; ~ **aktig** *a* gaseous; ~ **bluss** *s* g. jet.
gasse *s zo* gander; *vr* feast, regale (on).
gast *s mar* man, hand.
gate *s* street; ~ **dør** *s* front-door; ~ **selger** *s* coster-monger.
gauk *s zo* cuckoo; unlicensed liquor dealer.
gaupe *s zo* lynx.
gave *s* gift, present.
gavl *s* gable.
gav|mild *a* generous, liberal, munificent; ~ **mildhet** *s* generosity, liberality, munificence.
ge|berde *s* gesture; ~ **bet** *s* territory, domain; ~ **biss** *s* set of teeth; ~ **brekkelig** *a* infirm; ramshackle; ~ **brokken** *a* broken; ~ **burtsdag** *s* birthday; ~ **byr** *s* fee; ~ **digen** *a* sterling; *fig* pure; ~ **halt** *s* alloy, value; ~ **heimeråd** *s* privy council(lor); ~ **heng** *s* sword-belt; ~ **hør** *s* ear.
geil *a* ruttish.
geip *s* grimace, wry mouth; ~ **e** *v* pout, make a grimace.

geist *s* spirit; ⌣ **lig** *a* clerical *s* divine; ⌣ **lighet** *s* clergy.
geit *s* goat; ⌣**ebukk** *s* billy-goat; ⌣ **ost** *s* goat's milk cheese.
ge|latin *s* gelatine; ⌣ **lé** *s* jelly; ⌣ **léaktig** *a* gelatinous.
ge|ledd *s* rank, file; ⌣ **lende**F *s* balusters, banisters, railing; ⌣ **makk** *s* apartment; ⌣ **mal(inne)** *s* consort; ⌣ **men** *a* mean, gross.
gemse *s zo* chamois.
gemytt *s* temper, disposition; ⌣ **lig** *a* genial, hearty; ⌣ **lighet** *s* geniality.
gendarm *s* armed policeman.
general *s* general; ⌣ **forsamling** *s* general meeting; sml. **Hovedforsamlingen (F.N.)** The United Nations General Assembly; ⌣ **guvernør** *s* governor-g.; ⌣ **isere** *v* generalize; ⌣ **prøve** *s* dress rehearsal; ⌣**stab** *s* general staff; ⌣ **streik** *s* general strike.
generasjon *s* generation.
generell *a* general.
geni *s* genius; ⌣ **al** *a* brilliant, highly gifted, of genius; ⌣ **alitet** *s* genius; brilliancy; ⌣ **us** *s* guardian angel.
genre *s* style, manner, genre.
genser *s* guernsey, jersey.
gentil *a* liberal.
geo|grafi *s* geography; ⌣ **logi** *s* geology; ⌣**metri** *s* geometry.
georgine *s bot* dahlia.
gerilja *s* guerilla.
german|er *s* Teuton; ⌣ **sk** *a* Teutonic, Germanic.
ge|sandt *s* ambassador, envoy; ⌣ **sandtskap** *s* embassy, legation; ⌣ **sell** journeyman, tramp; ⌣ **sims** *s* cornice; ⌣ **skjeft** *s* business; ⌣ **skjeftig** *a* fussy, meddling; ⌣ **skjeftighet** *s* meddlesomeness; ⌣ **spenst** *s* ghost; ⌣ **stalt** *s* figure.
gest|ikulere *s* gesticulate; ⌣ **us** *s* gesture.
ge|vant *s* drapery; ⌣ **vekst** *s* excrescence; ⌣ **vinst** *s* profit; prize; ⌣ **vir** *s* horns, head; ⌣ **vær** *s* rifle, gun; ⌣ **værild** *s* musketry; ⌣ **værkolbe** *s* butt end; ⌣ **værkule** *s* bullet.
gi *v* give, yield, pay; (kort) deal.
gide *v* care (to).
gift *a* married; *s* poison; ⌣ **e** *v* marry (to), *vr* marry; ⌣ **eferdig** *a* marriageable; ⌣ **ermål** *s* marriage; ⌣ **ig** *a* poisonous, virulent; ⌣ **ighet** *s* virulence.
gigant *s* giant; ⌣ **isk** *a* gigantic.
gigg *s* gig.
gikt *s* gout; ⌣ **feber** *s* rheumatic fever; ⌣ **isk** *a* goutish.
gild *a* excellent.
gilde *s* feast; guild.
gilding *s* eunuch.
gips *s* plaster, gypsum; ⌣ **e** *v* plaster.
gir *s mar* yaw; gear; ⌣ **e** *v* yaw; gear; ⌣ **stang** *s* gear-level.
girlander *s* garlands.
giro-bank *s* clearing bank; **g.-konto** *s* current account.
gisne *v* become leaky.
gisp(e) *s* (*v*) gasp.
gisning *s* estimate, guess, shot.
gissel *s* hostage.
gissen *a* leaky.
gitar *s* guitar.
git|ter *s* grate, railing, lattice; ⌣ **re** *v* grate.
giver *s* giver, donor.
gjalle *v* ring, resound.
gjedde *s zo* pike.
gjekk *s* wag.
gjel *s* gully.
gjeld *s* debt, *a* barren; ⌣ **bukk** *s* wether, ⌣ **e** *v* castrate; (angå) concern; be in force; ⌣ **ende** *a* in force; **gjøre** ⌣ **ende** urge; ⌣ **fri** *a* out of debt; ⌣ **sbevis** *s* bond; ⌣ **spost** *s* item (of debt).
gjelle *s* (fisk) gill.

gjem|me *s* receptacle; *v* keep, hide; ~ **sel** *s* hiding-place, (lek) hide-and-seek.

gjen|drive *v* refute, disprove; ~ **drivelse** *s* refutation; ~ **ferd** *s* ghost, apparition; ~ **fortelle** *v* re-tell, repeat, reproduce; ~ **fortelling** *s* (stil) reproduction; ~ **fødelse** *s* regeneration; ~ **ganger** *s* ghost.

gjeng *s* gang; lot.

gjenge *s* groove, thread; (lås) ward; *fig* progress.

gjen|gi *v* render, translate, reproduce; restore; ~ **givelse** *s* version; account; ~ **gjeld** *s* requital, **til** ~ **gjeld**, in return; ~ **gjelde** *v* requite, return; reciprocate.

gjengs *a* current.

gjen|insette *v* restore; ~ **kalle** *v fig* call to mind, recall; ~ **kjenne** *v* recognize; ~ **kjennelig** *a* recognizable; ~ **kjennelse** *s* recognition; ~ **klang** *s* echo, *fig* response; ~ **komst** *s* return; ~ **levende** *s* survivor; ~ **lyd** *s* resonance; ~ **lyde** *v* resound, ring; ~ **løse** *v* redeem; ~ **løsning** *s* redemption; ~ **mæle** *s* reply.

gjennom *prp* through; ~ **arbeide** *v* work well; ~ **bløyte** *v* drench, soak; ~ **bore** *v* perforate, pierce, stab; ~ **brudd** *s fig* awakening; ~ **føre** *v* accomplish; ~ **gang** *s* passage, thoroughfare; ~ **gå** *v* go through; examine; pass through; ~ **gående** *av* generally; ~ **hegle** *v* scold; ~ **isne** *v* chill; ~ **lese** *v* read through, look over, (grundig) peruse; ~ **løpe** *v* run through; ~ **se** *v* look over, revise; ~ **siktig** *a* transparent; ~ **siktighet** *s* transparence; ~ **skue** *v* see through, find out; ~ **snitt** *s* diameter; average; ~ **snittlig** *a av* on an average; ~ **stekt** *a* well-done; ~ **syn** *s* inspection; ~ **trekk** *s* draught; ~ **trenge** *v* penetrate; soak; ~ **trengende** *a* piercing; ~ **våt** *a* wet through.

gjen|oppleve *v* relive; ~ **opplive** *v* revive; ~ **opprette** *v* restore; ~ **oppta** *v* resume; ~ **part** *s* copy; ~ **se** *v* see again; ~ **sidig** *a* mutual; ~ **sidighet** *s* reciprocity; ~ **sitting** *s* detention; ~ **skinn** *s* reflection; ~ **speile** *v* reflect; ~ **stand** *s* object, thing; ~ **stridig** *a* refractory; ~ **stridighet** *s* obstinacy; ~ **syn** *s* meeting (again); **på** ~ **syn,** au revoir!; ~ **ta** *v* repeat; ~ **tagelse** *s* repetition; ~ **tagende** *av* repeatedly; ~ **valg** *s* re-election; ~ **vei** *s* short cut; ~ **vinne** *v* recover; ~ **vordighet** *s* adversity.

gjerde *s* fence, *v* fence; ~ **smutt** *s zo* wren.

gjerne *av* readily.

gjerning *s* deed, act(ion); work, calling; ~ **smann** *s* perpetrator.

gjerrig *a* mean, miserly, avaricious, stingy; ~ **het** *s* avarice, stinginess.

gjesp(e) *s* (*v*) yawn.

gjest *s* guest, visitor; ~ **e** *v* visit; ~ **ebud** *s* banquet; ~ **værelse** *s* spare room, ~ **fri** *a* hospitable; ~ **frihet** *s* hospitality; ~ **giver** *s* innkeeper; ~ **giveri** *s* inn.

gjete *v* tend; ~ **r** *s* herd; **(saue)g.** shepherd.

gjev *a* excellent.

gjet|te *v* guess; ~ **ning** *s* guess(ing), guess-work.

gjord *s* girth; ~ **e** *v* gird.

gjær *s* yeast; ~ **e** *v* ferment; **i** ~ **e** brewing; ~ **ing** *s* fermentation.

gjø *v* bark, (mate) fatten; ~ **dning** *s* manure; ~ **dsel** *s*

manure, dung; ⁓ **dsle** *v* manure.
gjøgl *s* humbug; ⁓ **er** *s* juggler.
gjøn *s* fun; ⁓ **e** *v* sneer (at), mock (at).
gjør|e *v* do, make; ⁓ **emål** *s* duties; ⁓ **lig** *a* practicable.
gjørme(t) (*a*) mud(dy).
glacéhansker *s* kid-gloves.
glad *a* glad, joyful, joyous; ⁓ **elig** *av* gladly.
glane *v* stare.
glans *s* splendour; gloss, polish; ⁓ **full** *a* splendid; ⁓ **løs** *a* lustreless, dull.
glasere *v* glaze.
glas|s *s* glass, *mar* bell; ⁓ **perle** *s* bead; ⁓ **rute** *s* pane; ⁓ **ur** *s* glazing.
glatt *a* smooth, slippery.
glede *s* joy, pleasure, *v* cheer, *vr* rejoice; ⁓ **lig** *a* happy, pleasing, gratifying; ⁓ **løs** *a* dreary.
glefse *v* snap.
glem|me *v* forget; ⁓ **sel** *s* oblivion; ⁓ **som**, ⁓ **sk** *a* forgetful.
gletsjer *s* glacier.
gli *v* glide, slide; ⁓ **deflukt** *s* volplane; ⁓ **defly** *s* glider; ⁓ **elås** *s* zip fastener.
glim|mer *s* glimmer, *fig* tinsel; ⁓ **re** *v* glisten, shine, (pers.) show off; ⁓ **rende** *a* brilliant.
glimt *s* glimpse, flash; ⁓ **e** *v* gleam, flash.
glinse *v* glisten, shine.
glipp *s* **gå** ⁓ **av** miss; ⁓ **e** *v* fail; blink, wink.
glissen *a* thin.
glit|ter *s* glitter; ⁓ **re** *v ib.*
glo *s* live coal, *pl* embers; *v* gaze, stare.
globus *s* globe.
gloende *a* red-hot.
gloret *a* gaudy.
glor|ie *s* halo, nimbus; ⁓ **verdig** *a* glorious.
glose *s* vocable, word ⁓ **bok** *s* glossary; ⁓ **forråd** *s* vocabulary.
glossar *s* glossary.
glugge *s* aperture, hole.
glup|ende *a* ravenous; ⁓ **sk** *a* ferocious, voracious; ⁓ **skhet** *s* ferocity, voracity.
glyserin *s* glycerine.
glød *s* glow; ⁓ **e** *v* glow; ⁓ **elampe** *s* incandescent lamp; ⁓ **ende** *a* red-hot; ⁓ **ning** *s* ignition.
gløgg *a* shrewd.
gløtt *s* peep; **på** ⁓ ajar; ⁓ **e** *v* peep; open ajar.
gnag *s* gall; ⁓ **e** *v* gnaw, gall; ⁓ **er** *s zo* rodent; ⁓ **sår** *s* gall, raw.
gneldre *v* yelp.
gni *v* rub, chafe; ⁓ **dret** *a* crabbed; ⁓ **dning** *s* friction.
gnier *s* miser; ⁓ **aktig** *a* mean, niggardly; ⁓ **i** *s* stinginess.
gnisse *v* chafe, grate; *s rel* gnashing.
gnist(re) *s* (*v*) spark(le).
gnål *s* (mas) harping.
gobelin *s* tapestry hanging.
god *a* good, kind; ⁓ **artet** *a* mild, benign, ⁓ **e** *s* benefit, good, ⁓ **fjott** *s s* dough-face; ⁓ **gjøre seg med** *v* enjoy; ⁓ **gjørende** *a* charitable; ⁓ ⁓ **gjørenhet** *s* charity; ⁓ **het** *s* kindness; ⁓ **hjertet** *a* kind-hearted; ⁓ **kjenne** *v* sanction; ⁓ **kjennelse** *s* sanction; ⁓ **liende** *a* likeable; ⁓ **modig** *a* good-natured; ⁓ **modighet** *s* good-nature.
gods *s* goods; estate; ⁓ **lig** *a* jovial.
godta *v* accept.
godt *av* well; ⁓ **gjøre** *v* prove, make good; ⁓ **gjørelse** *s* compensation, fee; ⁓ **kjøps** *a* cheap.
god|**troende** *a* credulous; ⁓ **troenhet** *s* credulity; ⁓ **villig** *a* willing.
gold *a* barren; ⁓ **het** *s* sterility.

golf(bane) *s* golf-links.
gomle *v* mumble.
gondol *s* gondola.
gongong *s* gong.
gotte seg over *v* enjoy; ˷ **r** *s* sweetmeats.
grad *s* degree, rank; ˷ **ere** *v* graduate; ˷ **vis** *av* by degrees, gradual.
graf|isk *a* graphic; ˷ **itt** *s* blacklead.
gram *s* gram.
gram|matikk *s* grammar; ˷ **matiker** *s* grammarian; ˷ **mofon** *s* gramophone.
gran *s bot* spruce.
granat *s* shell.
grand *s* (i kort) no trumps; ˷ **ios** *a* grand; ˷ **onkel** *s* grand-uncle.
granitt *s* granite.
grann *s* particle, *fig* atom, whit; ˷ **givelig** *av* distinctly.
gransk|e *v* inpuire into, investigate; ˷ **er** *s* student, researcher; ˷ **ning** *s* research.
gras *s* grass; ˷ **hoppe** *s* grasshopper.
grasiøs *a* graceful.
grass|at *av* **løpe** ˷ **at** run riot.
gras|strå *s* blade; ˷ **torv** *s* turf, sod.
grat|iale *s* gratuity, ˷ **ie** *s* grace; ˷ **is** a free of charge, gratis.
grat|ulasjon *s* congratulation; ˷ **ulere** *v* congratulate.
grav *s* pit, trench, ditch, *mil* moat, (døds) grave, tomb; ˷ **e** *v* dig; ˷ **er** *s* sexton, ˷ **ere** *v* engrave; ˷ **erende** *a* grave; ˷ **itetisk** *a* solemn; ˷ **kapell** *s* mortuary; ˷ **skrift** *s* epitaph; ˷ **sten** *s* tomb-stone; ˷ **yr** *s* engraving; ˷ **ør** *s* engraver.
grei *a* (ting) clear, easy; (person) straight-forward; ˷ **e** *v* clear, manage; *s pl* tools, things.
grein (gren) *s* branch, bough.
greip *s* (redsk.) fork.
Grekenland Greece.
greker *s* Greek.
grell *a* glaring, loud.
gremme *vr* grieve, repine; ˷ **lse** *s* grief.
grenader *s* grenadier.
grend *s* hamlet.
grense *s* frontier, boundary, limit, *fig* bound; *v* ˷ **til** border on, be bounded by; ˷ **løs** *a* boundless, excessive.
grep *s* grasp, handle.
gresk *a* Greek.
gress *s* grass; ˷ **e** *v* browze; ˷ **elig** *a* horrid, ˷ **gang** *s* pasture; ˷ **kar** *s* pumpkin; ˷ **plen** *s* lawn.
gretten *a* peevish, cross.
grev *s* pick, mattock.
grev|e *s* earl, count; ˷ **inne** *s* countess; ˷ **skap** *s* county.
grevling *s zo* badger.
gribb *s zo* vulture.
griffel *s* slate pencil.
grille *s* whim.
grim *a* ugly; ˷ **ase** *s* grimace.
grime *s* halter.
grin *s* grin; ˷ **aktig** *a* funny.
grind *s* gate; pen, fold.
grine *v* grin, frown; weep.
gripe *v* seize, catch, grasp; ˷ **nde** *a* touching, moving, impressive, pathetic.
gris *s* pig, *fig* beast; ˷ **e** *v* soil; ˷ **et** *a* dirty.
grisk *a* greedy.
gro *v* grow, heal; sprout; ˷ **bian** *s* churl.
grop *s* hollow.
gros, en ˷, wholesale; ˷ **serer** *s* (wholesale) merchant.
grotte *s* grotto.
grov *a* coarse; gross, rude; ˷ **brød** *s* black (brown) bread; ˷ **het** *s* coarseness, etc; rough language; ˷ **kornet** *a* coarse (-grained).
gru *s* horror.
gruble *v* muse, brood over; ˷ **ri** *s* musing, reverie.

gru|e *s* hearth, fire-place; *v* tremble, shudder (at), dread; ~ **full** *a* horrid.
grum *a* ferocious.
grums *s* sediment; ~ **et** *a* muddy, thick.
grund|e *v* ponder; ~ **ig** *a* thorough (-going).
grunn *s* (tomt) ground, site (årsak) reason, cause; *a* shallow; ~ **e** *s* shoal shallow; *v* found, ground; ~ **eier** *s* landlord; ~ **festet** *a* established; ~ **ing** *s* priming; ~ **lag** *s* foundation, grounding; ~ **lov** *s* constitution; ~ **legge** *v* found; ~ **løs** *a* groundless; ~ **mur** *s* fundament; ~ **stoff** *s* element; ~ **setning** *s* principle; ~ **tall** *s* cardinal number; ~ **voll** *s* foundation.
gruppe(re) *s* *(v)* group, section.
grus *s* gravel.
grusom(het) *a* (*s*) cruel(ty).
grut *s* grounds.
gruve *s* pit, mine; ~ **arbeider** *s* miner.
gry *s v* dawn.
gryn *s* groats, grits; grain; ~ **sodd** *s* broth.
grynt(e) *s* (*v*) grunt.
gryte *s* pot.
grøde *s* crop.
grøft *s* ditch, trench.
grøn|n *a* green; ~ **nsaker** *s* greens, vegetables; ~ **nskolling** *s* greenhorn; ~ **ske** *s* green stain, verdure; ~ **thandler** *s* greengrocer.
grøsse *v* shudder.
grøt *s* porridge; pudding; ~ **et** thick; ~ **omslag** *s* poultice.
grå *a* grey; ~ **bein** *s* wolf.
grådig *a* greedy; ~ **het** *s* voracity.
gråsprengt *a* grizzled.
gråt *s* weeping, crying; ~ **e** *v* weep, cry.
gubbe *s* greybeard.
gud *s* God, god; ~ **barn** *s* godchild; ~ **dom** *s* divinity; ~ **dommelig** *a* divine; ~ **elig** *a* pious; ~ **fryktig** *a* godly; ~ **fryktighet** *s* piety; ~ **inne** *s* goddess; ~ **løs** *a* impious; ~ **sbespottelig** *a* blasphemous; ~ **sbespottelse** *s* blasphemy; ~ **sdom** *s* ordeal; ~ **sdyrkelse** *s* worship; ~ **sforlatt** *a* God-forsaken; ~ **skjelov** thank God; ~ **stjeneste** *s* divine service.
gufs(e) *s* (*v*) puff.
gul *a* yellow.
gull *s* gold; ~ **klump** *s* nugget; ~ **smed** *s* jeweller.
gulne *v* turn yellow.
gulpe *v* gulp.
gul|rot *s* carrot; ~ **sott** *s* jaundice.
gulv *s* floor; ~ **teppe** *s* carpet.
gummi *s* gum(-paste), rubber; ~ **ring** *s* rubber tyre; ~ **slange** *s* r. tube.
gunst(bevisning) *s* favour; ~ **ig** *a* favourable.
gurgle *v* gargle.
gusten *a* sallow.
gutere *v* enjoy.
gutt *s* boy, lad; ~ **aktig** *a* boyish.
guvern|ante *s* (nursery) governess; ~ **ør** *s* governor.
gyld|en *s* florin; ~ **ig** *a* valid; ~ **ighet** *s* validity.
gylle *v* gild; ~ **n** *a* gold(en).
gymnas|ium *s* highest grade school; senior school; ~ **iast** *s* collegian; ~ **tikk** *s* gymnastics; ~ **tikksal** *s* gymnasium; ~ **tisere** *v* practise athletic exercises.
gynge *v* rock; (myr) quake.
gys *s* shudder; ~ **e** *v* shudder; ~ **elig** *a* horrible.
gyte *v* spawn.
gyve *v* whirl.
gå *v* go, walk; move, work; ~ **med** (klær), wear; ~ **ned** (sol) set.
gård *s* (plass) (court-) yard;

(hus) farm(-stead); ~ **splass** *s* court-yard.

gås *s* goose; **i ~ egang** in single file; ~ **ehud** *s* goose-flesh; ~ **eøyne** *s* inverted commas; ~ **unge** *s bot* gosling.

gåte *s* riddle, puzzle; ~ **full** *a* enigmatic.

H.

ha *v* have.

habil *a* able, competent, qualified.

habitt *s* dress.

hage *s* garden; enclosure; ~ **bruk** *s* gardening.

hagl *s* hail; shot; ~ **e** *v* hail; patter.

hagtorn *s bot* hawthorn.

hai *s zo* shark.

hake *s* chin; (krok) hook; *fig* drawback; *v* hook.

hakk *s* notch, back; ~ **e** *s* pick-axe; *v* hack, peck; mince; (tenner) chatter; ~ **els** *s* chaff; ~ **espett** *s* woodpecker.

hal *s* pull; ~ **e** *s* tail; *v* haul, pull; ~ **e ut,** delay.

hall *s* hall.

hallo *int* hullo; ~ **mann** *s* announcer.

halm(strå) *s* straw.

hals *s* neck; (strupe) throat; ~ **brekkende** *a* breakneck; ~ **bånd** *s* necklace; ~ **e** *v* bay; ~ **hogge** *v* behead; ~ **starrig** *a* stubborn; ~ **tørkle** *s* neck-cloth, scarf; (ull) comforter.

halt *a* lame; ~ **e** *v* limp, hobble.

halv *a* half, semi-; ~ **annen** *a* one and a half; ~ **blods** *a* halfbreed; ~ **automatisk** *a* semi-automatic; ~ **del,** *s* half; ~ **ere** *v* halve; ~ **kule** *s* hemisphere; ~ **måne** *s* crescent; ~ **mørke** *s* twilight; ~ **sirkel** *s* semicircle; ~ **sove** *v* doze; ~ **veis** *av* midway; ~ **øy** *s* peninsula.

ham *s* slough, skin.

hamle opp med cope with, be a match for.

hammer *s* hammer.

hamn *s* pasture.

hamp *s* hemp.

hamre *v* hammer.

hamstre *v* hoard.

handel *s* trade, commerce; (enkelt) transaction, bargain; ~ **sattaché** *s* commercial attaché; ~ **sbetjent** *s* salesman; ~ **shøyskole** *s* college of economics; ~ **skorrespondanse** *s* business correspondence; ~ **smann** *s* tradesman; ~ **reisende** *s* commercial traveller, *am* (travelling) salesman.

hand|fallen *a* embarrassed; ~ **fast** *a* strong; ~ **lag** *s* knack.

handl|e *v* act; ~ **e med** (vare) deal in; (pers.) do business with; ~ **om** treat of; ~ **edyktig** *a* efficient, enterprising; ~ **emåte** *s* proceeding; ~ **ing** *s* act(-ion), ceremony; *teat* plot.

hand|tak *s* handle; ~ **tere** *v* handle.

hane *s* cock.

hang *s* bent.

hangar *s* hangar, aircraft shed; ~ **skip** *s* aircraft-carrier.

hank *s* handle, ear.

han|n *a* he-, male; ~ **kjønn** *s* male sex, *gr* masculine; ~ **rei** *s* cuckold.

hanske *s* glove.

harang *s* harangue.

hard *a* hard; severe, harsh; ~ **før** *a* hardy; ~ **førhet** *s* hardiness; ~ **het** *s* harshness; hardness; ~ **hjertet** *a* unfeeling, callous; ~ **hendt** *a* hard-handed, rough; ~ **hudet** *a* callous; ~ **nakket** *a* persis-

tent; ~ **nakkethet** *s* obstinacy.
hare *s* hare.
harem *s* harem.
harke *v* hem.
harlekin *s* harlequin.
harm *a* indignant; ~ **e** *s* indignation, resentment; ~ **løs** *a* harmless.
harmon|ere *v* harmonize; ~ **i** *s* harmony; ~ **isk** *a* harmonious.
harnisk *s* armour; **komme i** ~, fire up, fly into a rage.
harpe *s* harp.
harpiks *s* resin; ~ **aktig** *a* resinous.
harpun(ere) *s* (*v*) harpoon.
harselas *s* teasing, ~ **ere** *v* tease.
harsk *a* rancid.
harv(e) *s* (*v*) harrow.
hasard *s* hazard; ~**iøs** *a* hazardous.
hase *s* hough; hamstring.
haspe *s* (*v*) reel, hasp.
hassel *s* *bot* hazel.
hast *s* haste; ~ **e** *v* hasten; ~ **ig** *a* hasty; ~ **ighet** *s* rate, speed; ~ **verk** *s* hurry.
hat *s* hatred, spite; ~ **e** *v* hate; ~ **efull** *a* spiteful.
hatt hat, bonnet, ~ **emaker** *s* hatter.
haubits *s* howitzer.
haug *s* heap, hill(ock).
hauk *s* hawk; ~ **e** *v* shout.
hauss|e *s* *merk* rise; ~ **ist** *s* bull.
hav *s* sea, ocean.
havar|ert *a* damaged, wrecked, ~ **i** *s* damage.
havbukt *s* bay, golf.
havesyk *a* covetous.
havfrue *s* mermaid.
havn *s* harbour, port; ~ **e** *v* end, find rest.
havre *s* oats; ~ **grøt** *s* porridge; ~ **gryn** *s* groats, oats; ~ **mel** *s* oatmeal; ~ **suppe** *s* gruel.
hebraisk *a* Hebrew.
hede *s* heath.
heden|sk *a* pagan, heathen; ~ **skap** *s* heathenism, paganism.
heder *s* honour, glory; ~ **lig** *a* honest, honourable; ~ **man** *s* worthy (man).
hedning *s* heathen.
hedre *v* honour.
hefte *s* (del av) part, number; (sverd) hilt; (opph.) delay; *v* arrest; fix, stick; ~ **else** *s* *jur* mortgage, charge; ~ **ig** *a* vehement, intense; ~ **ighet** *s* vehemence, intensity.
hegemoni *s* hegemony.
hegn *s* fence, hedge; ~ **e om** *v* screen, protect.
hei *s* upland, moor.
heis *s* hoist, lift; *am* elevator; ~ **e** *v* hoist, run up.
hekk *s* hedge; ~ **e** *v* hatch; ~ **eløp** *s* hurdle race.
hekle *v* crochet.
heks *s* witch, hag; ~ **e** *v* practise sorcery; ~ **emester** *s* wizard; ~ **eri** *s* witchcraft.
hekte *s* (*v*) hook, clasp.
hektisk *a* hectic.
hel *a* whole.
helbefaren *a* able-bodied.
helbred *s* health; ~ **e** *v* heal, cure; ~ **else** *s* cure, recovery; ~ **shensyn, av** ~, for health reasons.
heldig *a* lucky, fortunate, successful; ~ **vis** *av* fortunately.
hele *s* whole; *v* heal; receive stolen goods; ~ **er** *s* receiver etc.; ~ **ri** *s* receiving etc.
helg *s* holiday, feast; ~ **en (-inne)** *s* saint.
helhet *s* totality.
helikopter *s* helicopter.
hell *s* success.
helle *s* slate, slab, flag; *v* slant, slope, *fig* incline; (øse) pour; ~ **fisk** *s* halibut.
heller *av* rather; either.
hellig *a* holy, sacred; ~ **brøde** *s* sacrilege; ~ **dag** *s* holiday;

~ **dom** *s* sanctuary; ~ **e** *v* hallow, devote; ~ **holde** *v* observe; ~ **ånd** *s* the Holy Ghost.
helse *s* health.
helskinnet *a* intact.
helst *av* preferably.
helt *av* entirely; *s* hero; ~ **emot** *s* heroism; ~ **emodig** *a* heroic; ~ **inne** *s* heroine.
helvete *s* hell.
hemme *v* check, hamper.
hemmelig *a* secret; ~ **het** *s* secret, mystery; ~ **hetsfull** *a* mysterious; ~ **holde** *v* keep secret.
hempe *s* loop.
hemsko *s* clog.
hen *av* off; ~ **blikk** *s* regard.
hend|e, *s* **i** ~ to (in) hand; *v* happen, occur; ~ **ig** *a* handy; ~ **ing** *s* incidence, occurence.
hen|døende *a* dying; ~ **falle til** *v* take to; ~ **fallen til** *a* given to, addicted to; ~ **føre til** *v* refer to, trace to; ~ **ført** *a* rapt; ~ **gi** *vr* abandon oneself, devote oneself (to); ~ **given** *a* devoted, affectionate; ~ **givenhet** *s* devotion, attachment.
henge *v* hang; ~ **køye** *s* hammock; ~ **lås** *s* padlock.
hengsel *s* hinge.
hen|hold, *s* **i** ~ **hold til** according to; ~ **holdsvis** *av* respectively; ~ **imot** *prp* towards; ~ **kastet** *a* casual, careless; ~ **lede** *v* direct, ~ **legge** *v* lay aside, shelve; ~ **regne til** *v* class among, rank with; ~ **rette** *v* execute; ~ **rettelse** *s* execution; ~ **rive** *v* charm; ~ **rivende** *a* fascinating; ~ **rykke** *v* enchant; ~ **rykkelse** *s* rapture; ~ **rykt** *a* delighted; ~ **seende** *s* respect; ~ **sikt** *s* intention; ~ **siktsmessig** *a* appropriate; ~ **stand** *a* respite; ~ **stille** *v* suggest, put it (to); ~ **stilling** *s* suggestion, request; ~ **syn** *s* respect; consideration; ~ **synsfull** *a* considerate; ~ **synsfullhet** *s* consideration; ~ **synsløs** *a* reckless, inconsiderate, unscrupulous.
hente *v* fetch.
hen|tyde *v* allude, hint; ~ **tydning** *s* allusion, hint; ~ **tæres** *v* waste away, languish; ~ **ved** *prp* near(ly); ~ **vende** *v* address; *vr* apply (to); ~ **vendelse** *s* address, application; ~ **vise** *v* refer; (person) reduce, send; ~ **visning** *s* reference.
her *av* here; ~ **av** *av* from this, hence.
heraldikk *s* heraldry.
herberge *s* inn, lodgings.
herde *v* harden; temper.
herje *v* ravage.
herkomst *s* descent.
herlig *a* glorious; ~ **het** *s* glory.
herm|e *v* mimick; ~ **ing** *s* mimicry.
hermelin *s* ermine.
hermetikk *s* canned goods, tinned foods.
herold *s* herald.
herre *s* master; gentleman; (Gud) the Lord.
herred *s* canton.
herre|dømme *s* rule; command; ~ **gård** *s* manor; ~ **mann** *s* landed proprietor; **sete** *v* manorhouse, estate.
hersk|apelig *a* lordly, manorial ~ **e** *v* rule, reign; ~ **er** *s* sovereign, ruler; ~ **erinne** *s* mistress; ~ **esyk** *a* domineering; ~ **esyke** *s* ambition.
hertug *s* duke; ~ **dømme** *s* duchy; ~ **inne** *s* duchess.
hes *a* hoarse, husky; ~ **eblesende** *a* breathless.
hesje *s* framework.
heslig *a* ugly.
hespe *s v* reel; ~ **l** *s* skein.

hest *s* horse; ~ **esko** *s* horseshoe.
het *a* hot; (sone) torrid; ~ **e** *s* heat; *v* be called, be named; ~ **eslag** *s* sun-stroke; ~ **ne** *v* grow hot.
hette *s* hood, cap.
hevd *s* *jur* prescription; custom; (jord) condition, preservation; ~ **e** *v* assert, *vr* hold one's own; ~ **else** *s* assertion; ~ **vunnen** *a* time-honoured, *jur* prescriptive.
heve *v* raise; (opp-) cancel; (møte) dissolve; (toll) levy; (penger) draw, cash; *fig* extol; ~ **lse** *s* tumor; ~ **rt** *s* siphon.
hevn *s* revenge, vengeance; ~ **e** *v* revenge, avenge; ~ **gjerrig** *a* vindictive revengeful.
hi *s* winter-lair.
hier|arki *s* hierarchy; ~ **oglyff** *s* hieroglyph.
hike *v* aspire; ~ **n** *s* aspiration, yearning.
hikk:e) *s* (*v*) hiccup.
hilde *v* ensnare.
hilse *v* greet, salute, bow (to), fig welcome; ~ **fra** remember (to); ~ **n** *s* greeting, salutation; (i brev) regards, compliments.
himmel *s* sky, *rel* heaven; ~ **egn** *s* zone; ~ **fallen** *a* amazed; ~ **legeme** *s* celestial body; ~ **ropende** *a* atrocious; ~ **sk** *a* heavenly.
himmerike *s* heaven.
hin *pron* that; ~ **annen** *pron* one another, each other.
hind *s* hind.
hind|er *s* hindrance, ~ **erritt** steeple-chase; ~ **re** *v* prevent; ~ **ring** *s* obstacle.
hindu *s* Hindoo.
hingst *s* stallion.
hinke *v* limp, hobble.
hinne *s* membrane, film; ~ **aktig** *a* membraneous.
hinsides *prp* beyond.
hird *s* retinue.
hirse *s* millet.
hiss|e *v* incite, set on, heat, ~ **ig** *a* hotheaded; *med* burning, acute; ~ **ighet** *s* passion, heat.
hisset *av* hereafter.
hist og her here and there.
histor|ie *s* story; (verdens ~) history; ~ **iker** *s* historian; ~ **isk** *a* historical.
hit *av* here, this way; ~ **høre fra** *v* arise from; ~ **til** *av* hitherto.
hitte på *v* think of; ~ **barn** *s* foundling; ~ **gods** *s* goods found, waif.
hive *v* throw, *mar* heave.
hjalt *s* hilt.
hjelm *s* helmet; ~ **busk** *s* plume, crest.
hjelp *s* help, assistance; support; ~ **e** *v* help, assist; be of use, *med* be good (for); ~ **e-**, *a* auxiliary; ~ **eaksjon** *s* relief action; ~ **ekilde** *s* resource; ~ **eløs** *a* helpless; ~ **emiddel** *s* remedy; ~ **everb** *s* auxiliary verb; ~ ~ **som** *a* ready to help.
hjem *s* home; *av* home; ~ **ad** *av* homeward(s); ~ **falle** *v* revert, devolve (on); ~ **føre** *v* import; ~ **komst** *s* homecoming.
hjemle *v* warrant.
hjem|lig *a* homelike, homely (*am* lite pen), cosy; ~ **lov** *s* leave of absence; ~ **me** *av* at home; ~ **mehørende** *a* native (of), belonging to.
hjemmel *s* warrant; ~ **smann** *s* authority.
hjem|over *av* homeward; ~ **stavn** *s* native country; ~ **søke** *v* visit, infest; ~ **ve** *s* homesickness.
hjerne *s* brain; ~ - *a* cerebral; ~ **skalle** *s* skull; ~ **trust** *s* brain trust.

hjerte *s* heart, *pl* hearts (kort); ~ **knuser** *s* lady-killer; ~ **lig** *a* hearty, cordial; ~ **lighet** *s* cordiality, heartiness; ~ **løs** heartless; ~ **nskjær** *s* sweetheart; ~ **skjærende** *a* heart-rending; ~ **slag** *s* apoplexy; ~ **styrkning** *s* cordial.
hjord *s* herd, flock.
hjort *s* red deer, stag; ~ **eskinn** *s* buckskin.
hjul *s* wheel; *mar* paddle-wheel; ~ **beint** *a* bandy-legged; ~ **spor** *s* rut.
hjørne *s* corner.
hode *s* head; ~ **bunn** *s* scalp; ~ **kulls** *av* headlong; ~ **pine** *s* headache; ~ **pute** *s* pillow.
hoff *s* court; ~ **mann** *s* courtier ~ **narr** *s* jester.
hofte *s* hip, haunch.
hogg *s* cut, slash; ~ **e** *v* cut, hew, chop; ~ **jern** *s* chisel.
hogst *s* felling (of trees).
hoie *v* shout, hoot.
hold *s* condition; flesh; (smerte) pain, stitch; (avstand) distance, range; ~ **bar** *a* durable; ~ **barhet** *s* durability; ~ **e** *vt* hold, keep; *vi* last; stop, stand; *vr* continue; ~ **en** *a* well-to-do; ~ **eplass** *s* park, cab-stand; ~ **epunkt** *s* hold; ~ **ning** *s* carriage, attitude; ~ **ningsløs** *a* vacillating; ~ **t** *s* halt.
holk *s* ferrule.
hollandsk *a* Dutch.
holme *s* holm, islet.
holt *s* wood, grove.
homogen *a* homogeneous.
honnett *a* fair, honourable.
honning *s* honey; ~ **kake** *s* (bi-) honey-comb; (kake) gingerbread.
honnør *s* honour(s).
honor|ar *s* fee; ~ **ere** *v* pay, *merc* honour.
hop *s* crowd, heap; ~ **e** *v* heap up, amass.
hopp *s* jump, leap; ~ **e** *s* mare; *v* jump, leap.
hor *s* adultery.
horde *s* horde.
hore *s* prostitute.
horisont *s* horizon; ~ **al** *a* horizontal.
hormon *s* hormone.
horn *s* horn; (måne) crescent.
horoskop *s* horoscope.
hos *prp* with, by; at.
hose *s* hose, stocking; ~ **båndsorden** *s* Order of the Garter.
hoslagt *a* enclosed.
hospit|al *s* hospital; ~ **s** *s* hospice.
hosstående *a* present; *s* bystander.
hoste *s v* cough.
hostie *s* host.
hotell *s* hotel, inn.
hov *s* hoof; *rel* temple.
hoved- *a* chief, head, main; principal; ~ **bok** *s* ledger; ~ **fag** *s* principal study; ~ **kvarter** *s* head quarters; ~ **sak** *s* main point; ~ **sakelig** *av* mainly; ~ **stad** *s* capital.
hov|en *a* swollen; *fig* arrogant; ~ **ere** *v* exult.
hov|mester *s* steward, head waiter; ~ **mot** *s* arrogance, haugtiness; ~ **modig** *a* arrogant, haughty.
hovne *v* swell.
Hr. (foran) Mr; (etter) Esq.
hubro *s* eagle owl.
hud *s* skin; hide; ~ **farge** *s* complexion; ~ **flette** *v* lash; ~ **løs** *a* raw, galled.
hue (= lue), *s* cap, bonnet.
hug *s* mind, mood.
hugg (se hogg); ~ **ert** *s* cutlass; **orm** *s* viper; ~ **tann** *s* tusk, fang.
huk *s* **sitte på** ~, squat; ~ **e** *vr* stoop, crouch.
hukommelse *s* memory.
hul *a* hollow.
hulder *s* fairy.

hul|e *s* cave, den; ~ **e ut** *v* hollow; ~ **het** *s* cavity.
hulke *v* sob.
hull *s* hole, gap.
hulning *s* hollow.
hulter til bulter pell-mell.
hulvei *s* sunken road.
human *a* humane; ~ **itet** *s* humanity.
humbug *s* humbug.
humle *s zo* humble-bee; *bot* hope.
hummer *s* lobster.
humor *s* humour; ~ **istisk** *a* humorous.
humre *v* whinny (om hest).
humør *s* spirits, humour, temper.
hund *s* dog, hound; ~ **glam** *s* bay; ~ **ehus** *s* dog-kennel; ~ **ehvalp** *s* pup(-py); ~ **ekobbel** *s* leash, pack.
hundre *num* a hundred; ~ **årig** *a* centennial; ~ **årsfest** *s* centenary.
hundse *v* treat like a dog.
hung|er *s* hunger; ~ **ersnød** *s* famine; ~ **re** *v* starve, *fig* hunger; ~ **rig** *a* hungry.
hunn *s* female; *a* female, she-; ~ **kjønn** *s* female sex, *gr* feminine gender.
hurra *int* huzza, hurra(h); **rope** ~ cheer; ~ **rop** *s* cheer.
hurtig *a* quick, fast, swift; ~ **het** *s* rate, speed; despatch; **tog** *s* express(train).
hus *s* house, *merc* firm.
husar *s* hussar.
hus|bond *s* master; ~ **dyr** *s* domestic animal; ~ **e** *v* house, *fig* harbour; ~ **ere** *v* make havoc; ~ **geråd** *s* domestic furniture; ~ **holderske** *s* housekeeper; ~ **holdning** *s* housekeeping; ~ **hovmester** *s* steward.
huske *s* swing; *v* remember; swing, rock.
hus|leie *s* rent; ~ **lig** *a* domestic, thrifty; ~ **ly** *s* shelter; ~ **mann** *s* cottager; ~ **mor** *s* mistress; ~ **stand** *s* household; ~ **tru** *s* wife.
hva *pron* what.
hval *s* whale; ~ **fanger** *s* whaler; ~ **fangst** *s* whaling.
hvalp *s* puppy, whelp.
hvalross *s* walrus.
hvelv *s* arch, vault; ~ **e** (jfr. kvelve) *v* vault, arch; ~ **ing** *s* arch, vault.
hvem *pron* who, which; ~ **som helst** anybody.
hver *pron* every(body), each; ~ **andre** each other; ~ **dag** *s* weekday; ~ **dagsdress** *s* lounge-suit; ~ **dagslig** *a* trivial, commonplace; ~ **gang** *kj* whenever.
hverken-eller *kj* neither-nor.
hvese *v* hiss.
hvete *s* wheat; ~ **brød** *s* (white)bread; ~ **brødsdager** *s* honeymoon; ~ **bolle** *s* bun, muffin; ~ **mel** *s* flour.
hvil *s* rest; ~ **e** *s* rest, repose; *v* rest; ~ **eløs** *a* restless.
hvilken *pron* which, what (a); ~ **som helst** any.
hvirv|el *s* whirl; eddy; ~ **eldyr** *s zo* vertebral (animal); ~ **elstorm** *s* tornado; ~ **le** *v* whirl, eddy.
hvis *kj* if, in case; *pron* whose, of which; ~ **ikke** *kj* unless.
hviske *v* whisper.
hvit *a* white; ~ **e** *s* (egg-) white; ~ **evarer** *s* linen articles, lingerie; ~ **glødende,** *a* incandescent; ~ **løk** *s* garlic; ~ **ne** *v* whiten; ~ **te** *v* whitewash.
hvitting *s zo* whiting.
hvitveis *s* white anemone.
hvor *av* where; how; ~ **dan** *av* how; ~ **for** *kj* why; ~ **hen** *av* where; ~ **imot** *av* wheras; ~ **ledes** *av* how; ~ som helst, *av* anywhere; ~ **vidt** *kj* whether.

hybel *s* bed-sitting-room, *fam* digs.
hyene *s zo* hyena.
hygge *s* comfort, ease; *v* make comfortable, *vr* feel at home; ~ **lig** *a* comfortable, snug, cosy.
hygien|e *s* sanitation; ~ **isk** *a* hygienic.
hykle *v* dissemble; ~ **r** *s* hypocrite; ~ **ri** *s* hypocrisy; ~ **risk** *a* hypocritical.
hyl(e) *s*(*v*) howl, yell.
hyll *s bot* elder.
hylle *s* shelf, (i kupé) rack; cover; *v* wrap, cover; (ære) pay homage to, (idé) embrace; ~ **st** *s* homage, favour.
hylse *s* casing.
hylster *s* case, covering.
hymne *s* hymn.
hypno|se *s* hypnosis; ~ **tisere** *v* hypnotize.
hypo|konder *s* hypochondriac; ~**tek** *s merc* mortgage; ~ **tese** *s* hypothesis.
hyppe *v* hoe.
hyppig *a* frequent.
hyrde *s* shepherd.
hyre *s* hire, employ(-ment); wages, *v* hire, engage.
hysj! hush! order! ~ **e** *v* hush.
hysse ned *v* hiss at.
hyssing *s* pack-thread, string.
hysteri *s* hysteria; ~ **sk** *a* hysterical.
hytte *s* hut, cabin; *vr* save one's skin.
hæl *s* heel.
hær *s* army, host; ~ **fører** *s* commander; ~ **skare** *s* host; ~ **verk** *s* ravage.
høflig *a* polite, civil; ~ **het** *s* politeness, civility, courtesy.
høgd *s* top, hill.
høk|er *s* chandler; ~ **re** *v* huckster, hawk.
høl|je *v* pour down; ~ **regn** *s* downpour.
høn|e *s* hen, fowl; (mat) chicken; ~ **s** *coll* fowl, poultry; ~ **sehus** *s* hencoop; ~ **seri** *s* hennery.
hør(gul) *s* (*a*) flax(en).
hør|bar *a* audible; ~ **e** *v* hear, listen; **e til** belong to; ~ **evidde** *s* earshot; ~ **lig** *a* audible; ~ **sel** *s* hearing.
høst *s* autumn; (avl.) harvest, crop; ~ **e** *v* reap, harvest.
høve *s* opportunity; occasion; *v* suit, fit.
høvedsmann *s* leader.
høvel *s* plane.
høv|elig *a* suitable; ~ **isk** *a* courteous; decent.
høvle *v* plane.
høy *s* hay; *a* high, tall, (lyd) loud; ~ **aktelse** *s* high esteem; ~ **de** *s* height, level; pitch, stature; ~ **demåler** *s* altimeter; ~ **deror** *s* elevator (fly); ~ **e** *v* make hay.
høy|esterett *s* supreme court; ~ **forræderi** *s* high treason; ~ **forrædersk** *a* treasonable; ~ **het** *s* highness (H-); ~ **ing** *s* haymaking; ~ **lig** *av* highly; ~ **modig** *a* magnanimous; ~ **modighet** *s* magnanimity; ~ **ne** *v* raise; ~ **onn** *s* haymaking (season).
høyre *a* right; ~ **mann** *s* conservative.
høy|røstet *a* loud, boisterous; ~ **sete** *s* throne, high seat; **sinnet** *a* magnanimous; ~ **skole** *s* university, academy.
høyst *av* at most; highly.
høy|stakk *s* hay-rick, ~ **såte** *s* haycock; ~ **tid** *s* festival; ~ **tidelig** *a* solemn; ~ **tidelighet** *s* solemnity; ~ **vann** *s* high tide.
høyttaler *s* loud-speaker.
høyttravende *a* bombastic.
hå *s* (gras) aftermath.
hålke(føre) *s* slippery ice.
hån *s* scorn.
hånd (jfr. hand) *s* hand; ~ **arbeid** *s* needlework; ~ **bok** *s*

manual; ~ **flate** *s* palm; ~ **gemeng** *s* scuffle; ~ **grep** *s* handle; ~ **gripelig** *a* palpable; ~ **gripeligheter** *s* fighting; ~ **heve** *v* maintain; ~ **jern** *s* handcuffs; ~ **kle** *s* towel; ~ **koffert** *s* suitcase, bag, (større) portmanteau; ~ **langer** *s* assistant; ~ **ledd** *s* wrist; ~ **skrift** *s* handwriting; ~ **tering** *s* trade, craft; ~ **terlig** *a* manageable; ~**verk** *s* trade, craft; ~**verker** *s* artisan, mechanic, handicraftsman.

hån|e *v* scorn, scoff; ~ **lig** *a* scornful; ~ **sord** *s* taunts.

håp *s* hope; ~**e** *v* hope; ~ **efull** *a* hopeful; ~ **løs** *a* hopeless.

hår *s* hair.

hård, se **hard**.

hår|et *a* hairy; ~ **fin** *a fig* very nice; ~ **nål** *s* hairpin; ~ **pisk** *s* pigtail; ~ **sbredd** *s* hairbreadth; ~ **vann** *s* hair-wash, lotion; ~ **vask** *s* shampoo.

håv *s* landing-net, dipper.

I.

i *prp* in(-to), at, for

i aften *av* this evening, tonight.

i|akta *v* observe; ~ **akttagelse** *s* observation; ~ **allfall** *av* at any rate, in any case.

ibenholt *s* ebony.

i|beregnet *av* including; ~ **blant** *prp* among; *av* sometimes; ~ **boende** *a* immanent; ~ **dag** *av* to-day.

idé *s* idea, notion ~ **al** *s* ideal; ~ **alisere** *v* idealize; ~ **ell** *a* ideal.

identisk *a* identical.

idet *kj* when; because.

idiot *s* idiot; ~**i** *s* idiocy; ~ **isk** *a* idiotic.

idrett *s* (fri) athletics; athletic sports; ~ **forbund** *s* athletic federation; ~ **smann** *s* sportsman.

idyll(isk) *s* (*a*) idyl(lic).

i|dømme *v* sentence to; ~ **fall** *kj* in case; ~ **ferd med** *prp* about (to); ~ **fjor** *av* last year; ~ **forfjor** *av* the year before last; ~ **forgårs** *av* the day before yesterday; ~ **forveien** *av* beforehand; ~ **fra** *prp* from, *av* off; ~ **følge** *kj* according to, in consequence of; ~ **føre** *v* dress in; *vr* put on; ~ **gang** *av* going (on); ~ **gangsette** *v* start; ~ **gjen** *av* again, back; left; ~ **gjennom** *prp* through; ~ **gjære** *av* afoot, astir.

igle *s* leech.

ignorere *v* disregard, ignore.

i|går *av* yesterday; ~ **hendehaver** *s* bearer, holder; ~ **herdig** *a* energetic, persistent; ~ **herdighet** *s* perseverance; ~ **hjel** *av* to death; ~ **hvert fall** *av* at any rate, at all events.

ikke *av* not.

ikrafttreden *s* coming into force (operation).

il *s* haste; ~ **bud** *s* express.

i land *av* on shore, ashore; ~ **bringelse** *s* landing.

ild *s* fire; ~ **e** *v* heat, light; ~ **ebrann** *s* fire; ~ **fast** *a* fireproof; ~ **full** *a* fiery; ~**ne** *v* animate; ~ **rød,** *a* fiery red; ~ **sted** *s* fire-place; ~ **tang** *s* tongs.

ile *s* well; *v* make haste.

ilegge *v* impose (on).

ilferdig *a* hurried.

iligne *v* assess.

iling *s* shooting.

ille *av* badly, ill; ~ **befinnende** *s* indisposition.

il|legitim *a* illegitimate; ~ **lojal** *a* disloyal; ~ **luminere** *v* illuminate; ~ **lusorisk** *a*

illusory; ~ **lustrere** *v* illustrate.
ilsk *a* irritable.
ilter *a* irascible.
imaginær *a* imaginary.
imbesil *a* imbecile.
i|mellom *prp* between; *av* at times; ~ **mens** *av* meanwhile; ~ **midlertid** *av* meanwhile, however.
immatrikulere *v* matriculate.
i morgen *av* to-morrow; ~ **morges** *av* this morning; ~ **mot** *prp* against, towards; compared with.
im|perfektum *s gr* past (tense), preterite; ~ **pertinent** *a* impertinent; ~ **plisere** *v* implicate; imply; ~ **ponere** *v* impress, awe; ~ **ponerende** *a* impressive: ~ **port** *s* import(ation) ~ **portere** *v* import; ~ **portør** *s* importer; ~ **pregnere** *v* imbue; ~ **presario** *s* manager; ~ **provisere** *v* extemporize; ~ **puls** *s* impulse; ~ **pulsiv** *a* impulsive.
imøte|gå *v* refute; ~ **gåelse** *s* refutation; ~ **komme** *v* meet; ~ **kommende** *a* obliging; ~ **se,** *v* look forward to.
in|citere *v* stimulate; ~ **deks** *s* index; ~**deksregulering** *s* adjustment of the index.
inder *s* Indian.
inderlig *a* heartfelt; *av* heartily.
indian|er *s* (red) Indian; ~ **sk** *a* Indian.
in|dignert *a* indignant; ~ **direkte** *a* indirect; ~ **diskret** *a* indiscreet; ~ **disponert** *a* indisposed; ~ **divid** *s* individual; ~ **dividuell** *a* individual.
indre *a* inner, interior; (politisk) domestic.
in|dustry *s* industry; ~ **dustriell** *a* industrial; ~ **fam** *a* infamous; ~ **fanteri** *s* infantry, foot; ~ **fanterist** *s* foot soldier; ~ **feksjon** *s* infection; ~ **fernalsk** *a* infernal; ~ **fisere** *v* infect; ~ **fluensa** *s* the influenza; ~ **fluere på** *v* influence.
ingefær *s* ginger.
ingen *pron* no (~ body), neither (av to) none (fl).
ingeniør *s* engineer.
ingen|lunde *av* not at all; ~ **som helst** no (none, no one), whatever; ~ **steds** *av* nowhere; ~ **ting** nothing.
in|grediens *s* ingredient; ~ **habil** *a* disqualified; ~ **halere** *v* inhale; ~ **itialer** *s* initials; ~ **itiativ** *s* initiative; ~ **jurie** *s* insult, libel; ~ **juriere** *v* libel, insult; ~ **karnert** *a* incarnate; ~ **kasso** *s* debt, collection, recovery; ~**kassator** *s* collector (of debts); ~ **klusive** *a* inclusive (of); ~ **kognito** *av* incognito; ~ **kompetanse** *s* incompetence; ~ **konsekvens** *a* inconsistency; ~ **kurie** *s* slip.
inn *av* in; ~**i** *prp* into.
inn|ad *av* inwards; ~ **advendt** *a fig* contemplative; ~ **anke** *v* appeal; ~ **arbeide** *v* establish, work in; ~ **befatte** *v* include, comprise; ~ **berette** *v* report; ~ **beretning** *s* report, ~ **betale** *v* pay in; ~ **bille** *v* make believe; *vr* imagine, fancy; ~ **bilning (skraft)** *s* imagination; ~ **bilsk** *a* conceited; ~ **bilskhet** *s* conceit; ~ **bilt** *a* imaginary; ~ **binde** *v* bind; ~ **blanding** *s* interference; ~ **blikk** *s* insight, glimpse; ~ **bo** *s* furniture; ~ **bringe** *v* bring in, (pris) fetch; ~ **bringende** *a* lucrative; ~ **brudd** *s* housebreaking; ~ **bruddstyv** *s* burglar; ~ **bruddstyveri** *s* burglary; ~ **bunden** *a* bound; ~ **by** *a* invite; ~ **bydelse** *s* invitation; ~ **bygger** *s* inhabitant; ~ **byrdes** *a* mutual,

common; ~ **dele** *v* divide, classify; ~ **deling** *s* division; ~ **dra** *v* suppress, cancel; confiscate; ~ **drive** *v* call in, (skatt) collect; ~ **drivelse** *s* collection.

inne *av* in, **være ~ i** *fig* master; ~ **bære** *v* imply; ~ **frosset** *a* icebound; ~ **ha** *v* hold; ~ **haver** *s* occupant, holder; ~ **holde** *v* hold, contain; ~ **lukke** *s* enclosure; *v* shut in(up).

innen *prp* within, before, *kj* before; ~ **at** *av* by book; ~ **bys** *av* within the town; ~ **dørs** *av* within doors; ~ **for** *prp* (*av*) within, inside; ~ **lands** *av* at home; ~ **landsk** *a* domestic, home-; ~ **skjærs** *av* in sheltered waters.

inner|side *s* inside; ~ **st** *a* inmost; ~ **ste** *s fig* heart.

inne|slutte *v* confine, *mil* invest; ~ **sluttet** *a* reserved; ~ **sluttethet** *s* reserve; ~ **sperre** *v* imprison, shut up; ~ **sperring** *s* imprisonment; ~ **stenge** *v* confine, lock up; ~ **stå for** *v* answer for, go bail for; ~ **værende** *a* present.

inn|fall *s mil* raid; fancy, whim; ~ **fallen** *a* gaunt, hollow; ~ **fatning** *s* setting, frame; ~ **fatte** *v* set, mount; ~ **finne** *vr* appear, attend; ~ **flytelse** *s* influence; ~ **flytelsesrik** *a* influential; ~ **fri** *v* pay; ~ **født** *a* native; ~ **føre** *v* import; introduce; *merk* enter; ~ **førsel** *s* imports, ~ ation.

inn|gang *s* entrance; ~ **gjerde** *v* fence in; ~ **gravere** *v* engrave; ~ **grep** *s* enchroachment, *med* operation; ~ **grodd** *a* deeply rooted, inveterate; ~ **gyte** *v fig* inspire with; ~ **gående** *a* thorough; ~ **hegning** *s* enclosure; ~ **hente** *v* overtake, recover; ~ **hold** *s* content(s); ~ **holdsfortegnelse** *s* table of contents; ~ **holdsløs** *a* empty; ~ **hugg** *s* inroad; ~ **hul** *a* concave; ~ **hylle** *v* envelop; ~ **høstning** *s* harvest.

inn|kalle *v* summon, call in; ~ **kallelse** *s* summons; ~ **kassere** *v* cash, collect; ~ **kjøp(e)** *s* (*v*) purchase; ~ **kjørsel** *s* drive; ~ **klarering** *s* entry, clearance; ~ **komst** *s* income; ~ **kreve** *v* collect; ~ **kvartere** *v* quarter, billet; ~ **kvartering** *s* quartering; ~ **land** *s*, *a* inland; ~ **laste** *v* load, ship; ~ **late** *v* admit; *vr* enter (into); ~ **latende** *a* familiar; ~ **lede** *v* open; ~ **ledende** *a* introductory; ~ **ledning** *s* introduction; ~ **legg** *s jur* plea; ~ **levere** *v* deliver, hand in; ~ **levering** *s* delivery; ~ **losjere** *v* lodge; ~ **lysende** *a* evident; ~ **løp** *s* mouth; ~ **løse** *v* redeem; ~ **mat** *s* pluck, tripe; ~ **over** *av* in(-wards).

inn|pass *s* access; ~ **passe** *v* fit in; ~ **pode** *v* graft, *fig* inoculate; ~ **prente** *v* inculcate(on); ~ **ramme** *v* frame; ~ **rede** *v* fit, furnish; ~ **retning** *s* arrangement, device; ~ **rette** *v* arrange, *vr* adapt (accomodate) oneself (to); ~ **rullere** *v* enrol; ~ **rykke** *v* insert; ~ **rømme** *v* admit; own; grant; ~ **rømmelse** *s* admission; concession.

inn|samling *s* collection, subscription; ~ **sats** *s* stake (s); work done; ~ **se** *v* see; ~ **sende** *v* send in; ~ **sette** *v* install; ~ **sigelse** *s* objection; ~ **sikt** *s* insight; ~ **siktsfull** *a* competent; ~ **sjø** *s* lake; ~ **skipe** *v* ship, embark; ~ **skipning** *s* shipment, embarkation; ~ **skjerpe** *v* enjoin (on); ~ **skrenke** *v* restrict; ~ **skrenket** *a* weak; limited; ~ **skrenkning** *s* restriction; ~ **skrift** *s* inscription; ~ **skrive** *v* inscribe, (bagasje) register; ~ **skrumpet** *a* shrunken; ~ **skudd** *s* contribution; bank, deposit ~ **skyter** *s* depositor; ~ **skytelse** *s* inspiration; ~ **slag** *s* element, feature; ~ **smigre** *vr* insinuate oneself; ~ **smøre** *v* grease; ~ **snitt** *s* incision; ~ **sprøytning** *s* injection; ~ **stendig** *a* urgent; ~ **stifte** *v* institute; ~ **stille** *v* nominate, adjust, focus; stop, suspend; ~ **stilling** *s* nomination; adjustment; stop; ~ **studere** *v* study, *teat* rehearse; ~ **studering** *s* *teat* rehearsal.

inn|ta *v* take up, occupy, partake of, *mil* carry, take; ~**tagende** *a* charming; ~ **tatt i** in love with; ~ **tak** *s* intake; ~ **tekt** *s* income, proceeds; ~ **til** *prp* (up) to, till; ~ **tog** *s* entry; ~ **tre** *v* occur; enter (into); ~ **tredelse** *s* entrance, entry; ~ **treffe** *v* happen, occur; ~ **trengende** *a* earnest, forcible; ~ **trykk** *s* impression.

inn|vandrer *s* immigrant; ~ **varsle** *v* inaugurate, herald; ~ **vende** *v* object; ~ **vendig** *a* internal, inside; ~ **vending** *s* objection; ~ **vie** *v* inaugurate; ~ **vikle** *v* entangle; ~ **viklet** *a* intricate; ~ **vilge** *v* consent (to), grant; ~ **virke på** *v* react on, affect; ~ **virkning** *s* reaction, influence; ~ **voller** *s* bowels, entrails; ~ **vortes** *a* internal; *s* inside; ~ **våner** *s* inhabitant; ~ **ynde** *vr* ingratiate oneself; ~ **øve** *v* train, practise; ~ **ånde** *v* breathe; ~ **ånding** *s* respiration.

in|sekt *s* insect; ~ **sektbitt** *s* sting; ~ **serat** *s* article, notice; ~ **sinuere** *v* hint; ~ **solvens** *s* insolvency; ~ **speksjon** *s* inspection; ~**spektrise** *s* lady inspector; ~ **spektør** *s* inspector; ~**spisere** *v* inspect; ~ **spirere** *v* inspire; ~ **stallere** *v* install; ~ **stans** *s* instance; ~ **stinkt** *s* instinct; ~ **stinktsmessig** *a* instinctive; ~ **stitutt** *s* establishment, institute, school; ~ **struere** *v* instruct; ~ **struks** *s* instructions; ~ **struktiv** *a* instructive; ~ **telligens** *s* intelligence; ~ **tens** *a* intense ~ **tensitet** *s* intensity; ~ **teressant** *a* interesting; ~ **teresse** *s* interest; ~ **teressere** *v* interest, *vr* take an interest (in); ~**teriør** *s* interior; ~**terkontinental rakett** *s* intercontinental missile; ~ **ternasjonal** *a* international; ~ **ternat** *s* boarding school; ~ **ternere** *v* intern; ~ **terpellant** *s* questioner; ~ **terpellere** *v* put a question to; ~ **tervju** *s* interview; ~ **tervjue** *v* *ib.*

intet *pron* no(-thing), neither; ~ **kjønn** *s* neuter; ~ **sigende** *a* insignificant, insipid.

in|tim *a* intimate; ~ **timitet**, *s* intimacy; ~ **toleranse** *a* intolerance; ~ **trigant** *a* scheming, intriguing; *s* schemer; ~ **trigere** *v* plot, intrigue; ~ **trodusere** *v* introduce; ~ **troduksjon** *s* (letter of) introduction; ~ **valid** *s* disabled soldier, invalid; ~ **ventar** *s* furniture, (fast) fixtures; ~ **vestere** *v* invest; ~ **vitere** *v* invite, (kort) lead; ~ **vitt** *s* invitation; lead.

overmorgen *av* the day after to-morrow.

irer *s* Irishman (-woman).

irettesette *v* reprimand, reprove; ~ **lse** *s* reproof.

Irland Ireland.
ironi *s* irony; ~ **sk** *a* ironical.
irr(e) *s* (*v*) rust.
irrit|ere *v* irritate; ~ **abel** *a* irritable.
irsk *a* Irish; **I** ~ **e Fristat** Irish Free State, Eire.
is *s* ice; ice-cream; ~ **berg** *s* ice-berg; ~ **bjørn** *s* polar bear; ~ **e** *v* ice, refrigerate; *s zo* porpoise; ~ **enkram** *s* hardware; ~ **flak** *s* flake, floe; **I** ~ **havet** the Arctic Ocean; ~ **kald** *a* icy.
iscenesetter *s* producer.
isjias *s* sciatica.
Island *s* Iceland.
islett *s* woof.
isne *v* chill; run cold; ~ **nde** *a* freezing.
isolere *v* isolate, insulate.
isse *s* crown, top.
i stand *av* in order; ~ **sette** *v* repair, mend; ~ **settelse** *s* repair.
istapp *s* icicle.
i sted *av* a while ago.
i|stedenfor *av* (*prp*) instead (of); ~ **stemme** *v* join, strike up.
ister *s* fat.
istme *s* isthmus.
især *av* particularly, especially.
itali|ener *s* Italian; ~ **ensk** *a* *ib*; **I**~**a** *s* Italy.
itu *av* broken, torn; ~ **slått** *a* smashed.
iv|er *s* zeal, eagerness; ~ **re for** *v* advocate; ~ **rig** *a* eager, anxious.
i|verksette *v* execute, carry out; ~ **verksettelse** *s* execution; ~ **øynefallende** *a* conspicuous; ~ **år** *av* this year.

J.

For ord som saknes, se sj.

ja *int* yes; nay.
jag *s* bustle, hurry; ~ **e** *v* hunt, chase; speed, race; ~ **er** *s* (seil) flying-jib; *mil* destroyer, (fly) fighter (plane).
jaguar *s zo* ounce.
jakke *s* jacket, coat.
jakt *s* (skip) sloop; chase, sport, shooting; ~ **hund** *s* hound, dog.
jam|mer *s* lamentation, misery; ~ **merlig** *a* pitiable; ~ **re** *v* wail.
januar January.
japan|er *s* Japanese; ~ **sk** *a* Japan(ese).
jarl *s* earl.
jeg *pron* I; *s* self.
jeger *s* sportsman, hunter.
jekk *s* jack; ~ **e** *v* jack up.
jeksel *s* molar.
jente *s* girl; maid; lass.
jern *s* iron; ~ **bane** *s* railway; ~ **beslått** *a* ironbound; ~ **blikk** *s* sheet-iron; ~ **handler**; *s* iron-monger; ~ **støperi** *s* iron-foundry; ~ **varer** *s* iron-ware.
jerpe *s zo* hazel hen.
jerv *s zo* glutton.
jetfly *s* jet plane, jet liner; **jet-(reaksjons)-drevet** *a* Jet-propelled.
jette *s* giant.
jevn *a* even, level, smooth; (lik) equal, constant, (ordinær) plain, artless; ~ **aldrende** *a* of the same age; ~ **byrdig** *s* equal; ~ **døgn** *s* equinox; ~ **e** *v* smooth; ~ **god** *a* equal; ~ **ing** *s* thickening; ~ **lig** *a* frequent; ~ **sides** *a* abreast.
jibb(e) *s* (*v*) jib.
jo *av* yes; ~ **desto** the-the.
jobb *s* job; ~ **e** *v* job; ~ **er** *s* stock-jobber, speculator.
jod *s* iodine.
jolle *s* jolly-boat.
jomfru *s* maid(en), virgin; (redsk.) beetle; ~ **elig** *a* virgin(-al), maiden(-ly); ~ **nalsk** *a* effeminate, womanish.

jonsok *s* Midsummer Day.
jord *s* earth, ground, soil, land; ˷ **bruk** *s* agriculture, farming; ˷ **bunn** *s* soil; ˷ **bær** *s* strawberry; ˷ **e** *s* field; *v* bury; ˷ **egods** *s* landed property; ˷ **isk** *a* earthly; ˷ **klump** *s* clod; ˷ **mor** *s* midwife; ˷ **skjelv** *s* earthquake; ˷ **skred** *s* land-slide; ˷ slag *s* mildew.
jour, **à** ˷ up to date, level; ˷ **havende** *a* on duty; ˷ **nal** *s* journal; ˷ **nalist** *s* journalist, pressman; ˷ **nalistikk** *s* journalism.
jovial *a* jovial.
jub|el *s* exultation, delight; ˷ **ilant** *s* jubilant; ˷ **ileum** *s* jubilee; ˷ **le** *v* shout with joy, exult; ˷ **lende** *a* exultant.
judisium *s* judgment.
juks *s* cheating; trumpery; trash; ˷ **e** *v* cheat.
jul *s* Christmas; ˷ **aften** *s* Christmas-Eve; ˷ **egave** *s* C.-present, (penger) C.-box.
jule *v* thrash, lick.
juli July.
juling *s* licking.
jungel *s* jungle.
juni June.
jur *s* udder.
jur|idisk *a* juridical; ˷ **ist** *s* lawyer; ˷ **y** *s* jury; ˷ **ymann** *s* juryman.
jus *s* law.
just *av* precisely; ˷ **ere** *v* adjust, regulate; ˷ **is** *s* administration of justice; ˷ **itiarius** *s* Lord Chief Justice.
jute *s* jute(-hemp).
juv *s* gorge, ravine.
juvel *s* jewel, gem; ˷ **er** *s* jeweller.
jyde *s* Jute.
jypling *s* greenborn.
jærtegn *s* sign, omen, prodigy.
jød|e *s* Jew; ˷ **inne** *s* Jewess; ˷ **isk** *a* Jewish.
jøkel *s* glacier.
jøss! *int* gosh!
jåle *s* silly woman, vain w.; ˷ **t** *a* silly, vain.

K.

kab|al *s* patience, *fig* cabal; ˷ **el** *s* cable; ˷ **eltelegram** *s* cablegram; ˷ **inett** *s* cabinet, closet; ˷ **yss** *s mar* galley.
kadaver *s* carcass.
kadett *s* (sjø) midshipman, (land) pupil of a military academy.
kafé *s* café, coffee-house; (hotells) coffee-room.
kaffe *s* coffee.
kagge *s* keg.
kahytt *s* cabin.
kai *s* quay, embankment, landing-stage.
kaie *s zo* jack-daw.
kakao *s* cocoa.
kake *s* cake, *coll* pastry.
kakerlakk *s* cockroach.
kakkelovn *s* stove.
kakle *v* cackle.
kaktus *s* cactus.
kalamitet *s* calamity.
kalas *s* feast.
kald *a* cold; ˷ **flir(e)** *s* (*v*) sneer; ˷ **svette** *v* be in a cold perspiration.
kalender *s* calender.
kalesje *s* hood.
kalfatre *v* caulk.
kali *s* potash.
kaliber *s* caliber, bore.
kaliff *s* caliph.
kalk *s* lime, mortar, plaster; ˷ **e** *v* lime, plaster; ˷ **ovn** *s* limekiln; ˷ **stein** *s* limestone, ˷ **ulere** *v* calculate; ˷ **un** *s* turkey; ˷ **yle** *s* calculation.
kall *s* living; vocation; ˷ **e** *v* call; ˷ **else** *s* call-(ing).
kalori *s* calorie.
kal|osje *s* galosh, overshoe; ˷ **ott** *s* scull-cap.

kalv *s* calf; ~ **beint** *a* knock-kneed; ~ **e** *v* calve; ~ **ekjøtt** *s* veal; ~ **ekryss** *s* shirt-frill.
kam *s* comb; crest.
kamel *s* camel.
kameleon *s* chameleon.
kamerat *s* friend, chum, comrade, pal; *am* buddy; ~ **skap** *s* fellowship; ~ **slig** *a* comradely, chummy.
kamfer *s* camphor.
kamgarn *s* worsted.
kamin *s* fire-place; ~ **gesims** *s* mantlepiece; ~ **gitter** *s* fender; ~ **plate** *s* hob.
kammer *s* room, chamber; ~ **herre** *s* chamberlain; ~ **jomfru** *s* lady's maid; ~ **tjener** *s* valet.
kamp *s* fight, struggle, engagement; ~ **anje** *s* campaign; ~ **dyktig** *a* able-bodied; ~ **ere** *v* camp; ~ **estein** *s* boulder; ~ **fly** *s* fighting plane; ~ **udyktig** *a* disabled.
kamuflasj *s* camouflage.
kan *v* can, may.
kanadisk *a* Canadian.
kanal *s* channel; (kunstig) canal; sewer; ~ **isere** *v* canalize.
kanalje *s* villain.
kanape *s* couch.
kanarifugl *s* canary.
kandelaber candelabrum.
kandidat *s* candidate; graduate, bachelor of arts.
kandis *s* sugar-candy; ~ **ere** *v* candy.
kanel *s* cinnamon.
kanin *s* rabbit.
kanne *s* can, jug, mug; ~ **støper** *s* pewterer.
kannibal *s* cannibal.
kannik *s* canon.
kano *s* canoe.
kanon *s* cannon, gun; ~ **ade** *s* cannonade; ~ **ér** *s* gunner; ~ **isere** *v* canonize; ~ **kule** *s* cannon-ball.
kanskje *av* perhaps.
kansler *s* chancellor.
kant *s* edge, rim; (egn) part, quarter; ~ **e** *v* border, edge; (tøy) trim; ~ **et** *a* angular.
kantre *v* capsize, upset.
kao|s *s* chaos; ~ **tisk** *a* chaotic.
kapasitet *s* capacity.
kapell *s* chapel; ~ **an** *s* curate.
kaper *s* privateer.
kapers *s* caper(s).
kapit|al *s* capital, stock; principal; ~ **alanbringelse** *s* investment (of capital); ~ **tel** *s* chapter; ~ **él** *s* capital (of column) ~ **ulere** *v* capitulate.
kapp *s* cape; **om** ~, in competition; ~ **e** *s* cloak, mantle; *v* cut, clear away; ~ **es** *v* vie; ~ **estrid** *s* rivalry; ~ **løp** *s* race, heat.
kapre *v* seize, capture.
kapr|ifolium *s* honeysuckle; ~ **ise** *s* whim.
kapsel *s* capsule.
kaptein *s* captain; flight lieutenant (flyvåp.).
kapun *s* capon.
kar *sn* vessel, vat; *sc* fellow, man.
kar|abin *s* carabine; ~ **affel** *s* decanter, bottle; ~ **akter** *s* character; (skole) mark; ~ **akterfast** *a* firm; ~ **akterisere** *v* characterize; ~ **akteristikk** *s* character(ization); ~ **akteristisk** *a* characteristic; ~ **amell** *s* caramel; ~ **antene** *s* quarantine; ~ **at** *s* carat; ~ **avane** *s* caravan; ~ **bid** *s* carbide; ~ **bonade** *s* chop.
karde *s, v* card.
kardemomme *s* cardamom.
kardialgi *s* heartburn.
kare *v* stir, rake.
karett *s* coach.
karik|atur *s* caricature, (tegning) cartoon; take-off; ~ **ere** *v* overdraw, caricature.
karjol *s* cariole.
karm *s* frame, case.
kar|mosin *s* crimson; ~ **napp** *s* jutty, bay, bow, oriel(-win-

dow); ⁓ **neval** *s* carnival, fancy-dress ball; ⁓ **niss** *s* cornice; ⁓ **osse** *s* coach; ⁓ **osseri** *s* body (of car).
karri *s* curry.
karriere *s* career; gallop.
karrig *a* (jord) barren.
karslig *a* manly.
kart *s* (land) map, (sjø) chart; unripe fruit (berry); **legge** *v* map, chart; ⁓ **ong** *s* carton, (tegn.) cartoon.
karusell *s* merry-go-round.
karve *s bot* caraway; *v* cut, shred.
kaserne *s* barack(s).
kasjott *s* cell, prison.
kaskade *s* cascade.
kasse *s* box, chest, *merc* cash-box, paying-desk; ⁓ **re** *v* reject, quash; ⁓ **rer** *s* cashier, treasurer; ⁓ **rolle** *s* saucepan.
kast *s* throw, toss.
kastanje *s* chestnut.
kaste *s* caste; *v* throw, toss, cast.
kastell *s* citadel.
kastr|at *s* eunuch; ⁓ **ere** *v* castrate.
kasus *s gr* case.
kata|kombe *s* catacomb; ⁓ **log** *s* catalogue.
katarr *s* catarrh.
katastrofe *s* catastrophe.
kate|dral *s* cathedral; ⁓ **gori** *s* category; ⁓ **kismus** *s* catechism; ⁓ **ter** *s* chair, master's desk.
katol|isisme *s* Catholicism; ⁓ **ikk** *s* (Roman) Catholic; ⁓ **sk** *a* (Roman) Catholic.
katt *s* cat; ⁓ **unge** *s* kitten.
kau|sjon *s* security, bail; ⁓ **sjonere** *v* go bail, be surety; ⁓ **sjonist** *s* surety.
kautsjuk *s* india-rubber.
kav *s* struggling, bustle; ⁓ **e** *v* struggle, bustle.
kaval|er *s* cavalier; (dans) partner; ⁓ **eri** *s* cavalry; ⁓ **erist** *s* trooper.
kaviar *s* caviare.
kavring *s* biscuit, rusk.
kediv *s* khedive.
kei *a* sick, tired.
keiser *s* emperor; ⁓ **dømme** *s* empire; ⁓ **inne** *s* empress; ⁓ **lig** *a* imperial.
keitet *a* awkward.
keiv|e *s* left hand; ⁓ **hendt** *a* left-handed.
kelner *s* waiter.
kelter *s* Celt.
kemner *s* receiver of taxes.
kenguru *s* kangaroo.
keramikk *s* ceramics.
kik|e *v* peep, pry; (hoste) hoop; ⁓ **hoste** *s* hooping-cough.
kikkert *s* binoculars, telescope; (prisme) fieldglasses; operaglasses.
kiks *s* sudden pain; ⁓ **ekule** *s* marble.
kil *s* creek.
kilde *s* *fig* authority, source.
kile *s* wedge, (spill) *pl* nine-pins, skittles; *v* wedge; tickle; ⁓ **n** *a* ticklish; ⁓ **skrift** *s* cuneiform; ⁓ **vink** *s* tingler.
killing *s* kitten, kid.
kim *s* germ, seed.
kime *v* ring, chime.
Kina China.
kinematograf *s* cinema.
kines|er *s* Chinese, Chinaman; ⁓ **isk** *a* Chinese.
kingelvev *s* cobweb.
kinin *s* quinine.
kinkig *a* delicate.
kinn *s* cheek.
kino *s* cinema, picture palace, pictures.
kiosk *s* kiosk.
kippe *v* (sko) slip off.
kirke *s* church; (sekt) chapel; ⁓ **gård** *s* cemetery, churchyard, burial-grounds; ⁓ **lig** *a* church-; ⁓ **møte** *s* synod; ⁓ **stol** *s* pew; ⁓ **tårn** *s* steeple.
kirsebær *s* cherry.

kirurg *s* surgeon; ~ **i** *s* surgery; ~ **isk** *a* surgical.
kis *s* pyrites.
kisel *s* silex.
kiste *s* chest; (lik-) coffin.
kittel *s* smock-frock.
kiv *s* wrangling; ~ **es** *v* quarrel.
kjake *s* jaw, cheek.
kjapp *a* quick.
kjas(e) *s* (*v*) toil.
kje *s* kid.
kjed *a* tired, sick; ~ **e** *v* bore *vr* be bored.
kjede *s* chain.
kjed|elig *a* dull, tedious; annoying; ~ **somhet** *s* boredom; ~ **sommelig** *a* tedious.
kjeft *s* jaw, muzzle, ~ **es** *v* bicker.
kjegle *s* cone.
kjekk *a* bold, plucky; ~ **het** *s* pluck.
kjekl *s* quarrelling; ~ **e** *v* squabble, quarrel.
kjeks *s* biscuit(s).
kjelde *s* spring, source.
kjele *s* kettle, boiler.
kjelke *s* sleigh, toboggan.
kjeller *s* cellar, vault; ~ **etasje** *s* basement; ~ **mester** *s* butler.
kjeltring *s* scoundrel; ~ **aktig** *a* villainous; ~ **strek** *s* villainy.
kjemi *s* chemistry; ~ **kalier** *s* chemicals; ~ **ker** *s* chemist; ~ **sk** *a* chemical.
kjemme *v* comb.
kjempe *s* giant; *v* fight; ~ **messig** *a* gigantic.
kjenn|e *v* know; feel; *jur* judge; ~ **elig** *a* perceptible, recognizable; ~ **else** *s jur* verdict; ~ **emerke** *s* sign, mark; ~ **er** *s* connoisseur; ~ **ing** *s* acquaintance; ~ **skap** *s* knowledge.
kjens|el *s* **dra** ~ **el på** identify; ~ **gjerning** *s* fact.
kjent *a* known; familiar; ~ **mann** *s* pilot.
kjepp *s* stick, rod; ~ **hest** *s fig* hobby, fad.
kjerne *s* kernel, pip; fig nucleus, pith; (smør) churn; *v* churn; ~ **fysisk** *a* nuclear; ~ **punkt** *s* gist, essential point.
kjerr *s* shrubbery.
kjerre *s* cart.
kjerring *s* crone, dame.
kjerte *s* taper.
kjertel *s* gland.
kjerub *s* cherub.
kjetter *s* heretic; ~ **i** *s* heresy; ~ **sk** *a* heretical.
kjetting *s* chain, cable.
kjeve *s* jaw.
kjevle *v* roll.
kjole *s* dress, gown, frock, (snipp~) dress-coat; ~ **liv** *s* bodice.
kjortel *s* coat.
kjæle *v* fondle, caress, pet; ~ **degge** *s* pet; ~ **n** *a* tender; fond of caresses; ~ **ri** *s* fondling, caresses.
kjær *a* dear; ~ **emål** *s jur* complaint; ~ **este** *s* sweetheart, lover; ~ **kommen** *a* welcome; ~ **lig** *a* affectionate; ~ **lighet** *s* affection, love; ~ **tegn** *s* caress.
kjød *s fig* flesh; ~ **elig** *a* (slekt) own, blood; *fig* carnal, fleshly.
kjøkken *s* kitchen; (matl.) cooking; ~ **benk** *s* dresser; ~ **vask** *s* sink.
kjøl *s* keel; ~ **e** *v* cool; ~ **ig** *a* cool, chilly; ~ **ighet** *s* coolness; ~ **ne** *v* cool; ~ **vann** *s* wake.
kjønn *s* sex, *gr* gender; ~ **sdeler** *s* sexual organs; ~ **slig** *a* sexual; **smodenhet** *s* puberty.
kjøp *s* purchase; ~ **e** *v* buy; ~ **mann** *s* merchant, shopkeeper; grocer; ~ **slå** *v* bargain; ~ **stad** *s* market town.
kjøre *v* drive; run; ~ **bane** *s* road(-way).

kjørel *s* vessel.
kjøring *s* driving, traffic.
kjøter *s* cur.
kjøtt *s* flesh, meat; ~ **bolle** *s* croquette; ~ **meis** *s* tit-(mouse).
kladd *s* draft, rough sketch; ~ **ebok** *s* rough-book.
klaff *s* leaf, flap; valve; ~ **e** *v* tally, suit.
klage *s* complaint, grievance; *v* complain, wail; ~ **mål** *s* grievance; ~ **nde** *a* mournful, plaintive; ~ **r** *s jur* plaintiff.
klam *a* clammy.
klammeri *s* brawl.
klamre *vr* cling.
klan *s* clan.
kland|er *s* criticism; ~ **re** *v* blame.
klang *s* sound, ring; ~ **full** *a* sonorous; ~ **løs** *a* dead.
klap|p *s* pat, slap; ~ **pe** *v* pat, clap; ~ **perslange** *s* rattle-snake; ~ **re** *v* rattle, chatter; ~ **s** *s* slap.
klar *a* clear, limpid, lucid; evident; ready; ~ **e** *v* clear, manage; ~ **ere** *v* clear; ~ **ering** *s* clearance; ~ **legge** *v* make clear; ~ **ne** *v* clear up.
klase *s* bunch, cluster.
klask(e) *s* (*v*) smack.
klass|e *s* class; form; standard; ~ **ekamerat** *s* class-mate; ~ **ifisere** *v* classify; ~ **iker** *s* classic; ~ **isk** *a* classic(al).
klatre *v* climb.
klatt *s* bit; (blekk-) blot; ~ **e** *v* daub, dabble; ~ **e bort** *v* waste.
klausul *s* clause.
klave *s* collar.
klav|er *s* piano; ~ **iatur** *s* key-board.
kle *v* dress, clothe; *fig* become.
kleb|e *v* stick, paste; ~ **ersten** *s* soapstone; ~ **rig** *a* sticky, viscous.
klede *s* cloth; ~ **drakt** *s* dress; ~ **handler** *s* draper; ~ **lig** *a* becoming.
klegg *s* horsefly.
kleiv *s* steep slope.
klekke *v* hatch; ~ **lig** *a* round, handsome.
klem *s* squeeze; **på** ~ ajar; ~ **me** *v* squeeze, pinch; *s* peg, clip, *fig* strait.
klenge *v* stick; ~ **navn** *s* nick-name.
klenodie *s* jewel.
klerikal *a* clerical.
klesbørste *s* clothes-brush.
klesskap *s* wardrobe.
kli *s* bran.
klient *s* client; ~ **el** *s* clients.
klikk *s* clique; ~ **e** *v* miss fire, click.
klima *s* climate; ~ **ks** *s* climax; ~ **tisk** *a* climatic.
klimpre *v* strum.
kline *v* paste; *fig* pet.
kling|e *s* blade; *v* sound, jingle; ~ **klang** *s* jingle.
klinikk *s* clinic.
klink|e *s* latch; *v* rivet; (glass) clink together; ~ **nagle** *s* rivet.
klint *s* cliff.
klinte *s rel* tares.
klipp *s* clip, cut; ~ **e** *v* cut, slip; trim, pare; *s* rock; **efast** *a* as firm as a rock; ~ **fisk** *s* klippfish.
klirr *s* clash, clank; ~ **e** *v* jangle, rattle.
klis|set *a* sticky; ~ **ter** *s* paste; **tre** *v* paste.
klo *s* claw, prong.
kloakk *s* sewer.
klode *s* globe.
klodrian *s* bungler.
klok *a* wise, prudent; ~ **skap** *s* wisdom, prudence.
klokke *s* clock, watch; ~ **r** *s* parish clerk.
klopp *s* plank-bridge.
klor *s* scratch; *sci* chlorine; ~ **e** *v* scratch.
klosett *s* W. C., lavatory, toilet.

kloss *av* close; *s* block; bungler; ⌣ **et** *a* clumsy.
kloster *s* convent, monastery.
klov *s* hoof.
klovn *s* buffoon.
klubb *s* club; ⌣ **e** *s* club.
kludre *v* scrawl.
klukk(e) *s* (*v*) cluck.
klump *s* lump, clod; ⌣ **e** *v* clot; ⌣ **et** *a* lumpy, clumsy; ⌣ **fot** *s* club-foot.
klunger *s* brier (briar), bramble.
klunke *v* strum.
kluss *s* trouble, scrawl; ⌣ **e med** *v* tamper with.
klut *s* rag, clout.
klynge *s* (*v*) cluster; *vr* cling.
klynk(e) *s* (*v*) whimper.
klype *s* clip; *v* pinch.
klyse *s* clot.
klyster *s* clyster, enema.
klyve *v* climb; ⌣ **r** *s mar* jib.
klær *s* clothes.
klø *v* scratch; itch; ⌣ **e** *s* itch(ing).
kløft *s* cleft, crack.
kløkt *s* ingenuity, sagacity, shrewdness; ⌣ **ig** *a* ingenious, shrewd.
kløv|hest *s* pack-horse; ⌣ **kurv** *s* pannier.
kløver *s* clover, trefoil; (kort) clubs.
kløyve *v* cleave, split.
kna *v* knead, work.
knagg *s* (wooden) peg.
knake *v* creak, groan.
knall explosion, report; ⌣ **e** *v* explode, pop; ⌣ **effekt** *s* clap-trap.
knapp *s* button; knob; *a* scanty, short; ⌣ **e** *v* button; (knipe) stint; ⌣ **enål** *s* pin; ⌣ **het** *s* shortage, scarcity.
knapt *av* hardly; scantily.
knas *s* **i** ⌣ to shivers; ⌣ **e,** ⌣ **ke** *v* scrunch.
knast *s* knot; catch.
knatt knaus *s* crag.
kne *s* knee; joint.
kneb|el *s* gag; ⌣ **le** *v ib.*
knebukser *s* breeches; knickers, plus-fours.
knegge *v* neigh.
kneik *s* slope.
kneipe *s* public-house.
kneise *v* tower, strut.
knekk *s* elbow; crack; ⌣ **e** *v* snap, break.
knekt *s* rogue, rascal; (kort) knave, jack.
knele *v* kneel.
knep *s* trick, dodge; ⌣ **en** *a* scant, sparing.
knepp(e) *s* (*v*) snap.
knickers *s* plus-fours.
knip *s* pinch; *med* gripes; ⌣ **e** *s* dilemma, fix, strait; *v* pinch, stint; (stjele) *sl* bone; ⌣ **eri** *s* stinginess; ⌣ **etang** *s* pincers; ⌣ **ete** *a* stingy.
knip|ling *s* lace; ⌣ **pe** *s* bunch, bundle; ⌣ **se** *v* snap one's fingers; ⌣ **sk** *a* prudish; ⌣ **skhet** *s* prudery.
knirke *v* creak, jar.
knitre *v* crackle.
kniv *s* knife.
knok(e) *s* knuckle.
knok|kel *s* bone; ⌣ **let** *a* bony.
knoll *s bot* tuber; clod.
knop *s mar* knot.
knopp(e) *s* (*v*) bud.
knort *s* knot; gnarl.
knott *s* knob, *zo* midge.
knudret *a* rugged.
knuge *v* squeeze; ⌣ **nde** *a* oppressive.
knurre *v* growl, snarl, *fig* murmur.
knuse *v* crush, smash.
knusleri *s* stinginess.
knute *s* knot, bump; ⌣ **punkt** *s* (jernb.) junction.
kny *v* murmur.
knytt|e *v* tie, knot, *fig* attach; ⌣ **neve** *s* fist.
koagulere *v* coagulate.
koalisjon *s* coalition.
kob|be *s* seal; ⌣ **bel** *s* leash; ⌣ **ber** *s* copper; ⌣ **berstikk**

s print; ~ **le** v couple, *fig* procure; ~ **lerske** s procuress.
kode s code.
koffert s trunk, box; bag, portmanteau, suit-case.
kogger s quiver.
kogle v charm.
koie s shanty.
kokain s cocaine.
koke v boil, seethe, cook; ~ **ekunst** s cookery; ~ **punkt** s boiling point.
kokarde s cockade.
kokett a coquettish; ~ **e** s coquette, flirt; ~ **ere** v flirt; ~ **eri** s flirtation, coquetry.
kokk(e) s cook.
kokong s cocoon.
kokosnøtt s coco-nut.
koks s coke(s).
kolbe s butt-end.
kold|blodig a cold-blooded; *fig* cool; ~ **blodighet** s coolness; ~ **brann** s gangrene, mortification.
kolera s cholera.
kolerine s cholerine.
kolerisk a choleric.
kolikk s gripes.
kolje s *zo* haddock.
koll s knoll, hill; ~ **bøtte** s somersault.
kol|lega s colleague; ~ **legial** a brotherly, fraternal, collegial; ~ **legium** s college, council.
kol|li s parcels, packages; ~ **lidere** v collide, *fig* interfere.
kollseile v capsize.
koloni s colony; ~ **al**, a colonial; ~ **alhandler** s grocer; ~ **alvarer** s grocery goods; ~ **sere** v colonize, settle; ~ **st** s settler.
kolonne s column.
koloritt s colouring.
koloss s colossus; ~ **al** a colossal.
kolportør s colporteur.
kom|binere v combine; ~ **edie** s comedy; ~ **et** s comet; ~ **fort** s comfort; ~ **fortabel** a comfortable; ~ **fyr** s kitchen range.
ko|misk a comical; ~ **mité** s committee.
komman|dere v command, be in charge (of); ~ **do** s command; ~ **dobro** s bridge.
komme v come; vr recover; s coming.
kom|mentar s commentary; ~ **mersiell** a commercial; ~ **misjon** s commission; ~ **misjonær** s commissioner; ~ **mode** s chest of drawers; ~ **munal** a local, municipal; ~ **mune** s communicipality; ~ **munikasjon** s communication; ~ **panjong** s partner; ~ **pakt** a solid; ~ **pani** s company; ~ **paniskap** s partnership; ~ **pass** s compass; ~ **pensasjon** s compensation; ~ **petanse** s competence; ~ **pleks** s complex; block; ~ **plett(ere)** a (v) complete; ~ **pliment(ere)** s (v) compliment; ~ **plisert** a complicated; ~ **plott** s plot; ~ **ponere** v compose; ~ **ponist** s composer; ~ **pott** s stewed fruit; ~ **promiss** s compromise; ~ **promittere** v compromise.
kon|disjon s condition; ~ **ditori** s confectioner's shop; ~ **dolere** v condole with; ~ **duite** s judgment, tact; ~ **duktør** s conductor (buss), guard (bane).
kone s wife; woman.
kon|fekt s confectionery, candy, chocolates; ~ **feksjon** s ready-made clothes, ready-to-wear clothing; ~ **feksjonsfabrikk** s clothing factory; ~ **ferere** v confer; compare; ~ **fesjon** s creed; ~ **fidensiell** a confidential; ~ **fiskere** v confiscate; ~ **flikt** s conflict.

kong *s med* furuncle.
konge *s* king; ~ **edømme** *s* (forf.) monarchy; kingdom; ~ **lig** *a* royal, regal; ~ **rike** *s* realm.
kongle *s bot* cone.
kongress *s* congress.
kon|jakk *s* brandy, cognac; ~ **junktur** *s* state of the market; ~ **kav** *a* concave; ~ **kludere** *v* conclude; ~ **klusjon** *s* conclusion; ~ **kret** *a* concrete; ~ **kurranse** *s* competition; ~ **kurrent** *s* competitor; ~ **kurrere** *v* compete; ~ **kurs** *s* failure; **gå** ~ **kurs** fail; ~ **kylie** *v* shell; ~ **ossement** *s* bill of lading; ~ **sekvens** *s* consistency; consequence; ~ **sekvent** *a* consistent; ~ **sentrere** *v* concentrate; ~ **sern** *s* group, combine; ~ **sert** *s* concert(o) (solo) recital; ~ **servator** *s* keeper; ~ **sis** *a* concise; ~ **soll** *s* bracket; ~ **sortium** *s* company.
kon|stabel *s* policeman; ~ **stant** *a* invariable; ~ **statere** *v* state, ascertain; ~ **struere** *v* construct; ~ **sulat** *s* consulate; ~ **sulent** *s* adviser; ~ **sultere** *v* consult; ~ **sum** *s* consumption; ~ **sument** *s* consumer; ~ **takt** *s* contact; ~ **tant** *a* cash, ready; *av* down; ~ **tingent** *s* subscription; ~ **to** *s* account; ~ **tor** *s* office; ~ **torist** *s* clerk; ~ **torsjef** *s* head office manager; ~ **trakt** *s* contract; ~ **trapart** *a* adversary; ~ **trast** *s* contrast; ~ **troll** *s* control; ~ **trollere** *v* verify, check; ~ **trovers** *s* controversy; ~ **tur** *s* outline; ~ **trolltårn** *s* control tower; ~ **vall** *s bot* lily-of-the-valley; ~ **versabel** *a* conversational; ~ **versere** *v* converse, talk; ~ **volutt** *s* envelope.
kope *v* gape, stare.
kopi *s* copy, transcript, (fot.) print; ~ **ere** *v* copy.
kop|le *v* couple; ~ **ing** *s* coupling, clutch.
kopp *s* cup; ~ **er** *s med* smallpox.
kor *s* chorus; *rel* choir; ~ **al** *a* choral.
korall *s* coral.
korint *s* currant (grape).
kork|e *s* (*v*) cork; ~ **etrekker** *s* cork-screw.
korn *s* corn; grain; (geværsikte) aim; ~ **band** *s* sheaf; ~ **et** *a* granular(y), grainy.
kornett *s* cornet.
korp *s zo* raven.
korp|oral *s* corporal; ~ **orlig** *a* bodily; ~ **s** *s* corps, body; ~ **ulent** *a* stout; ~ **us** *s* body.
korr|eks *s* reprimand, reproof; ~ **ekt** *a* correct; ~ **ektur** *s* proof(-sheet); ~ **ekturleser** *s* proof-reader; ~ **espon|anse** *s* correspondence; ~ **espondent** *s* corresponence clerk, correspondent; ~ **espondere** *v* correspond; ~ **idor** *s* corridor; ~ **igere** *v* correct; ~ **upt** *a* corrupt.
kors *s* cross; ~ **e** *vr* cross oneself; ~ **ett** *s* corset; ~ **farer** *s* crusader; ~ **feste** *v* crucify; ~ **festelse** *s* crucifixion; ~ **rygg** *s* loins; ~ **tog** *s* crusade.
kort *a* short, brief, *s* card; ~**e** *v* shorten; ~ **evare** *s* haberdashery, small wares; ~ **fattet** *a* brief; ~ **het** *s* brevity; ~ **slutning** *s* short circuit; ~ **stokk** *s* pack of cards; ~ **synt** *a* short-sighted.
korvett *s* sloop of war.
kosakk *s* cossack.
kose *vr* make oneself comfortable; ~ **lig** *a* snug, cosy.
kost *s* broom, brush; (mat) board, food; ~ **bar** *a* dear, expensive, precious; ~ **bar-**

het *s* costliness, *pl* valuables; ⁓ **e** *v* cost; ⁓ **elig** *a* precious; delightful.
kotelett *s* cutlet, chop.
koteri *s* coterie.
kott *s* closet.
kove *s* closet.
krabat *s* chap, fellow.
krabbe *s zo* crab; *v* crawl, scramble.
kraft *s* strength, force, vigour; **i** ⁓ **av** by virtue of; ⁓ **ig** *a* strong, vigorous; ⁓ **løs** *a* powerless, impotent.
krage *s* collar, tippet.
krakilsk *a* cantankerous, quarrelsome.
krakk *sn* collapse, crash; *sc* stool, jack.
kram *a* (snø) clogging, wettish; *s* trash; ⁓ **bu** *s* shop; ⁓ **me** *v* crumple; crush.
kramp|aktig *a* convulsive; ⁓ **e** *s* spasm, cramp, fit; (krok) cramp, clasp; ⁓ **etrekning** *s* convulsion.
kramsfugl *s* fieldfare.
kran *s* crane; (vann ⁓) cock
krangle *v* (pick a) quarrel; ⁓ **t** a quarrelsome.
krans *s* wreath, garland.
krapp *a* sudden; short; (sjø) choppy.
krass *a* crass, gross.
krater *s* crater.
kratt *s* scrub, shrubbery, thicket.
krav *s* claim.
kravle *v* creep, crawl.
kreatur *s fig* tool; *pl* cattle, live stock.
kredit|iv *s* letter of credit; ⁓ **or** *s* creditor; ⁓ **t** *s* credit.
kreere *s* create.
kreft *s med* cancer.
krek *s* poor creature.
krem *s* whipped cream, custard.
kremere *v* cremate.
kremmer *s* shopkeeper; ⁓ **hus** *s* cornet.
kremte *v* clear one's throat, hem.
krenge *v* bend over, heel.
krenke *v* violate; hurt, offend; ⁓ **lse** *s* violation, injury.
krepere *v* die, be killed.
krepp *s* crape.
kreps *s* crawfish.
kresen *a* fastidious, nice.
krets *s* circle, set, district; ⁓ **e** *v* circle, *fig* hover; ⁓ **løp** *s* circulation.
kreve *v* demand.
krible *v* creep.
krig *s* war; ⁓ **er** *s* warrior; ⁓ **ersk** *a* warlike, martial; ⁓ **smakt** *s* armament; ⁓ **srett** *s* court martial; ⁓ **sskip** *s* warship.
kriminell *a* criminal.
krimskrams *s* gimcrack.
kringkast|e *v* broadcast; ⁓ **ing** *s* broadcasting.
krise *s* crisis.
krist|elig *a* Christian; ⁓ **en** *s*, *a* Christian; ⁓ **endom** *s* christianity; ⁓ **enhet** *s* christendom; ⁓ **ne** *v* christianize; ⁓ **torn** *s* holly.
Kristus Christ.
kriterium *s* criterion.
kriti|ker *s* critic, reviewer; ⁓ **kk** *s* criticism, review; ⁓ **sere** *v* criticize; ⁓ **sk** *a* critical.
kritt(e) *s* (*v*) chalk.
krok *s* corner, nook; (jern-) hook; ⁓ **et** *a* crooked; ⁓ **i** *s* sketch.
krokket *s* croquet.
krokodille *s* crocodile.
krokus *s bot* crocus.
krom *s* chromium.
kron|blad *s* petal; ⁓ **e** *s* crown, (adels) coronet; *v* crown; ⁓ **hjort** *s* stag; ⁓ **ikk** *s* chronicle, reports; ⁓ **ing,** *s* coronation; ⁓ **isk** *a* chronic; ⁓ **prins(esse)** *s* crown prince(ss); (eng.) Prince(-ss) of Wales.

kronglet *a* intricate.
kropp *s* body, trunk; ~ **sarbeid(er)** *s* manual labour(er).
krukke *s* jar.
krum *a* curved; ~ **me** *v* bend, curve; ~ **ning** *s* bend, curve; ~ **spring** *s* antics; ~ **tapp** *s* crank.
krus *s* mug, jug; ~ **e** *v* curl, crisp, ripple, (tøy) ruffle; ~ **et** *a* curly; ~ **ifiks** *s* crucifix; ~ **ning** *s* ripple.
krutt *s* (gun-)powder.
kry *a* proud; *v* swarm.
krybbe *s* manger, crib.
kryd|der *s* spice, seasoning; ~ **deri** *s* spice; ~ **re** *v* spice, season.
krykke *s* crutch.
krympe *v* shrink, *vr* writhe.
kryp *s fig* poor thing; ~ **dyr** *s* reptile; ~ **e** *v* creep, crawl; ~ **ende** *a fig* servile; ~ **eri** *s* cringing; ~ **skytter** *s* poacher.
kryss *s* cross(ing); loins, *mus* sharp; ~ **e** *v* cross, *mar* cruise; ~ **er** *s* cruiser; ~ **tokt** *s* cruise.
krystall *s* crystal; ~ **isere** *v* crystallize.
kryste *v* press, hug; ~ **r** *s* coward.
krøll(e) *s* (*v*) curl; crease; ~ **tang** *s* curling-tongs.
krønike *s* chronicle.
krøpling *s* cripple.
kråke *s* crow; ~ **tær** *s* scrawl.
krås *s* crop, craw.
ku *s* cow.
kubb *s* log-ends; ~ **e** *s* stump.
kub|e *s* hive; ~ **ikk** ~ **isk** *a* cubic; ~ **us** *s* cube.
kue *v* subdue.
kufte *s* jacket, coat.
kujon *s* coward; ~ **ere** *v* bully, cow.
kul *s* bump, bulge.
kulde *s* cold, *fig* coldness.
kul|e *s* globe, sphere; ball, bullet, shot; *v* freshen; ~ **eformig** *a* globular; ~ **ing** *s* strong breeze.
kuli *s* coolie.
kulisse *s* scene, wing.
kull *s* coal; (unger) brood, litter; ~ **kaste** *v* defeat, overthrow, upset; ~ **sur** *a* carbonic.
kul|minere *v* culminate; ~ **tivert** *a* cultured; ~ **tur** *a* civilization, culture; ~ **tus** *s* cult.
kulør *s* colour.
kum *s* basin, tank.
kummer *s* grief, care; ~ **lig** *a* wretched.
kun *av* only, but.
kunde *s* customer; ~ **krets** *s* circle of customers, clientèle.
kunn|e *v* be able (to); ~ **gjøre** *v* publish; ~ **gjørelse** *s* publication, proclamation; ~ **skap** *s* knowledge.
kunst *s* art, *pl* tricks; ~ **ferdig** *a* skilful; ~ **ig** *a* artificial; ~ **let** *a* affected; ~ **ner(inne)** *s* (lady) artist; ~ **nerisk** *a* artistic; ~ **silke** *s* artificial silk; ~ **stykke** *s* trick; ~ **verk** *s* work of art.
kup *s* coup, stroke; ~ **é** *s* compartment; ~ **ert** *a* rugged, uneven; ~ **ong** *s* coupon, ticket.
kuppel *s* dome; (lampe) shade.
kur *s* cure; **gjøre** ~, make love; ~ **ant** a current; ~ **ator** *s* trustee; ~ **ér** *s* courier; ~ **ere** *v* cure, heal; ~ **iositet** *s* (object of) curiosity.
kurre *v* coo.
kurs *s* course; *merc* quotation, rate of exchange; ~ **iv** *s* italics; ~ **notering** *s* quotation; ~ **orisk** *a* cursory; ~ **us** *s* course.
kurt|isane *s* courtesan; ~ **isere** *v* flirt with, make love to; ~ **isør** *s* flirt; ~ **oasi** *s* deference.
kurv *s* basket; ~ **e** *s* curve;

~ **koffert** *s* hamper; ~ **stol** *s* wicker chair.
kusine *s* cousin.
kusk *s* coachman, driver; ~ **esete** *s* box.
kusma *s* mumps.
kusymre *s* primrose.
kutte *s* cowl, frock; *v* cut; ~ **r** *s* cutter.
kutyme *s* usage, customary practice.
kvad *s* lay, song.
kvadrat(isk) *s* (*a*) square.
kvae *s* resin.
kvaksalver *s* quack.
kval *s* agony.
kvali|fisere *v* qualify; ~ **tet** *s* quality.
kvalm *a* close; sick; *s* row; ~ **e** *s* nausea.
kvantum *s* quantity.
kvapset *a* battened-up.
kvart *s* quarter, quarto; ~ **al** *s* quarter; block, square; ~ **e** *v* steal; ~ **er** *s* quarter of an hour; (hus) quarters; ~ **ett** *s* quartet; ~ **s** *s* quartz.
kvas *s* faggots, brush.
kvasi *a* quasi.
kvass *a* keen, sharp.
kvast *s* tassel, tuft.
kve *s* cattle-pen.
kvede *s* lay; *v* sing, chant.
kveg *v* cattle.
kvege *v* refresh.
kveil *s* coil (of rope).
kveise *s* blotch.
kveite *s* *zo* halibut.
kveker *s* Quaker.
kvekk(e) *s* (*v*) croak.
kveld *s* evening.
kvel|e *v* choke, suffocate, stifle, strangle, smother, throttle; ~ **stoff** *s* nitrogen.
kvelve *v* capsize.
kverke *v* choke.
kvern *s* quern.
kvesse *v* sharpen, whet.
kveste(lse) *v* (*s*) hurt, bruise.
kvie *vr* be reluctant.
kvige *s* heifer.
kvikk *a* lively, witty; ~ **e opp** *v* cheer up; ~ **het** *s* witty (smart) remark; ~ **sølv** *s* quicksilver.
kvin *s* shriek; ~ **e** *v* shriek; ~ **ende** *a* strident.
kvinn|e *s* woman; ~ **eaktig** *a* effeminate, womanish; ~ **elig** *a* female, feminine; womanly; ~ **elighet** *s* womannhood; ~ **folk** *s* woman(kind).
kvintessens *s* quintessence.
kvist *s* twig;; (rom) garret.
kvitt *a* **bli** ~, get rid of; **være** ~ be quits ~ **ering,** *s* receipt.
kvit|ter *s* chirping; ~ **re** *v* chirp, twitter.
kvote *s* quota.
kyle *v* fling, toss.
kylling *s* chicken.
kyndig *a* well-informed, skilled, competent; ~ **het** *s* knowledge, skill, proficiency.
kynisk *a* cynical.
kyse *s* hood.
kysk *a* chaste; ~ **het** *s* chastity.
kyss(e) *s* (*v*) kiss.
kyst *s* coast, shore.
kyte *v* boast.
kø *s* cue, queue; file.
kølle *s* club, mace.
køy(e) *s* berth; *v* go to bed.
kål *s* cabbage.
kåpe *s* cloak, coat.
kår *s* circumstances, lot.
kårde *s* sword.
kåre *v* choose.
kås|ere *v* speak, talk; ~ **eri** *s* talk, chat; ~ **ør** *s* talker.
kåt *a* wanton, wild.

L.

la *v* let, leave; load.
laban *s* lout, scamp.
labb *s* paw.
laber *a mar* light.
lab|oratorium *s* laboratory; ~ **yrint** *s* maze.

lad|e *s* barn *v* load, lade; ⁓ **ning** *s* loading; (ships) cargo; load.
lag *s* layer; party.
lage *v* make, coin.
lag|er *s* stock, store (-house); ⁓ **re** *v* store, stock.
lagrett(e) *s* jury.
lagune *s* lagoon.
lake *s* brine, pickle.
lakei *s* lackey.
laken *s* sheet.
lakk *s* sealing-wax; lac; ⁓ **ere** *v* lacker, japan.
lakke *v* draw nigh.
lakksko *s* pumps, patent leather shoes.
lakris *s* liquorice.
laks *s* salmon.
lakune *s* gap.
lalle *v* babble, crow.
lam *a* lam, palsied; *s* lamb, ⁓ **het** *s* palsy; ⁓ **me** *v* paralyse; ⁓ **mekjøtt** *s* mutton.
lampe *s* lamp; ⁓ **tt** *s* sconce.
land land, country; ⁓ **arbeider** *s* farm-hand, labourer; ⁓**bruk** *s* agriculture; ⁓ **e** *v* land; ⁓ **eiendom** *s* landed property; ⁓ **evei** *s* highroad; ⁓ **evern** *s* militia; ⁓ **flyktig** *a* exiled; ⁓ **flyktighet** *s* exile; ⁓ **gang** (⁓ **sbru)**, *s* gangway; ⁓ **lig** *a* rural; ⁓ **lov** *s* land-leave; ⁓ **måler** *s* surveyor; ⁓ **mann** *s* farmer; ⁓ **sby** *s* village; ⁓ **sette** *v* land; ⁓ **sforvise** *v* banish; ⁓ **skap** *s* scenery, landscape; ⁓ **smann** *s* countryman; ⁓ **sted** *s* country-house; ⁓ **stryker** *s* tramp; ⁓ **tur** *s* picnic.
lang *a* long, distant, far; ⁓ **fingret** *a* light-fingered; ⁓ **fredag** *s* Good Friday; ⁓ **modig** *a* indulgent, patient; ⁓ **s** *prp* along; ⁓ **som** *a* slow; ⁓ **t** *av* far; ⁓ **tekkelig** *a* irksome, tedious; ⁓ **trukken** *a* long-winded; ⁓ **varig** *a* protracted.
lanse *s* lance, spear; ⁓ **re** *v* start.
lanterne *s* lantern.
lapp(e), *s* (*v*) patch; Lapp.
laps *s* dandy, coxcomb, fop; ⁓ **ethet** *s* coxcombry, foppery; ⁓ **et** *a* foppish.
lap|skaus *s* hash, hotchpotch; ⁓ **sus** *s* slip, lapse.
larm *s* noise; ⁓ **e** *v* make a noise; ⁓ **ende** *a* noisy.
larve *s* caterpillar.
lasar|ett *s* lazaretto; ⁓ **on** *s* tramp.
lase|r *s pl* rags; ⁓ **t** *a* ragged, tattered.
lass *s* load.
lasso *s* lasso, rope.
last *s* cargo; timber; *fig* vice; ⁓ **dyr** *s* beast of burden; ⁓ **e** *v* load; (bebr.) blame; ⁓ **ebil** *s* lorry, van; ⁓ **ebåt** *s* cargo boat, tramp; ⁓ **efull** *a* depraved; ⁓ **erom** *s* hold.
lat *a* lazy; ⁓ **e som** *v* pretend, make as if; ⁓ **e** *vr* be idle, be lazy.
latin(sk) *a* Latin; ⁓ **skole** *s* grammar school.
latter *s* laugh(ter); ⁓ **lig** *a* ridiculous; ⁓ **liggjøre** *v* ridicule; ⁓ **mild** *a* laughy, mocking.
laug *s* guild.
laurbær *s fig* laurels.
lauv *s* leaves, foliage; ⁓ **tre** *s* leaf-tree, deciduous tree.
lav *s bot* lichen, *a* low, *fig* base, mean.
lava *s* lava.
lavendel *s* lavender.
lavine *s* avalanche.
le *s mar* lee(ward); shelter; *v* laugh.
led *sn* gate.
ledd *s* joint, link.
leddik *s* locker.
led|e *s* disgust; *v* lead, guide; ⁓ **else** *s* management; ⁓ **er** *s* guide, leader; ⁓ **etråd** *s* guiding principle; ⁓ **ig** *a* vacant, disengaged; idle; ⁓ **ig-**

gang *s* idleness; ~ **liggjenger** *s* idler; ~ **ighet** *s* vacancy; ~ **ning** *s* (vann) conduit, (elektr.) circuit, (telef.) line; ~ **sage** *v* accompany; ~ **sager** *s* companion.
lefle *v* dally (with).
lefse *s* flat bannock.
leg|alisere *v* legalize.
lege, se læge.
legem|e *s* body; ~ **lig** *a* bodily; ~ **liggjøre** *v* embody; ~ **liggjørelse** *s* incarnation; ~ **sbygning** *s* frame.
legend|e *s* legend; ~ **arisk** *a* legendary.
legering *s* alloy.
legg *sc* calf; *sn* fold, tuck; ~ **e** put, lay; *vr* lie down, go to bed, fig subside.
legion *s* legion.
legitim *a* legitimate; ~ **ere** *v* legitimate.
lei *a* tired, sick; awkward, troublesome; *s* direction, channel.
leide *s* safe conduct.
leider *s* ladder.
lei|e *s* bed, couch; *s*, *v* hire, rent; **til leie** to let; ~ **eboer** *s* lodger; ~ **lending** *s* tenant; ~ **lighet** *s* opportunity, occasion; rooms, apartments, (ett golv) flat; ~ **lighetsvis** *av* occasionally.
leir *s* camp; ~ **e** *vr* encamp, *fig* settle.
leire *s* clay, loam.
leite på *v* tell (upon).
lek *s* game, play; ~ **e** *v* play; ~ **etøy** *s* toy, plaything.
lekman *s* layman.
lekk *s* leak; *a* leaky; ~ **e** *v* leak; ~ **asje** *s* leakage.
lekker *a* dainty, delicate; ~ **bisken** *s* dainty.
lek|se *s* lesson, task; ~ **sikon** *s* dictionary; ~ **sjon** *s* lesson.
lekte *s* lath; ~ **r** *s* lighter.
lek|tor *s* senior master; lecturer; ~ **yre** *s* reading.
lem *sc* trapdoor, shutter; *sn* limb, member; ~ **feldig** *a* lenient, mild; ~ **feldighet** *s* lenity, leniency; ~ **leste** *v* maim; ~ **lestelse** *s* mutilation.
lempe *s* **med** ~, gently; *v* shift, trim; *fig* adapt; *vr* accomodate oneself; ~ **lig** *a* gentle; ~ **lse** *s* modification.
lemster *a* stiff.
len *s* fee, fief.
lend *s* loin.
lende *s* ground.
lene *vr* lean; ~ **stol** *s* easy-chair.
lengde *s* length, *fig* long run; ~ **grad** *s* longitude.
leng|e *av* long; ~ **es** *v* long; ~ **sel** *s* longing; ~ **selsfull** *a* longing.
lenke *s* chain, fetter; *v* chain, link.
lens *a mar* empty, free; penniless; ~ **e** *v* bale out, empty; (seile) scud; *s* (tømmer) boom.
lens|herre *s* liege lord; ~ **mann** *s* sheriff's officer; ~ **vesen** *s* feudalism.
leppe (= **lebe**) *s* lip.
lerke *s* lark; ~ **tre** *s* larch-tree.
lerret *s* linen; canvas.
lese *v* read; ~ **bok** *s* reader; ~ **lig** *a* readable (skrift) legible ~ **r** *s* reader.
lesjon *s* injury.
leske *v* slake; ~ **drikk** *s* refreshing beverage.
lespe *v* lisp.
lesse *v* load.
lest *s* last.
lete *v* search, look (for).
lett *a* light; easy; slight, mild; *s* (farge) hue; ~ **e** *v* facilitate; lift; *fig* relieve; *mar* get under way; ~ **else** *s* relief, comfort; ~**fengelig** *a* inflammable; ~ **ferdig** *a* frivolous; ~ **het** *s* lightness, ease; ~ **kjøpt** *a* cheap; ~ **livet** *a* easy-going;

~ **sindig** *a* light, frivolous; ~ **sindighet** *s* levity, frivolity; ~ **troende** *a* credulous; ~ **troenhet** *s* credulity; ~ **vint** *a* handy, easy.
leve *v* live, be alive; ~ **brød** *s* livelihood, employment; ~ **mann** *s* man about town; ~ **måte** *s* mode of living; breeding; fare, food; ~ **nde** *a* live, alive; (*fig*) vivid.
leven *s* noise, racket.
lever *s* liver.
lever|andør *s* purveyor; ~ **anse** *s* delivery, supply; ~ **e** *v* deliver, furnish; hand; ~ **ing** *s* delivery.
levevei *s* occupation.
levn|e *v* leave; ~ **et** *s* life; ~ **etsløp** *s* career, life; ~ **etsmidler** *s* provisions, victuals; ~ **ing** *s* remnant; (mat) *pl* broken victuals.
levret *a* clotted.
li *s* mountain side.
liberal *s*, *a* liberal.
lide *v* suffer; ~ **lse** *s* suffering; ~ **nskap** *s* passion; ~ **nskapelig** *a* passionate; ~ **rlig** *a* lewd.
liebhaber *s* buyer.
liflig *a* delicious.
liga *s* league.
ligge *v* lie; be situated.
lign|e *v* be like, resemble; (skatt) assess; ~ **else** *s* parable; ~ **ende** *a* similar; ~ **ing** *s* assessment, *mat* equation.
lik *s* corpse, dead body; *a* like, equal; ~ **båre** *s* bier; ~ **blek** *a* ghastly; ~ **e** *a* direct, even; *av* straight, right; *v* like; *s* equal, match; ~ **eartet** *a* homogeneous, uniform; ~ **edan** *a* alike, *av* in the same manner; ~ **efram** *a* plain, blunt; ~ **eglad** *a* careless; ~ **gyldig** *a* indifferent; of no consequence; ~ **egyldighet** *s* indifference; ~ **eledes** *av* likewise; ~ **emann** *s* equal; ~ **e overfor**, *prp* facing, opposite to; ~ **eså** *av* as well; ~ **etil** *a* easy, straightforward; ~ **evekt** *s* balance, equilibrium; ~ **evel** *av* nevertheless; ~ **het** *s* equality; likeness, conformity; ~ **kiste** *s* coffin; ~ **som** *kj* (just) as, like; *av* as it were; ~ **så** *kj* as; ~ **torn** *s* corn.
likvidere *v* liquidate; wind up.
likør *s* liqueur.
lilje *s* lily.
lilla *a* mauve, lilac.
lilleslem *s* little slam.
lim *s* glue; ~ **e** *v* glue; ~ **farge** *s* distemper.
limonade *s* lemonade.
lin *s* flax.
lind *s* lime-tree.
lindr|e *v* relieve; ~ **ing** *s* relief.
lin|e *s* rope; (fiske-)longline; ~ **jal** *s* ruler; ~ **je** *s* line; ~ **jere** *v* rule; ~ **jeskip** *s* liner.
linn *a* mild, soft; ~ **vær** *s* soft weather.
linn|et *s* linen; chemise; ~ **ing** *s* band.
linolje *s* linseed oil.
linse *s* *bot* lentil; lens.
lirekasse *s* street-organ.
lirke *v* try experiments, worm (out).
lise *s* relief.
lisens *s* licence.
lisse *s* lace.
list *s* artifice, cunning, stratagem; (kant) list, moulding; ~ **e** *s* list; *vr* steal, slink; ~ **ig** *a* cunning; ~ **ighet** *s* cunning.
lit *s* confidence, reliance; ~ **e på** *v* rely on.
litani *s* litany.
lite *a*, *av* little; ~ **n** *a* little, small.
litograf *s* lithographer.
litt *a*, *av* a little.
litter|atur *s* literature; **ær** *a* literary.

liturgi *s* liturgy.
liv *s* life; waist; bodice; *fig* spirit, activity; ~ **aktig** *a* lifelike; ~ **e opp** *v* brighten up; ~ **egen** *s* serf; ~ **full** *a* buoyant; ~ **garde** *s* life-guard; ~ **gardist** *s* life-guardsman; ~ **kjole** *s* dress-coat; ~ **lig** *a* lively; ~ **lighet** *s* vivacity; ~ **mor** *s* womb; ~**ne opp** *v* revive; ~ **ré** *s* livery; ~ **rem** *s* belt; ~ **rente** *s* annuity; ~ **sanskuelse** *s* outlook on life; ~ **sbetingelse** *s* essential condition; ~ **sglad** *a* buoyant; ~ **sstilling** *s* occupation, profession; ~ **svarig** *a* lifelong; ~ **vakt** *s* body-guard.
ljom(e) *s* (*v*) boom, echo.
ljore *s* smoke-opening.
ljå *s* scythe.
lo *s* unthreshed grain; (på tøy) nap, shag.
lodd *sc* lot, fate; *sn* plumb, weight; ~ **e** *v* solder; sound; ~ **en** *a* shaggy, hairy; ~ **rett** *a* vertical.
loet *a* nappy.
loff *s* (wheaten) loaf, white bread.
loft *s* loft, ceiling.
logisk *a* logical.
logre *v* wag.
lojal *a* loyal.
lokal *a* local; ~ **e** *s* rooms, office, shop; ~ **isere** *v* localize; pinpoint; ~ **itet** *s* locality.
lokk *sc* lock, curl; *sn* lid; ~ **e** *v* tempt, lure, call.
lokomotiv *s* railway engine; locomotive (fly); ~ **fører** *s* driver.
lomme *s* pocket; ~ **lerke** *s* p. flask; ~ **tyv** *s* pickpocket; ~ **ur** *s* watch.
loppe *s* flea.
lorgnett *s* (pair of) eyeglasses, pincenez.
lort *s* dirt.
los *s* *mar* pilot; (jakt) cry, mouth; ~ **e** *v* pilot; ~ **ing** *s* pilotage.
losj|e *s* *teat* box; lodge; **første** ~ **erad** dress circle; ~ **ere** *v* lodge; ~ **erende** *s* lodger; ~ **i** *s* lodging(s).
loslitt *a* threadbare.
loss *a* *mar* off, loose; ~ **e** *v* unload, land.
lott *s* share; ~ **eri** *s* lottery.
lov *s* leave; (ros) praise; *jur* law, act; ~ **bok** *s* code; ~ **e** *v* promise; praise; ~ **ende** *a* promising; ~ **forslag** *s* bill; ~ **givende** *a* legislative; ~ **lig** *a* lawful, legal; ~ **stridig** *a* illegal; ~ **tale** *s* eulogy.
lubben *a* chubby, plump.
lue *s* cap; *s*, *v* (ild) blaze.
luffe *v* *mar* luff.
luft *s* air; ~ **angrep** *s* air-raid; ~ **buss** *s* airbus; ~ **e** *v* air; ~ **fart** *s* aviation; ~ **ig** *a* airy; ~ **ning** *s* airing; breeze; ~ **rør** *s* *med* windpipe; ~ **skipper** *s* aeronaut; ~ **speiling** *s* mirage; ~ **syke** *s* airsickness; ~ **tom** *a* void.
lugar *s* cabin.
lugg *s* hair; ~ **e** *v* pull by the hair.
luke *s* trap-door, *mar* hatch; *v* weed.
lukke *v* shut, close; ~ **opp** *v* open; ~ **ningstid** *s* closing time (hours).
lukrativ *a* lucrative.
luksur|iøs *a* luxurious; -s, *s* luxury.
lukt(e) *s* (*v*) smell.
lulle *v* lull.
lumbago *s* lumbago.
lummer *a* sultry, close.
lumpen *a* mean.
lumsk *a* deceitful, treacherous, *med* insidious.
lun *a* sheltered; *fig* genial.
lund *s* grove.
lune *s* mood; whim; humour; *v* shelter, make warm; ~ **t** *a* capricious.

lunge *s* lung; ~ **betennelse** *s* pneumonia.
lunken *a* lukewarm.
lunn *s* roller; ~ **e** *s*, *v* pile.
lunsj *s* lunch(-eon); ~ **e** *v* (have) lunch.
lunte *s* match; ~ **trav** *s* jog-trot.
lupe *s* lens.
lur *a* cunning, (ting) tricky; *s* nap; **på** ~ on the watch; ~ **e** *v* lie in wait; cheat; ~ **endreier** *s* rogue, trickster; **eri** *s* trickery.
lurve|t *a* shabby, ragged; ~ **leven** *s* uproar.
lus *s* louse; ~ **et** *a* lousy; ~ **ing** *s* box on the ear.
luske *v* sneak, skulk.
lut *s* lye; ~ **e** *v* soak in lye; stoop, lean.
luthersk *a* Lutheran.
lutre *v* purify, chasten.
lutt *s mus* lute.
lutter *av* nothing but.
luvart *s a* windward.
ly *s* shelter.
lyd *s* sound; ~ **e** *v* sound, ring; ~ **elig** *a* loud, *av* audibly; ~ **ig** *a* obedient; ~ **ighet** *s* obedience; ~ **isolasjon** *s* sound insultation; ~ **løs** *a* silent, noiseless.
lykk|e *s* good fortune, luck; happiness; ~ **elig** *a* happy; ~ **eligvis** *av* fortunately; ~ **es** *v* succeed; ~ **salig** *a* happy, blissfull; ~ **salighet** *s* bliss; ~ **ønske** *v* congratulate; ~ **ønskning** *s* congratulation.
lyktepel *s* lamp-post.
lymfe *s* lymph.
lyn *s* lightning, flash; ~ **avleder** *s* lightning-conductor; ~ **e** *v* flash.
lyng *s* heather.
lynne *s* temper; disposition.
lynsje *v* lynch.
lyr|e *s* lyre; ~ **iker** *s* lyric poet; ~ **ikk** *s* lyric poetry; ~ **isk** *a* lyric(al).
lys *s* light; candle; *a* light; ~ **anlegg** *s* lighting plant; ~ **bombe** *s* flare; ~ **e** *v* shine, light; (bryll.) publish the banns; ~ **ekrone** *s* chandelier; ~ **estake** *s* candlestick; ~ **kaster** *s* searchlight.
lyske *s* groin.
lys|lett *a* fair-complexioned; ~ **ne** *v* dawn, brighten up; ~ **ning** *s* light; (skog) glade; (bryll,) banns.
lyst *s* pleasure; inclination, mind; ~ **en** *a* desirous; ~ **hus** *s* summer-house; ~ **ig** *a* merry, jolly; ~ **ighet** *s* mirth, gaiety; ~ **re** *v* obey; (fisk) gig; ~ **spill** *s* comedy.
lyte *s* blemish, defect, flaw.
lytte *v* listen.
lyve *v* lie.
læge *s* doctor, physician; *v* heal, cure; ~ **middel** *s* medicament, remedy.
lær *s* leather.
lær|d *a* learned; *s* scholar; ~ **dom** *s* learning; ~ **e** *s* doctrine; apprenticeship; *v* learn, teach; ~ **ebok** *s* handbook, manual; **egutt** *s* apprentice; ~ **enem** *a* quick to learn; ~ **epenger** *s* lesson; ~ **er** *s* teacher, master; ~ **erik** *a* instructive; ~ **erinne** *s* teacher, mistress; ~ **esetning** *s* maxim, tenet; ~ **ling** *s* apprentice; ~ **villig** *a* docile.
lød *s* colour; ~ **ig** *a* pure, genuine.
løe *s* barn.
løft *s* lift; ~ **e** *v* lift; *s* promise; ~ **estang** *s* lever.
løgn *s* lie, falsehood; ~ **aktig** *a* mendacious; ~ **aktighet** *s* mendacity; ~ **er** *s* liar.
løk *s* onion, bulb.
løkke *s* noose.
løkt *s* lantern.
lømmel *s* lout, rascal.
lønn *s bot* maple; wage(s), salary, pay; **i** ~ **dom** secretly;

~ e *v* pay, reward; ~ **ing** *s* wages, salary; ~ **ingsdag** *s* pay-day; ~ **som** *a* paying, profitable.
løp *s* course, run, *sp* race; (gevær-) barrel; ~ **e** *v* run; ~ **ebane** *s* career; ~ **egrav** *s* trench; ~ **er** *s* runner, (sjakk) bishop; ~ **sk** *a* **løpe** ~ **sk** *fig* run riot; ~ **sk hest** *s* bolter.
lørdag Saturday.
løs *a* loose; relaxed; ~ **aktig** *a* loose; ~ **e** *v* loosen; solve; ~ **elig** *a* cursory; ~ **en** *s* word; ~ **epenger** *s* ransom; ~ **gjenger** *s* vagrant, tramp; ~ **kjøpe** *v* ransom; ~ **late** *v* release; ~ **latelse** *s* release; ~ **ne** *v* loosen, relax; ~ **ning** *s* solution; ~ **rive** *vr* break away; ~ **sloppen** *a* licentious; ~ **øre** *s* chattels.
løv se lauv.
løv|e *s* lion; dandy; ~ **etann** *s* *bot* dandelion; ~ **inne** *s* lioness.
løy *a* (vind) slack; ~ **e** *v* fall, abate; ~ **erlig** *a* queer.
løype *s* slide, track.
løytnant *s* lieutenant.
lån *s* loan; ~ **e** *v* (gi) lend, (få) borrow.
lår *s* thigh.
låre *v* *mar* lower.
lås(e) *s* (*v*) lock; ~ **opp** unlock; ~ **beslag** *s* lock furniture.
låt *s* sound, note.
låve *s* barn.

M.

maddik *s* maggot.
madrass *s* mattress.
magasin *s* store-house; magazine; ~ **ere** *v* store.
mag|er *a* lean; ~ **isk** *a* magical; ~ **ister** *s* master of arts (M.A.); ~ **istrat** *s* magistrate.
magnet *s* magnet; ~ **isk** *a* magnetic.
magre av *v* grow lean.
mahogni *s* mahogany.
mai May.
mais *s* Indian corn, maize; ~ **kolbe** *s* cob.
majestet *s* majesty; ~ **isk** *a* majestic.
major *s* major; squadron leader (flyvåp.); ~ **itet** *s* majority.
mak i ~, leisurely.
makaroni *s* macaroni.
make *s* match; fellow, mate; ~ **lig** *a* easy; indolent; ~ **lighet** *s* indolence; ~ **løs** *a* unexampled.
makk (mark) *s* worm.
makker *s* partner.
makkverk *s* scamped work.
makrell *s* mackerel.
maksimal *a* maximum.
makt *s* force, power, might; **ved** ~ in force; **med** ~, by force; ~ **e** *v* master, manage; ~ **esløs** *a* powerless; *jur* null and void; ~ **haver** *s* ruler; ~ **påliggende** *a* important, urgent, imperative.
makulatur *s* waste-paper.
mal|e *v* (korn) grind; paint; ~ **er** *s* (house-)painter; ~ **eri** *s* painting, picture; ~ **erisk** *a* picturesque; ~ **ing** *s* paint.
malje *s* eye(let).
malm *s* ore, metal; ~ **full** *a* sonorous.
mal|plasert *a* misplaced; ~ **proper** *a* dirty; ~ **strøm** *s* eddy.
malt(e) *s* (*v*) malt.
mal|traktere *v* damage; ~ **urt** *s* wormwood.
mamma *s* mamma.
mammut *s* mammoth.
man *s* mane; *pron* you, we, one, they.
man|dag Monday; ~ **dat** *s* task, charge, mandate; ~ **del** *s* almond; *med* tonsil.

mandig *a* manful, manly; ~ **het** *s* manliness.
mandolin *s* mandolin.
mane *v* conjure.
manér *s* manner(ism).
manesje *s* manège.
manet *s* jelly-fish.
mange *pron* many; ~ **dobbelt** *a* manifold.
mang|el *s* want, scarcity; defect; ~ **elfull** *a* deficient, faulty; ~ **en** *pron* many (a); ~ **esidig** *a fig* versatile; ~ **steds** *av* in many places; ~ **foldig** *a* manifold *pl* numbers of; ~ **foldighet** *s* variety; ~ **le** *v* want; be missing.
mani *s* mania; ~ **fest** *s* manifesto.
manko *s* deficiency, shortage.
mann *s* man; husband; hand; ~ **dom** *s* manhood; ~ **e** *v* man; ~ **e seg opp** muster pluck; ~ **folk** *s* man, men, men-folk; ~ **haftig** *a* mannish; ~ **lig** *a* male; ~ **skap** *s mil* troops, men, *mar* crew, ~ **sling** *s* manikin; ~ **stukt** *s* discipline; ~ **tall** *s* census.
mansjett *s* cuff; ~ **knapper** *s* sleeve-links; ~ **skjorte** *s* (day-)shirt; **hvit** ~ **skjorte** dress-shirt.
manu|duktør *s* coach; ~ **duksjon** *s* coaching; ~ **ell** *a* manual; ~ **faktur** *s* drapery goods; ~ **fakturhandler** *s* draper.
manuskript *s* manuscript (M.S.)
manøvre(re) *s* (*v*) manoeuvre.
mappe *s* portfolio.
mare(ritt) *s* nightmare.
marg *s* margin; marrow, pith; ~ **arin** *s* margarine.
mari-nøkkelband *s* cowslip; ~ **fly** *s* lady-bird.
mari|ne *s* navy; ~ **tim** *a* maritime.
mark *s* half-a-pound; land, field; ~ **ed** *s* fair, market; ~ **ere** *v* mark; ~ **etenteri** *s* canteen; ~ **i** *s* marquis; ~ **ise** *s* marchioness; (solseil) awning.
marm|elade *s* marmalade.
marmor *s* marble.
mars March; ~ **ipan** *s* marchpane, marzipan.
marokkan|er Moroccan; ~ **sk** *ib.*
marsj *s* march; ~ **al** *s* marshal, usher; ~ **ere** *v* march.
marsk *s* marsh; ~ **alk** *s* (field-)marshal.
mart|re *v* torture; ~ **yr** *s* martyr; ~ **yrium** *s* martyrdom.
mas *s* bother, fuss; ~ **e** *v* bother, fuss.
maske *s* mask, mesh; stitch; ~ **rade** *s* masquerade; ~ **re** *v* mask.
maskin *s* engine, machine; ~ **eri** *s* machinery; ~ **ist**, ~ **mester** *s* engineer; ~ **messig** *a* mechanical; ~ **skrive** *v* typewrite; ~ **skriver(ske)** *s* typist.
maskott *s* mascot.
maskulin *a* masculine.
mass|akre(re) *s* (*v*) massacre; ~ **asje** *s* massage.
mass|e *s* mass; pulp; crowd, lots of; ~ **eartikkel** *s* mass-produced article; ~ **ere** *v* massage; ~ **iv** *a* massive, solid; ~ **ør(-øse)** *s* masseur (-euse).
mast *s* mast.
mat *s* food, provisions; ~ **e** *v* feed.
mat|ematikk *s* mathetics; ~ **ematisk** *a* mathematical.
mat|eriale *s* material(s); ~ **erialistisk** *a* materialistic; ~ **erie** *s* matter; pus; ~ **eriell** *a* material; *s* material, plant; ~ **iné** *s* morning concert, matinée; ~ **rikkel** *s* register, roll.

mat|rone *s* matron; ~ **ros** *s* sailor, seaman.
matt *a* faint, languid, dull; (sjakk) mate; ~ **e** *v* enfeeble; *s* mat, door-mat; ~ **het** *s* languor.
maur *s* ant; ~ **er** *s* Moor; ~ **tue** *s* ant-hill.
mave *s* stomach; ~ **knip** *s* gripes; ~ **uorden** *s* indigestion.
med *prp* with, by.
medalj|e *s* medal; ~ **ong** *s* locket.
medansvarlig *a* jointly responsible.
med|arbeider *s* collaborator, contributor; ~ **beiler** *s* rival: ~ **borger** *s* fellow citizen; ~ **bør** *s* fair wind; ~ **dele** *v* communicate, impart, (to); ~ **delelse** *s* communication; ~ **delsom** *a* communicative; ~ **eier** *s* joint owner.
med|fart *s* treatment; ~ **født** *a* innate; ~ **følelse** *s* sympathy; ~ **følende** *a* sympathetic; ~ **føre** *v* entail; ~ **gang** *s* success; ~ **gi** *v* admit; ~ **gift** *s* dowry, portion; ~ **gjørlig** *a* amenable; ~ **gjørlighet** *s* tractability; ~ **hjelper** *s* assistant; ~ **hold** *s* approval, support; ~ **innehaver** *s* partner.
medi|kament *s* drug, remedy; ~ **sin** *s* medicine; ~ **sinflaske** *s* phial; ~ **sinsk** *a* medical.
med|lem *s* member; ~ **lemskort** *s* membership card; ~ **lidende** *a* compassionate; ~ **lidenhet** *s* compassion, pity; ~ **menneske** *s* fellow man; ~ **mindre** *kj* unless; ~ **passasjer** *s* fellow-passenger; ~ **regne** *v* count; ~ **skapning** *s* fellow-creature; ~ **skyldig** *s* accomplice; ~ **ta** *v* include, take; ~ **tatt** *a* damaged, exhausted; ~ **vind** *s* fair wind; ~ **virke** *v* contribute; ~ **virkning** *s* co-operation; ~ **viter** *s* party (to); ~ **ynk** *s* pity.
mege|n *a* much; ~ **t** *a* much; *av* very, much; ~ **tsigende** *a* meaning, significant.
megl|e *v* mediate; ~ **er** *s* mediator, *merk* broker; ~ **ing** *s* intercession, mediation.
meie *v* mow; *s* (slede) sleigh-runner; ~ **ri** *s* dairy.
meis(e) *s* *zo* tomtitt.
meis|el ~ **le** *s v* chisel.
meite *v* angle; ~ **mark** *s* (angle) worm.
mekani|kk *s* mechanics; ~ **ker** *s* mechanic, mechanician; ~ **sk** *a* mechanical.
mekre *v* bleat.
mektig *a* powerful.
mel *s* flour.
melankol|i *s* melancholy; ~ **sk** *a* *ib*.
meld|e *v* announce, report; (kort) declare; ~ **ing** *s* report; declaration.
melet *a* mealy.
melis *s* castor-sugar.
melk(e) (*v*) milk.
mellom *prp* between; ~ **akt** *s* interval; ~ **folkelig** *a* international; ~ **gulv** *s* *med* diaphragm; ~ **komst** *s* intervention; ~ **ledd** *s* link; ~ **liggende** *a* interjacent; ~ **mat** *s* snack; ~ **mann** *s* go-between; ~ **rom** *s* interval, space; ~ **ting** *s* something between; ~ **værende** *s* difference, (øk.) account(s).
melodi *s* melody, air, tune; ~ **sk** *a* melodious.
melon *s* melon.
memoarer *s* memoirs.
memorandum *s* memorandum (memo.).
men *s* harm; *kj* but; ~ **asjeri** *s* show.
mene *v* mean, think.
mened *s* perjury; ~ **er** *s* perjurer.

mengde *s* multitude; **i ~ vis** in quantities.
menig *a, s* private; **~ het** *s* congregation; **~ mann** *s* the common people.
mening *s* opinion, meaning, intention; **~ sberettiget** *a* competent to judge; **~ sløs** *a* unmeaning; **~ sløshet** *s* absurdity.
menneske *s* human being, man; **~ alder** *s* generation; **~ eter** *s* cannibal; **~ het** *s* mankind; **~ kjærlig** *a* charitable; **~ lig** *a* human(e).
mens *kj* while.
mentalitet *s* mentality.
menuett *s* minuet.
meny *s* bill of fare, menu.
mer *a* more.
mergel *s* marl.
merkantil *a* mercantile.
merk|bar *a* marked, perceptible; **~ e** *s* mark, brand; *k* mark; notice; **~ elapp** *s* label; **~ elig** *a* remarkable, notable, noteworthy; strange; curious; **~ verdighet** *s* curiosity.
merr *s* mare.
mers *mar* top.
mesan *s mar* spanker; **~ mast** *s* mizzen-mast.
meske *vr* pamper.
meslinger *s* measles.
mess|e *rel* mass; *v* say mass; chaunt.
messing *s* brass.
mest *a* most, *av* mostly.
mest|er *s* master; **~ erlig** *a* masterly; **~ erskap** *s* mastery, *sp* championship; **~ erverk** *s* masterpiece; **~ re** *v* master.
metall *s* metal; **~ isk** *a* metallic; **~ tråd** *s* wire; **~ urg** *s* metalurgist.
meteorolog *s* meteorologist; **~ i** *s* meteorology; **~ isk** *a* meteorological; **meteorstein,** *s* aerolite.
meter *s* metre.
met|ier *s* calling, trade; **~ ode** *s* method; **~ odisk** *a* methodical; **~ risk** *a* metrical.
mett *a* satisfied, full-fed; **~ het** *s* satiety; **~ e** *v* sate, satisfy.
midd *s* mite.
middag *s* noon; dinner; **spise ~**, dine.
middel *s* means, remedy; *pl* resources; **~ s** *a* average, middle; **~ alderen** *s* the Middle Ages; **~ havet** *s* the Mediterranean; **~ måtig** *a* mediocre; **~ måtighet** *s* mediocrity; **~ s** *a* medium, average, middling; **~ standen** *s* the middle class(es).
midje *s* waist.
mid|lertidig *a* temporary; **~ natt** *s* midnight; **~ sommer** *s* midsummer.
midt ~ i *prp* in the middle of, in the midst of; **~ e s i vår ~ e** among us; **~ erst** *a* middlemost; **~ punkt** *s* centre; **~ veis** *av* half-way.
migrene *s* migraine.
mik|robe *s* microbe; **~ rofon** *s* microphone, receiver; **~ roskop** *s* microscope.
mikstur *s* medicine, mixture.
mil *s* mile.
mild *a* mild, gentle; **~ het** *s* mildness, lenity; **~ ne** *v* soften, mitigate.
milepel *s* milestone.
mili|ts *s* militia; **~ tær** *a* military; *s* soldier, *coll* soldiery, soldiers; **~ tærtjenesten** (hær og flåte), *s* the Services.
miljø *s* surroundings, milieu.
millionær *s* millionaire.
milt *s* milt, spleen.
mimikk *s* mimicry.
mimose *s* sensitive plant.
mimre *v* twitch, quiver.
mindre *a* smaller, minor, less(er); **~ tall** *s* minority; **~ årig** *a* minor; **~ årighet** *s* minority.

mine *s* mine; air, look; ~ **ral** *s* mineral; ~ **ralog** *s* minerlogist; ~ **ralsk** *a* mineral; ~ **re** *v* mine, blast; ~ **ring** *s* explosion.

mini|atyr *s* miniature; ~ **mal** *a* minimum; ~ **ster** *s* minister, secretary of state; ~ **steriell** *a* ministerial; ~ **sterium** *s* ministry, cabinet.

mink *s* mink.

minke *v* run low, decrease.

minne *s* consent; remembrance; *v* remind (of); ~ **gudstjeneste** *s* memorial service; ~ **lig** a amicable; **i** ~ **het** by agreement ~ **s** *v* remember; ~ **merke** *s* memorial, monument; ~ **verdig** *a* memorable.

minoritet *s* minority.

minsk|e *v* diminish; *mar* slacken, reduce; ~ **ing** *s* diminution.

minst *a* least, smallest; ~ **elønn** *s* minimum wage.

minutiøs *a* minute.

minutt *s* minute.

mirak|el *s* miracle; ~ **uløs** *a* miraculous.

mis|billige *v* disapprove (of); ~ **billigelse** *s* disapproval; ~ **bruk** *s* abuse; ~ **bruke** *v* abuse; ~ **dannelse** *s* deformity; ~ **deder** *s* malefactor; ~ **erabel** *a* miserable; ~ **ère** *s* petiable affair; ~ **forhold** *s* disproportion; ~ **fornøyd** *a* discontented; ~ **forstå** *v* misunderstand; ~ **forståelse** *s* misunderstanding; ~ **foster** *s* monster; ~ **gjerning** *s* crime; ~ **grep** *s* error, blunder; ~ **hag** *s* dislike, disapproval; ~ **hage** *v* displease; ~ **handle** *v* illtreat.

misjonær *s* missionary.

mis|kjenne *v* misjudge, fail to appreciate; ~ **kjennelse** *s* midjudgment; ~ **kreditt** *s* discredit; ~ **lig** *a* objectionable, precarious; ~ **lighet** *s* irregularity; ~ **ligholde** *v* neglect, fail to pay; ~ **ligholdelse** *s* non-payment; ~ **lyd** *s* discord; ~ **lykkes** *v* fail; ~ **lykket** *a* unsuccessful; ~ **mot** *s* despondency; ~ **modig** *a* despondent, dejected, downhearted; ~ **stemning** *s* ill-humour, discordant feeling; ~ **tanke** *s* suspicion; ~ **tyde** *v* misinterpret.

mistbenk *s* hotbed.

miste *v* lose.

misteltein *s* mistletoe.

mis|tenke *v* suspect; ~ **tenkelig** *a* suspicious; ~ **tenkeliggjøre** *v* render suspect; ~ **tenksom** *a* suspicious; ~ **tenksomhet** *s* suspicion; ~ **tillit** *s* mistrust; ~ **tro** *s*, *v* distrust; ~ **troisk** *a* distrustful; ~ **trøstig** *a* disconsolate; ~ **tvile** *v* despair; ~ **unne** *v* envy, grudge; ~ **unnelig** *a* envious; ~ **unnelse** *s* envy; ~ **unnelsesverdig** *a* enviable; ~ **vekst** *s* bad harvest; ~ **visende** *a sci* magnetic, *fig* misleading.

mitraljøse *s* machine gun.

mjaue *v* mew.

mjød *s* mead.

mo *s* heath, moor.

mobilisere *v* mobilize.

modell(ere) *s* (v) model.

moden *a* ripe.

moder|at *a* moderate; ~ **asjon** *s* reduction; ~ **ere** *v* moderate.

moder|lig *a* maternal, motherly; ~ **landet** *s* the mother country.

moder|ne *a* modern, fashionable; ~ **nisere** *v* modernize.

modifisere *v* modify.

modig *a* brave, courageous.

modne *v* ripen.

moldvarp *s* mole.

molekyl *s* molecule.

molest *s* molestation.
moll *s mus* minor.
molo *s* breakwater.
molte *s* cloud-berry.
moment *s* point, item; ~ **an** *a* momentary.
monark *s* monarch; ~ **i** *s* monarchy; ~ **isk** *a* monarchic(al).
mondén *a* fashionable.
mongolsk *a* Mongol.
monn *s* effect, degree; ~ **e** *v* avail.
mono|gram *s* monogram; ~ **kkel** *s* eye-glass; ~ **log** *s* soliloquy; ~ **plan** *s* monoplane; ~ **pol** *s* monopoly; ~ **polisere** *v* monopolize; ~ **ton** *a* monotonous; ~ **toni** *s* monotony.
monstrum *s* monster.
mont|ere *v* mount, fit (out), furnish; ~ **re** *s* show-case; ~ **ør** *s* electrician.
monument *s* monument, memorial; ~ **al** *a* monumental.
mops *s* pug-dog.
mor *s* mother.
moral *s* morality, morals, ethics; ~ **isere** *v* moralize; ~ **sk** *a* moral, ethic(al).
mor|bror *s* (maternal) uncle; ~ **bær** *s* mulberry.
mord *s* murder; ~**er** *s* murderer; ~ **erisk** *a* murderous.
more *v* amuse.
morell *s* sweet cherry.
morene *s* moraine.
morfin *s* morphia, morphine.
morgen *s* morning; **i** ~ tomorrow; ~ **dag** *s* morrow; ~ **demring,** ~ **røde** *s* dawn.
morild *s* phosphorescence.
mork|en *a* rotten, decayed; ~ **ne** *v* rot.
moro *s* fun.
morsk *a* grim, fierce.
mor|skap *s* motherhood; (moro) amusement, pastime; ~ **sliv** *s* womb; ~ **smål** *s* native language (tongue); ~ **som** *a* amusing; ~ **somhet** *s* joke.
morter *s* mortar.
mortifi|kasjon *s* annulment; ~ **sere** *v* annul.
mosaikk *s* mosaic.
mose *s* moss.
mosjon *s* exercise; ~ **ere** *v* take exercise.
mosk|é *s* mosque; ~ **ito** *s* mosquito; ~ **us** *s* musk.
most *s* cider, must; ~ **er** *s* mother's sister, aunt.
mot *s* courage, pluck; *prp* against, towards, to ~ **aksjon** *s* counteraction; ~ **angrep** *s* counter-attack.
mot|arbeide *v* work against, oppose; ~ **bevise** *v* refute; ~ **bydelig** *a* loathsome; ~ **bydelighet** *s* aversion; ~ **bør** *s* check, opposition; *mar* contrary wind(s); ~ **fallen** *a* dispirited, dejected; ~ **fallenhet** *s* dejection; ~ **gang** *s* adversity; ~ **gift** *s* antidote; ~ **hake** *s* barb.
mote *s* mode, fashion; ~ **handler(ske)** *s* milliner; ~ **pynt** *s* millinery.
motiv *s* motive; ~ **ere** *v* explain, motivate; ~ **ering** *s* explanation, motivation.
motløs *a* dispirited.
motor *s* motor; ~ **sykkel** *s* motor-bike.
mot|part *s* opponent, the other party; ~ **satt** *a* contrary, opposite; ~ **setning** *s* contrast; ~ **sette** *vr* oppose; ~ **si** *v* contradict; ~ **sigelse** *s* contradiction; ~ **stand** *s* resistance; ~ **stander** *s* adversary; opponent; ~ **strebende** *a* incompatible; ~ **ta** *s* receive; accept; ~ **tagelig** *a* susceptible; ~ **tagelighet** *s* susceptibility, receptivity; **tagelse** *s* reception, receipt; ~ **tager** *s* receiver; ~ **to** *s* motto; ~ **vekt** *s* counter-

balance; ~ **verge** *s* defence; ~ **vilje** *s* dislike, distaste, repugnance; ~ **villig** *a* reluctant; ~ **vind** *s* head wind; ~ **virke** *v* counteract.
mud|der *s* mud; *fig* row; ~ **re** *v* dredge.
muffe *s* muff.
mug|g *s* mould; (tøy) twill; ~ **ge** *s* jug, ewer; ~ **gen** *a* mouldy, fusty; (person) sulky; ~ **ne** *v* grow mouldy.
muhamedaner *s* Mohammedan.
mukke *v* grumble.
mulatt *s* mulatto.
muld *s* mould; ~ **jord** *s* mould.
mule *s* muzzle.
mul|dyr *s* mule; ~ **esel** *s* hinny.
mulig *a* possible; ~ **ens** *av* possibly; ~ **gjøre** *v* make possible; ~ **het** *s* possibility.
mulkt(ere) *s* (*v*) fine.
mulm *s* darkness.
multiplisere *v* multiply.
mumie *s* mummy.
mumle *v* mutter.
munk *s* monk, friar; ~ **ekutte** *s* cowl.
munn *s* mouth; ~ **bitt** *s* bit; ~ **e ut** *v* open out; ~ **full** *s* mouthful; ~ **hell** *s* adage; ~ **hugges** *v* bandy words, wrangle; ~ **ing** *s* mouth; muzzle; ~ **kurv** *s* muzzle; ~ **stykke** *s* holder (sigar), stem (pipe); ~ **vann** *s* mouthwash, gárgle.
munt|er *a* cheerful, gay; ~ **erhet** *s* gaiety; ~ **re** *v* cheer.
muntlig *a* verbal, oral.
mur *s* wall; ~ **brokker** *s* brickbats; ~ **e** *v* do mason's work, build with bricks; ~ **er** *s* bricklayer, mason; ~ **kalk** *s* mortar; ~ **mester** *s* master mason.
murmeldyr *s* marmot.
murre *v* grumble.
murstein *s* brick.
mus *s* mouse; ~ **e** *s* Muse; ~ **elman** *s* Mussulman; ~ **eum** *s* museum.
mus|ikk *s* music; ~ **ikalsk** *a* musical; fond of music; ~ **ikant** ~ **iker** *s* musician; ~ **ikk-korps** *s* band; ~ **isere** *v* make music, play.
muskat *s* nutmeg; ~ **blomme** *s* mace.
muskel *s* muscle.
musketer *s* musketeer.
muskett *s* musket.
musk|ulatur *s* muscles; ~ **uløs** *a* muscular.
musling *s* bivalve, shell.
musselin *s* muslin.
mussere *v* effervesce; ~ **nde** *a* aerated, effervescent.
mustasje *s* moustache.
mute *v* moult.
mutt *a* sulky, sullen.
mygg *s* gnat.
myglet *a* mouldy.
myk *a* lithe, soft, pliable, supple; ~ **ne** *v* become lithe.
myld|er *s* ~ **re** *v* swarm.
mynde *s* grey-hound.
myn|dig *a* imperious; *jur* of age; ~ **ighet** *s* authority, *jur* majority; ~ **ling** *s* ward.
mynt(e) *s* (*v*) mint, coin; ~ **et på** meant for; ~ **e** *s bot* mint; ~ **fot** *s* standard.
myr *s* marsh.
myrde *v* murder; ~ **ri** *s* butchery.
myriade *s* myriad.
myrlendt *a* marshy.
myrra *s* myrrh.
myrt *s* myrtle.
mys|e *s* whey; *v* wink; ~ **ost** *s* whey-cheese.
myst|erium *s* mystery; ~ **ikk** *s* mysticism; ~ **isk** *a* mysterious, mystic(al); ~ **ifisere** *v* mystify, (bluffe) hoax.
myt|e *s* myth; *v* moult; ~ **isk** *a* mythic (al).
mytteri *s* mutiny.
mæle *s* speech, voice; *v* articulate, utter.

møb|el *s* piece of furniture; ~ **elhandler** *s* upholsterer; ~ **elsnekker** *s* cabinet-maker; ~ **lement** *s* furniture; ~ **lere** *v* furnish.
mødrene *a* maternal.
møkk *s* dung, muck.
møll *s* moth.
mølle *s* mill; ~ **r** *s* miller.
møne *s* ridge.
mønje *s* red-lead.
mønst|er *s* model, pattern; ~ **ergyldig** *a* model; ~ **erverdig** *a* exemplary; ~ **re** *v* muster, *fig* eye; *mil* review; ~ **ret** *a* figured, fancy; ~ **ring** *s* review, muster.
mør *a* tender; ~ **brad** *s* sirloin.
mørk *a* dark, gloomy; ~ **e** *s* dark(ness), gloom; ~ **erød** *a* deep red; ~ **laden** *a* of a dusky hue.
mørtel *s* mortar.
møte *s* meeting; sitting; *vt* meet. encounter; face; *vi* appear; ~ **sted** *s* meeting-place.
møtrik (mutter) *s* nut.
møy *s* virgin, maid; ~ **dom** *s* virginity.
møy|e *s* trouble, pains; ~ **sommelig** *a* laborious.
må *v* must; may.
måfå; **på** ~, at random.
måke *s zo* gull; *v* clear away.
mål *s* language, idiom; measure; end, object, aim; *sp* goal; mark; ~ **bar** *a* measurable; ~ **bevisst** *a* purposeful; ~ **e** *v* measure, gauge; ~ **estokk** *s* standard, scale; ~ **ing** *s* measurement; ~ **løs** *a* speechless; ~ **tid** *s* meal.
måne *s* moon; ~ **formørkelse** *s* eclipse of the moon.
måned *s* month; ~ **lig** *a* monthly; ~ **sskrift** *s* monthly.
måpe *v* mope, gape.
mår *s* marten.
måskje *av* perhaps.
måte *s* manner, way; ~ **hold** *s* moderation, (drikk) temperance; ~ **holden** *a* moderate, temperate; ~ **lig** *a* mediocre, poor; limited.
måtte *v* have to.

N.

nabo *s* neighbour; -lag, *s* neighbourhood.
nafta *s* naphta.
nag *s* rancour, spite; ~ **e** *v* gnaw, rankle.
nagelfast *a* immovable; ~ **e ting** *s* fixtures.
nagle *s* nail, pin; rivet; *v* nail, *fig* rivet.
naiv *a* artless, naive, simple; ~ **itet** *s* naivety, simplicity.
naken *a* naked, bare.
nakke *s* back of the head, nape (of the neck).
napp *s* snatch, pull, (fiske ~) bite; ~ **e** *v* snatch.
narko|se *s* narcosis; ~ **tisk** *a* narcotic.
narr *s* fool, coxcomb; jester, buffoon; ~ **aktig** *a* foolish, absurd; ~ **aktighet** *s* foolishness, absurdity; ~ **e** *v* trick, dupe, cheat; ~ **eri** *s* foolery; ~ **streker** *s* foolish tricks, nonsense.
nasjon *s* nation; ~ **al** *a* national; ~ **alisere** *v* nationalize; ~ **alitet** *s* nationality; ~ **sang** *s* national anthem; ~ **aløkonomi** *s* economics, political economy.
naske *v* pilfer.
natt *s* night; ~ **bord** *s* bedroom-table; ~ **elosji** *s* night's lodging; ~ **ergal** *s* nightingale; ~ **verd** *s* (the Lord's) supper; ~ **hus** *s mar* binnacle; ~ **kjole** *s* nightdress; ~ **møbel** *s* chamber-pot; ~ **tog** *s* night train; ~ **(t)rium** *s* sodium; ~ **(t)ron** *s* soda.
natur *s* nature; temper; **in** ~ **a**

in kind; (landskap) scenery; ~ **alier** *s* natural products; ~ **alisere** *v* naturalize; ~ **forsker** *s* naturalist, scientist; ~ **forhold** *s* natural conditions; ~ **historie** *s* natural history; ~ **lig** *a* natural, artless, native; ~ **lighet** *s* naturalness; ~ **ligvis** *av* of course; ~ **stridig** *a* contrary to nature; ~ **tro** *a* true to nature; ~ **vitenskap** *s* natural science.
natyrell *s* natural disposition.
naust boat-shed.
naut *s* *fig* ass; ~ **et** *a* silly, stupid.
nautisk *a* nautical.
nav *s* nave, hob.
navar *s* auger.
navig|asjon *s* navigation; ~ **atør** *s* navigator; ~ **ere** *v* navigate.
navle *s* navel.
navn *s* name; ~ **e** *v* namesake; *v* mark; ~ **gi** *v* name; ~ **kundig** *a* celebrated; ~ **kundighet** *s* celebrity; ~ **lig** *av* particularly.
ne *s* *ast* wane.
nebb *s* beak, bill; ~ **et** *a* pert.
ned *av* down; ~ **ad** *av* downward(s); ~ **arvet** *a* inherited; ~ **bryte** *v* break down; ~ **brenne** *v* burn down, be burned down; ~ **bøyd** *a* weighed down; ~ **bør** *s* precipitation, rainfall; ~ **dysse** *v* hush.
nede *av* down.
neden|for *prp*, *av* below; ~ **stående** *a* below; ~ **til** *av* below; ~ **under** *av* underneath; (i hus) downstairs.
neder|drektig *a* mean; wicked; ~ **lag** *s* defeat.
Neder|land Holland; ~ **landsk**, Dutch; ~ **lender** Dutchman; **n** ~ **st** *a* lowest.
ned|fart *s* descent; ~ **gang** *s* passage down, *fig* decline; ~ **hogge** *v* cut down; ~ **komme** *v* be delivered; ~ **komst** *s* delivery; ~ **late** *vr* condescend; ~ **latenhet** *s* condescension; ~ **legge** *v* deposit, *fig* lodge; (oppgi) resign, disuse, give up; kill; (herm.) preserve; ~ **rakning** *s* abuse, detraction; ~ **re** *a* lower; ~ **rig** *a* base; ~ **righet** *s* baseness; ~ **ringet** *a* low-necked; ~ **rive** *v* pull down; ~ **rustning** *s* reduction of armaments; ~ **sable** *v* massacre; ~ **sette** *v* reduce; depreciate; *fig* disparage; impair; *vr* establish oneself; ~ **settelse** *s* reduction; establishment; ~ **settende** *a* disparaging; ~ **skjære** *v* reduce; ~ **skrive** *v* reduce; write down; ~ **skrivning** *s* reduction; ~ **slående** *a* discouraging; ~ **slått** *a* dejected; ~ **stamme** *v* be descended; ~ **stemme** *v* *fig* damp; (parl.) vote down; ~ **stigning** *s* descent; ~ **tegne** *v* put down; ~ **trykt** *a* depressed; ~ **trykthet** *s* depression; ~ **verdige** *v* degrade, debase; ~ **verdigelse** *s* degradation.
negativ *s* negative *a*.
neger *s* negro; ~ **inne** *s* negress.
negl *s* nail.
negli|sjé *s* undress; **i** ~ **sjé** in dishabille; ~ **sjere** *v* neglect.
nei no.
neie *v* curtsy.
nek *s* sheaf.
nekrolog *s* in memoriam, obituary (notice).
nektar *s* nectar.
nekte *v* (be-) deny; refuse; ~ **lse** *s* denial; negation; ~ **nde** *a* negative.
nellik *s* pink, carnation; (krydder-) clove.
nem *a* easy; convenient; ~ **het** *s* handiness; ~ **lig** *av* namely (viz.); for.

nemme *s* apprehension.
nemnd *s* committee, commission.
nenn|e *v* have the heart; ⁓ **som** *a* gentle.
nepe *s* turnip.
neppe *av* scarcely, hardly.
nerv|e *s* nerve; ⁓ **esmerter** *s* neuralgia; ⁓ **estyrkende** *a* tonic; ⁓ **esystem** *s* nervous system; ⁓ **øs** *a* nervous; ⁓ **øsitet** *s* nervousness.
nes *s* headland.
nes|e *s* nose; ⁓ **ebor** *s* nostril; ⁓ **egrus** *a* prostrate; ⁓ **evis** *a* saucy, pert, impertinent; ⁓ **evishet** *s* impertinence; ⁓ **horn** *s* rhinoceros.
nest *s* stitch, tack; *a* next; *prp* next to; ⁓ **best** next best; ⁓ **e** *s* neighbour; *a* next; *v* baste, tack; ⁓ **en** *av* almost, nearly; ⁓ **sist** *a* last but one.
nett *a* neat, nice; *s* net; ⁓ **formig**; *a* reticular; ⁓ **hendt** *a* handy, deft.
netto *av* net; ⁓ **utbytte** *s* net proceeds.
nettopp *av* just
neve *s* fist, (closed) hand; ⁓ **nyttig** *a* handy.
never *s* (birch-) bark.
neverett *s* club-law.
nevralgi *s* neuralgia.
nevne *v* name, mention; ⁓ **verdig** *a* worth mentioning.
nevø *s* nephew.
ni *num* nine.
nid *s* envy, spite; ⁓ **ing** *s* villain; ⁓ **kjær**, *a* zealous; ⁓ **kjærhet** *s* zeal; ⁓ **vise** *s* lampoon.
niende(del) ninth.
niese *s* niece.
nifs *a* uncanny.
nikk(e) *s* nod.
nikkedukke *s* puppet, marionette.
nikkel *s* nickel.
nikotin *s* nicotine.
nimbus *s* glory, halo.
nipp *s* sip; **på** ⁓ **et** on the point; ⁓ **e** *v* sip.
nips *s pl* trinkets.
nise *s* porpoise.
nisje *s* niche.
nisse *s* goblin, puck.
niste *s* provisions.
nistirre *s* stare hard.
nitid *a* tidy, neat.
nitt|en *num* nineteen; ⁓ **i** ninety.
niv|ellere *v* level; ⁓ **elléring** *s* levelling; ⁓ **å** *s* level.
nobel *a* noble
noen *pron* some, any; ⁓ **lunde** *av* tolerably; ⁓ **sinne** *av* ever; ⁓ **som helst** *a, pron* any(body); ⁓ **steds** *av* anywhere.
noe *pron* some, any; *av* somewhat.
nok *a, av* enough.
nokså *av* rather.
nomade *s* nomad.
nomin|ell *a* nominal; ⁓ **ere** *v* nominate.
nommen *a* numb(ed).
nonchalant *a* careless.
nonne *s* nun; ⁓ **kloster** *s* nunnery.
nonsens *s* nonsense.
nord *s* north; ⁓ **bo** *s* northman; ⁓ **etter** *av* northward; **N** ⁓ **en** the North; ⁓ **enfor** *prp* north of, *av* in the north; ⁓ **isk** *a* northern, nordic; ⁓ **lig** *a* northerly; ⁓ **lys** *s* northern lights; ⁓ **mann** *s* Norwegian; ⁓ **over** *av* northward; ⁓ **pol** *s* arctic pole the North-Pole; ⁓ **re** *a* northern; **N⁓sjøen** the North Sea.
norm *s* standard, model; ⁓ **al** *a* normal.
normanner *s* Norman.
normere *v* regulate.
norsk *a* Norwegian.
not *s* seine, trawl.
nota *s* bill (of parcels); account, statement; ⁓ **bel** *a* notable;

~ **bene** *int* mind, note; ~ **r** *s* notary; ~ **t** *s* note.
note *s* (foot)note; ~ **re** *v* note, *merc* quote; ~ **ring** *s* *merc* quotation.
notis *s* note, notice; **ta ~ av** take notice of; ~ **bok** *s* notebook.
notorisk *a* well-known, notorious.
novelle *s* (short) story.
november November.
novise *s* novice.
nudd *s* brad, sprig.
nudel *s* noodle.
null *s* zero, nought; ~ **punkt** *s* zero.
numerisk *a* numerical.
nummer *s* number; issue; lot; (sko o. l.) size; ~ **ere** *v* number; ~ **ert** *a* (plass) reserved.
nut *s* peak.
nutid *s* the present (day), *gr* present tense.
ny *a* new, recent; other; modern; *s* *ast* new moon.
nyanse *s* shade; ~ **re** *v* vary.
ny|ankommen *s* (*a*) newcomer, lately arrived; ~ **anse** *s* shade, tinge; ~ **bakt** *a* *fig* upstart; (brød) fresh; ~ **begynner** *s* novice; ~ **bygd** *s* settlement; ~ **bygger** *s* settler.
nydelig *a* charming; lovely, nice.
ny|fiken *a* curious; ~ **født** *a* newborn; ~ **gift** *a* newly married; ~ **het** *s* news, novelty.
nykke *s* whim.
nylig *av* lately.
nymfe *s* nymph.
nymotens *a* new-fangled.
nynne *v* hum.
nyre *s* kidney; ~ **stykke** *s* loin; ~ **talg** *s* suet.
nys(e) *s* (*v*) sneeze.
nysgjerrig *a* curious, prying; ~ **het** *s* curiosity.
nysilt *a* new.
nyss *s* hint, inkling; *av* just now.
nyte *v* enjoy, taste; ~ **lse** *s* enjoyment; ~ **lsessyk** *a* pleasure-seeking, selfindulgent.
nytt *s* news; ~ **år** *s* New-Year; ~ **årsaften** *s* New-Year's Eve.
nytt|e *s* use, utility; *v* be of use, avail; (be~) utilize; ~ **ig** *a* useful.
nyutnevnt *a* newly appointed.
nær *a* (*av*) near, at hand.
nære *v* nourish; *fig* cherish, entertain.
nær|gående *a* forward, indelicate; ~ **gåenhet** *s* indelicacy; ~ **het** *s* neighbouhood, nearness.
nærig *a* stingy, near.
næring *s* food; trade, business; ~ **smiddel** *s* article of food; ~ **svei** *s* trade, livelihood; ~ **svett** *s* thrift.
nær|liggende *a* neighbouring; ~ **me** *v* draw (bring) near; *vr* approach; ~**mere** *a* nearer, further; ~ **mest** *a* nearest; next-door, *av* rather; ~ **synt** *a* short-sighted; ~ **tagende** *a* sensitive; ~ **vær** *s* presence, attendance; ~ **værende** *a* present.
nød *s* want, distress; ~ **anker** *s* sheet-anchor; ~ **bremse** *s* emergency brake.
nøde *v* compel; press.
nødhjelp *s* make-shift.
nødig *av* reluctantly.
nød|lidende *a* indigent; ~ **løgn** *s* white lie; ~ **rop** *s* cry of distress; ~ **sake** *v* force; **i ~sfall** in case of need; ~ **tvungen** *a* forced; ~ **tørft** *s* necessity; ~ **tørftig** *a* (strictly) necessary; ~ **vendig** *a* necess0ry: ~ **vendiggjøre** *v* necessitate; ~ **vendighet** *s* necessity; ~ **vendigvis** *av*

necessarily; ~ **verge** *s* self-defence.
nøkk *s* nixie.
nøkkel *s* key, *fig* clue.
nøktern *a* sober, steady.
nøle *v* hesitate; ~ **n** *s* hesitation.
nøste *s* ball; roll.
nøtt *s* nut.
nøy|aktig *a* exact, accurate; ~ **aktighet** *s* accuracy; ~ **e** *a*, *av* precise, accurate; *vr* *vr* content oneself; ~ **eregnende** *a* nice, particular; ~ **som** *a* frugal, economical; ~ **somhet** *s* frugality.
nøytral *a* neutral; ~ **itet** *s* neutrality; ~ **isere** *v* neutralize.
nå *av* now; *v* reach, gain.
nåd|e *s* grace, mercy; ~ **estøt** *s* death-blow; ~ **ig** *a* gracious, merciful.
nål *s* needle; **(knappe)** ~ pin; ~ **eskog** *s* pine-forest; ~ **estikk** *s* prick; ~ **etre** *s* *bot* conifer.
når *kj* when; if; ~ **som helst** *kj* whenever; *av* at any time.
nå til dags *av* now-a-days; ~ **vel** *av* well; ~ **værende** *a* present, present-day.

O.

oase *s* oasis.
obdu|ksjon *s* post-mortem (P.M.); ~ **sere** *v* dissect.
obelisk *s* obelisk.
oberst *s* colonel; ~ **løytnant** *s* lieutenant-colonel; wing-commander (i flyvåp.).
objekt *s* object; ~ **iv** *s*, *a* objective.
obliga|sjon *s* bond, *pl* stock(s); ~ **torisk** *a* compulsory.
ob|scøn *a* obscene; ~ **servant** *a* observing; ~ **servatorium** *s* observatory; ~ **servere** *v* observe; ~ **skur** *a* obscure; ~ **sternasig** *a* refractory.
odd *s* point.
odde *s* point, head.
ode *s* ode.
odel *s* allodial possession; ~ **srett** *s* allodial privilege.
odiøs *a* derogatory, odious.
odør *s* smell.
offensiv *s* offensive.
offentlig *a* public; ~ **gjøre** *v* publish; ~ **gjørelse** *s* publication ~ **het** *s* publicity.
offer *s* offering, sacrifice; victim; ~ **ere** *v* offer; ~ **te** *s* tender, offer; ~ **villig** *a* self-sacrificing; ~ **villighet** *s* self-sacrifice.
offi|cer *s* officer; ~ **siell** *a* official; ~ **siøs** *a* half-official.
ofre *v* sacrifice.
ofte *av* often; ~ **st** *av* most frequently.
og *kj* and; ~ **(så)**, *av* also, too, as well.
oker *s* ochre.
okkupere *v* occupy.
okse *s* bull, ox, bullock; ~ **kjøtt** *s* beef; ~ **stek** *s* roast beef, a joint of beef.
oksyd *s* oxide; ~ **ere** *v* oxidize.
okt|av *s* octavo, *mus* octave; ~ **ober** October.
old|efar *s* great-grandfather; ~ **enborre** *s* cockchafer; ~ **ermann** *s* master of a corporation; ~ **frue** *s* manageress, housekeeper; ~ **gransker** *s* antiquary; ~ **ing** *s* old man; ~ **ingaktig** *a* senile; ~ **norsk** *a*, *s* Old Norse; ~ **saker** *s* antiquities; ~ **tid** *s* antiquity.
oliven *s* olive.
olje *s*, *v* oil; ~ **hyre** *s* oilskins.
olm *a* vicious, sullen.
olympi|ade *s* olympiad; ~ **sk** *a* olympic.
om *kj* whether, if; *prp* about, etc, (tid) in.
om|adressere *v* forward, re-

direct; ~ **arbeide** *v* reconstruct, adapt, revise; ~ **arbeidelse** *s* adaptation; revision; ~ **bestemme** *vr* change one's mind; ~ **bord** *av* on board; ~ **bringe** *v* distribute, deliver; kill; ~ **bud** *s* charge, commission; ~ **bygge** *v* rebuild; ~ **bæring** *s* delivery.

om|danne *v* transform; ~ **diskutert** *a* disputed; ~ **dreining** *s* turning, rotation, revolution; ~ **dømme** *s* judgment; reputation; ~ **egn** *s* environs, neighbourhood.

omelett *s* omelette.

omen *s* omen.

om enn *kj* even if.

omenskjønt *kj* though.

om|fang *s* extent, circumference; ~ **fangsrik** *a* extensive, bulky; ~ **fatte** *v* comprise, embrace, include; ~ **fattende** *a* comprehensive; ~ **favne** *v* embrace; ~ **favnelse** *s* embrace; ~ **flakkende** *a* wandering; ~ **forme** *v* modify.

om|gang *s* intercouse; round, treatment; ~ **gangskrets** *s* (circle of) acquaintance; ~ **gi** *v* surround, encircle; ~ **givelser** *s* surroundings; ~ **gjengelig** *a* sociable, companionable; ~ **gjengelighet** *s* sociability; ~ **gjorde** *v* gird; ~ **gå** *v* elude, evade, *mil* outflank; *pr* ~ **gående** by return of post; ~ **gås med** *v* have intercourse with, mix with; (plan) meditate.

om|hu *s* care, solicitude; ~ **hyggelig** *a* careful.

om|kalfatre *v* make a radical change in, turn things upside down; ~ **kalfatring** *s* transformation; ~ **kapp** *av* in competition; ~ **kledning** *s* change of dress; ~ **komme** *v* perish; ~ **kostning** *s* cost, expense; ~ **krets** *s* circumference; ~ **kretsmåler** *s* perimeter; ~ **kring** *prp, av* about, (a)round; ~ **kull** *av* down; ~ **kved** *s* burden.

om|lag *av* about; ~ **lasting** *s* transhipment; ~ **legge** *v* change; ~ **lyd** *s gr* mutation; ~ **løp** *s* circulation; (vett) brains.

omme *av* over, at an end.

omnibus (omni)bus.

omordne *v* rearrange.

omplante *v* transplant.

om|ringe *v* surround, beset; ~ **riss** *s* outline; ~ **råde** *s* territory.

om|setning *s* purchase and sale, transaction; ~ **sette** *v* dispose of, realize, sell; ~ **sider** *av* at length, eventually; ~ **skape** *v* transform; ~ **skiftelig** *a* changeable; ~ **skiftelser** *s* vicissitudes; ~ **skrive** *v* rewrite, paraphrase; ~ **slag** *s* cover, compress; (graut) poultice; (vær) change; *fig* turn, revulsion; ~ **slutte** *v* enclose; ~ **sorg** *s* care; ~ **sorgsfull** *a* careful; ~ **stendelig** *a* circumstantial, detailed; ~ **stendelighet** *s* too much detail; ~ **stendighet** *s* circumstance, ceremony; **i** ~ **stendigheter** in the family way; ~ **streifer** *s* vagrant, vagabond; ~ **stridt** *a* disputed, at issue; ~ **styrte** *v* overthrow, subvert; *v* ~ **styrtelse** *s* subversion; ~ **støte** *v jur* reverse; ~ **svøp** *s* circumlocution, evasions, ceremonies.

om|tale *s* mention, talk, repute; *v* speak of, mention; ~ **tanke** *s* (fore-) thought, consideration; ~ **tenksom** *a* thoughtful, considerate; ~ **trent** *av* about; ~ **tvistet** *a* disputed; ~ **tvistelig** *a* debatable; ~ **tåket** *a* fuddled.

om|valg *s* re-election; ~ **vei** *s*

circuit; ~ **veltning** *s* revolution; ~ **vende**, *v* convert; *vr* be converted; ~ **vendelse** *s* conversion; ~ **vendt** *s* convert; *a* inverted; *av* vice versa.

ond *a* bad, evil, wicked; ~ **artet** *a* ill-natured, *med* malignant; ~ **e** *s* evil, complaint, nuisance; ~ **sinnet** *a* evil-tempered; ~ **skap** *s* malice, wickedness; ~ **skapsfull** *a* malicious, spiteful.

ondulere *v* wave.

onkel *s* uncle.

onn *s* (haying, harvesting) season.

onsdag Wednesday.

op|al *s* opal; ~ **era** *s* opera (-house); ~ **erasjon** *s* operation; ~ **eratør** *a* operator; ~ **erere** *v* operate (upon); ~**erette** *s* light opera, musical comedy; ~ **ium** *s* opium; ~ **iumsdråper** *s* laudanum.

opp *av* up, upstairs, open; ~ **ad** *av* upward(s); ~ **adstrebende** *a* aspiring; ~ **arbeide** *v* cultivate, work up, make, construct.

opp|bevare *v* keep, preserve; ~ **bevaring** *s* preservation, safe custody; ~ **blomstring** *s* rise, flourishing; ~ **blåst** *a* inflated, puffed up; ~ **blåsthet** *s* conceit, elation; ~ **brakt** *a* angry; ~ **bringe** *v* seize; ~ **bringelse** *s* seizure; ~ **brudd** *s* departure; ~ **bud** *s* levy; ~ **by** *v fig* muster, exert; ~ **byggelig**; *a* edifying; ~ **byggelse** *s* edification.

opp|dage *v* discover, detect; ~ **dagelse** *s* discovery, detection; ~ **dagelsesreisende** *s* explorer; ~ **dager** *s* discoverer, detective; ~ **dikte** *v* invent; ~ **diktelse**, *s* invention; ~ **dra** *v* bring up, educate; ~ **drag** *s* task, commission; ~ **dragelse** *s* breeding, education; ~ **drager(inne)** tutor(ess); ~ **drett** *s* breeding, raising; ~ **dretter** *s* breeder; ~ **drift** *s* flotation; *fig* push; ~ **drive** *v* procure, raise; ~ **elske** *v* foster.

oppe *av* up, out of bed; ~ **bie** *v* await; ~ **bære** receive, collect; ~ **børsel** *s* collecting.

opp|farende *a* hot-tempered, irascible; ~ **fatning** *s* view; ~ **fatte** *v* perceive, interpret, catch; ~ **finne** *v* invent; ~ **finnelse** *s* invention; ~ **finner** *s* inventor; ~ **finnsom** *a* inventive; ~ **finnsomhet** *s* inventiveness, ingenuity; ~ **flamme** *v* inflame; ~ **flytte** *v* (elev) remove; ~ **flytning** *s* removal; ~ **fordre** *v* call upon, invite, request; ~ **fordring** *s* appeal, request, summons; ~ **fostre** *v* bring up, rear; ~ **fostring** *s* bringing up; ~ **friske** *v* brush up, freshen up; ~ **fylle** *v* fulfil, grant, meet, comply with; ~ **fyllelse** *s* grant, fulfilment; ~ **føre** *v* construct, *teat* perform, (dans) lead off, *merk* enter, specify; *vr* behave; ~ **førelse** *s* erection, *teat* performance; ~ **førsel** *s* behaviour, conduct.

opp|gang *s* rise; (trapp) stairs; ~ **gave** *s* task, problem; ~ **gi** *v* give up, abandon; (si) give; ~ **gjør** *s* settlement; ~ **gjøre** *v* settle, make up; ~ **glødd** *a* flushed.

opp|hav *s* origin; author; ~ **havsmann** *s* originator; ~ **hete** *v* heat; ~ **hetning** *s* heating; ~ **heve** *v* abolish, repeal, cancel; ~ **hevelse** *s* abolition, repeal, (kluss) fuss, ceremony; ~ **hisse** *v* excite, set on; ~ **hisselse** *s* excitement; ~ **hjelpe** *v* promote; ~ **hold** *s* stay, pause, intermission; (livets) sustenance; ∽ **holde** *v* (livet) support, (stanse) detain; *vr* stop, stay; ∽ **holdssted** *s* (place of) residence; ∽ **holdsvær** *s* dry weather; ∽ **hopning** *s* accumulation; ∽ **hovnet** *a* swollen; ∽ **høye** *v* exalt; ∽ **høyelse** *s* elevation, exaltation, ∽ **høyet** *a* sublime, lofty; ∽ **hør** *s* cessation, discontinuance; ∽ **høre** *v* cease; ∽ **høre med** *v* leave off.

opp|kalle *v* name; ∽ **kast** *s* vomiting; ∽ **kavet** *a* in a bustle; all of a flurry; ∽ **kjøp** *s* buying up; ∽ **klare** *v* clear up; ∽ **klaring** *s* clearing up; ∽ **klebe** *v* paste, mount; ∽ **kok** *s* second boiling, *fig* reproduction; **gi et** ∽ **kok** *v* scald; ∽ **komling** *s* upstart; ∽ **komme** *s* spring, well; ∽ **komst** *s* rise, development; ∽ **kreve** *v* collect; ∽ **krevning** *s* collection.

opp|lag *s* store; (bok) issue, edition; **i** ∽ **lag** (skip), laid up, idle shipping; ∽ **lagt** *a* disposed, in a humour (to); (klar) obvious; ∽ **land** *s* (trade) district; ∽ **lesning** *s* recital, reading; ∽ **leve** *v* live to see, experience, meet with; ∽ **levelse** *s* adventure, experience; ∽ **live** *v* revive, cheer, liven up; ∽ **livende** *a* exhilarating; ∽ **livning** *s* resuscitation; ∽ **lyse** *v* light up, illume, illustrate; inform; ∽ **lysende** *a* informatory, explanatory; ∽ **lysning** *s* enlightenment, information, education; ∽ **læring** *s* teaching; ∽ **løfte** *v* (rop) raise, set up; *fig* exalt; ∽ **løp** *s* riot, tumult; ∽ **løpen** *a* overgrown; ∽ **løse** *v mil* disband; dissolve, *sci* decompose; ∽ **løsning** *s* (dis-)solution, disintegration.

opp|magasinere *v* store up; ∽**mann** *s* umpire, referee; ∽ **merksom** *a* attentive; ∽ **merksomhet** *s* attention, act of a.; ∽ **muntre** *v* encourage, (kvikke) cheer; ∽ **muntring** *s* encouragement; ∽ **måle** *v* survey.

opp|navn *s* nickname; ∽ **nevne** *v* appoint, name, nominate; ∽ **nå** *v* attain, gain, obtain; ∽ **nåelig** *a* attainable.

opp|ofre *v* sacrifice; ∽ **ofrelse** *s* sacrifice; devotion; ∽ **ofrende** *a* self sacrificing; ∽ **over** *av* up hill, upward.

op|pakning *s* equipment; ∽ **passer** *s* (bat-) man.

op|ponere *v* make opposition; ∽ **ponere mot** oppose; ∽ **pustet** *a* inflated; ∽ **pussing** *s* decoration, renovation.

opp|redt *a* ready made; ∽**regne** *v* enumerate; ∽ **regning** *s* enumeration; ∽ **reisning** *s* redress, satisfaction; ∽ **reist** *a* erect; ∽ **rett** *a* erect; ∽ **rette** *v* establish; *fig* repair; ∽ **rettelse** *s* foundation; ∽ **rettholde** *v* maintain, keep up, support; ∽ **rettholdelse** *s* maintenance, upkeep; ∽ **riktig** *a* sincere; ∽ **riktighet** *s* sincerity; ∽ **rinnelig** *a* original; ∽ **rinne** *v* arise, dawn; ∽ **rinnelse** *s* origin; ∽ **ringning** *s* call; ∽ **rivende** *a* harassing; ∽ **rop** *s* appeal; manifesto; ∽ **rydning** *s* clearing; ∽ **rykning** *s* promotion; ∽ **rømt** *a* cheerful, gay; ∽ **rør** *s* rebellion, revolt; ∽ **røre** *v* shock, revolt; ∽ **rører** *s* rebel, insurgent; ∽ **rørsk** *a* rebellious; **rådd** *a* at a loss.

opp|sats *s* stand; ∽ **sett** *s* article, paper; ∽ **setsig** *a* refractory; ∽ **setsighet** *s* insubordination; ∽ **sette** *v* put off, postpone; ∽ **settelse** *s* delay; ~ **si** *v* give notice to quit, recall; ~ **sigelse** *s* notice, warning; ~ **sikt** *s* sensation, stir; ~ **siktsvekkende** *a* sensational; ~ **sitter** *s* freeholder; ~ **skjørtet** *a* kilted up, *fig* fussy; ~ **skrift** *s* recipe; ~ **slag** *s* bill; (klær) cuff, lapel; *fig* rupture; ~ **sluke** *v* swallow up; ~ **snappe** *v* intercept; ~ **spare** *v* save; ~ **spe** *v* dilute, water; ~ **spilt** *a* excited, strained; ~ **spinn** *s* invention; ~ **spore** *v* track, trace out; ~ **stand** *s* rising ~ **standelse** *s* resurrection; *fig* stir; ~ **stigning** *s* ascent; ~ **stille** *v* set up; lay down; ~ **stilling** *s* disposition, *mil* falling in; ~ **strammer** *s* reprimand; tonic; ~ **stuss** *s* fuss; ~ **styltet** *a* stilted; ~ **styr** *s* stir, pother; ~ **støt** *s* eructation; ~ **stå** *v* arise, come up; ~ **suge** *v* absorb; ~ **summere** *v* sum up; ~ **sving** *s* improvement, boom; ~ **svulmet** *a* swollen, puffy; ~ **syn** *s* inspection, supervision; ~ **synsmann** *s* inepector; ~ **søke** *v* seek (out).

opp|ta *v* take up, occupy; admit, (lån) raise; ~ **tagelse** *s* admission; ~ **tatt** *a* cngaged, absorbed; full; ~ **tegnelse** *s* record, note; ~ **telling** *s* adding up; ~ **tenne** *v* inflame, kindle; ~ **tenkelig** *a* conceivable.

opp|tog *s* procession, show; ~ **tre** *v* appear, act; ~ **treden** *s* appearance; deportment, course of action; ~ **trekkeri** *s* cheating, extortion; ~ **trin** *s* episode, scene; ~ **tøyer** *s* riots.

opp|vakt *a* quick-witted, bright; ~ **varme** *v* heat; recook; ~ **varte** *v* wait upon, attend; ~ **varter**, *s* waiter; ~ **varterske** *s* waitress; ~ **vartning** *s* attendance; ~ **vask** *s* washing up; ~ **vaskbalje** *s* dish tub; ~ **veie** *v* balance, compensate for; ~ **vekke** *v* rouse, awaken ~ **vekst** *s* youth; ~ **vigle** *v* stir up; ~ **vigleri** *s* instigation, agitation; ~ **vise** *v* exhibit; ~ **visning** *s* display, review; ~ **vokse** *v* grow up; ~ **øve** *v* train.

op|tikk *s* optics; ~ **tiker** *s* optician; ~ **tisk** *a* optical; ~ **timisme** *s* optimism.

opus *s* work.

or *s bot* alder.

orakel *s* oracle.

oransje *s* orange.

oratori|sk *a* oratorical; ~ **um** *s* oratorio.

ord *s* word; ~ **bok** *s* dictionary.

orden *s* order; ~ **sbånd** *s* ribbon; ~ **tlig** *a* orderly, tidy; regular; *av* properly ~ **skarakter** *s* marks for orderliness.

ord|forråd *s* vocabulary; ~ **fører** *s* spokesman, (pol.) chairman; ~ **gyteri** *s* verbosity; ~ **holden** *a* faithful to one's word, trustworthy; ~ **holdenhet** *s* trustworthiness.

ordin|ere *v med* prescribe; (prest) ordain; ~ **ær** *a* ordinary.

ord|kløveri *s* hair-splitting; ~ **knapp** *a* taciturn; ~ **lyd** *s* wording; ~ **lydende** *av* literally.

ordn|e *v* arrange, class; ~ **ing** *s* arrangement.

ordonnans *s* orderly.

ordre *s* order(s).

ord|rett *a* literal; ~ **skifte** *s* debate; ~ **spill** *s* pun; ~ **språk** *s* proverb; ~ **stilling** *s* word-order; ~ **strid** *s* altercation.

organ *s* organ; ~ **isasjon** *s* organization; ~ **isator** *s* orga-

nizer; ~ **isere** *v* organize; ~ **isme** *s* organism.
orgel *s* organ.
orgie *s* orgy.
orien|talsk *a* Oriental; **O** ~ **en** *s* the East; ~ **ere** *v* direct, guide, orientate; *vr* find one's bearings.
original *a* eccentric; *s* character.
orkan *s* hurricane.
orke *v* be able to, bear.
orkester *s* orchestra, band; ~ ~ **plass** orchestra stall(s).
orkidé *s* orchid.
orlogsmann *s* man-of-war.
orlov *s* leave of absence.
orm *s* worm.
ornament *s* ornament.
ornat *s* vestment, robe.
orr|fugl *s* black game; ~ **hane** *s* black-cock.
orto|doks *a* orthodox; ~ **grafi,** *s* orthography.
os *s* smoke; (elve~) mouth of river; ~ **e** *v* smoke.
osean *s* ocean.
osp *s bot* asp.
oss *pron* us, ourselves.
ost *s* cheese; ~ **eskorpe** *s* rind of cheese.
ostindisk *a* East India(n).
osv., etc. and so on.
oter *s zo* otter.
otium *s* leisure.
outrere *v* exaggerate.
ouverture *s* overture.
oval *s, a* oval.
ova|rium (eggstokk) *s med* ovary.
ovasjon *s* ovation.
oven *av* above; ~ **for** *prp, av* above; ~ **fra** *av* from above; ~ **ikjøpet** *av* into the bargain; ~ **på** *prp* on, *av* on the top, upstairs, *fig* all right; ~ **stående** *a* the above; ~ **til** *av* above.
over *prp* over, above, past; *av* over, through.
over|alt *av* everywhere; ~ **anstrenge(lse)** *v* (*s*) overwork; ~ **arm** *s* upper (part of the) arm.
over|befolket *a* over-populated, ~ **bevise** *v* convince, *jur* convict; ~ **bevisning** *s* conviction; ~ **blikk** *s* (general) view; ~ **bord** *av* overboard; ~ **bringe** *v* bring; ~ **bringer** *s* bearer; ~ **by** *v* outbid; ~ **bygning** *s* covering (-in); ~ **bærende** *a* indulgent; ~ **bærenhet** *s* indulgence.
over|denge *v* heap upon; ~ **dra** *v* make over, charge (with); ~ **dragelse** *s* transfer; ~ **dreven** *a* exaggerated, excessive; ~ **drive** *v* exaggerate; ~ **drivelse** *s* exaggeration; ~ **døyve** *v* drown, stifle; ~ **dådig** *a* luxurious; ~ **dådighet** *s* luxury.
over|ende *av* down; ~ **ens** *av* **stemme** ~ **ens**, harmonize; ~ **enskomst** *s* agreement, compromise; ~ **ensstemmelse** *s* conformity, harmony; ~ **ensstemmende med** *prp* in accordance with; ~ **ernært** *a* overfed.
over|fall *s* assault; ~ **falle** *v* assail, attack, fall upon; ~ **fladisk** *a* superficial; ~ **flate** *s* surface; ~ **flod** *s* plenty; ~ **flødig** *a* abundant, superfluous; ~ **flødighet** *s* abundance, superfluity; ~ **fløye** *v* out distance; ~ **for** *prp* opposite (to); ~ **frakk** *s* greatcoat; ~ **fuse** *v* load with abuse; ~ **fylt** *a* overcrowded; ~ **føre** *v* transfer, carry over; ~ **føring** *s* transport; ~ **ført** *a fig* figurative.
over|gang *s* crossing; fig transition; ~ **gi** *v* hand over, deliver, *vr* surrender; ~ **gitt** a despairing; ~ **givelse** *s* surrender, delivery; ~ **given** *a* merry, wild; ~ **grep** *s* encroachment; ~ **grodd** *a*

overgrown; ⌣ **gå** *v* excel, surpass.

over|haling *s* overhauling; *mar* lurch; scolding; ⌣ **hendig** *a* tremendous; ⌣ **hengende** *a* impending; projecting; ⌣ **herredømme** *s* supremacy; ⌣ **hode** *s* chief, head; ⌣ **hodet** *av* on the whole; at all, altogether; ⌣ **holde** *v* keep; ⌣ **holdelse** *s* keeping; ⌣ **hus** *s* the Upper House, (engelsk) the House of Lords; ⌣ **høre** *v* examine; miss, ignore; ⌣ **høring** *s* catechizing; ⌣ **hånd** *s* the upper hand, predominance.

over|ilet *a* rash; ⌣ **ingeniør** *s* chief engineer; ⌣ **jordisk** *a* unearthly.

over|kant *s* top, upper side; ⌣ **kelner** *s* head-waiter; ⌣ **kjeve** *s* upper jaw; ⌣ **kjøre** *v* run over; ⌣ **klasse** *s* upper-class(es); ⌣ **kommando** *s* command-in-chief; ⌣ **komme** *v* manage; ⌣ **kommelig** *a* practicable; ⌣ **kors** *av* crosswise.

over|lagt *a* deliberate; ⌣ **last** *s* injury; ⌣ **late** *v* leave, spare; ⌣ **legen** *a* superior; (hoven) supercilious; ⌣ **legenhet** *s* superiority; **med** ⌣ **legg** deliberately; ⌣ **legge** *v* deliberate; ⌣ **legning** *s* deliberation; ⌣ **leppe** *s* upper lip; ⌣ **lesse** *v* overburden; ⌣ **leve** *v* outlive, survive; ⌣ **levende** *a* surviving, *s* survivor; ⌣ **levere** *v* deliver, hand over (to); ⌣ **levering** *s* delivery; tradition; ⌣ **liste** *v* dupe, outwit; ⌣ **læge** *s* head doctor; ⌣ **lær** *s* vamp, upper; ⌣ **lærer** *s* headmaster, principal; ⌣ **løper** *s* deserter.

over|makt *s* superior force, odds; ⌣ **mann** superior; ⌣ **manne** *v* overpower; ⌣ **menneskelig** *a* superhuman; ⌣ **mot** *s* pride, arrogance; ⌣ **modig** *a* arrogant, proud; ⌣ **måte** *av* extremely; ⌣ **natte** *v* put up for the night; **naturlig** *a* supernatural; ⌣ **ordentlig** *a* extraordinary, remarkable; ⌣ **ordnet** *a s* superior.

over|raske *v* surprise ⌣ **raskelse** *s* surprise; ⌣ **rekke** *v* hand (to); ⌣ **rumple** *v* take by surprise; take off one's guard; ⌣ **rumpling** *s* surprise.

over|sanselig *a* transcendent; ⌣ **se** *v* survey; overlook; (tåle) connive at; ⌣ **sende** transmit; ⌣ **sette** *v* translate; ⌣ **settelse** *s* translation; ⌣ **sikt** *s* survey, synopsis; ⌣ **siktlig** clearly arranged, lucid, synoptic; ⌣ **sjøisk** *a* oversea(s); ⌣ **skrevs** *av* astride; ⌣ **skride** *v* exceed; ⌣ **skridelse** *s* excess; ⌣ **skrift** *s* title, heading; ⌣ **skudd** *s* surplus, margin; ⌣ **skue** *v* survey; ⌣ **skuelig** *a* clear; ⌣ **skudd** *s* surplus; ⌣ **skyet** *a* overcast; ⌣ **skygge** *v* overshadow; ⌣ **skytende** *a* additional; ⌣ **slag** *s* estimate; ⌣ **spent** *a* romantic; ⌣ **stadig** *a* elated, *av* excessively; ⌣ **stige** *v* exceed; ⌣ **stryke** *v* cross out; ⌣ **strømmende** *a* profuse; **sette** ⌣ **styr** *v* squander; ⌣ **svømme** *v* overflow, flood; ⌣ **svømmelse** *s* deluge, inundation; ⌣ **søster** *s* head nurse.

over|ta *v* assume, take (over); enter on; ⌣ **tagelse** *s* taking over; ⌣ **tak** *s* upper hand; ⌣ **tale** *v* persuade; ⌣ **talelse** *s* persuasion; ⌣ **talelsesevne** *s* persuavineness; ⌣ **talende** *a* persuasive; ⌣ **tallig** *a* supernumerary; ⌣ **tre** *v* transgress, break; ⌣ **tredelse** *s* transgression; ⌣ **treffe** *v*

excel; ~ **trekke** (konto), *v* overdraw; ~ **tro** *s* superstition; ~ **troisk** *a* superstitious; ~ **tyde** *v* convince.
over|veie *v* consider, weigh; ~ **veielse** *s* reflection; ~ **veiende** *a* paramount; *av* chiefly; ~ **vekt** *s* overweight, *fig* preponderance; ~ **velde** *v* overwhelm, overcome; ~ **vinne** *v* conquer, beat; ~ **vinnelse** *s* conquest, (selv-) effort; ~ **vintre** *v* winter; ~ **vurdere** *v* overrate, overestimate; ~ **være** *v* attend, witness; ~ **øse med** *v* heap upon.
ovn *s* (baker~) oven; (smelte~) furnace; stove; (kalk~) kiln.

P.

padde *s* toad; ~ **hatt** *s* mushroom.
padle *v* paddle.
pagin|a *s* page; ~ **ere** *v* page.
pakk *s* mob, low set.
pakk|e *s* parcel, package; *v* pack; ~ **e inn** wrap up; ~ **e opp** unpack; *vr* take oneself off; ~ **esel** *s* pack-ass; ~ **post** *s* parcel post; ~ **hus** *s* warehouse, storehouse; ~ **kurv** *s* hamper.
pakning *s* packing, kit.
pakt *s* covenant.
palass *s* palace.
palé *s* palace.
Palestina Palestine.
palett *s* palette.
paljetter *s* spangles.
palme *s* palm; ~ **søndag** Palm Sunday.
pamflett *s* libel.
panegyrikk *s* panegyric.
panel(e) *s* (*v*) wainscot.
pani|kk *s* panic; ~ **sk** *a* panic, panic-stricken, *fam* panicky.
panne *s* forehead; brow; (steke~) pan.
pans|er *s* (coat of) mail; (bil) bonnet; ~ **erskip** *s* ironclad; ~ **re** *v* mail.
pant *s* pledge, pawn; *jur* mortgage; (lek) forfeit; ~ **e** *v* distrain; ~ **elåner** *s* pawnbroker; ~ **haver** *s* mortgagee; ~ **obligasjon** *s* mortgage-bond; ~ **sette** *v* pawn.
panter *s* panther.
pantomime *s* dumb show.
papegøye *s* parrot.
papiljott *s* curl-paper.
papir *s* paper; ~ **handler** *s* stationer; ~ **kniv** *s* book-knife; ~ **kurv** *s* waste-paper basket.
papp *s* pasteboard.
par *s* pair, couple; *sp* brace; (a) few, a couple (of).
parade *s* parade.
para|dis *s* paradise; ~ **doks** *s* paradox; ~ **doksal** *a* paradoxical; ~ **fin** *s* paraffine, oil; ~ **graf** *s* paragraph, section; ~ **llell** *a* parallel; ~ **nøtt** *s* Brazil nut; ~ **ply** *s* umbrella; ~ **sitt** *s* parasite; ~ **soll** *s* parasol.
parat *a* ready.
pardong *s* quarter.
parentes *s* parenthesis.
parer|e *v* parry, ward off; ~ **plate** *s* guard.
parfyme(re) *s* perfume.
pari *s* *merc* par.
paria *s* Pariah.
paritet *s* parity.
park *s* park; ~ **ere** *v* park; ~ **ett** *s* stalls; ~ **ettgolv** *s* parqueted floor.
parlament *s* parliament; ~ **arisk** *a* parliamentary; ~ **arisme** *s* parliamentary (party) system; ~ **ere** *v*parley, negotiate; ~ **ering** *s* negotiation; ~ **smedlem** *s* member of P. (M.P.); ~ **smøte** *s* sitting; ~ **samling** *s* session.
parlør *s* phrase-book.
parodi *s* parody; ~ **sk** *a* parodic.

parole *s* pass-word.
parr|e *v*(r) pair, match; copulate; ~ **ing** *s* copulation.
parsell *s* lot; ~ **ere** *v* parcel out.
part *s* share, portion, *jur* party; ~ **ere** *v* quarter.
parterr *s* pit.
parti *s* lot, *merc* consignment; party, match, *mus* part; (spill) game; **ta** ~, take sides; ~ **ell** *a* partial; ~ **gjenger** *s* partisan; ~ **kkel** *s* particle; ~ **sipp** *s* participle; ~ **sk** *a* partial; ~ **skhet** *s* partiality.
par|veny *s* upstart; ~ **vis** *av* in pairs (couples).
parykk *s* (peri)wig.
pasifisme *s* pacifism.
pasient *s* patient.
pasja *s* pasha.
pasje *s* page.
pasjon *s* fancy, hobby; ~ **ert** *a* passionate.
pass *s* passport; (i kort) no bid, I pass; (fjell-) pass; (pleie) care; ~ **abel** *a* passable; ~ **asje** *s* passage; ~ **ager** *s* passenger; ~ **asjerbåt** *s* passenger ship, liner; ~ **at** *s* trade wind; ~ **e** *v* fit; tend; agree; (i kort) pass; *vr* be proper; mind one's own business; take care; ~ **ende** *a* suitable, becoming; ~ **er** *s* pair of compasses; ~ **ere** *v* pass by, happen; ~ **gang** *s* amble; ~ **gjenger** *s* ambler; ~ **iar** *s* talk, chat; ~ **iare** *v* chat, gossip; ~ **iv** *a* passive; *s gr* the passive voice; ~ **iva** *s* debts, liabilities; ~ **us** *s* passage.
pas|ta *s* paste; ~ **tell** *s* crayon; ~ **teurisere** *v* pasteurize; ~ **till** *s* pastil(le); lozenge; ~ **tinakk** *s* parsnip; ~ **tor** *s* the Rev.(erend) Mr. — (titel), pastor.
patent *s* patent, certificate; ~ **ert** *a* patented; ~ **nøkkel** *s* latch-key.
pater *s* father; ~ **nitet** *s* paternity.
patetisk *a* pathetic.
patologisk *a* pathological.
patos *s* pathos.
pat|riark *s* patriarch; ~ **riarkalsk** *a* patriarchal; ~ **riot** *s* patriot; ~ **riotisk** *a* patriotic; ~ **risier** *s* patrician.
patron *s* cartridge.
patrulje(re) *s* (*v*) patrol.
patte *s* teat, nipple; *v* suck; ~ **barn** *s* suckling; ~ **dyr** *s* mammal.
pauke *s* kettle-drum.
paulun *s* tent.
pause *s* pause, stop, *mus* rest, *teat* interval.
pave *s* pope; ~ **dømme** *s* papacy; ~ **lig** *a* papal; ~ **stol** *s* papal chair, see.
paviljong *s* pavillion.
pedagog *s* pedagogue, educationist.
ped|al *s* pedal; ~ **ant** *s* pedant; ~ **anteri** *s* pedantry; ~ **antisk** *a* pedantic; ~ **ell** *s* beadle.
peignoir *s* dressing-gown.
peile *v* take a bearing.
peis *s* fire-place.
peke *v* point; ~ **finger** *s* forefinger; ~ **pinn** *s* pointer, *fig* hint.
pekuniær *a* pecuniary.
pel *s* half a pint; pale; pole, post.
pelikan *s* pelican.
pelotong *s* platoon.
pels *s* fur (coat, cloak); ~ **dyr** *s* furred animal; ~ **frakk** *s* fur coat; ~ **handler** *s* furrier; ~ **krave** *s* tippet; ~ **kåpe** *s* fur cloak; ~ **verk** *s* furs.
pen *a* handsome, pretty, good-looking.
pendel *s* pendulum.
penge|r *s* money; ~ **begjærlig** *a* avaricious; ~ **lens** *a* penniless; ~ **seddel** *s* note; ~ **skap** *s* safe; ~ **skuff** *s* till; **utpressing** *s* blackmail.

penibel *a* painful, awkward.
penn *s* pen; ~ **al** *s* pencase; ~ **ekniv** *s* penknife; ~ **eskaft** *s* penholder; ~ **esplitt** *s* nib.
pens(e) *s* (*v*) (work the) points, (*v*) switch.
pensel *s* (hair-)pencil.
pensjon *s* pension, halfpay; (kost) board; ~ **at** *s* boarding-house; ~ **ere** *v* pension; ~ **ist** *s* pensioner; ~ **ær** *s* boarder.
pensle *v* brush.
pensum *s* curriculum.
pep|er *s* pepper; ~ **permøy** *s* old maid, spinster; ~ **pernøtt** *s* gingernut; ~ **persvenn** *s* bachelor; ~ **re** *v* pepper.
per *merc* by, per; ~ **fekt** *a* perfect; ~ **feksjonere** *v* make perfect; *vr* perfect oneself; ~ **fektum** *s gr* perfect; ~ **fid** *a* perfidious; ~ **gament** *s* parchment.
peri|feri *s* periphery; ~ **ode** *s* period; ~ **odisk** *a* periodical.
perle *s* pearl; (glass) bead; *v* sparkle; ~ **mor** *s* mother of pearl, nacre.
perm *s* cover, board.
per|manent *a* permanent; ~ **manent krøll** *s* p. wave; ~ **misjon** *s* leave of absence, sick-leave; ~ **mittere** *v* grant leave (of absence); ~ **pendikulær** *a* perpendicular; ~ **pleks** *a* taken aback, puzzled; ~ **rong** *s* platform.
perse *s v* press.
persi|enne *s* (Venetian) blind(s); ~ **sk** *a* Persian.
persille *s* parsley.
per|son *s* person, *teat* character; ~ **sonale** *s* staff, personnel; ~ **sonalia** *s* biographical facts; ~ **sonifisere** *v* embody; ~ **sonlig** *a* personal; *av* in person; ~ **sonlighet** *s* person(ality); ~ **spektiv** *s* perspective; ~ **tentlig** *a* prim; ~ **vers** *a* perverse; ~ **versitet** *s* perversity.
pese *v* pant, puff.
pessimisme *s* pessimism.
pest *s* plague, pestilence; ~ **aktig** *a* pestilential.
petit *s* brevier.
petroleum *s* petrol, oil.
piano *s* piano.
pidestall *s* pedestal.
piet|et *s* reverence, devotion; ~ **isme** *s* pietism.
pigg *s* spike, quill; ~ **et** *a* prickly, spiked; ~ **tråd** *s* barbed wire; ~ **var** *s zo* turbot.
pikant *s* piquant, pungent; ~ **eri** *s* piquancy.
pike *s* girl; maid; ~ **navn** *s* maiden name.
pikkolo *s fam* buttons; ~ **fløyte** *s* picolo.
pil *s* arrow; *bot* willow; ~ **e** *v* bolt, dart.
pilar *s* pillar.
pilegrim *s* pilgrim; ~ **svandring** *s* pilgrimage.
pilk (sluk) *s* jig, tin-bait.
pille *s* pill; *v* pick; (rense) shell, peel.
pimpe *v* tipple.
pimpstein *s* pumice.
pin|aktig *a* painful; ~ **aktighet** *s* distress; ~ **e** *s* pain, torture; *v* torment, torture; ~ **ebenk** *s* rack; ~ **efull** *a* tormenting, painful.
pingvin *s* penguin.
pinlig *a* painful.
pinn|e *s* stick, peg; ~ **svin** *s* hedge-hog.
pinse *s* Whitsuntide; ~ **dag** *s* Whitsunday; ~ **lilje** *s* narcissus.
pinsel *s* torment.
pinsett *s* tweezers.
pion *s* peony.
pionér *s* pioneer.
pipe *s* pipe, whistle; chimney, flue; *v* whistle, pipe, whizz; whine, squeak; ~ **hode**

s bowl; ~ **konsert** s hissing, booing; ~ **krage** s ruff; ~ **t** *a* fluted.
piple v trickle.
piqué (=piké), s quilting.
pir s pier, *zo* young mackerel.
pirat s pirate.
pirke v poke, prod, finger; ~ **ri** s crabbing; ~ **t** *a* pedantic.
pirre v stir, tickle; ~ **lig** *a* touchy, irritable; ~ **lighet** s irritability.
piruett s pirouette.
pisk s whip, (hår-) pigtail; ~ **e** v whip, lash; (egg) beat; (regn) patter.
pissoar s urinal.
pistol s pistol.
pjalt s rag, *fig* coward; ~ **et** *a* ragged.
pjatte v chatter, prate.
pjekkert s pea-jacket.
pjokk s urchin.
pjolter s whisky and soda.
pjusket *a* dishevelled, tousled; untidy.
plaffe v pop.
plage s trouble, worry; v worry, torment; ~ **ånd** s bore; tormentor.
plagg s garment, wear.
plagi|at s plagiarism; ~ **ere** v plagiarize.
plagsom *a* pestering.
plakat s bill, placard, poster; *teat* playbill.
plan *a* plane, level; *sn* plane; *sc* plan, design; ~ **ere** v level.
planet s planet.
planke s plank; deal; ~ **verk** paling.
plan|legge v plan; ~ **løs** *a* planless; ~ **messig** *a* systematic; ~ **overgang** s level crossing.
plansje s plate.
plant|asje s plantation; ~ **asjeeier** s planter; ~ **e** s plant, herb; v plant; ~ **esaft** s sap; ~ **eskole** s forest nursery.
plapre v babble; ~ **ut med** blurt out.
plasere v place, invest.
plask(e) s (v) splash.
plass s place, post, situation; room, space; (torg) square, (rund) circus; (sitte-) seat.
plast s plastic.
plaster s plaster.
plastikk s plastic art.
platan s plane-tree.
plate s plate; slab; sheet; *fig* fib.
platina s platinum.
platt *a* vulgar; ~ **enslager** s cheat, swindler; ~ **form** s platform; ~ **het** s vulgarity; ~ **tysk** *a* Low German.
platå s table-land.
plausibel *a* plausible.
plebeier s plebeian.
pledd s rug, wrap; ~ **rem** s rug-strap.
pledere v plead.
pleie s care, nursing; v be used to, use; tend, nurse; ~ **barn** s fosterchild; ~ **hjem** s nursery.
plen s lawn.
plett s (sølv) plate; spot, stain; ~ **e** v stain, speck; ~ **ere** v plate; ~ **fri** *a* spotless.
plevritt s pleurisy.
plikt s duty; ~ **forsømmelse** s neglect of duty; ~ **følelse** s sense of duty; ~ **ig** *a* obliged, bound in duty; ~ **messig** *a* conformable to duty; ~ **oppfyllende** *a* dutiful; ~ **skyldig** *a* bound in duty; ~ **tro** *a* faithful.
plire v blink.
pliss|é s pleating; ~ **ere** v pleat.
plog s plough; ~ **får** s furrow; ~ **jern** s p.-share.
plombe s filling, *merc* tally; ~ **re** v stop, fill; *merc* tally, lead.
plomme s (plum, (egge-) yolk,
plud|der s jabber, babble; ~ **re** v *ib.*

plugg *s* peg, *fig* bouncer; ~ **e** *v* peg, plug.
plukk|e *v* pick, gather, pluck; ~ **fisk** *s* stewed (cod-)fish.
plump *a* clumsy; coarse; *s* plop; ~ **e** *v* plump.
plumre *v* muddle.
plund|er *s* trouble; ~ **re** *v* have trouble, toil.
pluss *s* plus; ~ **kvamperfektum** *s* pluperfect.
plutselig *a* sudden.
plyndr|e *v* plunder, spoil, sack; ~ **ing** *s* pillage.
plysj *s* plush.
plystre *v* whistle.
pløset *a* bloated.
pløy|e *v* plough; ~ **mark** *s* arable land.
pnevmatisk *a* pneumatic.
podagra *s* gout (in the feet), podagra.
pode *s* scion, shoot; *v* graft; ~ **kvist** *s* graft.
poeng *s* point, gist.
poe|si *s* poetry, verse; ~ **t(isk)** *s* (*a*) poet(ic).
pointere *v* emphasize.
pokal *s* cup.
pokker *int* the deuce.
pol *s* pole; ~ **ar** *a* polar; ~ **akk** *s* Pole.
polemi|kk *s* controversy, polemics; ~ **ker** *s* polemic; ~ **sk**, *a* controversial, polemic(al); ~ **sere med** *v* combat, polemize.
Polen Poland.
pol|ere *v* polish; ~ **ise** *s* policy; ~ **isk** *a* sly.
politi *s* police; ~ **betjent** *s* policeman; ~ **kk** *s* policy, politics; ~ **ker** *s* politician; ~ **sk** *a* political.
politur *s* polish.
polka *s* polka.
polonese *s* polonaise.
polsk *s* Polish.
polstre *v* stuff.
polypp *s* polyp; *pl med* adenoids.
pom|ade *s* pomatum; ~ **erans** *s* bitter orange.
pomp *s* pomp, state; ~ **øs** *a* pompous, stately.
pongtong *s* pontoon.
ponni *s* pony.
poplin *s* poplin.
poppel *s* poplar.
popul|aritet *s* popularity; ~ **ær** *a* popular.
pore *s* pore.
porfyr *s* porphyry.
porselen *s* china.
porsjon *s* portion, share; ~ **ere** *v* portion.
port *s* gate, doorway; ~ **al** *s* porch; ~ **efølje** *s* portfolio; ~ **emoné** *s* purse; ~ **ier** *s* (hall) porter; ~ **ière** *s* curtain; ~ **ner** *s* porter, lodgekeeper; (oppbev.) the coak-room.
porto *s* postage; ~ **fri** *a* franked.
portrett *s* portrait, likeness; ~ **ere** *v* portray.
port|ugiser *s* Portuguese; ~ **ugisisk** *a ib*; ~ **vin** *s* port.
porøs *a* porous.
pose *s* bag pouch; *v* bag; ~ **t** *a* baggy.
posi|sjon *s* position; ~ **tiv** *a* positive; ~ **tur** *s* attitude.
post *s* post; situation; *mil* sentry; item; ~ **anvisning** *s* money order, postal order; ~ **bud** *s* postman; ~ **båt** *s* packet-boat.
postei *s* pie.
post|ere *v* place, *merc* post; ~ **ering** *s* posting; ~ **hus** *s* post-office.
postill *s* book of sermons.
post|kasse *s* letter-box; ~ **kontor** *s* post-office; ~ **mester** *s* p.-master; ~ **oppkrav** *s* cash-on-delivery (C. O. D); ~ **vesen** *s* postal system.
posør *s* attitudinizer, poseur.
pote *s* paw.
pot|ens *s* power; ~ **ensere** *v*

intensify; ~ **entat** *s* potentate.
potet *s* potato; ~ **puré** *s* mashed potatoes.
pott|e *s* pot; ~ **aske** *s* potash; ~**emaker** *s* potter; ~**maker-arbeide** *s* pottery; ~ **eskår** *s* pot-sherd.
pr. *prp* per, by.
praie *v* hail.
prakke på *v* foist on.
praksis *s* practice.
prakt *s* splendour; ~ **full** *a* gorgeous; ~ **isere** *v* practise; ~ **iserende lege** *s* practitioner; ~ **isk** *a* practical.
pral *s* ostentation; ~ **e** *v* make a show, boast; ~ **ende** *a* boastful, vaunting; ~ **eri** *s* boasting.
pram *s* (laste-) barge, lighter; (liten) boat.
prangende *a* showy.
prat *s* chat; nonsense; ~ **e** *v* chat; prate; ~ **maker** *s* prater, talker; ~ **som** *a* chatty, talkative.
pre|dikant *s* preacher; ~ **dikat** *s gr* predicate; ~ **dike** *v* preach; ~ **disponert** *a* predisposed; ~ **fekt** *s* prefect; ~ **fiks** *s* prefix.
preg *s* character; ~ **e** *v* impress, stamp.
pregnant *a* concise.
prek *s* talk; ~ **e,** *v* talk; *rel* preach; ~ **en** *s* sermon; ~ **estol** *s* pulpit.
prektig *a* splendid.
prekær *a* precarious.
prelat *s* prelate.
prelle av *v* glance off.
pre|ludium *s* prelude; ~ **mie** *s* reward, prize; *merk* premium; ~ **miere** *v* award a prize to; ~ **mière** *s* first night; ~ **mierminister** *s* prime minister, premier; ~ **misser** *s* premises.
prent(e) *s* (*v*) print.
pre|parat *s* preparation; ~ **parere** *v* prepare; ~ **sang** *s* gift, present; ~ **sedens** *s* precedent; ~ **senning** *s* tarpaulin; ~ **sentere** *v* present, introduce; ~ **servere** *v* preserve; ~ **sident** *s* chairman; president; speaker; ~ **sidere** *v* preside; ~ **sis** *a* precise, punctual, *av* sharp; ~ **skribert** *a* lost by prescription.
press *s* pressure, strain; ~ **e** *v* press, squeeze; *s*; ~ **ebyrå** *s* news agency; ~ **erende** *a* urgent.
prest *s* clergyman; rector, parson, vicar; priest, minister; ~ **asjon** *s* performance, achievement; ~ **egjeld** *s* parish; ~ **egård** *s* rectory, vicarage; ~ **ekall** *s* living; ~ **ekjole** *s* cassock; ~ **elig** *a* priestly; ~ **ere** *v* perform; ~ **eskap** *s* clergy; ~ **inne** *s* priestess; ~ **isje** *s* prestige.
pre|tendent *s* pretender; ~ **tendere** *v* pretend (to); ~ **tensiøs** *a* pretentious; ~ **ventiv** *a* preventive.
prikk *s* dot; ~ **e** *v* dot; prick.
prim *s* whey.
prim|a *a* first-class; ~ **adonna** *s* leading lady; ~ **itiv** *a* primitive ~ **ær** *a* primary.
prins *s* prince; ~ **elig** *a* princely; ~ **esse** *s* princess; ~ **gemal** *s* Prince Consort; ~ **ipal** *s* employer; *a* principal; ~ **ipiell** *a* fundamental; ~ **ipp** *s* principle; ~ **ippfast** *a* strong-principled; ~ **ippløs** *a* unprincipled.
prior *s* prior; ~ **inne**; *s* prioress; ~ **itert** *a* secured; ~ **itet** *s* priority, precedence.
pris *s* price, charge; prize, praise; (snus) pinch; ~ **e** *s* prize; *v* praise; ~ **fall** *s* (drop) in prices; ~ **gi** *v* abandon; ~ **kurant** *s* price-list; ~ **me** *s* prism; ~ **verdig** *a* commendable.

pri|vat *a* private; ~ **vatmann** *s* p. individual; ~ **vet** *s* privy; ~ **vilegium** *s* privilege; ~ **viligert** *a* privileged.

pro|bat *a* unfailing; ~ **bere** *v* try; assay; ~ **blem** *s* problem; ~ **blematisk** *a* problematic; ~ **duksjon** *s* product(ion), yield, performance; ~ **dukt** *s* product, produce; ~ **duktiv** *a* productive; ~ **dusere** *v* produce; ~ **dusent** *s* producer; ~ **fan** *a* profane; ~ **fesjon** *s* trade, business, occupation; ~ **fesjonell** *a* professional; ~ **fesjonist** *s* professional; ~ **fessor** *s* professor.

pro|fet *s* prophet; ~ **fetere** *v* prophesy; ~ **feti** *s* prophecy; ~ **fil** *s* profile; ~ **fitt** *s* profit; ~ **fitere** *v* profit; ~ **forma** *av* as a form, perfunctorily; ~ **gnose** *s* prognosis; ~ **gram** *s* programme, (pol.) platform; ~ **klamere** *v* proclaim; ~ **kurator** *s* solicitor; ~ **letar** *s* proletarian; ~ **letariat** *s* proletariat; ~ **log** *s* prologue; ~ **longere** *v* prolong; ~ **menade** *v* walk; ~ **menere** *v* walk; ~ **mo|sjon** *s* graduation; ~ **movere** *v* graduate.

prompt *a* prompt; ~ **e** *av* punctually.

pronomen *s gr* pronoun.

propaganda *s* propaganda.

propell(er) *s* propeller, screw.

proper *a* tidy.

propp *s* cork, stopper; plug; ~ **e** *v* cork; stiff, ram, cram; *vr* gorge oneself; ~ **full** *a* brim-full.

pro|prietær *s* land-owner; ~ **sa** *s* prose; ~ **saisk** *a* prosaic (tørr) matter-of-fact; ~ **saist** *s* prose writer; ~ **sedere** *v* go to law, proceed; ~ **sedyre** *s* course of proceedings, process; ~ **sektor** *s* dissector; ~ **selytt** *s* convert; ~ **sent** *s* per cent, percentage; ~ **sess** *s* lawsuit, action; process; ~ **sjekt(ere)** *s* (*v*) project; ~ **sjektil** *s* projectile; ~ **sjektmaker** *s* projector, speculator; ~ **sjektør** *s* searchlight; ~ **skribere** *v* proscribe; ~ **spekt** *s* view, prospect; ~ **spektkort** *s* picture postcard.

prost(i) *s* dean(ery).

pro|stituere *v* disgrace, *vr* make a fool of oneself; ~ **stituert** *s* prostitute; ~ **stitusjon** *s* exposure; prostitution; ~ **tegé** *s* protégé(e), charge; ~ **tegere** *v* patronize, favour; ~ **teksjon** *s* patronage; ~ **tektorat** *a* protectorate; ~ **test** *s* protest; ~ **testant** *s* Protestant; ~ **testere** *v* protest; ~ **tokoll** *s* register, protocol; ~ **tokollere** *v* register; ~ **tokollering** *s* registration.

prov *s jur* evidence; ~ **e** *v jur* depose.

pro|viant *s* provisions; ~ **viantere** *v* cater; ~ **vins** *s* province; ~ **vinsiell** *a* provincial; ~ **visjon** *s* commission; ~ **visor** *s* dispenser, manager; ~ **visorisk** *a* temporary, provisional; ~ **vokasjon** *s* provocation; ~ **vokatorisk** *a* provocative; ~ **vosere** *v* provoke, challenge.

prunk *s* pomp, show; ~ **e med** *v* make a show of; ~ **løs** *a* unostentatious.

pruste *v* snort.

prute (= prutte) *v* haggle, bargain, chaffer.

pryd *s* ornament; ~ **e** *v* adorn, embellish; ~ **else** *s* decoration.

pryl *s* thrashing; ~ **e** *v* flog, thrash, lick.

prærie *s* prairie.

prøve *s* trial, test; *merk* sample,

pattern; *teat* rehearsal; *v* try; (klær) try on; test; *teat* rehearse; ∽ **lse** *s* trial.
prøyssisk *a* Prussian.
psevdonym *a* pseudonymous; *s* pen-name.
psyk|e *s* mentality; ∽ **iater** *s* psychiatrist; ∽ **iatrisk klinikk** *s* mental hospital; ∽ **iatri** *s* psychiatry; ∽ **isk** *a* psychical; ∽ **olog** *s* psychologist; ∽ **oanalyse** *s* psychoanalysis.
pubertet *s* puberty.
publi|kasjon *s* publication; ∽ ∽ **kum** *s* public; audience; ∽ **sere** *v* publish; ∽ **sist** *s* journalist.
puddel *s* poodle.
pudder *s* powder; ∽ **dåse** *s* p.-box; ∽ **kvast** *s* p.-puff; ∽ **sukker** *s* brown sugar.
pudding *s* pudding.
pudre *v* powder.
pueril *a* puerile.
puff *s* push, shove; (erme) puff; ∽ **e** *v* thrust, push; ∽ **erme** *s* puffed sleeve.
pugg *s* cram, grind; **på** ∽, by rote; ∽ **e** *v* cram oneself, grind; ∽ **hest** *s* grinding fellow.
pukke *v* (stein) break; ∽ **på** insist on.
pukkel *s* hunch; ∽ **rygget** *a* hunchbacked.
pukkstein *s* broke stone.
pulje *s* pool.
pulk *s* Lapp sleigh.
pull *s* crown.
puls *s* pulse; ∽ **ere** *v* pulsate; ∽ **slag** *s* pulsation; ∽ **vante** *s* wristglove; ∽ **åre** *s* artery.
pult *s* (writing-) desk.
pulterkammer *s* lumber-room.
pulver *s* powder, ∽ **isere** *v* pulverize.
pumpe *s* pump; *v* pump, *fig* draw.
pund *s* pound: *fig* talent.
pung *s* purse; bag, pouch; ∽ **e ut** *v* pay out.
punkt *s* point, dot; item, article; ∽ **ere** *v* puncture; ∽ **ering** *s* puncture; ∽ **lig** *a* punctual; ∽ **lighet** *s* punctuality; ∽ **um** *s* full stop.
punsj *s* punch.
pupill *s* pupil.
puppe *s* chrysalis.
pur *a* pure, sheer.
puré *s* purée.
purg|ativ (avføringsmiddel), *s* aperient, laxative, purgative; ∽ **ere** *v* purge.
puritaner *s* Puritan.
purke *s* sow.
purpur *s* purple; ∽ **rød** *a* purple; (ansikt) crimson, scarlet.
purre *s* *bot* leek; *v* stir, rouse, *mar* turn out.
pus *s* pussy.
pusl|e *v* do odds and ends; be occupied; ∽ **eri** *s* trifling employment; ∽ **ing** *s* manikin.
puss *s* *med* pus; (pynt) finery; (mur-) plaster; (knep) trick; ∽ **e** *s* trim, clean, polish; (nese) blow, (mur) plaster; (lys) snuff; ∽ **ig** *a* droll, funny.
pust *s* breath, (vind) puff; ∽ **e** *v* breathe; ∽ **erom** *s* respite.
pute *s* pillow; (sofa-) cushion; ∽ **var** *s* pillow-case.
putte *v* put, stick.
puttis *s* *pl* puttees.
pygmé *s* pygmy.
pynt *s* (stas) finery; (land∽) point; **e** *v* dress, decorate; *vr* make oneself smart; ∽ **edukke** *s* dressdoll; ∽ **elig** *a* *fig* nice, fair.
pyramide *s* pyramid.
pyroman *s* pyromaniac; ∽ **i** *s* pyromania.
pytt *s* puddle, pool; *int* pooh! pshaw!
pære *s* pear, (elektr.) bulb.

pøbel *s* (enkelt) rowdy, bully, blackguard; (hop) mob, rabble; ~ **aktig** *a* vulgar, low.
pøl *s* pool, puddle.
pølse *s* sausage; ~ **snakk**, nonsense, bosh.
pønse på *v* be up to, devise, think of.
pøs *s* bucket; ~ **e** *v* pour; dash.
på *prp* on, at, in, etc; ~ **grunn av** owing to.
på|begynne *v* begin ~ **berope seg** *v* plead; ~ **bud** *s* order; ~ **by** *v* order; ~ **dra** *vr* incur; ~ **fallende** *a* strange, striking; ~ **ferde** *av* brewing, the matter, wrong; ~ **fote** *av* **bringe** ~ **fote** restore.
påfugl *s* peacock.
på|funn *s* device; ~ **følgende** *a* subsequent; ~ **føre** *v* bring upon; ~ **gripe** *v* seize; ~ **gripelse** *s* arrest, apprehension; ~ **gående** *a* aggressive; ~ **heng** *s* importunity; ~ **holden** *a* close(-fisted), near; ~ **holdenhet** *s* parsimony; ~ **hvile** *v* lie upon; ~ **hør** *s* hearing; ~ **kalle** *v* call upon, invoke; ~ **kjenning** *s* strain, stress; ~ **kjære** *v* appeal against; ~ **kledning** *s* dress, attire; ~ **langs** *av* lengthwise.
påle *s* pole, stake.
på|legg *s* order; increase; (mat) cheese, meat laid on; ~ **legge** *v* impose, charge with; ~ **litelig** *a* trustworthy; ~ **litelighet** *s* trustiness, dependability; ~ **lydende** *s* facial value; ~ **minnelse** *s* admonition, reminder; ~ **mønstre** *v mar* sign on, engage; ~ **ny** *av* afresh; ~ **passelig** *a* vigilant; ~ **passelighet** *s* attention; ~ **peke** *v* point out; ~ **pekende** *a gr* demonstrative; ~ **regne** *v* count on; ~ **rørende** *s* relation; ~ **se** *v* attend to, see (to it) (that); ~ **seile** *v* run into.
påske *s* Easter; ~ **egg** *s* E. egg; ~ **lilje** *s* daffodil.
på|skjønne *v* appreciate; ~ **skjønnelse** *s* recognition; ~ **skrift** *s* inscription; ~ **skudd** *s* pretext; ~ **skynde** *v* hasten, quicken; ~ **stand** *s* assertion; claim; ~ **stå** *v* assert, insist on; ~ **ståelig** *a* opinionated, dogmatic; ~ **syn** *s* presence, sight; ~ **ta** *vr* undertake; assume; ~ **tagelig** *a* palpable, unmistakable; ~ **tale** *s jur* indictment; complaint; *v* resent, complain of; ~ **tatt** *a* affected; ~ **tegning** *s* remark; endorsement; ~ **tenke** *v* intend; ~ **tide** *av* time; ~ **trengende** *a* importunate, obtrusive, urgent; ~ **trengenhet** *s* importunity; ~ **trykk** *s* pressure; ~ **tvinge** *v* force upon; **i** ~ **vente av** in anticipation of, pending; ~ **virke** *v* influence; ~ **virkning** *s* influence, action; ~ **vise** *v* point out, show; ~ **viselig** *a* provable, demonstrable, traceable; ~ **visning** *s* demonstration.

R.

rabalder *s* noise, crash.
rabarbra *s* rhubarb.
rabatt *s* discount, reduction.
rab|bel *s* scribble:
rad *s* row, rank, *teat* tier; ~ **ar** *s* radar; ~ **brekke** *v fig* murder.
radd *s* fellow, dog.
rader|e *v* etch; erase; ~ **ing** *s* etching.
radiator *s* radiator.
radikal *a* radical.
radio *s* radio; ~ **aktivitet** *s* radio-activity; ~ **aktivt nedfall**

fall *s* radioactive fall-out; ⌣ **antenne** *s* aerial; ⌣ **apparat** *s* wireless set; ⌣ **telefoni** *s* radio telephony (R.T.); ⌣ **telegrafist** *s* wireless operator; ⌣ **telegram** *s* wireless message.

radium *s* radium; ⌣ **behandling** *s* r. treatment.

radius *s* radius.

raffin|ade *s* refined sugar; ⌣ **ere** *v* refine; ⌣ **ert** *a* refined.

rage fram *v* protrude, project; ⌣ **opp** *v* rise, (uklart) loom.

ragg *s* shag.

rake *s* rake; *v* rake; (barb.) shave; (vedk.) concern.

rakett *s* rocket, missile.

rakitisk *a* rickety.

rakk *s* rabble; ⌣ **e til** *v* foul, soil; ⌣ **e ned på** depreciate, run down.

rakle *s* *bot* catkin.

rakle opp *v* unravel.

rakne *v* rip, tear, be tipped up, be unstitched.

rakrygget *a* upright.

ralle *v* rattle.

ram *a* acrid, rank; (alvor) good; ⌣ **askrik** *s* outcry; ⌣ **bukk** *s* rammer.

ramle *v* rumble; ⌣ **sammen** tumble down.

ram|me *v* hit, strike, *fig* befall; (feste) ram; *s* frame; ⌣ **mel** *s* rumble; ⌣ **mende** *a* pertinent, to the point.

ramn (ravn) *s* *zo* raven.

ramp *s* hooligan; mob; ⌣ **et** *a* low-bred.

rampe *s* foot-lights.

ramponere *v* damage.

ramse *s* rigmarole; *v* say by rote.

ran *s* robbery.

rand *s* stripe, streak; brim, edge, brink; ⌣ **sy** *v* welt.

rane *v* rob.

rang *s* rank; ⌣ **el** *s* (bein-) skeleton; (svir) revelry, late hours; ⌣ **ere** *v* rank; ⌣ **le** *v* rattle; (svire) keep late hours, go on the spree; *s* rattlebox.

rank *a* erect.

ranke *s* (vin) vine.

ransake *v* search.

ransel *s* knapsack.

ransmann *s* robber.

rap(e) *s* (*v*) belch.

rapp *a* brisk, quick; *s* rap; ⌣ **e** *vr* make haste, *fam* look alive; ⌣ **høne** *s* partridge; ⌣ **ort(ere)** *s* (*v*) report.

rapse *v* pilfer.

rapsodi *s* rhapsody.

raptus *s* fit.

rar *a* odd, queer; ⌣ **ing** *s* character, odd fish; ⌣ **itet** *s* curiosity.

ras *s* (land-) slide, slip; ⌣ **e** *s* race, breed; *v* slide, slip; rage, rave; ⌣ **ende** *a* furious; *s* madman; ⌣ **ere** *v* raze; ⌣ **eri** *s* fury.

rasjon *s* ration, allowance; ⌣ **alisere** *v* rationalize; ⌣ **ell** *a* rational; ⌣ **ere** *v* ration.

rask *a* quick; *s* rubbish.

rasle *v* rattle, rustle.

raspe *v* rasp.

rast *s* halt, rest; ⌣ **e** *v* halt; ⌣ **løs** *a* restless.

rate *s* instalment.

ratifisere *v* ratify; ⌣ **kasjon** *s* ratification.

ratt *s* (steering-) wheel.

raute *v* low.

rav, *s* amber; *av* utterly; ⌣ **e** *v* stagger; ⌣ **gal** *a* stark mad.

razzia, *s* raid.

re *v* (garn) unravel; (seng) make; (hår) comb.

re|agere *v* react; ⌣ **aksjon** *s* reaction; ⌣ **aksjonær** *a* reactionary ⌣ **al** *a* honest, straight; ⌣ **alisere** *v* dispose of; ⌣ **alisasjon** *s* *merk* clearance, sale; ⌣ **alisme** *s* realism; ⌣ **alistisk** *a* realistic;

~ **alitet** *s* reality; ~ **bell** *s* rebel; ~ **belsk** *a* rebellious.
red *s* road(s).
redak|sjon *s* editorial management, e. staff; wording; ~ **sjonell** *a* editorial, ~ **tør** *s* editor.
redd *a* afraid; ~**e** *v* save, rescue; ~ **hare** *s* coward.
reddik *s* radish.
reddsom *a* **horrid, frightful,** shocking.
rede *s fig* nest; **få ~ på** make out, learn; *a* ready; *v* = re; ~ **gjøre** *v* render an account; ~ **gjørelse** *s* account; ~ **lig** *a* honest; ~ **lighet** *s* integrity.
reder *s* ship-owner.
redigere *v* edit; draft.
redingot *s* frock-coat.
red|ning *s* rescue, safety; ~ **ningsbåt** *s* life-boat; ~ **ningsløst** *av* irretrievably; ~ **ningsvest** *s* Mae West; ~ **sel** *s* horror, terror; ~ **selsfull** *a* dreadful; ~ **selslagen** *a* horror-stricken; ~ **skap** *s* tool.
re|dusere *v* reduce; ~ **ell** *a* real, genuine; ~ **feranse** *s* reference; ~ **rerat** *s* report; ~ **ferent** *s* reporter; ~ **ferere** *v* report; refer (to); ~ **flek|s** *s* reflection; ~ **flektere** *v* reflect; ~ **flectant** *s* intending purchaser; ~ **form** *s* reform ~ **formator** *s* reformer; ~ **formere** *v* reform; ~ **freng** *s* burden.
refse *v* correct, reprove.
re|fundere *v* refund; ~ **fusjon** *s* repayment; ~ **galier** *s* regalia; ~ **gatta** *s* boat-race.
re|gel *s* rule; ~ **gelmessig** *a* regular; ~ **gent(inne)** *s* regent(ess) ~ **gentskap** *s* regency; ~ **gi** *s* stage managing; ~ **giment** *s* regiment; ~ **gion** *s* region; ~ **gissør** *s* stage-manager; ~ **gister** *s* register; index, table of contents; ~ **gistrere** *v* record, register; ~ **gjer|e** *v* govern, reign; ~ **gjering** *s* government, reign; ~ **gjeringsadvokat** *s* Solicitor General.
regle *s* rigmarole; ~ **ment** *s* regulations; ~ **mentert** *a mil* regulation; regular.
regn *s* rain; ~ **bue** *s* rainbow; ~ **bye** *s* shower; ~ **e** *v* rain; calculate, count; ~ **estykke** *s* sum, problem; ~ **full** *a* rainy ~ **ing** *s merk* bill; arithmetic; ~ **kappe** *s* raincoat; ~ **skap** *s* account; (kort) score; ~ **skapsfører** *s* accountant; ~ **vær** *s* rain (y weather).
regul|ativ *s* regulation, scale; ~ **ere** *v* regulate; ~ **ær** *a* regular.
reim *s* strap, belt.
rein *s zo* reindeer.
reip *s* rope.
reir *s* nest.
reis|e *s* journey, voyage, crossing, *pl* travels; *v* go, travel; set out, depart, leave; (opp-) raise; *vr* rise, stand up; ~ **eakkreditiv** *s* letter of credit; ~ **ebyrå** *s* tourists' agency; travel bureau; ~ **fører** *s* guide; ~ **ende** *s* (commercial) traveller; ~ **egods** *s* luggage; ~ **eveske** *s* kitbag; ~ **ning** *s* rising; (holdning) carriage.
reiv(e) *s* (*v*) swaddle.
rejisere *v* plough.
reke *s* shrimp, prawn; *v* saunter.
rekel *s fam* skyscaper.
rekke *s* row, series, succession, *mil* rank, *mar* side (of the ship); *v* reach, hand, stretch; ~ **efølge** *s* succession; ~ **evidde** *s* reach, range; ~ **verk** *s* railing.
re|klam|asjon *s* complaint; ~ **klame** advertising; ~ **klamere** *v* advertise; (klage) complain (of); ~ **kognosere**

v reconnoitre; ~ **kommandere** v register; ~ **konstruere** v reconstruct; ~ **konvalesens** s convalescence; ~ **kord** s record; ~ **kreasjon** s recreation; ~ **kreere** v recreate; ~ **krutt(ere)** s (v) recruit.

rek|tangel s rectangle.

rektor s headmaster.

re|kvirere v requisition; ~ **kvisitt** s requisite; ~ **kyl** s recoil; ~ **lativ** a relative, comparative; ~ **lieff** s relief; ~ **ligion** s religion; ~ **ligiøs** a religious; ~ **ligiøsitet** s piety, religion.

reling s gunwale.

re|medium s device; ~ **misse** s remittance; ~ **mittere** v remit.

remse s strip, slip.

ren a clean, pure, blank; sheer.

re|negat s renegade; ~ **nessanse** s renaissance.

ren|gjøring s cleaning; (vår) ~ **gjøring** s spring cleaning; ~ **gjøringskone** s charwoman; ~ **het** s purity.

renke s intrigue; ~ **full** a intriguing; ~ **smed** s plotter.

renn s run(ning); *sp* race, competition; ~ **e** s pipe; channel, canal; groove; v run, flow; leak; ~ **estein** s gutter, kennel; ~ **ing** s warp.

re|nommé s reputation; ~ **nonsere på** v renounce, give up; ~ **novasjon** s removal of night-soil.

rense c clean, cleanse; *fig* clear; (korn) winnow; ~ **lse** s purification; ~ **ri** s cleaning-house.

renske v *fam* clean.

ren|slig a cleanly; ~ **slighet** s cleanliness; ~ **skrive** v copy fair; ~ **t** av quite.

rent|abel a remunerative; ~ **e** s interest; ~ **efot** s rate of i.; ~ **esrente** s compound interest; ~ **ier** s independent gentleman.

reol s case, shelves.

reorganisere v reorganize.

re|parere v repair, mend; ~ **perbane** s ropewalk; ~ **pertoar** s repertory; ~ **petere** v repeat; ~ **plikk** s speech, lines; rejoinder; ~ **portasje** s reporting; ~ **presalier** s reprisals; ~ **presentant** s representative, *merk* traveller; ~ **presentere** v represent; ~ **primande** s reprimand, reproof ~ **produsere** v reproduce.

reptil s reptile.

re|publikk s republic, commonwealth; ~ **publikaner** s republican; ~ **publikansk** a *ib*; ~ **sept** s prescription, recipe; ~ **septiv** a receptive; ~ **serve** s reserve; a spare; ~ **servedel** s spare part; ~ **servelege** s assistant doctor; ~ **servere** v reserve; ~ **servoar** s basin; ~ **sidens** s residence; ~ **sidere** v reside; ~ **signere** v resign; ~ **sitere** v recite; ~ **solutt** a resolute; ~ **song** s reason; ~ **sonnement** s argument, reasoning; ~ **sonnere** v argue, reason; ~ **spekt** s respect; ~ **spektabel** a respectable; ~ **spektere** v respect; ~ **spektiv** a respective; ~ **respektive** av respectively, severally; ~ **spitt** s respite.

ressurser s resources.

rest s remnant, rest; ~ **anse** s arrears; ~ **ere** c rest; ~ **aurant** s restaurant; ~ **aurasjon** s restoration; ~ **auratrise** s *mar* stewardess; ~ **auratør** s restaurant- (bar-) keeper, *mar* steward; ~ **aurere** v restore.

re|sultat s result; ~ **sultere** v result; ~ **symé** s recapitulation; ~ **tirere** v retreat.

retning *s* direction.
re|torisk *a* rhetorical; ~ **torte** *s* retort; ~ **trett** *s* retreat.
rett *s* right; *jur* law; court of justice, lawcourt; (mat) dish, course; *a* right, straight; proper; *av* straight; ~ **e** *v* point, direct; straighten; correct; ~ **else** *s* correction; ~ **ergang** *s* procedure; ~ **esnor** *s* rule, guide; ~ **ferdig** *a* just; ~ **ferdiggjøre** *v* justify; ~ **ferdighet** *s* justice; ~ **haveri** *s* cavilling; ~ **ighet** *s* right; ~ **lede** *v* guide, direct; ~ **linjet** *a fig* straight; ~ **messig**, *a* lawful, legitimate; ~ **sgyldig** *a* valid; ~ **sindig** *a* upright; ~ **sinn** *s* uprightness; ~ **skaffen** *a* honest; ~ **skaffenhet** *s* honesty; ~ **skriving** *s* orthography; ~ **slig** *a* legal; ~ **slærd** *s* jurist; ~ **spleie** *s* administration of justice; ~ **ssak** *s* lawsuit, case; ~ **ssal** *s* court; ~ **sstridig** *a* illegal; ~**svitenskap** *s* jurisprudence; ~ **troende** *a* orthodox; ~ **troenhet** *s* orthodoxy.
re|tur *s* return; ~ **nere** *v* return; ~ **tusjere** *v* retouch.
rev *s mar* reef; *zo* fox; ~ **e** *v mar* reef.
re|vansje *s* revenge, return; ~ **velje** *s* morning call; ~ **verens** *s* bow, obeisance; ~ **vers** *s* reverse side, fig dark side; ~ **videre** *v* revise, audit; ~ **visjon** *s* revisal, revision, audit; ~ **visor** *s* auditor.
revmatisk *a* rheumatic.
revne *v* crack, split, chap; *s* crack, crevice.
re|volte *s* revolt; ~ **volusjonær** *a* revolutionary; ~ **volver** *s* revolver, *am* gun; ~ **vy** *s* review, muster, *teat* revue.
ri *sc* fit, spell.
ribbe *s* rib, ledge; (stek) roast ribs of pork; *v* pick, pluck; ~ **n** *s* rib.
ridder *s* knight; ~ **lig** *a* chivalrous; ~ **lighet** *s* chivalry.
ride *v* ride; ~ **drakt** *s* habit; ~ **hest** *s* saddlehorse; ~ **tur** *s* ride.
rifle *s* rifle; groove, flute; ~ **t** *a* rifled, fluted.
rift *s* tear, scratch; *fig* demand.
rigg *s mar* rigging.
rigorøs *a* rigorous.
rik *a* rich, wealthy; ~ **dom** *s* wealth; ~ **e** *s* kingdom, realm; ~ **elig** *a* abundant, ample, plentiful; ~ **holdig** *a* copious.
rikke *v* (*r*) move, stir.
riktig *a* correct, right; *av* quite; correctly; ~ **het** *s* correctness; ~ **nok** *av* indeed, certainly.
rim *s* rhyme; ~ **frost** *s* hoarfrost; ~ **e** *v* rhyme; rime; ~ **elig** *a* reasonable, probable; ~ **eligvis** *av* probably.
ring *s* ring, circle; ~ **e** *v* ring; *a* small, poor, humble; ~ **eakt** *s* contempt; ~ **eakte** *v* despise ~ **eaktende** *a* contemptuous; ~ **het** *s* insignificance.
rip *sc mar* gunwale; *sn* scratch; ~ **e** *v* scratch.
rippe opp i *v* touch up.
rips *s bot* (red) currant; (tøy) rep.
ris *s* (papir) ream; (kvist) faggots; (straff) birch, rod; *bot* rice; ~ **e** *s* giant; *v* birch; ~ **engryn** *s* rice.
risik|ere *v* risk; ~ **abel** *a* risky; ~ **o** *s* risk.
risle *v* ripple.
risp(e) *s* (*v*) scratch.
riss *s* plan; ~ **e** *v* scrath; draw.
rist *s* (fot-) instep; (jern-) grate, gridiron; ~ **e** *v* grill, roast; toast; (ryste) shake.
ritt *s* ride; ~ **mester** *s* captain.

ritual *s* service.
rival *s* rival; ⌣ **isere** *v* rival.
riv|e *s* rake; *v* pluck, pull; tear; ⌣ **jern** *s* grater, rasp; ⌣ **ning** *s fig* friction, collision.
ro *s* rest, quiet; (krok) corner; *v* row, pull.
robber(t) *s* rubber.
robust *a* robust.
roe *s* turnip, beet.
rogn *s zo* roe, spawn; *bot* rowan(tree).
rojalist *s* royalist.
rokk *sc* spinning-wheel; *sn* sea-spray; ⌣ **e** *s zo* ray; *vr* move; *fig* shake.
rokokko *s* rococo.
rolig *a* quiet, calm; ⌣ **het** *s* calm, composure.
rolle *s* part.
rolling *s* little one.
rom *s* rum; room, space; *a mar* large, open.
roman *s* novel; ⌣ **se** *s* romance; ⌣ **forfatter** *s* novelist; ⌣ **tikk** *s* romance, romanticism; ⌣ **tisk** *a* romantic.
rombe *s* rhomb.
romer(sk *s* (*a*) Roman.
romme *v* hold; ⌣ **lig** *a* roomy.
rop *s* cry, shout; ⌣ **e** *v* shout, call out; ⌣ **ert** *s* speaking-trumpet.
ror *s* rudder, helm; ⌣ **gjenger** *s* helmsman; ⌣ **stang** *s* (fly) rudder bar.
ros *s* praise; ⌣ **e** *v* praise; *s* rose; ⌣ **enkrans** *s* rosary, beads; ⌣ **enkål** *s* Brussels sprouts; ⌣ **enrød** *a* rosy; ⌣ **ett** *s* rosette; ⌣ **in** *s* raisin; ⌣ **marin** *s* rosemary.
rosse *s* squall, gust.
rostbiff *s* roast beef.
rosverdig *a* praiseworthy, laudable.
rot *sc* root; *sn* muddle; ⌣ **e** *s* ward, file; *v* root; rummage; ⌣ **et** *a* disordered; ⌣ **ere** *v* rotate; ⌣ **festet** *a* rooted.
rotte *s* rat; *vr* conspire.
rov *s* spoil, prey; ⌣ **dyr** *s* beast of prey.
ru *a* rough.
ru|bin *s* ruby; ⌣ **brikk** *s* rubric, column.
ruelse *s* contrition.
ruffer|ske *s* procuress; ⌣ **i** *s* pandering.
rug *s* rye.
rugde *s* woodcock.
ruge *v* hatch, brood.
rugg *s* big specimen.
rugge *v* rock.
ruin *s* ruin; ; ⌣ **ere** *v* ruin; ⌣ **erende** *a* ruinous.
rujern *s* pig iron.
rull *s* roll; collared beef; ⌣ **e** *s* cylinder, roll; mangle; *v* roll, mangle; ⌣ **ebane** *s* (fly) landing-ground, runway; ⌣ **egardin** *s* blind; ⌣ **estein** *s* boulder; ⌣ **estol** *s* bath chair.
rum|le *v* rumble; ⌣ **mel** *s ib.*
rumpe *s* rump, tail; ⌣ **troll** *s* tadpole.
rumstere *v* rummage.
rund *a* round; ⌣ **e** *s* round, beat; *v* round; ⌣ **elig** *a* liberal; ⌣ **håndet** *a* liberal, generous; ⌣ **håndethet** *s* generosity; ⌣ **stykke** *s* roll; ⌣ **t** *av* round.
rune *s* Runic character.
runge *v* resound.
rus *s* intoxication, debauch; ⌣ **drikk** *s* intoxicant.
ruse *s* fish-net.
rusk *s* bouncer; rubbish; *a* crazy; ⌣ **e** *v* pull; ⌣ **et** *a* (vær) nasty, rough.
rusle *v* jog, move.
russ *s* freshman (-girl); **R** ⌣ **land** Russia; ⌣ **er** ⌣ **isk** Russian.
rust *s* rust; ⌣ **e** *v* rust; *mil* arm; ⌣ **en** *a* rusty; ⌣ **ning** *s* armour; *mil* armament.
rut|e *s* (glass) pane; (firk.) square; route; ⌣ **ebåt** *s* regular boat, liner; ⌣ **er** *s*

(kort) diamonds; ~ **et** *a* chequered.
rutine *s* routine; ~ **rt** *a* practised.
rutsje *v* slide.
rutte med *v* spend.
ruve *v* bulk.
ry *s* fame, renown.
ryd|de *v* clear; ~ **dig** *a* tidy; ~ **ning** *s* clearing.
rygg *s* back; ridge; ~ **esløs** *a* depraved; abandoned; ~ **rad** *s* spine, *fig* backbone; ~ **sekk** *s* rucksack.
ryke *v* burst; smoke.
rykk *s* jerk, wrench; ~ **e** *v* pull, jerk; ~ **e inn** (avert.) put in; ~ **er** *s* dun; ~ **erbrev** *s* dunning letter.
rykte *s* report, rumour; character, reputation; ~ **s** *v* be rumoured, be noised abroad.
rynke *s* (*v*) wrinkle.
rype *s* ptarmigan, grouse.
ryste *v* shake, shiver; ~ **lse** *s* shaking; ~ **nde** *a* *fig* harrowing.
rytme *s* rhythm.
rytter *s* rider, horseman, *mil* trooper; ~ **i** *s* cavalry.
rød *a* red; ~ **glødende** *a* red-hot; ~ **hud** *s* redskin; ~ **lig** *a* reddish; ~ **me** *s* blush; *v* blush, colour; ~ **musset** *a* ruddy; ~ **spett** *s* *zo* plaice: ~ **vin** *s* claret.
røf|fel, ~ **le** *s* (*v*) reprimand.
røk *s* smoke; ~ **e** *v* smoke, cure; ~ **ekupé** *s* smoker; ~ **else** *s* incense; ~ **esild** *s* bloater; ~ **eskinke** *s* smoke-cured ham.
røkt *s* care; ~ **e** *v* tend, look after; ~ **er** *s* herdsman.
røm|me *v* run away; ~ **ning** *s* flight, desertion.
rønne *s* hovel.
røntgen *s* x-ray.
røpe *v* betray, disclose.
rør *s* reed; pipe; tube; ~ **e** *v* touch; stir, move; *s* stir, *vr* move; ~ **else** *s* emotion; ~ **formig** *a* tubular; ~ **ig** *a* active; ~ **ighet** *s* vigour; ~ **lig** *a* movable; ~ **legger** *s* plumber; ~ **t** *a* touched.
røslig *a* burly.
røsslyng *s* heather.
røst *s* voice.
røve *v* steal, plunder; ~ **r** *s* robber; ~ **rhistorie** *s* cock-and-bull-story; ~ **ri** *s* robbery; ~ **rkjøp** *s* great bargain; ~ **risk** *a* predatory.
røy *s* capercailzie hen.
røyk *s* smoke.
røyne på *v* tell upon, try, test.
røys *s* heap of stones, cairn; ~ **katt** *s* stoat, ermine.
røyte *v* moult.
rå *a* raw, damp; crude; *s* *mar* yard.
råd *s* advice; (utvei) expedient; council; ~ **e** *v* advise; rule; ~ **elig** *a* advisable; ~ **føre seg med** consult; ~ **giver** *s* adviser; ~ **hus** *s* town-hall; ~ **ighet** *s* command, disposal; ~ **mann** *s* alderman; ~ **slagning** *s* consultation; ~ **slå** *v* deliberate; ~ **snar** *a* resourceful; ~ **spørre** *v* consult; ~ **vill** *a* irresolute, at a loss; ~ **villhet** *s* perplexity.
rådyr *s* roe(deer).
råk *s* cut, lane (in the ice).
råkald *a* raw, bleak.
råstoff *s* raw material.
råt|ten *a* rotten; ~ **ne** *v* rot, decay; ~ **tenskap** *s* corruption, decay.

S.

sabel *s* sabre, sword.
sabotasje *s* sabotage.
safir *s* sapphire.
safran *s* saffron.

saft *s* juice; sap; syrup; gravy; ~ **ig** *a* juicy, *fig* coarse.
sag *s* saw; ~ **bruk** *s* saw-mill; ~ **flis** *s* saw-dust; ~ **e** *v* saw.
sagn *s* myth, legend.
sago *s* sago, tapioca.
sak *s* cause, *jur* case; matter; ~ **arin** *s* saccharine; ~ **fører** *s* lawyer, solicitor; ~ **kunnskap** *s* expert knowledge; ~ **kyndig** *s*, *a* expert; ~ **lig** *a* objective, unbiased, pertinent.
sakke *v* slacken, drop.
sakr|ament *s* sacrament; ~ **isti** *s* vestry.
saks *s* (pair of) scissors.
sak|sanlegg *s* action; ~ **søke** *v* sue; ~ **søker** *s* plaintiff.
sakt|e *a* soft, slow; ~ **ens** *av* no doubt, I dare say; ~**modig** *a* meek; ~ **ne** *v* slacken, (ur) lose.
sal *s* hall; (hest) saddle.
salat *s* *bot* lettuce; salad.
saldo *s* balance.
sale *v* saddle.
salg *s* sale; ~ **bar** *a* saleable.
salig *a* blessed; ~ **het** *s* salvation, bliss.
salme *s* hymn, psalm.
salmiakk *s* sal-ammoniac.
salong *s* drawing-room; saloon; ~ **gevær** *s* saloon rifle.
salpetersyre *s* nitric acid.
salt *s*, *a* salt; ~ **e** *v* salt, pickle, corn; ~ **kar** *s* salt-cellar; ~ **lake** *s* brine; ~ **omortale** *s* somersault.
salut|t *s* salute; ~ **ere** *v* salute.
salve *s* ointment; volley; *v* anoint; ~ **lse** *s* unction; ~ **lsesfull** *a* unctious.
salær *s* fee.
sam|arbeid *s* collaboration, co-operation; ~ **band** *s* tie, union; ~ **ferdsel** *s* intercourse; ~ **funn** *s* society, community; ~ **hold** *s* union; ~ **kvem** *s* intercourse; ~ **le** *v* collect, gather; *vr* assemble; ~ **ling** *s* collection; ; ~ **eksistens** *s* co-existence; ~ **liv** *s* common life.
samme *a* (the) same; ~ **n** *av* together.
sammen|dra *v* epitomize; ~ **filtre** *v* entangle; ~ **føyning** *s* joint, junction; ~ **heng** *s* connection; ~ **hengende** *a* consecutive, coherent; ~ **holde** *v* compare; ~ **kalle** *v* convoke; ~ **komst** *s* meeting; ~ **likne** *v* compare; ~ **likning** *s* comparison; ~ **satt** *a* compound, complex; ~**sette** *v* compose; ~ **setning** *s* composition; ~ **slutning** *s* combination, union, fusion; ~ **smeltning** *s* amalgamation; ~ **støt** *s* collision; ~ **surium** *s* mess; ~ **sverge** *vr* conspire; ~ **svergelse** *s* conspiracy; ~ **treff** *s* coincidence.
sam|råd *s* deliberation; ~ **stemme** *v* agree; ~ **t** *prp* together with; ~ **tale** *s* conversation, talk; *v* converse; ~ **tiden** *s* the age in which we live, our times; ~ **tidig** *a* contemporary, simultaneous; *av* at the same time; ~ **tlige** *a* all, the whole; ~ **tykke** *s* *v* consent; ~ **velde** *s* commonwealth; sml. The British Commonwealth of Nations; ~ **vittighet** *s* conscience; ~ **vittighetsfull** *a* conscientious; ~ **vittighetsløs** *a* unscrupulous; ~ **vittighetsnag** *s* remorse.
sand *s* sand; ~ **al** *s* sandal; ~ **et** *a* sandy.
sang *s* song, singing; (avd.) canto; ~ **er(inne)** *s* singer; ~ **fugl** *s* songster, singing-bird; ~ **kor** *s* choir; ~ **vinsk** a sanguine.
sanit|et *s* sanitary service; ~ **ær** *a* sanitary.
sanksjon *s* sanction, assent; ~ **ere** *v* sanction.

sankt Saint, St.
sann *a* true; ⌣ **dru** *a* truthful; ⌣ **druhet** *s* veracity; ⌣ **elig** *av* indeed; ⌣ **ferdig** *a* veracious; ⌣ **het** *s* truth; ⌣ **synlig** *a* probable; ⌣ **synlighet** *s* probability.
sans *s* sense; ⌣ **bar** *a* sensible; ⌣ **elig** *a* sensual; ⌣ **elighet** *s* sensualism, sensuality; ⌣ **eløs** *a* insensible, senseless.
sardin *s* sardine.
sarkastisk *a* sarcastic.
sart *a* tender.
satanisk *a* santanic.
sat|eng *s* sateen; ⌣ **inere** *v* glaze; ⌣ **ire** *s* satire.
sats *a* assertion; (typ.) matter; *mus* movement; *sp* taking off; (tenn-) head.
satt *a* sedate, grave.
sau *s* sheep.
saus(e) *s* (*v*) sauce.
savn *s* want; regret; ⌣ **e** *v* miss, want.
scene *s* scene; *teat* stage.
se *v* see, look.
sed *s* usage, *pl* morals; ⌣ **at** *a* sedate.
seddel *s* slip of paper.
sed|elig *a* of good morals; ⌣ ⌣ **elighet** *s* morality; ⌣ **er** *s bot* cedar ⌣ **van|e** *s* custom, habit, practise; ⌣ **vanlig** *a* usual.
segl *s* (brev) seal.
segne *v* drop, sink.
sei *s zo* coalfish.
seidel *s* mug.
seier *s* victory; ⌣ **rik** *a* victorious; ⌣ **herre** *s* conqueror.
seig *a* tough.
seil *s* sail; ⌣ **as** *s* sailing, navigation; ⌣ **duk** *s* canvas; ⌣ **e** *v* sail; ⌣ **skip** *s* sailing vessel.
seire *v* conquer.
seismograf *s* seismograph.
sekel *s* century.
sekk *s* bag, sack.
sekret *s* secretion.
sekretariat *s* secretariat.
sekretær *s* secretary; (pult) secretaire.
seks *num* six; ⌣ **dobbelt** *av* six-fold.
seksa *s* supper.
seksjon *s* section.
sekst|en, sixteen; ⌣ **i** sixty.
seksuell *a* sexual.
sekt *s* sect.
sekund *s* second; ⌣ **a** *a* second class; ⌣ **ant** *s* second; ⌣ **ere** *v* second; ⌣ **viser** *s* s.-hand; ⌣ **ær** *a* secondary.
sel *s* seal; ⌣ **e** *s* horse collar; *pl* braces; *v* harness; ⌣ **etøy** *s* harness.
selge *v* sell; ⌣ **lig** *a* saleable; ⌣ **r** *s* salesman.
selje *s bot* sallow.
selleri *s* celery.
selskap *s* company, society; (gjester) party; ⌣ **elig** *a* sociable; ⌣ **elighet** *s* hospitality, company, social functions; ⌣ **sdame** companion; ⌣ **sklær** *s* dress clothes, evening dress; ⌣ **slivet** *s* society.
selsom *a* strange.
selters *s* seltzer.
selv *pron* (my-)self, *av* even; ⌣ **aktelse** *s* self-respect; ⌣ **angivelse** *s* declaration; ⌣ **behagelig** *a* self-complacent; ⌣ **beherskelse** *s* self-command (-control, -restraint); ⌣ **bevisst** *a* self-asserting, self-confident; ⌣ **e** *a* the very; ⌣ **eier** *s* freeholder; ⌣ **fornektelse** *s* self-denial; ⌣ **forsvar** *s* self-defence; ⌣ **følelse** *s* pride; ⌣ **følge** *s* matter of course ⌣ **følgelig** *av* of course, *a* obvious; ⌣ **god** *a* self-sufficient; ⌣ **hjulpen** *a* independent; ⌣ **lært** *a* self-taught; ⌣ **mord(er)** *s* suicide; ⌣ **om** *kj* (al)though; ⌣ **oppofrelse** *s* self-sacrifice; ⌣ **rådig** *a* wilful, self-willed; ⌣ **sikker** *a* cocksure; ⌣ **skreven** *a*

natural, the very (person); ~ **stendig** *a* independent; ~ **stendighet** *s* independence; ~ **studium** *s* private study; ~ **styre** *s* self-government; ~ **tillit** *s* self-reliance.
sement(ere) *s* (*v*) cement.
sem|ester *s* term; **semifinale** *s* semi-final; ~**inar** *s* seminary.
semsket *a* chamois, shammy.
sen *a* late, slow.
senat *s* senate.
send|e *v* send; ~ **eapparat** *s* transmitter; ~ **ebud** *s* messenger; ~ **else** *s* mission; ~ **ing** *s* supply.
sendrektig *a* slow.
sene *s* sinew.
seng *s* bed; ~ **eteppe** *s* coverlet, quilt.
sen|il *a* senile; ~ **it** *s* zenith; ~ **ior** *s* senior.
senk|e *v* sink, lower; ~ **ning** *s* sinking; hollow.
sennep *s* mustard.
sen|sasjonell *a* sensational; ~ **sibel** *a* sensitive; ~ **sor** *s* censor, examination judge; ~ **sur** *s* censorship, judging; marks adjudged ~ **surere** *v* censor, mark, class; ~ **t** *av* late, not soon; ~ **tens** *s* sentence; ~**timental** *a* sentimental, maudlin; ~ **tral** *a* central; *s* exchange; ~ **tralisere** *v* centralize; ~ **trum** *s* centre.
separ|ere *v* separate, divorce; ~ **asjon** *s* divorce.
septer *s* sceptre.
ser|emoni *s* ceremony; ~ **emoniell** *s* ceremonial; *a* ceremonious; ~ **ie** *s* series.
serk *s* chemise.
sersjant *s* sergeant.
sertifikat *s* certificate.
serv|ant *s* wash-stand; ~ **ere** *v* serve; ~ **ering** *s* attendance, serving; ~ **iett** *s* napkin, serviette; ~ **il** *a* servile; ~ **ise** *s* set, service; ~ **itutt** *s* easement.
sesjon *s* session, sitting.
sesong *s* season.
sete *s* seat.
seter *s* (summer) cheesefarm, outfarm; ~ **bu** *s* chalet.
setning *s* sentence; clause.
sett *s* start, bound; suit, set; ~ **e**, *v* set, put, place, *typ* compose; *vr* sit down; ~ **eri** *s* composing-room.
severdig *a* worth seeing; ~ **het** *s* sight.
sevje *s* sap.
sfinks *s* sphinx.
sfære *s* sphere.
si *v* say, tell.
sid *a* long; ~ **de** *s* length.
side, *s* side; (bok) page; ~ **mann** *s* neighbour.
siden *av prp, kj* since.
side|ordnet *a* co-ordinate; ~ **stykke** *s* counterpart, parallel; ~ **tall** *s* number of pages; ~ **vei** *s* by-way.
sifong *s* siphon.
siffer *s* figure.
sigar(ett) *s* cigar(ette).
sige *v* sag, sink.
sigd *s* sickle.
sign|al *s* signal; ~ **alere** *v* signalize; ~ **alement** *s* description; ~ **atur** *s* signature; ~ **ere** *v* sign; ~ **et** *s* seal.
sigøyner *s* gipsy.
sikker *a* sure; safe, (selv-) confident; ~ **het** *s* safety; certainty, confidence; (trygghet) security; sml. **Sikkerhetsrådet (F.N.)** The Security Council; ~ **hetsnål** *s* safety pin.
sikl(e) *s* (*v*) slaver.
sikori *s* chicory.
sikre *v* (r) secure.
sikring *s* (*elektr*) *fuse*.
siksak *s* zigzag.
sikt *s* sight; ~ **bar** *a* clear; ~ **barhet** *s* visibility; ~ **e** *s* aim; *v* aim, point; *jur* accuse; (sælde) sift, bolt.
sil *s* strainer.

sild *s* herring.
sildre *v* trickle.
sile *v* strain; pour.
silhuett *s* silhouette.
silke *s* silk.
simpel *a* simple, plain; common; vulgar, mean; ∽ **het** *s* simplicity; vulgarity.
simulere *v* feign.
sindig *a* cool, composed, levelheaded; ∽ **het** *s* coolness, composure.
singel *s* gravel.
sink *s* zinc.
sinke *s* backward child, dunce; *v* delay, hinder.
sinn *s* mind; ∽ **billede** *s* symbol; ∽ **e** *s* anger; ∽ **elag** *s* temper, disposition; ∽ **rik** *a* ingenious; ∽ **sbevegelse** *s* emotion; ∽ **sforvirring** *s* insanity; ∽ **sro** *s* serenity; ∽ **ssvak** *a* mad; ∽ **ssyk** *a* insane; ∽ **ssykeasyl** *s* lunatic asylum, mental hospital.
sinober *s* cinnabar.
sint *a* angry.
sippet *a* too sensitive.
siregne *v* pour down.
sirene *s* siren.
siriss *s* cricket.
sirk|el *s* circle; ∽ **ulere** *v* circulate; ∽ **ulære** *s* circular; ∽ **us** *s* circus.
sirlig *a* graceful.
sirs *s* print, chintz.
sirup *s* treacle.
siselere *v* chase, chisel.
sist *a* last, latter.
sit|at *s* quotation; ∽ **ere** *v* quote.
sitre *v* quiver.
sitron *s* lemon.
sitte *v* sit; (klær) fit; ∽ **plass** *s* seat.
situ|asjon *s* situation; ∽ **ert** *a* situated.
siv *s bot* rush; ∽ **e** *v* ooze, filter.
sivil *a* civil, civilian, plainclothes; *av mil* in mufti; ∽ **isasjon** *s* civilization; ∽ **isert** *a* civilized; ∽ **ist** *s* civilian.
sjaber *a* seedy, poor.
sjablon *s* stencil.
sjakal *s* jackal.
sjakett *s* morning-coat.
sjakk *s* chess; ∽ **brikke** *s* ch.-mann; ∽ **matt** *a* checkmate.
sjakre *v* hawk, peddle.
sjakt *s* shaft.
sjal *s* shawl.
sjalu *a* jealous; ∽ **si** *s* jealousy
sjalupp *s* barge.
sjampinjong *s* mushroom.
sjangle *v* totter.
sjapp *s* gin-shop.
sjargong *s* jargon, cant, slang.
sjarlatan *s* charlatan.
sjaske *v* jumble.
sjattere *v* shade.
sjau *s* job, spell; ∽ **e** *v* toil, do jobs; ∽ **er** *s* dockhand.
sjef *s* head, principal.
sjekte *s* skiff, boat.
sjel *s* soul.
sjelden *a* rare, scarce; *av* seldom; ∽ **het** *s* rarity.
sjel|elig *a* mental; ∽ **full** *a* soulful; ∽ **sstyrke** *s* fortitude.
sjen|ere *v* hamper; ∽ **ert** *a* embarrassed, timid; ∽ **erøs** *a* generous; ∽ **ever** *s* gin.
sje|selong *s* chaiselongue; ∽ **té** *s* jetty; ∽ **tong** *s* counter.
sjikan|e *s* chicane, spite; ∽ **ere** *v* annoy; ∽ **øs** *a* invidious, vexatious.
sjimpanse *s* chimpanzee.
sjiraff *s* giraffe.
sjofel *a* mean, scurvy.
sjokk *s* shock, start.
sjokke *v* shamble, shuffle.
sjokolade *s* chocolate.
sjongl|ere *v* juggle; ∽ **ør** *s* juggler.
sjuske *s* slattern; *v* work carelessly; ∽ **t** *a* slovenly.
sjy *s* gravy.
sjø *s* sea, ocean; (inn-) lake; ∽- *a* maritime, naval; ∽ **fart**

s navigation; ⌣ **fly** s seaplane ⌣ **gang** s heavy sea; ⌣ **kart** s chart; ⌣ **mann** s sailor; ⌣ **merke** s beacon, sea-mark; ⌣ **mil** s nautical mile; ⌣ **reise** s voyage; ⌣ **røver** s pirate; ⌣ **stjerne** s starfish; ⌣ **syk** *a* sea-sick; ⌣ **ulk** s tar, salt.

sjåfør s chauffeur.

sjåvinisme s chauvinism, jingoism.

skab|b s scab, mange; itch; ⌣ **bet** *a* mangy.

skabelon s mould, shape.

skabilken s fright, hag.

skade s harm, damage; *v* injure, hurt; ⌣ **fro** *a* malicious; ⌣ **fryd** s spite; ⌣ **lig** *a* harmful, noxious; ⌣ **serstatning** s compensation, damages; ⌣ **sløs** *a* **holde** ⌣ **sløs** compensate, indemnify.

skaffe *v* procure, cater (for).

skafott s scaffold.

skaft s handle.

skake *v* jolt.

skakk *a* distorted, oblique

skal *v* shall.

skala s scale.

skald s bard.

skalk s crust; first cut; ⌣ **e** *v mar* batten down; ⌣ **eskjul** s false pretext.

skall s shell, skin, valve.

skalle s skull; *v* butt; ⌣ **av** *v* scale off; ⌣ **t** *a* bald.

skalp(ere) s (*v*) scalp.

skam s shame, disgrace; ⌣ **fere** *v* spoil; ⌣ **full** *a* ashamed; ⌣ **fullhet** s shame; ⌣ **løs** *a* shameless; ⌣ **me** *vr* be ashamed; ⌣ **mel** s footstool; ⌣ **melig** *a* shameful; ⌣ **plett** s stain.

skan|dale s scandal; ⌣ **daløs** *a* scandalous; ⌣ **dere** *v* scan; ⌣ **dinavisk** *a* Scandinavian.

skanse s *mil* redoubt; *mar* quarter-deck; ⌣ **kledning** s bulwarks.

skap s ward-robe; cabinet; (mat-) cupboard; ⌣ **e** *v* create, make; *vr* give oneself airs; ⌣ **else** s creation; ⌣ **er** s creator; ⌣ **eri** s affectation; ⌣ **ning** s creature.

skar s gap, glen; ⌣ **e** s crowd; snow crust.

skarlagen s scarlet; ⌣ **sfeber** s scarlet fever.

skarp *a* sharp, keen, acute; ⌣ **ladd** *a* shotted; ⌣ **retter** s executioner; ⌣ **sindig** *a* penetrating, acute, shrewd.

skarre *v* bur.

skarv s *zo* cormorant.

skatoll s cabinet.

skatt s treasure; tax, rate; ⌣ **bar** *a* taxable; ⌣ **e** *v fig* appreciate; pay taxes; ⌣ **eligning** s assessment; ⌣ **kammer** s treasury; ⌣ **yter** s tax-payer.

skaut s kerchief.

skavank s defect.

skave *v* chip, scrape.

skavl s steep snow-drift; toppling sea.

skeie ut *v fig* lead a dissolute life.

skep|sis s scepticism; ⌣ **tiker** s sceptic; ⌣ **tisk** *a* sceptical.

ski s ski; ⌣ **bakke** ski-ing hill; ⌣ **føre** s condition of the snow; ⌣ **føring** s style; ⌣ **gard** s fence; ⌣ **løping** s skiing; ⌣ **renn** s skiing competition.

skibbrudd(en) s (*a*) shipwreck(ed).

skifer s slate, schist.

skift s relaty; shift; ⌣ **e** s change, division; (skyss-) stage; *v* change, shift, *jur* divide; ⌣ **erett** s probate court.

skikk s custom; order; ⌣ **e** *v* send; *vr* behave; ⌣ **elig** *a* respectable, decent; ⌣ **else** s shape, form, figure; ⌣ **et** *a* fit, qualified.

skild|eri s picture; ⌣ **re** *v*

describe, paint, portray; ~ ring *s* description, portrayal
skill (i hår) *s* parting.
skil|le *v* separate, part; ~ **lemynt** *s* small change; ~ **les** *v* part, (skilsm.) be divorced; separate; ~ **levegg** *s* partition (wall).
skil|ling *s* halfpenny, *fig* farthing; ~ **padde** *s* tortoise, turtle; ~ **smisse** *s* divorce.
skilt *s* badge, signboard; ~**vakt** *s* sentinel.
skim|mel *s* (mugg) mould; grey horse, roan; ~ **let** *a* mouldy.
skimt *s* glimpse; ~ **e** *v* discern.
skingre *v* clang; ~ **nde** *a* shrill.
skinke *s* ham.
skinn *s* (lys) light, glare; (hud) skin, fell; *fig* appearance; ~ **død** *a* asphyxiated; ~ **e** *v* shine; *s* (jernb.) rail, (bein-) greaves; ~ **ebein** *s* shin; ~ **hellig** *a* hypocritical; ~ **hellighet** *s* hypocrisy; ~ **mager** *a* skinny; ~ **syk** *a* jealous; ~ **syke** *s* jealously; ~ **tøy** *s* furs.
skip *s* ship, vessel; ~ **e** *v* ship; ~ **sbyggeri** *s* dock-yard; ~ **sfart** *s* navigation; ~ **smegler** *s* ship-broker; ~ **sreder** *s* ship-owner.
skipper *s* skipper.
skisse(re) *s* (*v*) sketch.
skit|ne til *v* soil; ~ **t** *s* dirt.
skittviktig *a* uppish, stuck-up.
skive *a* disk; slice; (ur) dial, face.
skje *s* spoon; *v* happen.
skjebne *s* fate; ~ **svanger** *a* fatal.
skjede *s* scabbard, *med* vagina.
skjefte *s* stock.
skjegg *s* beard.
skjele *v* squint.
skjelett *s* skeleton.
skjell *s* scale, shell; limit; ~ **e ut** *v* abuse; ~ **sord** *s* term of abuse.
skjelm *s* rascal, rogue; ~ **sk** *a* arch, roguish.
skjelne *v* distinguish, discern.
skjelve *v* tremble, quake, quiver.
skjema *s* form, scheme; ~ **tisk** *a* formal, schematic, skeletonlike.
skjemme *v* spoil, blemish.
skjemt *s* mirth, joke; ~ **e** *v* joke.
skjendig *a* infamous; ~ **het** *s* infamy.
skjene *v* (åre) feather; run aslant, swerve.
skjenk *s* drink; bar, sideboard; ~ **e** *v* pour out, give, bestow (on).
skjenn *s* scolding; ~ **e** *v* scold; ~ **eri** *s* quarrel.
skjensel *s* dishonour.
skjeppe *s* bushel.
skjerf *s* scarf; comforter.
skjerm *s* screen, shade; ~ **e** *v* shelter.
skjerp *s* prospect-hole; ~ **e** *v* prospect; sharpen; *fig* aggravate.
skjerv *s* mite, portion.
skjev *a* oblique, crooked; ~ **t** *av* aslant.
skjold *s* shield; ~ **et** *a* stained.
skjorte *s* shirt; ~ **bryst** *s* shirt-front; ~ **knapp** *s* stud.
skjul *s* cover, shelter; ~ **e** *v* hide, conceal.
skjær *s* rock, skerry; gleam; tinge; *a* pure; ~ **e** *v* cut; *s* mag-pie; ~ **gård** *s* (belt of) skerries; ~ **myssel** *s* skirmish; ~ **sild** *s* purgatory; ~ **torsdag**, Maundy Thursday.
skjød *s* lap; ~ **ehund** *s* lapdog; ~ **esløs(het)** *a* (*s*) careless(ness).
skjøke *s* prostitute.
skjønn *s* estimate, judgment; *a* beautiful; ~ **e** *v* understand; ~ **het** *s* beauty; ~ **som**

a judicious; ~ **somhet** *s* discernment.
skjønt *kj* (al)though.
skjør *a* fragile, brittle; ~ **buk** *s* scurvy.
skjørt *s* skirt.
skjøt *sc* tail, flap; (fang) lap, *fig* bosom; *sn mar* sheet; ~ **e** *s jur* deed of conveyance; *v* ~ **e på** eke out.
skjøtte *v* attend to.
skli *v* slide; ~ **e** *s ib.*
sko *s, v* shoe.
skodde *s* fog, mist.
skofte *v* stay away from work.
skog *s* wood, forest; ~ **bruk** *s* forestry.
skogger|latter, ~ **le** *s, v* guffaw.
skole *s* school; ~ **bestyrer** *s* headmaster; ~ **benk** *s* form; ~ **gutt (pike)** *s* school-boy (girl); ~ **kamerat** *s* schoolfellow, schoolmate.
skolm *s* pod, husk.
sko|maker *s* shoemaker.
skonner(t) *s* schooner.
skonrok *s* (rye) biscuit.
skorpe *s* crust.
skorpion *s* scorpion.
skorstein *s* chimney, *mar* funnel.
skorte på *v* be wanting, be in want of.
skose *s v* gibe.
skot|te *s* Scotchman, Scot; glance; **Skottland** Scotland; ~ **sk** *a* Scotch, Scottish.
skotøy *s* shoes and boots.
skove *s* crust.
skovl(e) *s (v)* shovel.
skral *a* scanty, poor.
skrall(e) *s* (*v*) peal, clap.
skramme *s* scratch, sear.
skrammel *s* rubbish.
skrang|el ~ **le** *s v* rattle; ~ **let** *a* scraggy.
skranke *s* bar(rier).
skrante *v* be ailing.
skrap *s* rubbish, trumpery; ~ **e** *v* scrape; *s* reprimand.
skratte *v* grate; roar.
skravere *v* hatch.
skravl(e) *s* (*v*) chatter; ~ **et** *a* talkative.
skred *s* slide, slip; avalanche.
skredder *s* tailor.
skrei *s* cod-fish.
skrekk *s* fright, terror; ~ **elig** *a* dreadful; ~ **innjagende** *a* formidable.
skrell *s* peel, skin; ~ **e** *v* peel, pare.
skrem|me *v* scare, frighten, ~ **sel** *s* bugbear.
skrent *s* slope.
skreppe *s* bag; ~ **kar** *s* pedlar.
skrev *s* fork, stride; ~ **e** *v* stride, straddle.
skribent *s* writer.
skride *v* proceed; stride.
skrift *s* writing, (verk) work; S~en, *rel* (the) Holy Writ; ~ **e** *v* confess; ~ **emål** *s* confession; ~ **lig** *av* in writing; ~ **sted** *s* text.
skrik *s* cry, scream; ~ **e** *v* cry; ~ **ende** *a* loud, glaring.
skrin *s* box, case.
skrinn *a* thin; barren.
skritt *s* pace, step; ~ **e** *v ib.*
skrive *v* write; ~ **ebok** *s* copybook; ~ **else** *s* letter, communication; ~ **emaskin** *s* typewriter; ~ **efeil** *s* slip of the pen.
skrofuløs *a* scrofulous.
skrog *s* hull.
skrot *s* rubbish.
skrott *s* carcase; body.
skrubb *s zo* wolf; ~ **e** *s* swab; *v* scrub; ~ **sulten** *a* famished; ~ **sår** *s* abrasion.
skru|e *s* screw, propeller; *v* screw; ~ **jern** *s* screw-driver; ~ **nøkkel** *s* spanner.
skrukk(e) *s* (*v*) wrinkle.
skrullet *a* crazy.
skrumpe inn *v* shrink, shrivel.
skrup|pel *s* scruple; ~ **uløs** *a* scrupulous.

skryt *s* boast, brag; ⌣ **e** *v* boast, brag.
skrøne *s* fib; *v* fable.
skrøpelig *a* fragile, frail, infirm; ⌣ **het** *s fig* weakness.
skrå *s* quid; *v* chew; *a* sloping; **på** ⌣, aslant.
skrål *s* bawl(ing); ⌣ **e** *v* bawl; ⌣ **hals** *s* ranter.
skrå|ne *v* slope, slant; ⌣ **ning** *s* slope; ⌣ **plan** *s* inclined plane; ⌣ **skrift** *s* italics; ⌣ **tobakk** *s* chew-tobacco.
skrubb(e) *s* (*v*) push.
skudd *s bot* shoot, sprout; shot, charge; ⌣ **år** *s* leap-year.
skue *s* view; *v* behold; ⌣ **plass** *s* stage; scene; ⌣ **spill** *s* play; spectacle; ⌣ **spiller**, ⌣ **spillerinne** *s* actor, actress.
skuff *s* drawer; ⌣ **e** *s* shovel; *v* shovel; fig disappoint; ⌣ **else** *s* disappontment; ⌣ **ende** *a* delusive, disappointing.
skulder *s* shoulder; ⌣ **trekk** *s* shrug.
skule *v* scowl.
skulke *v* shirk; play truant.
skulle *v* have to; be about to; be to.
skulptur *s* sculpture.
skum *s* scum, foam; (såpe) lather; ⌣ **le** *v* make veiled remarks about; ⌣ **me** *v* foam; (melk) skim; (såpe) lather; ⌣ **mel** *a* gloomy, sinister; ⌣ **ple** *v* shake, jolt; ⌣ **re** *v* grow dusk; ⌣ **ring** *s* dusk, twilight.
skur *sn* shed, shanty; *sc* shower ⌣ **e** *v* scour, scrape; grate; ⌣ **ekone** *s* charwoman, scrubwon.an.
skurk *s* villain; ⌣ **aktig** *a* villainous; ⌣ **aktighet** *s* villainy; ⌣ **estrek** *s* knavish trick.
skurre *v* grate, jar.
skuronn *s* harvest.
skurv *s* scurf.
skussmål *s* character.
skute *s* vessel.
skvald|er *s* verbiage; ⌣ **re** *v* babble.
skvett *s* splash; start; ⌣ **e** *v* splash, sprinkle; (hest) shy, start; ⌣ **en** *a* shy.
skvip *s* slipslop.
skvulp(e) *s* (*v*) ripple.
skvær *a* straight.
sky *s* cloud; *v* avoid, shun; *a* shy; ⌣ **e over** *v* cloud over; ⌣ **et** *a* cloudy, overcast.
skygge *s* shade, shadow; brim; *v* shadow; ⌣ **full** *a* shady; ⌣ **side** *s fig* drawback.
skylapper *s* blinkers.
skyld *s* blame, fault; (avgift) rent; **for min** ⌣ for my sake; ⌣ **e**, *v* owe; ⌣ **es** *v* be due to; ⌣ **ig** *a* guilty; ⌣ **ighet** *s* duty; ⌣ **ner** *s* debtor.
skylle *v* rinse, flush, wash; *s pl* swills; ⌣ **bolle** *s* slopbasin.
skynd|e *v* (*r*) hasten, hurry; ⌣ **ing** *s* haste, hurry; ⌣ **som** *a* hurried.
sky|pumpe *s* water-spout; ⌣ **skraper** *s* skyscraper.
skyss *s* post, conveyance; ⌣ **e** *v* convey; ⌣ **skaffer** *s* post-master; ⌣ **skifte** *s* stage.
skyte *v* shoot; ⌣ **skive** *s* target; ⌣ **skår** *s* loop-hole; ⌣ **våpen** *s* firearm, gun.
skyts *s* artillery.
skytshelgen *s* patron saint.
skyttel *s* shuttle.
skytter *s* shot, marksman; ⌣ **grav** *s* trench.
skyve *v* push; ⌣ **dør** *s* sliding-door.
skøyer *s* rogue, wag; ⌣ **aktig** *a* roguish; ⌣ **strek** *s* prank, trick.
skøyte *s* skate, *mar* smack; ⌣ ⌣ **bane** *s* rink.
skåk *s* shaft.
skål *s* bowl, plate, saucer; health, toast.
skålde *v* scald.

skål|e *v* drink healths, hobnob; ~ **tale** *s* toast.
skån|e *v* spare; ~ **sel** *s* mercy; ~ **selsløs** *a* merciless; ~ **som** *a* lenient.
skår *s* sherd; cut, chip, hack, notch.
skåte *s* bar, shutter; *v* (ro) back.
slad|der *s* gossip; talebearing; ~ **deraktig** *a* tell-tale; ~ **derhank** *s* informer; ~ **re** *v* peach, tell (tales).
slag *s* blow, stroke, hit; *mil* battle; *med* apoplexy; (kappe) cape; *fig* kind, sort; ~ **ferdig** *a* ready-witted; ~ **ferdighet** *s* ready wit.
slagg *s* dross.
slag|ord *s* catchword, slogan; ~ **s** *s* kind, sort; ~ **sbror** *s* bully; ~ **skip** *s* battleship; ~ **smål** *s* fight.
slakk(e) *a* (*v*) slack(en).
slakte *v* kill, butcher; ~ **r** *s* butcher.
slam *s* mud.
slange *s* snake; (hage~) hose.
slank *a* slim, slender.
slapp *a* slack, loose; (kraftløs) inert; (doven) remiss; ~ **e** *v* slacken, unstring; ~ **else** *s* relaxation.
slaps *s* slush.
slarke *v* hang loose.
slarv(e) *s* (*v*) tattle, gossip.
slav|e *s* slave; ~ **eri** *s* slavery; ~ **isk** *a* servile; Slav.
slede *s* sleigh, sled(ge).
slegge *s* sledge-hammer.
sleip *a* slippery.
sleiv *s* ladle.
sleivet *a* wobbly, slovenly.
slekt *s* race, family; *bot* genus; ~ **e på** *v* take after; ~ **ning** *s* relation, relative; ~ **skap** *s* kinship, relationship.
slem *a* bad, naughty, vicious; (kort) slam.
slendrian *s* jog-trot, routine, rut.
sleng *s* toss, swing; crowd, lot; ~ **e** *v* fling; idle.
slentre *v* saunter.
slep *s* train; *mar* tow; ~ **e** *v* drag, trall, *mar* tow, tug; ~ **ebåt** *s* tow-boat, tug-boat.
slepen *a* polished; ground.
slesk *a* fawning.
slett *a* bad, wicked; (flat) level; ~ **ikke** not at all; ~ **e** *s* plain; *v* smooth.
slibrig *a* slippery, *fig* obscene.
slik *pron* such; *av* thus.
slikke *v* lick; ~ **ri** *s* sweets.
slim *s* mucus; phlegm; slime; ~ **et** *a* slimy; ~ **hinne** *s* mucous membrane.
slingre *v* roll, pitch, skid, toss.
slintre *s* fibre, sliver.
slipe *v* grind, hone; ~ **ri** *s* pulp manufactory
slippe *v* let go; drop; get off, escape (from)
slips *s* tie; ~ **nål** *s* tie-pin.
slir(e) *s* sheath.
slit *s* drudgery; ~ **asje** *s* wear (and tear); ~ **e** *v* pull, tear; (klær) wear; (arb.) toil; ~ **en** *a* exhausted; ~ **esterk** *a* durable, goodwearing; ~ **som** *a* toilsome.
slok|ke *v* extinguish, put out, (elektr.) turn off; (tørst) quench; ~ **ne** *v* go out, expire.
slott *s* castle, palace.
slu *a* cunning.
slubbert *s* scamp, rascal.
slubre i seg *v* sop up.
sludd *s* sleet.
sludder *s* nonsense.
sluk *sn* abyss; waste, *sc* wobble, (skje) spoon-bait ~ **e** *v* swallow; ~ **hals** *s* glutton; ~ **voren** *a* gluttonous.
slukt *s* ravine.
slukøret *a* crestfallen.
slummer *s* slumber.
slump *s* remainder; mere accident; ~ **e til** *v* chance to;

~ **etreff** *s* chance; **på** ~, *av* at random.
slumre *v* slumber.
slunken *a* lank, lean, thin.
sluntre unna *v* shirk.
slupp *s* sloop.
slurk *s* draught, pull.
slurv *s* negligent work; ~ **e** *v* scamp work; *s* slut; ~ **et** *a* careless; slipshod.
sluse *s* lock; sluice.
slusk *s* rowdy; ~ **e** *v* scamp work; *s* slut; ~ **et** *a* slovenly, careless.
slut|t *s* end, close; **til** ~ **t**, at last; ~ **te** *v* end, conclude; ~ **te seg til** *v* join; ~ **ning** *s* conclusion.
slyng|e *s* sling; *v(r)* wind; ~ **el** *s* rascal; ~ **elaktig** *a* rascally; ~ **plante** *s* creeper, climber.
slør *s* veil.
sløse(ri) *v* (*s*) waste.
sløv *a* (kniv) blunt; imbecile; ~ **e** *v* blunt, dull; ~ **het** *s* imbecility.
sløyd *s* woodwork.
sløyfe *s* bow, knot; *v fig* drop.
slå *s* bolt; *v* beat, strike, knock; (piske) cut; *vr* (tre) warp; (pers.) be hurt; ~ **brok** *s* dressing-gown; ~ **ende** *a* striking; ~ **maskin** *s* mower; ~ **ss** *v* fight; ~ **sskjempe** *s* bully.
slått *s* mowing; hayfield; *mus* air; ~ **onn** *s* hay-making season.
smadre *v* smash.
smak *s* taste; style; ~ **e** *v* taste; ~ **full** *a* in good taste; ~ **fullhet** *s* good taste; ~ **løs** *a* tasteless; *fig* in bad taste.
smal *a* narrow; ~ **ne** *v* taper.
smaragd *s* emerald.
smaske (= smatte) *v* smack one's lips.
smed *s* blacksmith; ~ **e** *v fig* forge; ~ **edikt** *s* lampoon; ~ **eskrift** *s* libel.
smekk *s* flap; cap; ~ **e** *s* bib; *v* smack; ~ **er** *a* slender; ~ **lås** *s* latch.
smekte *v* languish.
smell *s* crack, clap; ~ **e** *v* bang, smack.
smelte *v* melt, (jern) smelt; ~ **ovn** *s* furnace.
smergel *s* emery.
smerte *s* pain, smart; *v* ache, smart; ~ **lig** *a* painful.
smette *v* slip.
smi *v* forge; ~ **dig** *a* agile, supple; ~ **e** *s* smithy, forge; ~ **jern** *s* wrought iron.
smi|ger *s* flattery; ~ **gre** *v* flatter.
smil(e) *s* (*v*) smile; ~ **ehull** *s* dimple.
sminke *s* rouge, paint; *v ib.*
smiske *v* fawn on, smirk.
smitt|e *s* contagion, infection; *v* infect; ~ **som** *a* contagious, infectious.
smoking *s* dinner-jacket.
smug *sn* alley, lane, narrow passage.
smug *s* **i** ~, secretly.
smugle(r) *v* (*s*) smuggle(r).
smukk *a* pretty, fair.
smul *a mar* smooth.
smuldre *v* crumble.
smule *s* particle; crumb; *v* crumble.
smult *s* lard.
smurning *s* grease.
smuss *s* filth; **ig** *a* dirty, filthy, foul.
smutt|e *v* slip; ~ **hull** *s* loophole; *fig* subterfuge.
smyge *v* slip, creep; ~ **nde** *a* stealthy.
smykke *s* ornament, trinket; *v* adorn; ~ **skrin** *s* casket.
smør *s* butter; ~ **brød** *s* bread-and-butter, sandwich; ~ **e** *v* smear, grease; daub, *fig* bribe; ~ **else** *s* grease, ointment; ~ **eri** *s* daub; scribble; ~ **klatt** *s* pat of butter.
små *a* small, little; ~ **barn** *s*

babies; ~ **lig** *a* petty; ~ **penger** *s* small change; ~ **ting** *s* trifle; ~ **tteri** *s* small matter.
snabel *s* trunk.
snadde *s* (brier-)pipe.
snadre *v* quack.
snakk *s* talk; stuff, nonsense; ~ **e** *v* talk, chat; ~ **esalig** *a* talkative; ~ **esalighet** *s* garrulity; ~ **som** *a* chatty.
snappe *v* snatch.
snaps *s* dram.
snar *s* thicket; *a* quick; ~ **e** *s* snare, gin; ~ **ere** *av* sooner, rather; ~ **lig** *a* speedy; ~ **rådig** *a* resourceful, quick-witted; ~ **rådighet** *s* presence of mind; ~ **t** *av* soon, shortly; ~ **tur** *s* flying visit; ~ **vei** *s* short cut.
snau *a* scanty; close-cropped; ~ **e** *v* crop; ~ **klippe** *v* bob; ~ **t** *av* barely.
snedig *a* cunning; ~ **het** *s* cunning.
snegl *s* snail, slug; ~ **e** *vr* move slowly; ~ **ehus** *s* shell.
snek|ke *s* sailboat; ~ **ker** *s* joiner, cabinet-maker; ~ **re** *v* do joiner's work.
snelle *s* reel.
snerk *s* skin.
snerp *s bot* beard; ~ **e** *s* prude; *v* contract, astringe; ~ **et** *a* prudish; ~ **eri** *s* prudery.
snerre *v* snarl.
snert(e) *s* (*v*) lash.
snes *s* score.
snev *s* touch, suggestion.
snev|er *a* narrow, tight; ~ **ersynt** *a* narrow-minded; ~ **re** *v* narrow; ~ **ring** *s* strait, pass.
snibel *s* swallow-tailed coat, dress-coat.
snik|e *v* sneak; (snylte) sponge; *vr* slink, steal ~ **mord** *s* assassination; ~ **morder** *s* assassin; ~ **myrde** *v* assassinate.
snill *a* good, kind.
snipp *s* tip, corner; collar; ~ **kjole** *s* dress-coat.
snirk|el *s* spiral-line, *fig* flourish; ~ **let** *a* scrolled, *fig* florid.
snitt *s* cut; *fig* chance; ~ **e** *v* cut, carve; ~ **ebønner** *s* French beans.
sno *s* biting wind; *v* blow cold; twist, twine; ~ **dig** *a* funny.
snobb *s* snob; ~ **eri** *s* snobbery; ~ **et** *a* snobbish.
snok *s* snake.
snor *s* cord, line; lace.
snorke *v* snore.
snu *v* turn.
snuble *v* stumble, trip.
snue *s* catarrh, cold.
snufs(e) *s* (*v*) sniff.
snurr|e *v* whirl; buzz; ~ **ebass** *s* top; ~ **epiperi** *s* frills, pedantic formalities; ~ **ig** *a* droll, queer.
snus *s* snuff ~ **e** *v* sniff; take snuff, *fig* pry; ~ **fornutf** *s* commonplace, platitude; ~ **fornuftig** *a* would-be-wise; ~ **hane** *s* Paul Pry, snooper.
snute *s* muzzle, snout.
snylte *v fig* sponge, *sci* be parasitic; ~ **dyr** *s* parasite; ~ **egjest** *s* hanger-on.
snyte *v* cheat, take in; (nese) blow; (lys) snuff; ~ **ri** *s* swindle, take-in.
snø *s* snow; ~ **ball** *s* snowball; ~ **bre** *s* s-field, (is) glacier; ~ **briller** *s* snow-goggles; ~ **drive** *s* s.drift; ~ **fok** *s* driving snow, snow storm.
snøfte *v* snort.
snøre *s* string, line; *v* lace, draw.
snørr *s* mucus, *fam* snot; ~ **et** *a* snotty.
snøvle *v* snuffle, twang.
soaré *s* soirée.
sobel *s* sable.
sober *s* sober.
sodd *s* broth.
sofa *s* lounge, sofa.

sofisteri *s* sophistry.
sogn *s* parish; ~ **ebarn** *s* parishioner; ~ **ekall** *s* living; ~ **eprest** *s* parson, rector, vicar.
soignert *a* trim, neat.
sokk *s* sock; ~ **eholder** *s* garter.
sokkel *s* plinth.
sokne *v* sweep, drag.
sol *s* sun; ~ **brent** *a* tanned; ~ **brenthet** *s* tan; ~ **bær** *s* black currant.
sold *s* pay.
soldat *s* soldier.
sol|e *vr* bask in the sun; ~ **eklar** *a* obvious; ~ **formørkelse** *s* solar eclipse.
solid *a* aolid, strong; ~ **arisk** *av* jointly and severally; ~ **aritet** *s* solidarity; ~ **itet** *s* solidity.
solist *s* soloist.
sol|nedgang *s* sunset; ~ **oppgang** *s* sunrise; ~ **seil** *s* awning; ~ **stikk** *s* sunstroke.
solvens *s* solvency.
solverv *s* solstice.
som *pron* who, which, that; *kj* as, like.
som|le *v* waste time; ~ **mel** *s* dawdling, waste of time.
somme *a* some.
sommer *s* summer; ~ **fugl** *s* butterfly.
somme|steds *av* in some places; ~ **tider** *av* now and then.
sonate *s* sonata.
sond|e *s* sound, probe; ~ **ere** *v* sound, probe; ~ **re** *v* distinguish; ~ **ring** *s* distinction.
son|e *s* zone; *v* expiate, atone for; ~ **ing** *s* atonement; ~ **ett** *s* sonnet.
sope *v* sweep; ~ **lime** *s* broom.
sopp *s* mushroom.
sopran *s* soprano.
sordin *s* mute.
sorenskriver *s* district stipendiary magistrate.
sorg *s* sorrow, grief; (dødsf.) mourning; ~ **full** *a* sad, mournful; ~ **løs** *a* careless, carefree.
sort *s* sort, kind; *a* black; ~ **ere** *v* (as)sort; ~ **ere under** belong to; ~ **iment** *s* assortment; ~ **ne** *v* grow black; ~ **smusket** *a* swarthy.
sosi|al *a* social; ~ **isme** *s* socialism; ~ **alist** *s* socialist; ~ **etet** *s* society; ~ **olog** *s* sociologist.
sot *s* soot; ~ **et** *a* sooty.
sotteseng *s* sick-bed.
souper *s* evening-party; ~ **ere** *v* sup.
sov|e *v* sleep, be asleep; ~ **emiddel** *s* soporific, sleeping-draught; ~ **eplass** *s* berth; ~ **evogn** *s* sleeper; ~ **eværelse** *s* bedroom; ~ **ne** *v* fall asleep.
spa *v* dig; ~ **de** *s* spade.
spak *a* meek, tame; ~ **ferdig** *a* gentle.
spak *s* (fly) control column, *fam* joystick.
spalt|e *s* cleft, slit; column; *v* split, cleave; ~ **ning** *s* division.
spand|ere *v* spend, stand; ~ **abel** *a* liberal.
span|jer *s* Spaniard; **S~ia** *s* Spain.
spann *s* pail, bucket; (mål) span; (for) team.
spansk *a* Spanish; ~ **rør** *s* cane.
spant *s* rib, frame.
spar *s* (kort) spades; ~ **e** *v* save, economize, lay by; ~ **ebank** *s* savings-bank; ~ **ebøsse** *s* thrift-box; ~ **epenger** *s* savings.
spark(e) *s* (*v*) kick; ~ **el** *s* stopping-knife; ~ **le** *v* stop up.
sparsom *a* scanty, scarce; ~ **het** *s* scarcity; ~ **melig** *a* economical; ~ **melighet** *s* economy, thrift.
spartansk *s* Spartan.

spas|(e) *s* (*v*) joke, jest; ⌣ **ere** *v* walk; ⌣ **erdrakt** *s* coat and skirt, costume; ⌣**erstokk** *s* cane; ⌣ **ertur** *s* walk; ⌣ **maker** *s* wag.
spat *s min* spar; ⌣ **t** *s* spavin.
spe *a* tender, slightly built; *v* thin, dilute; ⌣ **barn** *s* infant; ⌣ **dalsk** *a* leprous; ⌣ **dalskhet** *s* leprosy.
spe|disjon *s* forwarding of goods; ⌣ **ditør** *s* forwarding agent.
spege *v fig* mortify.
speide(r) *v* (*s*) spy, scout.
speil *s* looking-glass, mirror; ⌣ **bilde** *s* image, reflection; ⌣ **blank** *a* glassy; ⌣ **e** *v* fry (egg), *vr* look in a glass, be reflected; ⌣ **egg** *s* fried egg; ⌣ **glass** *s* plateglass.
speke *v* cure; ⌣ **sild** *s* salt herring.
spekk *s* blubber; ⌣ **e** *v* stuff.
spekul|ant *s* speculator, jobber; ⌣ **ere** *v* speculate; ⌣ **ere på** *fig* reflect upon, contemplate.
spene *s* teat.
spen|n *s* span; kick; ⌣ **ne** *s* buckle, clasp; *v* span, stretch; clasp, kick; *fig* strain; (gevær) cock; ⌣ **nende** *a* thrilling, exciting; ⌣ **ning** *s* excitement; tension; ⌣ **stig** *a* elastic, springy; ⌣ **stighet** *s* elasticity; ⌣ **t** *a* tense; eager; (forhold) strained.
sperre *s* rafter; *v* bar, close; ⌣ **opp** open wide.
spes|eri *s* spice; ⌣ **ial** *a* special; ⌣ **ialisere** *v* specialize; ⌣ **ialitet** *s* speciality; ⌣ **iell** *a* particular; ⌣ **ifikk** *a* specific; ⌣ fisere *v* specify.
spetakkel *s* row, noise, uproar.
spett *s* crowbar; ⌣ **et** *a* speckled.
spidd(*e*) *s* (*v*) spit.
spik *s* splinter; ⌣ **er** *s* nail, spike; ⌣ **re** *v* nail.
spikke *v* chip, whittle.
spile *s* rib, frame; *v* distend; ⌣ **opp** open wide.
spilkum *s* bowl, slop-basin.
spill *s* play, game; gambling; *mar* capstan; (tap) loss, waste; ⌣ **e** *v* play, act; gamble; spill, drop, waste; ⌣ **er** *s* player, gambler; ⌣ **erom** *s* scope; ⌣ **opper** *s* tricks; ⌣ **oppmaker** *s* wag.
spiltau *s* box, stall.
spin|at *s* spinach; ⌣ **del** *s* spindle; ⌣ **delvev** *s* cobweb; ⌣ **ett** *s* spinet.
spinke *v* pinch, save; ⌣ **kel** *a* slightly built.
spinn *s* yarn, web; spin (fly); ⌣ **e** *v* spin; ⌣ **eri** *s* spinning-mill; ⌣ **esiden** *s* the distaff line.
spion(ere) *s* (*v*) spy.
spir *s* spire; ⌣ **al** *s* spiral; ⌣ **e** *s* germ, sprout; *v* spring, sprout.
spir|ituell *a* witty, ingenious; ⌣ **ituosa** *s* spirits: ⌣ **itus** *s* spirit.
spis|e *v* eat; ⌣ **e frokost** *v* breakfast; ⌣ **e middag** *v* dine; ⌣ **e aftens** *v* sup; ⌣ **ekart** *s* menu; ⌣ **elig** *a* eatable, edible; ⌣ **erør** *s med* gullet; ⌣ **estue** *s* dining-room; ⌣ **evogn** *s* dining-car, restaurant car; ⌣ **kammer** *s* pantry.
spiss *s* point, top, tip; *fig* head; *a* pointed, sharp; ⌣ **e** *v* point, sharpen; (ører) prick up; ⌣ **findig** *a* subtle; ⌣ **findighet** *s* sophistry; ⌣ **rot** *s* gauntlet.
spjeld *s* (skjorte) gusset; (peis) damper.
spjelke *v* splinter up.
spjære *v*, *s* tear.
spleise *v fig* club.
splid *s* discord; ⌣ **aktig** *a* at variance; ⌣ **aktighet** *s* discord.

splint *s* splint(er); ~ **er ny** brand new; ~ **re** *v* sliver, splinter.
splitt *s* slit, slash; ~ **e** *v* split, disperse; ~ **else** *s* schism; ~ **er gal** *a* stark mad.
spole *s* reel, bobbin; *v* spool; ~ **re** *v* spoil.
spon *s* chip; shingle.
spontan *a* spontaneous.
spor *s* footprint; track; (hjul) rut; (bane) rails; *fig* trace; ~ **e** *s* spur, *bot* spore; *v* spur, *fig* observe.
sport *s* sport, exercise; ~ **el** *s* fee, perquisite; ~ **slig** *a* sporting; ~ **smann** *s* sportsman.
spor|vei *s* tramway; ~ **vogn** *s* tramcar.
spot|t *s* derision, sarcasm, mockery; ~ **te** *v* scoff at, *fig* baffle; ~ **teglose** *s* gibe; ~ **sk** *a* mocking.
sprade *s* dandy; *v* strut.
spraglet *a* particoloured, speckled, mottled.
sprake *v* crackle.
sprang *s* spring, leap.
spre(de) *v* spread, scatter; ~ **dt** *a* straggling.
sprek *a* active, vigorous.
sprekk(e) *s* (*v*) crack.
sprell *s* kick(ing); ~ **e** *v* sprawl; kick.
spreng|e *v* burst, break; *mil* scatter; spur; blow up; (salte) corn; ~ **kraft** *s* blasting power; ~ **stoff** *s* explosive.
sprett *s* bound, start; (person) sprig; ~ **e** *v* start, pop; *bot* break into leaf; (søm) rip open.
sprike *v* sprawl; stand out, bristle.
spring|e *v* spring, leap; run; (ekspl.) burst; ~ **brett** *s* spring-board; ~ **ende** *a* desultory, (punkt) salient; ~ **er** *s* (sjakk) knight; ~ **fjær** *s* spring; ~ **sk** *a* wanton; ~ **vann** *s* fountain.
sprinkel *s* rail, bar; ~ **verk** *s* trellis, lattice.
sprit *s* spirit(s).
sprosse *s* cross-bar.
sprudle *v* well, sparkle.
sprut *s* spirt, gush; ~ **e** *v* spirt, sp(l)utter.
sprø *a* crisp.
sprøyte *s* squirt, syringe; fire-engine; *v* squirt, inject.
språk *s* language; ~ **bruk** *s* usage; ~ **lig** *a* linguistic; ~ **lære** *v* grammar.
spuns(e) *s* (*v*) bung.
spurt(e) *s* (*v*) spurt.
spurv *s* sparrow.
sputnik (russisk jordsatellitt) *s* sputnik.
spy *v* vomit.
spyd *s* spear; ~ **ig** *a* sarcastic; ~ **ighet** *s* sarcasm.
spy|gatt *s* scupper; ~ **le** *v* swill, wash.
spytt *s* spit(-tle), saliva; ~ **e** *v* spit; ~ **ebakke** *s* spittoon; ~ **slikker(i)** *s* toady(ism).
spøk *s* jest, joke; ~ **e** *v* joke; haunt; ~ **efugl** *s* wag; ~ **efull** *a* jocular; ~ **efullhet** *s* jocularity; ~ **else** *s* ghost; ~ **elsesaktig** *a* spectral, ghastly.
spør|rende *a* questioning, *gr* interrogative; ~ **re** *v* ask, question; ~ **smål** *s* question, query.
spå *v* prophesy; tell fortunes; ~ **dom** *s* prophecy; ~ **mann (-kone)** *s* fortune-teller, prophet(ess).
sta *a* obstinate, pig-headed, restive.
stab *s* staff; ~ **be** *s* stump; ~ **bestein** *s* curbstone; ~ **bur** *s* store-house; ~ **el** *s* pile; ~ **il** *a* stable; ~ **ilisere** *v* stabilize; ~ **bilisator** *s* stabilizer; ~ **le** *v* pile; ~ **soffiser** *s* field officer.

stad *s* town, city; ~ **feste** *v* confirm, ratify; ~ **festelse** *s* confirmation; ~ **ig** *a* constant; ~ **ighet** *s* constancy; **til** ~ **ighet** permanently; ~ **ium** *s* stage, phase.

staf|ett *s* courier, express; ~ **ettløp** *s* relay race; ~ **fasje** *s* accessories; ~ **feli** *s* easel.

stag *s mar* stay; ~ **ge** *v* restrain, check.

stagnere *v* stagnate.

stagvende *v* tack.

stak|e *s*, *v* pole; ~ **itt** *s* paling, railing.

stakk *s* stack; ~ **ar** *s* poor creature; ~ **ars** *a* poor; ~ **arslig** *a* wretched, poor; ~ **åndet** *a* asthmatic, out of breath.

stall *s* stable; ~ **bror** *s* companion; ~ **kar** *s* hostler, groom.

stam *s* stammering; ~ **het** *s* stammer(ing); ~ **far** *s* ancestor; ~ **gods** *s* family estate, entail; ~ **me** *s* (tre) trunk; (folk) tribe, race; *v* stammer; ~ **me fra** descend from.

stamp *s* tub; ~ **e** *v* beat, stamp.

stam|tavle *s* genealogy; ~ **tre** *s* pedigree.

stand *s* condition; rank, class; ~ **haftig** *a* firm; ~ **kvarter** *s* quarters; ~ **punkt** *s* stand; *fig* point of view.

stang *s* pole, rod; ~ **e** *v* poke, butt.

stank *s* stench, stink.

stans *s* break, stay; ~ **e** *v* stop, check; stamp.

stapelplass *s* mart.

stappe *s* mash; *v* cram.

starrgras *s* sedge.

start(e) *s* (*v*) start, take off (fly).

stas *s* state; finery; ~ **elig** *a* showy, splendid.

stasjon *s* station; ~ **ere** *v* station; ~ **ær** *s* stationary.

stat *s* state; ~ **elig** *a* stately; ~ **ist(inne)** *s* mute; ~ **istikk** *s* statistics; ~ **tistisk** *a* statistical; ~ **iv** *s* stand; ~ **sborger** *s* citizen; ~ **sforfatning** constitution; ~ **sgjeld** *s* national debt; ~ **sinntekt-** *s* revenue; ~ **skasse** *s* treasury; ~ **skirke** *s* established church; ~ **skunst** *s* statecraft; ~ **slån** *s* public loan; ~ **smann** *s* statesman; ~ **sminister** *s* prime minister, premier; ~ **spapirer** *s* bonds; ~ **sråd** *s* cabinet minister, secretary of state; (samlet) cabinet meeting; ~ **sskatt** *s* tax; ~ **søkonomi** *s* political economy.

stattholder *s* viceroy, governor.

stat|ue *s* statue; ~ **ur** *s* stature; ~ **us** *s merk* balance-sheet; ~ **utt** *s* regulation.

staude *s* perennial.

staur *s* pole.

staut *a* stalwart, fine.

stav *s* stick, staff; ~ **e** *v* spell; ~ **emåte** *s* spelling; ~ **re** *v* trudge, totter; ~ **sprang** *s* pole jump(ing).

stavn *s* stem, head.

stebarn *s* step-child.

stearin *s* stearin.

sted *s* place, spot; ~ **egen** *a* local; ~ **fortreder** *s* substitute; ~ **ig** *a* restive; ~ **lig** *a* local; ~ **sans** *s* bump of locality.

stegg *s* male bird.

steil *a* steep; ~ **e** *v* rear.

stein *s* stone; (mur-) brick; ~ **brudd** *s* quarry; ~ **e** *v* stone; ~ **et** *a* stony; ~ **kull** *s* (pit)-coal; ~ **trykk** *a* lithography; ~ **tøy** *s* crockery.

stek *s* roast, joint; ~ **e** *v* roast, broil, fry, bake; ~ **eovn** *s* oven; ~ **epanne** *s* frying-pan.

stell *s* (sett) set; management; ~ **e** *v* manage.

stemme *s* voice; (pol.) vote;

v vote; (passe) agree, tally; *mus* tune; ~ **bånd** *s* vocal chord; ~ **berettiget** *s* elector; *a* qualified to vote; ~ **rett** *s* franchise.

stemning *s fig* atmosphere, mood, sentiment; ~ **sfull** *a* impressive, inspiring.

ste|moderlig *a* fig hard; ~ **mor** *s* step-mother; ~ **morsblomst** *s* pansy.

stem|pel *s* stamp, die, piston; ~ **le** *v* stamp.

steng|e *v* lock, shut; bolt, bar; (erter) pole; ~ **el** *s* stem; ~ **sel** *s* bar.

stenk *s* sprinkle, *fig* touch; ~ **e** *v* sprinkle.

sten|ograf *s* shorthand-clerk; ~ **ografere** *v* stenograph; ~ **ografi** *s* stenography, shorthand.

steppe *s* steppe.

steril *a* sterile; ~ **isere** *v* sterilize.

sterk *a* strong.

stett *s* stem.

stevn *s* stem, stern; ~ **e** *s* meeting, rally; *v* head, steer; *jur* summon; ~ **emøte** *s* rendezvous; ~ **ing** *s* summons.

sti *s* path; *med* sty.

stift *s* pin, tack; *rel* diocese; ~ **e** *v* found, institute; cause; ~ **else** *s* foundation, institution.

stig|e *v* mount, increase; ~ **e ned** descend; *s* ladder; ~ **bøyle**, *s* stirrup; ~ **ning** *s* rise, ascent.

stikk *s* stab, prick, (kort) trick, *mar* hitch; (mygg) sting; ~ **e** *v*; stab, prick, sting, bite, put; (teppe) quilt; (kort) take, win; ~ **e av** decamp; ~ **e fram** protrude.

stikk|elsbær *s* gooseberry; ~ **kontakt** *s* plug-connection; ~ **ord** *s* cue.

stik|le *v* sneer, taunt; ~ **eri** *s* sneer, gibe; ~ **ing** *s* cutting, slip.

stil *s* style; paper, composition; ~ **e** *v* word, pen; address; ~ **ebok** *s* exercise-book; ~ **ett** *s* stiletto; ~ **full** *a* stylish; ~ **ist** *s* elegant writer.

stilk *s* stem, stalk.

still|as *s* scaffolding; ~ **e** *a* still, quiet, silent; *v* (stanse) still, quench, stay; (sette) place, put, set; **S** ~ **havet** the Pacific; ~ **estående** *a* stationary, stagnant; ~ **ferdig** *a* gentle, quiet-mannered; ~ **het** *s* silence, calmness; ~ **ing**, *s* position; (post) situation; ~ **stand** *s* stagnation; ~ **tiende** *a* tacit.

stilne *v* subside.

stim *s* shoal, school; ~ **e** *v* throng, press.

stimann *s* foot pad.

stim|mel *s* throng, crowd; ~ **le** *v ib.*

stimul|ans *s* stimulant, stimulus; ~ **ere** *v* stimulate.

sting *s* stitch.

stink|dyr *s* skunk; ~ **e** *v* stink.

stinn *a* stiff.

stip|endiat *s* fellow, scholarship holder; ~ **endium** *s* scholarship; ~ **ulere** *v* stipulate.

stirre *v* stare, gaze.

stiv *a* stiff, rigid; formal; ~ **e** *v* (tøy) starch; stay; ~ **else** *s* starch; ~ **etøy** *s* starched linen; ~ **frossen** *a* benumbed, frozen hard; ~ **het** *s* stiffness, *fig* formality; ~ **ne** *v* stiffen, coagulate; ~ **sinn** *s* obstinacy; ~ **sinnet** *a* obstinate.

stjele *v* steal.

stjerne *s* star; ~ **bilde** *s* constellation.

stjert *s* tail.

stoff *s* matter, substance; (tøy) material, stuff; ~ **lig** *a* material.

stoisk *a* stoical.

stokk *s* stick, cane; ⁓ **fisk** *s* stockfish.
stol *s* chair, seat, stool.
stole på *v* rely on, trust.
stolp|e *s* post; ⁓ **re** *v* stagger, tumble.
stolt *a* proud, haughty; ⁓ **het** *s* pride, haughtiness.
stopp *s* stop; stuffing; darn; ⁓ **e** *v* cream, stuff; stop; (strømpe) darn; (pipe) fill; ⁓ **enål** *s* darning needle; ⁓ **ested** *s* halting place.
stor *a* great, big, large; (høy) tall; ⁓ **artet** *a* grand; ⁓ **eslem** *s* grand slam; ⁓ **hertug** *s* grandduke; ⁓ **industry** *s* large-scale industry.
Storbritannia Great Britain.
stork *s* stork.
storlig *av* greatly.
storm *s* gale; (uvær) storm tempest.
stor|mann *s* magnate; ⁓ **mast** *s* mainmast.
storm|e *v* blow hard, *mil* storm; ⁓ **ende** *a* stormy; ⁓ **full** *a* stormy.
stor|seil *s* mainsail; ⁓ **slagen** *a* grand, grandiose; ⁓ **snutet** *a* arrogant; ⁓ **stilet** *a* in grand style; ⁓ **vilt** *s* big game.
stotre *v* stutter.
strabas *s* toil, fatigue; ⁓ **iøs** *a* toilsome.
straff *s* punishment, penalty; ⁓ **arbeid** *s* convict labour; ⁓ **bar** *a* liable to punishment; ⁓ **e** *v* punish; ⁓ **elov** *s* penal law; ⁓ **epreken** *s* lecture; ⁓ **fange** *s* convict.
straks *av* at once, immediately.
stram *a mil* erect, precise; tight, *fig* strict; (lukt) rank; ⁓ **het** *mil* precision; ⁓ **me** *v* tighten; ⁓ **me opp** brace up.
strand *s* shore, beach; ⁓ **bredd** *s* beach; ⁓ **e** *v* strand, *fig* fail.
strat|egi *s* strategy.
stratenrøver *s* highwayman.
strebe(n) *v* (*s*) endeavour.
strede *s* strait(s).
streif *s* graze, (lys) gleam; ⁓ **e** *v* graze; ⁓ **e om** rove; ⁓ **tog** *s* raid.
streik(e) *s* (*v*) strike, go on strike.
strek *s* line, streak; (puss) trick; *mar* point; ⁓ **e under** *v* underline.
strek|k *s* stretch; tension; ⁓ **ke** *v* stretch; ⁓ **ke til** suffice; ⁓ **ning** *s* stretch; tract, distance.
streng *s* string; chord; *a* severe, strict; ⁓ **het** *s* severity.
strev *s* labours, exertions; ⁓ **e** strive, toil; ⁓ **som** *a* hard-working; ⁓ **somhet** *s* industry.
stri *a* (elv) rapid; (sta) obstinate; shaggy; hard; *v* struggle, toil.
strid *s* fight, contest, dispute; (strev) toil; ⁓ **bar** *a* combative; ⁓ **e mot** *v fig* be at variance with; ⁓ **es** *v* quarrel; ⁓ **ende mot** contrary to; ⁓ **ig** *a* headstrong; ⁓ **ighet** *s* obstinacy; (strid) dispute; ⁓ **shanske** *s* gauntlet; ⁓ **sskrift** *s* pamphlet.
strie *s* canvas.
strigle *v* curry, comb.
strikk *s* elastic band; ⁓ **e** *s* halter, rope; *v* knit; ⁓ **epinne** *s* knitting-needle; ⁓ **etøy** *s* knitting.
striks *a* strict.
strime *s* streak.
strimmel *s* slip, shred; (pynt) frill, ruff.
stringent *a* stringent.
stripet *s* (*a*) stripe(d).
stritte *v* bristle; ⁓ **mot** resist.
strofe *s* stanza.
stropp *s* strap.
struktur *s* structure.
struma *s* struma, goitre.

strunk *a* erect.
strupe *s* throat.
struts *s* ostrich.
stry *s* hards, tow.
stryk *s* rapid; ~ **e** *v* stroke, rub; (tøy) iron; (flagg) strike; (sløyfe) strike out; (elev) plough; fail; ~ **ejern** *s* flat-iron; ~ **ende** *av* swimmingly; ~ **nin** *s* strychnine.
strø *v* strew.
strøk *s* stroke; (egn) region, tract.
strøm *s* stream; (elektr.) current; ~ **linjet** *a* stream-lined; ~ **me** *v* stream, pour; flock; ~ **pe** *s* stocking, sock; ~ **pebånd** *s* garter, suspender.
strå *s* straw; ~ **le** *s* ray, beam; (vann) jet; *v* radiate, beam, sparkle; ~ **leglans** *s* radiance.
stråtak *s* thatched roof.
stubb *s* stump; (korn-) stubble; ~ **e** *s* treestump; ~ **mark** *s* stubble field.
stud|ent *s* student; ~ **ere** *v* study; ~ **ering** *s* study; ~ **ie** *s* study; ~ **ium** *s* study.
stu|e *s* room; (hus) cottage; *v mar* stow; pack; (mat) stew; ~ **epike** *s* house-maid; ~ **ert** *s* steward; ~ **ing** *s* stew.
stum *a* mute, dumb.
stump *s* stump, fragment; *a* blunt; ~ **e** *v* stump; ~ **nese** *s* snub-nose.
stund *s* time, while; ~ **e** *v* long; ~ **esløs** *a* fidgety; ~ **om** *av* at times.
stup *s* precipice; plunge; ~ **bombing** *s* dive-bombing; ~ **bratt** *a* abrupt; ~ **e** *v* plunge, dive; ~ **id** *a* stupid.
stur *a* moping; ~ **e** *v* be moping; pine.
stusse *v* crop, trim; *fig* be startled.
stut *s* bull(ock), ox; ~ **teri** *s* stud.
stygg *a* ugly, plain; (vær) nasty.
stykk|e *s* piece, bit; *v* ~ **e ut** parcel out; ~ **evis** *a* piecemeal.
stylte *s* stilt.
stymper *s* poor wretch.
styr *s* row; **holde** ~ **på** keep in check; ~ **bar** *a* dirigible; ~ **bord** *s* starboard; ~ **e** *v* steer, direct, guide; (herske) rule; control, govern; *s* rule; ~ **else** *s* direction; ~ **er** *s* ruler; ~ **estang** *s* steering-rod (fly).
styr|ke *s* strength; *v* strengthen; ~ **kemiddel** *s* tonic; ~ **kende** *a med* tonic; ~ **mann** *s* mate; ~ **te** *v* fall down; (om-) overthrow; (fram) rush, dart.
styrtning *s* precipice.
stær *s zo* starling; *med* glaucoma; ~ **blind** *a* purblind.
stø *s* landing-place; *a* steady, firm.
støl *a* stiff.
stønn(e) *s* (*v*) moan, groan.
støp|e *v* found, cast; mould, ~ **eform** *s* mould; ~ **ejern** *s* castiron; ~ **eovn** *s* smelting furnace; ~ **eri** foundry; ~ **ning** *s* casting; *fig* cast, mould.
stør *s zo* sturgeon.
størkne *v* coagulate.
størrelse *s* size, height.
støt *s* push, butt; (stikk) stab; shock, blow; ~ **e** *v* push; *fig* offend; pestle; (skip) strike; **ende** *a* offensive; ~ **fanger** *s* buffer; ~ **tann** *s* tusk.
støtte *v* prop, support; back up; *s* support; (søyle) pillar.
støv *s* dust; ~ **briller** *s* goggles; ~ **bærer** *s bot* stamen; ~ **e** *v* be dustry; ~ **et** *a* dusty; ~ **grann** *s* mote.
støvel *s* boot.
støy *s* noise; ~ **e** *v* make a noise; ~ **ende** *a* noisy.
stå *v* stand; ~ **hei** *s* turmoil, ado.

ståk *s* bustle, fuss.
stål *s* steel; ~ **sette** *v* steel; ~ **tråd** *s* wire.
subb *s* mess; ~ **e** *s* slut; *v* dreg, shuffle; ~ **et** *a* dirty; (pers.) slatternly.
sub|jekt *s* subject; ~ **lim** *a* sublime; ~ **sidiær** *a* subsidiary; ~ **skribent** *s* subscriber; ~ **skribere** *v* subscribe (to); ~ **stans** *s* substance; ~ **stantiv** *s* noun; ~ **til** *a* fine-spun, subtle; ~ **trahere** *v* subtract.
suff|isanse *s* self-sufficiency; ~ **isant** *a* self-sufficient; ~ **lere** *v* prompt; ~ **lør** *s* prompter.
sug *s* suction; vortex; ~ **e** *v* suck, draw.
suite *s* attendance; (rad) suite.
sukat *s* succades, candied peel.
sukk(e) *s* (*v*) sigh.
sukker *s* sugar.
sukre *v* sugar.
suksess *s* success.
sulfat *s* sulphate.
sulfitt *s* sulphite.
sult *s* hunger; ~ **e** *v* starve; ~ **en** *a* hungry.
sum *s* sum; ~ **marisk** *a* summary; ~ **me** *v* buzz, hum; *vr* collect oneself; ~ **mere** *v* sum up.
sump *s* swamp, fen.
sund *s* sound.
sunn *a* sound, healthy; ~ **het** *s* health; ~ **hetspleie** *s* hygiene.
sup *s* drink; ~ **e** *v* tipple.
sup|erb *a* superb; ~ **ere** *v* sup; ~ **erlativ** *s*, *a* superlative; ~ **ersonisk** (hurtigere enn lyden), *a* supersonic.
suppe *s* soup, (velling) gruel.
suppl|eant *s* deputy; ~ **ere** *v* supplement.
suprematі *s* supremacy.
sur *s* sour, sharp; ~ **deig** *s* leaven; ~ **mule** *v* sulk; ~ **ne** *v* sour, turn.
surr *s* buzz, hum; ~ **e** *v* buzz; (binde) secure, lash; ~ **ing** *s* lashing; ~ **ogat** substitute.
surstoff *s* oxygen.
sus *s* whistling, sough, whiz; (øre-) tingling; ~ **e** *v* whistle, whiz, tingle.
suspendere *v* suspend.
sutre *v* whimper.
suveren *s a* sovereign, supreme; ~ **itet** *s* sovereignty.
svaber *s* swab, mop.
svada *s* verbiage, volubility.
svai *a* lithe; ~ **e** *v* swing.
svak *a* weak, faint; ~ **elig** *a* delicate.
sval *a* cool; ~ **e** *v* cool; *s zo* swallow; ~ **gang** *s* gallery.
svamp *s* sponge; ~ **et** *a* spongy.
svane *s* swan.
svanger *a* pregnant; ~ **skap** *s* pregnancy.
svar(e) *s* (*v*) answer, reply; ~ **til** *v* correspond to.
svart *a* black; ~ **ne** *v* grow black.
sveise *v* weld.
Sveits Switzerland; ~ **er** Swiss; ~ **isk** *a* Swiss.
sveiv(e) *s* (*v*) crank.
svek|ke *v* weaken; ~ **kelse** *s* infirmity, enervation; ~ **ling** *s* weakling.
svel|g *s* throat; abyss, gulf; ~ **gje** *v* swallow.
svelle ut *v* swell, bulge.
svenn *s* journeyman; ~ **eprøve** *s* probation work.
svensk *a* Swedish; ~ **e** *s* Swede.
svepe *s* whip.
sverd *s* sword; ~ **lilje** *s* iris.
sverge *v* swear.
Sverige Sweden.
sverm *s* swarm; ~ **e** *v* swarm; ~ **for** admire, fancy; ~ **er** *s* enthusiast; fanatic; ~ **eri** *s* enthusiasm, fancy; ~ **erisk** *a* enthusiastic.
sverte *v* black(en); *s* blacking.
svett *a* perspiring; ~ **e** *s* perspiration; sweat; *v* perspire, sweat; ~ **er** *s* sweater.

sveve *v* hover, sail, skim; ~ **båt** (luftputebåt) *s* hovercraft; ~ **nde** *a fig* vague.
svi *v* scorch; smart, ache; ~ **bel** *s bot* hyacinth; ~ **e** *s* sharp pain, smart.
sviger|far *s* father-in-law; ~ **inne** *s* sister-in-law; ~ **mor** *s* mother-in-law.
svik *s* deceit; ~ **aktig** *a* fraudulent; ~ **e** *v* deceive, forsake; ~ **te** *v* fail, desert.
svill(e) *s* sleeper.
svim|le *v* be giddy; ~ **lende** *a* dizzy; ~ **mel** *a* giddy.
svin *s* hog, pig, swine; (kjøtt) pork; ~ **e** *v* soil; ~ **eri** *s* filth; ~ **estek** *s* roast pork.
swin|del *s* swindle; ~ **dle(r)** *v* (*s*) swindle(r).
sving *s* turn, swing, (vei) bend; flourish; ~ **e** *v* swing, brandish.
svinn *s* waste, loss; ~ **e** *v* vanish, fade; shrink; ~ **e hen** languish; ~ **sott** *s* consumption.
svinsk *a* swinish.
svir *s* dissipation, revel; ~ **e** *v* revel, carouse; ~ **ebror** *s* reveller.
svirre *v* whirl.
sviske *s* prune.
svoger *s* brother-in-law.
svolk *s* switch.
svor *s* bacon-rind.
svovel *s* sulphur.
svull *s* (is-) ice-fall.
svulme *v* swell.
svulst *s* abcess, fig bombast; ~ **ig** *a* bombastic; ~ **ighet** *s* bombast.
svunnen *a* past.
svær *a* bulky; big; (sjø) heavy; ~ **t** *av* very.
svømme *v* swim; ~ **hud** *s* web.
svøp *s* swaddle; ~ **e** *v* swaddle swathe, wrap; *s fig* scourge.
sy *v* sew, make; ~ **maskin** *s* sewing machine.
syd *s*, *av* south; ~ **e** *v* seethe, boil; ~ **en** *s* the South; ~ **lig** *a* southern, South; ~ **over** *av* southward; ~ **polen** *s* the Antarctic Pole, the South Pole; ~ **vest** *s* southwester.
syerske *s* seamstress.
syfilis *s* syphilis.
syk *a* ill, sick; ~ **dom** *s* illness, complaint; ~ **e** *s* disease; ~ **ehus** *s* hospital, infirmary; ~ **elig** *a* sickly, *fig* morbid; ~ **elighet** *s* bad health; ~ **epleie** *s* sick-nursing; ~ **epleierske** *s* nurse; ~ **melde** *v* report ill.
syk|kel *s*, ~ **le** *v* cycle, *fam* bike.
syklon *s* cyclone, tornado.
sykne *v* sicken.
syl *s* awl; ~ **fide** *s* sylphid.
sylinder *s* cylinder.
sylte *v* preserve; conserve, candy; (eddik-) pickle; ~ **tøy** *s* jam.
sym|bol *s* symbol; ~ **foni** *s* symphony; ~ **metri** *s* symmetry; ~ **metrisk** *a* symmetrical; ~ **pati** *s* sympathy; ~ **patisk** *a* congenial, sympathetic; ~ **patisere** *v* sympathize ~ **ptom** *s* symptom.
symre *s* primrose.
syn *s* sight, vision, view, spectacle; (spøkelse) apparition.
synagoge *s* synagogue.
synd *s* sin, *fig* pity; ~ **e** *v* sin; ~ **ebukk** *s* scapegoat; ~ **efull** *a* sinful; ~ **er(inne)** *s* sinner; ~ **erlig** *av* particularly; ~ **flod** *s* deluge; ~ **ig** *a* sinful.
syndikat *s* syndicate.
synes *v* (mene) think, find; (se ut) seem, look; ~ **om** like.
synge *v* sing.
synke *v* sink, settle down, (skip) go down.
syn|kverve *v* hoodwink; ~ **lig** *a* visible; ~ **ode** *s* synod; ~ **onym** *s* synonym, *a* synonymous; ~ **sevne** *s* vision; ~ **sk** *a* visionary; ~ **skrets** *s* horizon, range; ~ **småte**

s view; ~ **taks** s syntax; ~ **tese** s synthesis; ~ **tetisk** a synthetic.
sy|nål s needle; ~ **pike** s seamstress; ~ **press** s cypress; ~ **tråd** s sewing cotton.
syre s acid; *bot* sorrel.
syrin s lilac.
syrlig a sourish, acetic, acid.
syskrin s work-box.
sys|le v occupy oneself, be busy; ~ **sel** s occupation; ~ **selsette** v employ; ~ **selsettelse** s employment.
system s system; ~ **atisk** a systematic(al).
sytøy s needle-work.
syt(e) s (v) whimper.
sytt|en *num* seventeen; ~ **i,** seventy.
syv *num* seven; ~ **dobbelt** a sevenfold.
sæd s (frø) seed; (grøde) crop; sperm.
sælde v sift.
sær a singular, odd; (sur) cross, peevish; ~ **deles** *av* peculiarly; very; **i** ~ **deleshet** especially; ~ **egen** a peculiar; ~ **egenhet** s peculiarity; ~ **eie** s separate estate; ~ **het** s oddity; ~ **lig** a separate, particular; ~ **ling** s eccentric person; ~ **skilt** a separate.
sødme s sweetness.
søk|e v seek, search; frequent, attend; ~ **er** s (foto) finder; (ansøker) applicant.
søkk s dent, hollow.
søk|nad s application; ~ **ning** s (kundekrets) custom, patronage; search; ~ **smål** s lawsuit.
søl s mismanagement; dirt; ~ **e** s mud, mire; v splash; ~ **e bort** waste.
sølibat s celibacy.
sølje s filigree brooch.
sølv s silver; ~ **penger** s silver (coins); ~ **rev** s silver fox; ~ **tøy** s plate.
søm s nail; seam; hem; (sy) sewing; ~ **me** v hem; vr become, befit; ~ **melig** a becoming, decent; ~ **melighet** s decorum, propriety.
søndag Sunday.
sønder|knuse v crush; ~ **knust** a *fig* contrite; ~ **lemme** v dismember; ~ **rive** v tear.
søndre a south(ern).
sønn s son; ~ **lig** a filial; ~ **esønn** s grandson.
sønna|for *prp* south of.
søppel s garbage, sweepings; ~ **kasse** s dust-bin.
sør|fra *av* from the south; ~ **lig** a southern, South; ~ **over** southward.
sørg|e v grieve, mourn; ~ **e for** provide for; ~ **edrakt** s mourning; ~ **eflor** s black band; ~ **elig** a sad, tragical; ~ **emarsj** s funeral march; ~ **ende** s mourner; ~ **modig** a sorrowful.
søs|ken s brothers and sisters; ~ **kenbarn** s cousin; ~ **ter** s sister.
søt a sweet; ~ **laden** a mawkish; ~ **lig** a sweetish.
søvn s sleep; **i** ~ **e** asleep; ~ **dyssende** a soporific; ~ **gjenger** s somnambulist; ~ **ig** a sleepy; ~ **løs** a sleepless; ~ **løshet** s insomnia, sleeplessness.
søyle s pillar, column.
så s tub; v sow; *av* then, so; *kj* as, so that; ~ **dan** *pron* such; ~ **fremt,** *kj* provided.
såld s sieve.
såle s, v sole.
således *av* thus, so.
sånn a such; *av* thus.
såpe s, v soap; ~ **skum** s lather.
sår s wound; ulcer; ~ **bar** a a vulnerable; ; ~ **e** v wound, *fig* hurt; ~ **t** *av* sorely, badly.
så|snart som *kj* as soon as; ~ **som** *kj* since; **vel som** as well as; ~ **vidt** *av* bərely.
såte s (v) cock.

T.

ta *v* take; (romme) hold, (radio) tune in (to).

tab|ell *s* table; ~ **ellarisk** *a* tabular; ~ **lett** tablet, *s* tabloid (drug); ~ **lå** *s* picture; ~ **u** *s* taboo; ~ **urett** *s* stool.

taffel *s* table, grand dinner; ~ **ur** *s* clock.

tafs *s* rag, tuft of hair; ~ **et** *a* tousled, rough.

taft *s* taffeta.

tagg *s* barb, cog, jag; ~ **et** *a* jagged, toothed.

tagl *s* horse- hair.

tak *s* hold, grasp; roof, ceiling, thatch; ~ **kammer** *s* garret; ~ **renne** *s* gutter; ~ **skjegg** *s* eaves; ~ **stein** *s* tile.

takk *s* jag; (hjorte-) antler; thanks; ~ **e** *v* thank; ~ **elasje** *s* rigging; ~ **nemlig** *a* grateful; ~ **nemlighet** *s* gratitude; ~ **skyldig** *a* indebted; ~ **sigelse** *s* thanksgiving.

takle *v* rig.

taks|ere *v* value, appraise; ~ **ameter** *s* taximeter; ~ **ator** *s* valuer; ~ **t** *s* rate, value; fare.

takt *s* *mus* bar, time; tact, discretion; ~ **fast** *a* steady, rhythmical, measured; ~ **full** *a* discreet; ~ **fullhet** *s* discretion, tact; ~ **ikk** *s* tactics; ~ **iker** *s* tactician; ~ **isk** *a* tactical; ~ **løs** *a* tactless; ~ **løshet** *s* indiscretion; ~ **stokk** *s* baton.

tal|e *s* speech, talk; *v* talk, speak; ~ **efeil** *s* defect of speech; ~ **efilm** *s* talkie; ~ **emåte** *s* phrase; ~ **ent** *s* talent, accomplishment; ~ **entfull** *a* talented; ~ **entløs** *a* without talent(s), talentless; ~ **er** *s* orator; ~ **erstol** *s* platform.

talg *s* tallow, suet; ~ **lys** *s* dip (tallow) candle.

talje *s* waist; *mar* tackle; ~ **reip** *s* lanyard.

talk *s* talc; ~ **um** *s* talcum.

tall *s* number, figure; ~ **erken** *s* plate; ~ **øs** *a* innumerable; ~ **ord** *s* numeral; ~ **rik** *a* numerous.

talong *s* counterfoil.

talsmann *s* spokesman, advocate.

tam *a* tame, domesticated.

tambur *s* drummer.

tamp *s* rope's end; ~ **ong** *s* tampon, plug.

tander *a* delicate.

tang *s* pair of tongs, pincers; *bot* sea-weed; ~ **e** *s* tongue of land; ~ **ent** *s* *mus* key; ~ **ere** *v* touch.

tank *s* tank.

tanke *s* idea, thought; ~ **full** *a* pensive, thoughtful; ~ **gang** *s* tenor, reasoning; ~ **løs** *a* thoughtless; ~ **strek** *s* dash; ~ **vekkende** *a* suggestive.

tann *s* tooth; prong, cog; ~ **byll** *s* gumboil; ~ **børste** *s* toothbrush; ~ **gard** *s* row of teeth; ~ **hjul** *s* cog-wheel; ~ **kjøtt** *s* gum; ~ **lege** *s* dentist; ~ **pasta** *s* toothpaste; ~ **pine** *s* toothache; ~ **stein** *s* tartar.

tant *s* vanity.

tante *s* aunt.

tantieme *s* percentage of profits, gratuities to staff.

tap *s* loss; ~ **e** *v* lose; *vr* die away, fade; ~ **sliste** *s* casualty list.

tapet *s* hanging, tapestry; wall-paper; ~ **sere** *v* paper; ~ **serer** *s* paper-hanger; upholsterer.

tapp(e) *s* (*v*) tap; ~ **er** *a* brave, valiant; ~ **erhet** *s* bravery, valour.

tar|a *s* *merk* tare; ~ **antell** *s* tarantula; ~ **e** *s* seaweed, alga; ~ **iff** *s* tariff.

tarm *s* gut, intestine.

tarv *s* interest(s); ~ **elig** *a* frugal; plain, modest; (sjofel) mean; ~ **elighet** *s* frugality; meanness.
taske *s* pouch, bag; ~ **spiller** *s* juggler.
tast *s* key.
tater *s* gipsy.
tatovere *v* tattoo.
tau *s* rope, cable; ~ **e** *v* tow, tug; ~ **verk** *s* cordage.
taus *a* silent, taciturn; ~ **het** *s* silence.
tavl|e *s* plate, board; slate; (vegg-) blackboard.
te *s* tea, *vr* behave; ~ **kanne** *s* teat-pot.
teat|er *s* theatre, stage; ~ **erforestilling** *s* theatrical performance; ~ **erkikkert** *s* opera-glass: ~ **erstykke** *s* play; ~ **ralsk** *a* theatrical.
teft *s* scent.
tege *s* bug.
tegl(stein) *s* tile, brick.
tegn *s* sign, token, symptom; badge; ~ **e** *v* draw, *fig* promise; ~ **ebok** *s* drawing-book; ~ **er** *s* draftsman; (mønster) designer; ~ **estift** *s* drawing-pin; ~ **ing** *s* drawing, design; ~ **setning** *s* punctuation.
teine *s* fish-pot.
teint *s* complexion.
tekke *v* (tak) thatch; *s* grace; ~ **lig** *a* winning, modest; ~ **s** *v* please.
tekn|ikk *s* technique; ~ **iker** technician; ~ **isk** *a* technical.
tekst *s* text, *mus* words; ~ **il** *a* textile, *s pl.*
tele *s* frozen ground; ~ **fon** *s* (tele)phone; ~ **fonere** *v* (tele)phone ~ **fonkiosk** *s* t.-box; ~ **fonkatalog** *s* directory; ~ **fonsamtale** *s* call on the t.; ~ **graf** *s* telegraph; ~ **grafere** *v* telegraph, wire, cable; ~ **grafisk** *av* (land) by wire, (sjø) by cable; ~ **grafist** *s* t. operator; ~ **gram** *s* telegram, wire; ~ **pati** *s* telepathy; ~ **skop** *s* telescope.
telle *v* count, number.
telt *s* tent.
tema *s* subject, *mus* theme.
temme *v* tame, break in; ~ **lig** *av* rather, fairly.
temp|el *s* temple; ~ **erament** *s* temper(ament); ~ **eratur** *s* temperature; ~ **erert** *a* temperate; ~ **o** *s* time, tempo; *fig* pace; ~ **us** *s gr* tense.
ten *s* spindle.
tendens *s* tendency, drift; ~ **iøs** *a* tendentious.
tenk|e *v* think, suppose; (akte) intend, mean; ~ **e seg om** consider; ~ **elig** *a* conceivable; ~ **ning** *s* thought; ~ **som** *a* reflecting, meditative; ~ **somhet** *s* reflection.
tenn|e *v* light, kindle; (elektr.) switch on; (motor) fire; ~ **er** *s* lighter; ~ **ing** *s* ignition; ~ **plugg** *s* spark(ing) plug; ~ **sats** *s* priming.
tenor *s* tenor.
tentamen probation.
tenåring *s* teen-ager.
teo|krati *s* theocracy; ~ **log** *s* theologian, divine; ~ **logi** *s* theology; ~ **retisk** *a* theoretical; ~ **retiker** *s* theorist; ~ **ri** *s* theory.
teppe *s* carpet; *teat* curtain.
term|in *s* term, instalment; ~ **inologi** *s* terminology; ~ **itt** *s* white ant; ~ **mometer** *s* thermometer.
tern|e *s zo* tern; handmaid; ~ **ing** *s* dice.
terp|e *v* plod, toil; ~ entin *s* turpentine.
terr|asse *s* terrace; ~ **eng** *s* country, ground(s); ~ **in** *s* tureen; ~ **itorium** *s* territory; ~ **or** *s* terror; ~ **orisere** *v* terrorize.
tert|e *s* tart; ~ **efin** *a* prudish, squeamish; ~ **iær** *a* tertiary.

test|ament(e) *s* (last) will; ~ **amentarisk** *a* testamentary; ~ **amentere** *v* bequeath.
testikkel *s* testicle.
testimonium *s* certificate.
tett *a* close, tight; dense, thick; ~ **het** *s* density; ~ **e** *v* tighten, stop; ~ **sittende** *a* tight.
teve *s* bitch.
ti *num* ten; *kj* for.
tid *s* time; *gr* tense; ~ **end(e)** *s* tidings, news; ~ **evann** *s* tide; ~ **lig** *a* early; ~ **ligere** *a* (*av*) former(ly); ~ **salder** *s* age; ~ **sfordriv** *s* pastime; ~ **snok** *av* in time; ~ **spunkt** *s* juncture; ~ **sregning** *s* reckoning; ~ **srom** *s* period; ~ **sskrift** *s* magazine, periodical.
tie *v* be silent; ~ **nde** *s* tithe.
tiger *s* tiger.
tigge *v* beg; ~ **r** *s* beggar; ~ **ri** *s* begging.
til *prp* to(wards), till.
tilbake *av* back, behind; left; ~ **betale** *v* pay back, repay; ~ **blikk** *s* retrospect; ~ **fall** *s* relapse; ~ **gang** *s* decline; ~ **holdende** *a* reserved; ~ **kalle** *v* recall, repeal; ~ **kallelse** *s* recall, withdrawal; ~ **komst** *s* return; ~ **levere** *v* return; ~ **legge** *v* cover; ~ **tog** *s* retreat; ~ **trukken** *a* retired; ~ **trukkenhet** *s* seclusion; ~ **trenge** *v* repress; ~ **vise** *v* repulse.
til|be *v* worship, adore; ~ **bedelse** *s* worship; ~ **bedelsesverdig** adorable; ~ **beder** *s* admirer; ~ **behør** *s* belongings, accessories; ~ **berede** *v* prepare; ~ **beredelse** *s* preparation; ~ **bringe** *v* pass, spend; ~ **bud** *s* offer; ~ **by** *v* offer; ~ **børlig** *a* due, proper; ~ **bøyelig** *a* disposed; ~ **bøyelighet** *s* propensity; attachment; ~ **dele** *v* assign to; ~ **dels** *av* partly; ~ **dra** *vr* attract; ~ **dragelse** *s* event; ~ **egne** *v* (bok) dedicate *vr* appropriate, acquire; **egnelse** *s* dedication; ~ **endebringe** *v* finish.
til|falle *v* fall to; ~ **fals** *a* for sale; ~ **feldig** *a* casual; ~ **feldighet** *s* chance, casualty; ~ **feldigvis** *av* by chance; ~ **felle** *s* case, instance; chance; *med* fit, attack; ~ **felles** *av* in common; ~ **flukt** refuge; ~ **forlatelig** *a* reliable; ~ **fots** *av* on foot; ~ **freds** *a* content, satisfied; ~ **fredshet** *s* satisfaction, contentment; ~ **fredsstille** *v* satisfy, gratify; ~ **fredsstillelse** *s* gratification; ~ **fredsstillende** *a* satisfactory; ~ **føre** *v* supply with; ~ **førsel** *s* supply; ~ **føye** *v* add, (volde) inflict on; ~ **føyelse** *s* addition, postscript.
til|gagns *av* thoroughly; ~ **gang** *s* supply; ~ **gi** *v* forgive; ~ **givelig** *a* pardonable; ~ **givelse** *s* pardon; ~ **gjengelig** *a* accessible, available; ~ **gjort** *a* affected; ~ **godehavende** *s* outstanding debt; ~ **godese** *v* look after; ~ **grensende** *a* contiguous, neighbouring; ~ **grise** *v* soil; ~ **grodd** *a* overgrown.
til|havs at (to) sea; ~ **henger** *s* adherent; ~ **hest** *av* on horseback; ~ **holdssted** *s* haunt, resort; ~ **høre** *v* belong to; ~ **hører** *s* listener; hearer; ~ **hørerkrets** *s* audience; ~ **intetgjøre** *v* annihilate, destroy; ~ **intetgjørelse** *s* destruction; ~ **juble** *v* cheer.
tilje *s* floor board.
til|kalle *v* call, summon; ~ **kjempet** *a* forced; ~ **kjenne** *v* adjudge, award; ~ **kjennegi** *v* notify, show; ~ **kjennegivelse** *s* intimation; ~ **knappet** *a* reserved; ~ **knytning**

s connection; ~ **komme** *v* be due (to); be one's due; ~ **kommende** *s* intended.

til|lage *v* prepare; ~ **lands** *av* on land, by l.; ~ **late** *v* allow, permit; ~ **latelig** *a* permissible; ~ **latelse** *s* permission; ~ **legg** *s* supplement, increase; ~ **legge** *v* add; ascribe, attribute; ~ **lempning** *s* adaptation; ~ **like** *av* also, too.

til|like med *prp* together with; ~ **lit** *s* confidence; ~ **litsfull** *a* confident, reliant; ~ **litsfullhet** *s* confidence; ~ **lokkelse** *s* allurement; ~ **lokkende** *a* tempting; ~ **lært** *a* taught; ~ **løp** *s* afflux, *fig* effort.

til|med *av* besides; ~ **mote** *av* in one's mind; ~ **navn** *s* surname; ~ **nærmelse** *s* advance; ~ **nærmelsesvis** *av* approximately; ~ **overs** left; ~ **passe** *v* adjust; ~ **regnelig** *a* sane; ~ **reisende** *s* arrival, visitor; ~ **rettelegge** *v* arrange; ~ **rettevise** *v* reprimand; ~ **rettevisning** *s* reprimand; ~ **rive** *vr* usurp, engross; ~ **rop** *s* cry, shout; ~ **råde** *v* advise; ~ **rådelig** *a* advisable.

til|sagn *s* promise; ~ **salgs** for sale; ~ **sammen** *av* together, in all; ~ **se** *v* attend to; ~ **setning** *s* admixture; ~ **sette** *v* add (to); ~ **side** *av* aside; ~ **sidesette** *v* slight; ~ **sidesettelse** *s* slight, neglect; ~ **sist** *av* at last; ~ **sigelse** *s* order (to attend); ~ **sinns** *a* disposed; ~ **siktet** *a* intended; ~ **skadekomne** *s* those injured; ~ **sjøs** at (to) sea; ~ **skikkelse** *s* destiny.

til|skjære *v* cut out; ~ **skjærer** *s* cutter; ~ **skrive** *v* attribute to; ~ **skudd** *s* contribution, subsidy; ~ **skuer** *s* spectator; ~ **skynde** *v* prompt, urge; ~ **skyndelse** *s* impulse, stimulus; ~ **slutning** *s* favour, sympathy; ~ **slutt** *av* at last; ~ **sløre** *v* veil; ~ **smusse** *v* soil; ~ **snikelse** *s* subreption; ~ **snitt** *s* cut, form; ~ **spisset** *a* pointed; ~ **stand** *s* condition; ~ **stede** *av* present; *v* allow; ~ **stedeværelse** *s* presence; ~ **stedeværende** *a* present; ~ **stelning** *s* entertainment; ~ **stoppe** *v* stop up, choke; ~ **strebe** *v* aim at; ~ **strekkelig** *a* sufficient; ~ **strømning** *s* concourse; ~ **stå** *v* confess; (yde) grant; ~ **ståelse** *s* confession; ~ **støte** *v* befall; ~ **støtende** *a* adjacent, adjoining; ~ **svarende** *a* corresponding; ~ **syn** *s* care, supervision; ~ **synekomst** *s* appearance; ~ **synelatende** *a* seeming, apparent; ~ **synsmann** *s* inspector.

til|ta *v* increase; ~ **tak** *s* initiative, enterprise; ~ **tale** *v* address, *jur* prosecute; *fig* attract, please; *s* address, *jur* prosecution; ~ **talende** *a* pleasant, attractive; ~ **tenke** *v* intend for; ~ **tre** *v* enter upon, join; ~ **trekke** *v* attract; ~ **trekkende** *a* attractive; ~ **trekning** *s* attraction, charm; ~ **tro** *s* faith, trust, *v* give credit for; ~ **tross for**, *prp* in spite pf, despite.

til|vanns by water; ~ **vant** *a* accustomed; ~ **veiebringe** *v* procure, raise; ~ **vekst** *s* increase; ~ **vende** *vr* appropriate; ~ **virke** *v* manufacture; ~ **virkning** *s ib*; ~ **værelse** *s* existence; ~ **års** *a* advanced in years.

time *s* hour; (skole-) lesson; ~ **lig** a temporal; ~ **s** *v* happen.

tind *s* (fjell) peak; tooth.
tindre *v* twinkle, sparkle.
tine *s* box; *v* thaw.
ting *s* thing; *jur* court, assize; ~ **e** *v* bargain; ~ **est** *s* thing; ~ **lyse** *v* register, record.
tinktur *s* tincture
tinnfolie *s* tinfoil.
tinning *s* temple.
tipp *s* tip; ~ **oldefar** *s* great-great-grandfather.
tirade *s* tirade.
tirre *v* tease, irritate.
tirsdag Tuesday.
tispe *s* bitch.
tistel *s bot* thistle.
titte *v* peep.
tittel *s* title; heading, headline.
titul|atur *s* style of address; ~ **ere** *v* style, name.
tiur *s zo* capercailzie.
tjafs *s* tuft of hair; ~ **et** *a* rough, matted.
tjen|e *v* serve; (penger) earn, make; ~ **er** *s* servant, footman; ~ **este** *s* service, (plass) place; ~ **estepike** *s* maid (-servant); ~ **lig** *a* useful; ~ **stgjørende** *a* in waiting, *mil* on duty; ~ **stivrig** *a* eager, zealous; ~ **stvillig** *a* obliging, helpful.
tjern *s* lakelet.
tjor(e) *s* (*v*) tether.
tjue *num* twenty.
tjære *v*, *s* tar.
to *num* two; *s* grain, stuff; ~ **e** *v* wash.
toalett *s* toilet; lavatory; ~ **bord** *s* dressing-table; ~ **bøtte** *s* slop-pail; ~ **speil** *s* cheval-glass.
tobakk *s* tobacco; ~ **spung** *s* pouch.
todekker *s* biplane; (sjø) double-decker.
tofte *s* thwart.
tog *s* train; *mil* expedition; procession; ~ **e** *v* march; ~ **rute** *s* train time-table.
tokt *s* cruise; (anfall) fit.
tolder *s rel* publican.
toler|anse *s* tolerance, toleration; ~ **ere** *v* tolerate.
tolk *s* interpreter; ~ **e** *v* interpret, express; ~ **ning** *s* interpretation.
toll *s* duty; ~ **betjent** *s* custom-house officer, cusoms-officer; ~ **bu** *s* custom-house; ~ **egang** *s* rowlock; ~ **epinne** *s* thole; ~ **fri** *a* duty-free; ~ **pliktig** *a* dutiable, liable to duty.
tolv *num* twelve.
tom *s* empty; *s* rein, line; ~ **at** *s* tomato.
tomme *s* inch; ~ **lfinger** *s* thumb.
to-motors *a* twin-engined (fly).
tomset *a* crack-brained.
tomt *s* site; yard.
ton|e *s*, *v* sound, tone; ~ **efall** *s* accent, intonation; ~ **løs** *a* husky.
tonn(asje) *s* ton(nage).
top|as *s* topaz; ~ **ografisk** *a* topographical.
top|p *s* top, summit; ~ **punkt** *s* climax.
torden *s* thunder; ~ **vær** *s* thunderstorm.
tordivel *s* dung-beetle.
tordne *v* thunder.
tore *v* dare.
torg *s* market-place.
torn *s* thorn, prickle; ~ **ebusk** *s* bramble, brier; ~ **efull** *a fig* thorny; ~ **et** *a* thorny.
torped|ere *v* torpedo; ~ **ojager** *s* destroyer.
torsdag Thursday.
torsk *s zo* cod.
tort *s* injury; ~ **ur** *s* torture.
torv(e) *s* peat, turf. sod.
tosk(et) *s* (*a*) fool(ish).
total *a* total; ~ **ist** *s* teetotaller.
tott tuft; *mar* taut.
touche *s mus* flourish.
tra|disjon(ell) *s* (*a*) tradition-

(al); ~ **fik|ere** *v* travel, use; ~ **fikant** *s* traveller; ~ **fikk** *s* traffic; ~ **fikkonstabel** *s* policeman on point duty; ~**fikkøy** *s* refuge; ~ **fikkåre** *s* artery, thoroughfare; ~ **gedie** *s* tragedy; ~ **gisk** *a* tragical; ~ **kassere** *v* annoy.
trakt *s* funnel; (egn) region; ~ **at** *s* treaty; (-skrift) tract; ~ **e** *v* filter, *fig* aspire; ~ **ement** *s* entertainment; ~ **ere** *v* treat, stand; ~ **or** *s* tractor.
tralle *v* lilt; *s* trolley.
tram *s* door-step(s); ~ **pe** *v* trample.
tran *s* fish-oil, (torsk) cod-liver oil.
trane *s zo* crane.
trang *s* want, need; *a* narrow, strait; ~ **synt** *a* narrow-minded.
trans|formator *s* converter; ~ **itt** *s* transit; ~ **latør** *s* (interpreter and) translator; ~ **pirere** *v* perspire; ~ **port** *s* conveyance; ~ **portere** *v* transport, carry, convey; ~ **portfly** *s* transport plane.
trapp *s* (ute) steps; (inne) stairs, staircase; ~ **eavsats** *s* landing; ~ **egelender** *s* banisters; ~ **eoppgang** *s* staircase; ~ **etrin** *s* step.
traske *v* plod, trudge.
trass|at *s* drawee; ~ **ent** *s* drawer.
trau *s* trough.
traust *a* stanch (staunch), firm.
trav(e) *s* (*v*) trot.
travel *a* busy; ~ **het** *s* bustle.
tre *num* three; *s* tree, (ved) wood; *v* (se **trå**); ~ **dve** thirty; ~ **dobbelt** *a* threefold, triple; ~ **enighet** *s* Trinity.
tref|f *s* chance, hit; ~ **fe** *v* hit; meet, *vr* meet; ~ **fende** *a* to the point; ~ **ning** *s* action, battle.
treg *a* sluggish; ~ **mave** *s* constipation.
trehjulssykkel *s* tricycle.
trekant *s* triangle; ~ **et** *a* three-cornered, triangular.
trek|k *s* feature, trait; (sjakk-) move; (luft) draught; (be-) cover; (kort) (odd) trick; ~ **ke** *v* draw, drag; (spill) move; ~ **ke opp** (ur) wind up; ~ **kfugl** *s* bird of passage; ~ **kpapir** *s* blotting-paper; ~ **ning** *s* twitch; draw(-ing).
tre|kløver *s fig* trio; ~ **masse** *s* wood-pulp; ~ **last** *s* timber, lumber.
trell *s* serf, slave; ~ **dom** *s* bondage; ~ **e** *v* slave.
tremenning *s* second cousin.
tren *s mil* army service corps; ~ **e** *v* train, practise; ~ **ere** *v* delay, retard.
treng|e *v* press, force, drive; need, want; ~ **e inn i** penetrate into; ~ **ende** *a* indigent; ~ **sel** *s* (folk) crowd, crush; (nød) distress.
tresk *a* wily, crafty; ~ **e** *v* thresh; ~ **el** (terskel) *s* threshold.
tre|sko *s* wooden shoe, clog; ~ **snitt** *s* wood-engraving; ~ **stamme** *s* trunk.
tresse *s* lace, braid.
trett *a* tired, weary; ~ **e** *v* tire; *s*, *v* quarrel; ~ **ekjær** *a* quarrelsome; ~ **ende** tiresome, tedious; ~ **en** *num* thirteen ~ **i** thirty; ~ **het** *s* weariness.
treven *a* slow, unwilling.
trevl *s* fibre, thread; ~ **e** *v* ravel (out).
tri|angel *s* triangle; ~ **angulær** *a* triangular; ~ **bun** *s* tribune; ~ **bunal** *s* tribunal; ~ **bune** *s* (grand) stand; ~ **butt** *s* tribute.
trikk *s* tram(-way), (-car).
tri|kolor *s* tricolor; ~ **kot** *s* tricot; ~ **kotasje** *s* tricot, hosiery.

trill|e *s* (sang) shake; (vogn) phaeton; *v* roll; wheel; ~ **ebør** *s* wheelbarrow; ~ **ing** *s* triplet.
trinn *s* step; **stig** ~ *s* rung; *fig* stage; ~ **e** *v* step, tread.
trinn *a* round, plump.
trinnvis *a* successive.
trinse *s* rowel, trolley.
tripp *s* short step; trip; ~ **e** *v* mince, trip; ~ **el-** *a* triple.
trisse *s* pulley.
trist *a* melancholy, dreary, sad; dismal; ~ **het** *s* dreariness, melancholy, sadness.
tritt, *s* **holde** ~ keep pace.
triumf *s* triumph; ~ **ere** *v* triumph, exult; ~ **erende** *a* triumphant.
triv|e *v* catch up, grab; ~ **elig** *a* cosy; (tykk) plump; ~ **es** *v* thrive, feel happy; ~ **iell** *a* trite; ~ **sel** *s* prosperity.
tro *s* belief, faith; (grise-) trough; *a* faithful, loyal; *v* believe, think; ~ **ende** *s* believer; ~ **fast** *a* faithful; ~ **fasthet** *s* faithfulness, fidelity; ~ **fé** *s* trophy; ~ **lig** *a* credible.
troll *s* ogre, giant; ~ **dom** *s* sorcery; ~ **e** *v* charm, conjure; ~ **kvinne** *s* witch; ~ **mann** *s* wizard.
tro|love *v* betroth; ~ **løs** *a* faithless, perfidious; ~ **løshet** *s* perfidy.
trom|le *s* roller; *v* roll; ~ **me** *s* drum; *v* beat the d.; ~ **mehvirvel** *s* roll; ~ **meslager** *s* drummer; ~ **pet** *s* trumpet; ~ **petstøt** *s* flourish.
tron|e *s, v* throne; ~ **arving** *s* heir apparent; ~ **følge** *s* order of succession; ~ **himmel** *s* canopy.
trop|ene *s* the tropics; ~ **isk** *a* tropical.
tropp *s* troop, body; ~ **e opp** muster, appear; ~ **ssjef** *s* platoon leader.
trosbekjennelse *s* creed.
tro|skap *s* fidelity, allegiance; ~ **skyldig** *a* simple; ~ **skyldighet** *s* simplicity.
tross (trass) *s* defiance; *mil* baggage; *prp* in spite of, despite; ~ **e** *v* defy, brave, face; *s* rope, hawser; ~ **ig** *a* defiant; ~ **ighet** *s* defiance.
trost *s zo* thrush.
troverdig *a* trustworthy, credible.
trubadur *s* minstrel.
true *v* threaten.
truge *s* snow-shoe.
trumf *s* trump(card); ~ **e** *v* lead a trump; ~ **e gjennom** push through.
trupp *s* company.
trusel *s* threat.
trut *s* mouth; pout; ~ **ne** *v* bulge, swell.
trutt *av* steadily.
trygd *s* insurance.
tryg|g *a* safe, secure; ~ **ge** *v* protect, make safe; ~ **ghet** *s* safety; ~ **t** *av* safely.
trygle *v* entreat, implore.
trykk *s* pressure; print, type; ~ **e** *v* press; print; ~ **ende** *a* oppressive; ~ **eri** *s* printing-works; ~ **feil** *s* misprint, printer's error; ~ **saker** *s* printed matter.
trylle *v* enchant, charm; ~ **formular** *a* charm; ~ **kunstner** *s* conjurer; ~ **ri** *s* magic, fascination.
tryne *s* snout.
træ *v* thread.
træl (trell), *s* callosity.
trøffel *s* truffle.
trøst(e) *s* (*v*) comfort; ~ **esløs** *a* desolate, hopeless; ~ **ig** *a* hopeful.
trøye *s* jacket; (under) vest.
trå *a* slow; (smak) rancid; *v* tread, step.
tråd *s* thread, cotton; wire; ~ **løs** *a* wireless; ~ **snelle** *s* reel.

tråkk *sc* court-yard; *sn* trampling; *v* trample.
tråkle *v* baste.
trål(er) *s* trawl(er).
tsar *s* czar.
tsjekkisk *a* Czech.
tube *s* tube.
tuberkulose *s* consumption, tuberculosis (T.B.).
tue *s* tuft, tussock.
tufset *a* miserable.
tukle med *v* tamper with.
tukt *s* discipline; ~ *v* chastise, correct; ~ **else** *s* chastisement ~ **hus** *s* house of correction.
tulipan *s* tulip.
tull *s* bundle; (tøv) nonsense; ~ **e** *v* bundle up; speak nonsense; *s* baby; ~ **et** *a* crazy; ~ **ing** weak-minded person.
tum|le *v* tumble, topple; ~ **mel** *s* tumult; ~ **melumsk** *a* bewildered; ~ **ult** *s* riot.
tun *s* farm-yard.
tung *a* heavy; dull; ~ **e** *s* tongue; ~ **eferdighet** *s* volubility; ~ **hørt** *a* hard of hearing; ~ **nem** *a* indocile, slow learner; ~ **sindig** *a* melancholy.
tunika *s* tunic.
tunnel *s* tunnel.
tupp *s* tip; ~ **e** *s* hen.
tur *s* trip, excursion; (dans) figure; ~ **billett** *s* single; ~ **bin** *s* turbine; ~ **e** *v* live hard; ~ **isme** *s* tourism, the tourist industry; ~ **ist** *s* tourist; ~ **istbil** *s* charabanc; ~ **kis** *s* turquoise; ~ **né** *s* tour; ~ **ne** *v* practise athletics; ~ **nere** *v* joust, tilt; ~ **nering** *s* tournament; ~ **ning** *s* athletics; ~ **nips** *s* turnip; ~ **teldue** *s* turtledove.
tusen *num* (*a*) thousand; ~ **fryd** *s bot* daisy.
tusj *s* China ink.
tusk|e *v* barter; ~ **handel** *s* barter.
tusmørke *s* dusk, twilight.
tut *s* spout; ~ **e** *v* howl; (horn) hoot; cry.
tvang *s* compulsion; ~ **sarbeid** *s* forced labour; ~ **sauksjon** *s* executor's sale.
tve|drakt *s* discord; ~ **delt** *a* divided; ~ **egget** *a* twoedged; ~ **hake** *s* double chin; ~ **kamp** *s* duel; ~ **kroket** *a* bent double.
tverke, på ~ cross, wrong, counter to.
tver|r *a* sullen, grumpy; ~ **rhet** *s* morosity; ~ **rsnitt** *s* cross-section; ~ **rstang** *s* cross-bar; ~ **sover** *av* across; **på** ~ **s** across; ~ **t** *av* across, straight; ~ **timot** *av* on the contrary, *prp* contrary to.
tvette *v* wash.
tvetydig *a* ambiguous, equivocal; ~ **het** *s* ambiguity; (slibr.) indecency.
tvil(e), *s* (*v*) doubt; ~ **rådig** *a* irresolute; ~ **rådighet** *s* irresolution; ~ **som** *a* doubtful.
tvilling *s* twin.
tvinge *v* force.
tvinne *v* twine, twist, wind.
tvist *s* dispute; (garn) twist; ~ **e** *v* contest; ~ **emål** *s* dispute.
tvungen *a* compulsory; (stiv) stiff.
tvære ut *v* draw out.
ty til *v* seek refuge with(pers.), resort to, have recourse to (ting).
tyd|e *v* interpret; ~ **e på** imply, tell of; ~ **elig** *a* plain, distinct; ~ **ning** *s* interpretation.
tyende *s* servant; *pl* menials.
ty|fon *s* typhoon; ~ **fus** *s* typhus; (~ **feber**) typhoid fever.
tygge *v* chew; ~ **gummi** *s* chewing-gum.
tyk|k *a* thick, stout; ~ **kelse** thickness; ~ **kfallen** *a* stoutish; ~ **khodet** *a* dense; ~

kmelk *s* curdled milk; ~ **ne til** *v* thicken; ~ **ning** *s* thicket; ~ **ksak** *s* thickset fellow.
tylft *s* dozen.
tyll *s* tulle.
tylle i seg *v* sl swill.
tyng|de *s* weight, heaviness; ~ **dekraft** *s* force of gravity; ~ **e** *v fig* weigh upon; be heavy; ~ **sel** *s* weight.
tynn *s* thin, slender; ~ **e** *v* thin.
typ|e *s* type; ~ **isk** *a* typical; ~ **ograf** *s* typographer.
tyr *s* bull; ~ **ann** *s* tyrant; ~ **anni** *s* tyranny; ~ **annisk** *a* tyrannical, tyrannous; ~ **anisere** *v* tyrannize (over).
tyri *s* resinous wood.
tyrk *s* Turk; ~ **ia** Turkey; ~ **isk** *a* Turkish.
tysk *a* German; ~ **er** *s* German.
Tyskland Germany.
tyst *a* silent.
tyte *v* whimper; ooze.
tyttebær *s* cranberry, red whortleberry.
tyv *s* thief, burglar; ~ **aktig** *a* thievish; ~ **e** *num* twenty; ~ **eknekt** *s* thief; ~ **eri** *s* theft.
tær|e *v* consume, waste; ~ **ing** *s* consumption.
tø *v* thaw.
tøddel *s* jot, dot.
tøffel *s* slipper; ~ **helt** *s* henpecked husband.
tølper *s* lout, boor.
tøm|me *s* rein, line; *v* empty, drain, clear; ~ **mer** *s* timber; ~ **merfløter** *s* raftsman; ~ **merkoie** *s* shanty; ~ **mermann** *s* carpenter; ~ **re** *v* erect; construct.
tønder *s* tinder.
tønne *s* barrel; ~ **band** *s* hoop; ~ **stav** *s* stave.
tørk *s* drying; ~ **e** *s* drought; *v* dry, wipe.
tørkle *s* (hand)kerchief.
tørn *s* turn, spell; ~ **e** *v* turn, knock.
tørr *a* dry; ~ **e** *v* dry; ~ **legge** *v* drain; (land) reclaim.
tørst *s* thirst; *a* thirsty; ~ **e** *v* be thirsty; *fig* thirst (for).
tøs *s* wench.
tøv(e) *s* (*v*) (speak) nonsense.
tøvær *s* thaw(s).
tøy *s* cloth, fabric, material; clothes; ~ **e** *v* stretch; ~ **hus** arsenal.
tøyle *s v* rein; ~ **sløs** *a* licentious.
tøyte *s* wench, hussy.
tå *s* toe; ~ **spiss** *s* tip of one's toe.
tåke *s* fog, mist; ~ **t** *a* foggy; *fig* vague.
tål|e *v* bear, stand, endure, put up with, tolerate; ~ **elig** *a* tolerable; (middels) passable; ~ **modig** *a* patient; ~ **modighet** *s* patience; ~ **som** *a* tolerant; ~ **somhet** *s* tolerance.
tåpe *s* fool; ~ **lig** *a* foolish, silly; stupid; ~ **lighet** *s* stupidity, (ord) inanity.
tår *s* drink; ~ **e** *s* tear.
tårn *s* tower, (spisst) steeple, (sjakk) rook, castle; (skip) turret; ~ **e** *v* heap up, pile up, accumulate, tower.
tåteflaske *s* feeding-bottle.

U.

u|aktsom *a* careless; ~ **aktsomhet** *s* inattention, inadvertence; ~ **alminnelig** *a* uncommon, unusual; ~ **anet** *a* undreamt of; ~ **anfektet** *a* cool, undaunted; ~ **angripelig** *a fig* unimpeachable; ~ **anselig** *a* insignificant; ~ **anstendig** *a* indecent; ~ **ansvarlig** *a* irresponsible; ~ **antagelig** *a* unacceptable; ~ **anvendelig** *a* inapplicable; ~ **appetittlig** *a* unappetizing, unpalatable; ~ **artig** *a* naughty; ~ **artikulert** *a* inarticulate; ~ **atskillelig** *a* inseparable; ~ **avbrutt** *a* unbroken, incessant; ~ **avgjort** *a* undecided unsettled, *sp* a draw; ~ **avhendelig** *a* inalienable; ~ **avhengig** *a* independent; ~ **avhengighet** *s* independence; ~ **avkortet** *a* unstinted; ~ **avlatelig** *a* incessant; ~ **avsettelig** *a* (vare) unsaleable; (embete) irremovable; ~ **avvendelig** *a* inevitable.

u|**barmhjertig** *a* merciless; ~ **beboelig** *a* uninhabitable; ~ **begavet** *a* stupid; ~ **begrenset** *a* unbounded; ~ **begripelig** *a* incomprehensible; ~ **behag** *s* disgust; ~ **behagelig** *a* unpleasant, disagreeable; ~ **behagelighet** *s* discomfort, *pl* trouble; ~ **behjelpelig** *a* awkward; ~ **behendig** *a* clumsy; ~ **behersket** *a* unrestrained; ~ **behøvlet** *a* churlish; ~ **bekvem** *a* inconvenient; ~ **bekymret** *a* unconcerned; ~ **beleilig** *a* inopportune; ~ **bemerket** *a* obscure; *av* secretly; ~ **bemerkethet** *s* obscurity; ~ **bemidlet** *a* poor; ~ **bendig** *a* indomitable; ~ **beregnelig** *a* fickle; incalculable; ~ **berettiget** *a* unfair, unjustified, unwarranted; ~ **beryktet** *a* of good character; ~ **berørt** *a* unaffected; ~ **besindig** *a* rash; ~ **besindighet** *s* imprudence; ~ **beskjeden** *a* immodest; immoderate.

u|**beskrivelig** *a* indescribable; ~ **bestemmelig** *a* nondescript; ~ **bestemt** *a* indefinite, vague, irresolute; ~ **bestikkelig** *a* incorruptible; ~ **bestridelig** *av* unquestionably; ~ **bestridt** *a* undisputed; ~ **betalelig** *a* invaluable; ~ **betenksom** *a* heedless; ~ **betimelig** *a* inopportune; ~ **betinget** *a* absolute; ~ **betvingelig** *a* unconquerable, uncontrollable; ~ **betydelig** *a* insignificant; trifling; ~ **betydelighet** *s* trifle; ~ **bevegelig** *a* immovable; inflexible; motionless; ~ **bevisst** *a* unconscious, instinctive; ~ **bevoktet** *a* unguarded; ~ **billig** *a* unfair, unjust; ~ **blid** *a* harsh, severe; ~ **blu** *a* shameless; ~ **bluferdighet** *s* shamelessness; ~ **botelig** *a* irreparable; ~ **brukbar** *a* unfit for use; ~ **brukelig** *a* useless; ~ **bønnhørlig** *a* inexplorable; ~ **bøyelig** *a* inflexible; ~ **båt** *s* submarine.

u|**dannet** *a* rude, unpolished; ~ **delelig** *a* indivisible; ~ **drikkelig** *a* undrinkable; ~ **dugelig** *a* incapable; ~ **dugelighet** *s* incapacity; ~ **dyd** *s* vice; ~ **dyktig** *a* incompetent; ~ **dødelig** *a* immortal; ~ **dødelighet** *s* immortality; ~ **dåd** *s* atrocity, misdeed

u|**effen** *a* not amiss, inapt; ~ **etterrettelig** *a* unreliable; ~ **egennyttig** *a* disinterested, unselfish; ~ **egentlig** *a* figurative; ~ **ekte** *a* false, imitation; (barn) illegitimate; ~ **elskverdig** *a* unamiable; ~ **endelig** *a* infinite, endless; ~ **endelighet** *s* infinity; ~ **enig** *a* **være** ~ **enig med** disagree with; **bli** ~ **enige** fall out; ~ **enighet** *s* disagreement, difference; ~ **ensartet** *a* heterogeneous; ~ **erfaren** *a* inexperienced; ~ **erstattelig** *a* irreparable, irretrievable.

u|**farbar** *a* (elv) unnavigable; (vei) impassable; ~ **fattelig** *a* incomprehensible; ~ **feilbar** *a* infallible; ~ **feilbarlig** *av* infallibly; ~ **ferdig** *a* unfinished; ~ **fin** *a* indelicate, vulgar; ~ **foranderlig** *a* invariable; ~ **forbederlig** *a* incorrigible; ~ **forbeholden** *a* open, free; ~ **forberedt** *a*, *av* off-hand, unprepared; ~ **fordelaktig** *a* disadvantageous; ~ **fordragelig** *a* intolerable; ~ **fordøyelig** *a* indigestible; ~ **forenlig** *a* incompatible; ~ **forfalsket** *a* unsophisticated; ~ **forferdet** *a* dauntless; ~ **forgjengelig**, *a* imperishable; ~ **forglemmelig** *a* unforgettable; ~ **forholdsmessig** *a* disproportionate; ~ **forklarlig** *a* inexplicable; ~ **forlignelig** *a* matchless, inimitable; ~ **formelig** *a* shapeless; ~ **formelighet** *s* deformity; ~ **forminsket** *a* undiminished; ~ **fomuenhet** *s fig* inability; ~ **fornuftig** *a* irrational, absurd; ~ **forsagt** *a* undaunted; ~ **forsiktig** *a* imprudent; ~ **forsiktighet** *s* imprudence.

u|**forskammet** *a* insolent, impudent; ~ **forskammethet** *s* insolence, impudence; ~ **forskyldt** *a* undeserved; ~ **forsonlig** *a* implacable; ~ **forstand** *s* folly; ~ **forstandig** *a* unwise; ~ **forstyrrelig** *a* imperturbable, cool; ~ **forståelig** *a* unintelligible; ~ **forsvarlig** *a* unjustifiable; ~ **fortjent** *a* undeserved, unmerited; ~ **fortrøden** *a* indefatigable; ~ **fortøvet** *av* promptly; ~ **forutsett** *a* unlooked for; ~ **forvarende** *av* unawares; ~ **frankert** not post-paid; ~ **fravendt** *av* intently; ~ **fravikelig** *a* invariable; ~ **fred** *s* dissension, war; ~ **fremkommelig** *a* impassable; ~ **fri** *a* not free; ~ **frihet** *s* bondage; ~ **frivillig** *a* involuntary; ~ **fruktbar** *a* barren, sterile; ~ **fullkommen** *a* imperfect; ~ **fullstendig** *a* incomplete; ~ **fyselig** *a* nasty; ~ **følsom** *a* insensible; ~ **føre** *s* mire, *fig* mess.

u|**gagn** *s* mischief; ~ **gidelig** *a* indolent, lazy; ~ **gift** *a* single, unmarried; ~ **gjenkallelig** *a* irrevocable; ~ **gjenkjennelig** *a* irrecognizable; ~ **gjennomførlig** *a* impracticable; ~ **gjennomtrengelig** *a* impenatrable; ~ **gjerne** *av* reluctantly; ~ **gjerning** *s* crime; ~ **gjørlig** *a* impracticable; ~ **glad** *a* sad.

ugle *s* owl.

u|**gras** *s* weed; ~ **grei** *a* tangled; ~ **greie** *s* trouble, tangle; ~ **grunnet** *a* groundless; ~ **gudelig** *a* impious; ~ **gudelighet** *s* impiety, wickedness; ~ **gunstig** *a* unfavourable; ~ **gyldig** *a* invalid, void.

u|**hederlig** *a* dishonest, dishonourable; ~ **helbredelig** *a* incurable; ~ **heldig** *a* unfortunate; (ytre) ungainly; ~ **heldigvis** *av* ufortunately; ~ **hell** *s* ill-luck, mishap, accident; ~ **hensiktsmessig** *a* inadequate; ~ **hildet** *a* unprejudiced, impartial; ~ **hindret** *a* unopposed; ~ **hjelpelig** a irremediable; ~ **holdbar** *a* perishable, *fig* untenable; ~ **humsk** *a* nasty, impure; ~ **humskhet** *s* filth; ~ **hygge** *s* discomfort; horror, weirdness; ~ **hyggelig** *a* cheerless; sinister, ghastly, weird; ~ **hyre** *s* monster; *a* enormous, huge; ~ **hyrlig** *a* monstrous; ~ **hyrlighet** *s* monstrosity; ~ **høflig** *a* impolite, uncivil, rude; ~ **høflighet** *s* rudeness, impoliteness; ~ **hørlig** *a* inaudible; ~ **hørt** *a* unheard of; ~ **håndterlig** *a* unwieldy.

u|**imotsigelig** *a* indisputable;

~ **uimotståelig** *a* irresistible; ~ **imottagelig**, *a* insusceptible; impervious; ~ **innbunden** *a* unbound; ~ **innskrenket** *a* absolute, unlimited; ~ **inntagelig** *a* impregnable; ~ **innviet** *a* fig uninitiated; ~ **interessant** *a* uninteresting; ~ **interessert** *a* uninterested; ~ **jevn** *a* uneven.

uke(ntlig) *s* (*a*) week(ly); ~ **blad** *s* weekly paper.

u|kjennelig *a* irrecognizable; ~ **kjent** *a* unknown; ~ **kjærlig** *a* unkind ~ **klanderlig** *a* irreproachable; ~ **klar** *a* not clear, confused, dim; ~ **kledelig** a unbecoming; ~ **klok** *a* unwise; ~ **klokskap** *s* imprudence; ~ **krenkelig** *a* inviolable; ~ **kritisk** *a* uncritical; ~ **krutt** *s* weed(s); ~ **kuelig** *a* indomitable; ~ **kunstlet** *a* artless; ~ **kvemsord** *s* bad language; ~ **kvinnelig** *a* unwomanly; ~ **kyndig** *a* ignorant, unskilled.

ul(e) *s* (*v*) hoot, howl.

u|lage; *s* **i** ~ **lage** out of gear, in disorder; ~ **lastelig** *a* blameless; ~ **leilig|e** *v* trouble; *vr* take the trouble; ~ **leilighet** *s* trouble; ~ **lempe** *s* inconvenience; ~ **lend|e** *s* rough ground ~ **lendt** *a* rough; ~ **lenkelig** *a* ungainly; ~ **leselig** *a* illegible, unreadable; ~ **lidelig** *a* intolerable; ~ **lik** *a* unlike; ~ **like** *a* uneven, odd; unequal, *av* far; ~ **likhet** *s* disparity.

ull *s* wool; ~ **en** *a* woollen, fleecy; ~ **garn** *s* worsted; ~ **teppe** *s* blanket; ~ **trøye** *s* vest; ~ **tøy** *s* woollen(s).

ulme *v* smoulder.

ulovlig *a* illegal.

ulster *s* ulster.

ulv(inne) *s* (she-) wolf.

u|lyd *s* noise; ~ **lydig** *a* disobedient; ~ **lydighet** *s* disobedience; ~ **lykke** *s* misfortune, disaster; ~ **lykkelig** *a* unhappy, disastrous; ~ **lykkestilfelle** *s* accident; ~ **lykksalig** *a* diastrous; ~ **lyst** *s* reluctance; ~ **lægelig** *a* incurable; ~ **løselig** *a* insoluble, unsolvable.

u|mak *s* pains, trouble; ~ **make** *a* not matching; *vr* take pains, take the trouble (to); ~ **mandig** *a* unmanly; ~ **meddelsom**, *a* incommunicative; ~ **medgjørlig** *a* intractable; ~ **menneske** *s* monster; ~ **menneskelig** *a* inhuman; ~ **merkelig** *a* imperceptible; ~ **mettelig** *a* insatiable; ~ **middelbar** *a* immediate; ~ **minnelig** *a* immemorial; ~ **miskjennelig** *a* evident; ~ **mistenksom** *a* unsuspecting; ~ **moden** *a* immature, unripe; ~ **moderne** *a* out of fashion; ~ **moralsk** *a* immoral; ~ **motivert** *a* motiveless; ~ **mulig** *a* impossible; ~ **mulighet** *s* impossibility; ~ **musikalsk** *a* **er** ~ **musikalsk** is no musician; ~ **myndig** *a* minor, not of age; ~ **myndighet** *s* minority; ~ **mælende** *a* dumb; ~ **møblert** *a* unfurnished; ~ **måteholden** *a* intemperate; ~ **måtelig** *a* (*av*) immense(ly).

unatur *s* affectation; ~ **lig** *a* unnatural.

under *s* wonder, prodigy; *prp* under, below, beneath; (tid) during.

under|avdeling *s* subdivision; ~ **arm** *s* forearm; ~ **balanse** *s* deficit; ~ **bevissthet** *s* subconsciousness; ~ **bukser** *s* drawers, pants; ~ **by** *v* underbid; ~ **bygge** *v fig* base;

~ danig *a* (most) humble; ~ **danighet** *s* submission; ~ **ernært** *a* underfed; ~ **forstå** *v* imply; ~ **forstått** *a* understood; ~ **full** *a* marvellous; ~ **fundig** *a* cunning, wily; ~ **fundighet** *s* craft; ~ **gang** *s* fall, ruin; ~ **given** *a, s* inferior; ~ **grave** *v* sap; ~ **gå** *v* undergo; ~ **handle** *v* negotiate, treat; ~ **handling** *s* negotiation; ~ **hold** *s* maintenance; ~ **holde** *v* support, entertain; ~ **holdning** *s* entertainment; ~ **hånden** *av* privately; ~ **jordisk** *a* underground; ~ **jordiske** *s pl* elves; ~ **kaste** *v* (*vr*) submit; ~ **kastelse** *s* submission; ~ **kjole** *s* slip, petticoat; ~ **kue** *v* subjugate; ~ **kuelse** *s* subjection; ~ **lag** *s* support; (skrive-)pad; ~ **legen** *a* inferior; ~ **legenhet** *s* inferiority; ~ **legge** *v* subject.

under|lig *a* strange, queer, curious; ~ **liv** *s* abdomen, belly; ~ **måls** *a* inferior; ~ **offiser** *s* non-commissioned officer; ~ **ordne** *v* subordinate; ~ **ordnet** *a* subordinate, secondary; ~ **retning** *s* information; ~ **rette** *v* inform.

under|setsig *a* square-built, thick-set; ~ **sjøisk** *a* submarine; ~ **skjørt** *s* petticoat; ~ **skrift** *s* signature; ~ **skrive** *v* sign; ~ **skudd** *s* deficit; ~ **slag** *s* embezzlement; ~ **st** *a* lowest, *av* at the bottom; ~ **stell** (bil), *s* chassis; (fly) ~ carriage; ~ **streke** *v* emphasize, underline; ~ **støtte** *v* prop; support; ~ **støttelse** *s* support; ~ **søke** *v* examine; ~ **søkelse** *s* examination; ~ **sått** *s* subject.

under|tegne *v* sign; ~ **tegnede** *s* the undersigned; ~ **tiden** *av* sometimes; ~ **trykke** *v* suppress, oppress; repress; ~ **trykkelse** *s* suppression, etc.; ~ **trøye** *s* vest; ~ **tvinge** *v* subjugate; ~ **tvingelse** *s* subjection; ~ **tøy** *s* underwear; ~ **vannsbåt** *s* submarine; ~ **veis** *av* on the way; ~ **verden** *a* underworld; ~ **verk** *s* miracle, wonder; ~ **vise** *v* teach, instruct; ~ **visning** *s* instruction, teaching; ~ **vurdere** *v* underrate, underestimate.

undre *a* lower; *v* surprise; *vr* wonder; ~ **n** *s* wonder.

u|nektelig *a* undeniable; ~ **nevnelig** *a* nameless.

ung *a* young; ~ **dom** *s* youth; ~ **dommelig** *a* youthful; ~ **e** *s* young one, brat, cub; ~ **kar** *s* bachelor.

Ung|arn Hungary; ~ **arer,** ~ **arsk** Hungarian.

uni|form *s* uniform, regimentals; ~ **formere** *v* uniform; ~ **kum** *s* unique; ~ **on** *s* union; ~ **sont** *av* in unison; ~ **vers** *s* universe; ~ **versell** *a* universal.

universitet *s* university, college.

unndra *v* deprive (of); *vr* avoid, shirk.

unne *v* allow, grant; **ikke** ~, grudge.

unn|fange *v* conceive; ~ **fangelse** *s* conception; ~ **fly** *v* escape, evade ~ **gjelde** *v* pay, smart; ~ **gå** *v* avoid; ~ **komme** *v* escape ~ **late** *v* omit, fail; ~ **latelse** *s* omission.

unn|se seg *v* be ashamed; ~ **selse** *s* bashfulness, modesty; ~ **selig** *a* bashful, shy; ~ **setning** *s* relief; ~ **sette** *v* relieve; ~ **si** *v* threaten; ~ **skylde** *v* excuse; ~ **skyldelig** *a* excusable; ~ **skyldning** *s* excuse, apology; ~ **slippe** *v* escape; ~ **slå** *vr* decline;

˷ **ta** *v* except; ˷ **tak** *s* exception; ˷ **tatt** *prp* except, save; ˷ **vike** *v* escape, evade; ˷ **vikende** *a* evasive; ˷ **være** do without.

u|noter *s* bad habits; ˷ **nyttig** *a* useless; ˷ **nødig** *a* unnecessary; ˷ **nødvendig** *a ib*; ˷ **nøyaktig** *a* inaccurate; ˷ **nøyaktighet** *s* inaccuracy; ˷ **nåd|e** *s* disgrace; ˷ **nådig** *a* ungracious.

u|omgjengelig *a* unsociable, *av* absolutely; ˷ **omstøtelig** *a* incontrovertible; ˷ **omtvistelig** *a* indisputable; ˷ **oppdragen** *a* rude, ill-bred; ˷ **oppdragenhet** *s* rudeness; ˷ **oppholdelig** *av* without delay; ˷ **opphørlig** *a* incessant; ˷ **opplagt** *a* indisposed; ˷ **oppløselig** *a* indissoluble; ˷ **merksom** *a* inattentive; ˷ **oppmerksomhet** *s* inattention; ˷ **oppnåelig** *a* unattainable; ˷ **opprettelig** *a* irreparable; ˷ **oppsettelig** *a* urgent, pressing; ˷ **oppslitelig** *a* inexhaustible; ˷ **orden** *s* disorder, confusion, untidiness; ˷ **ordentlig** *a* disorderly, untidy.

u|overensstemmelse *s* disagreement, discrepancy; ˷ **overensstemmende** *a* disagreeing, incongruous; ˷ **overkommelig** *a* insuperable; ˷ **overlagt** *a* ill-advised, rash; ˷ **overskuelig** *a* interminable, immense; ˷ **overstigelig** *a* insuperable; ˷ **overtruffen** *a* unsurpassed; ˷ **overvinnelig** *a* invincible.

uparlamantarisk *a* unparliamentary.

u|partisk *a* impartial; ˷ **partiskhet** *s* impartiality; ˷ **passelig** *a* unwell; ˷ **passelighet** *s* indisposition; ˷ **passende** *a* improper; ˷ **personlig** *a* impersonal; ˷ **plettet** *a* unblemished; ˷ **populær** *a* unpopular; ˷ **praktisk** *a* unpractical; ˷ **påaktet** *a* unheeded; ˷ **påklagelig** *a* fair; creditable; ˷ **påkledd** *a* undressed; ˷ **påkrevet** uncalled for; ˷ **pålitelig** *a* unreliable.

ur- *a* primeval.

ur *sc* rockfalls, boulders; *sn* watch, clock; ˷ **maker** *s* watchmaker; ˷ **verk** *s* clockwork.

u|ransakelig *a* inscrutable; ˷ **redd** *a* fearless; ˷ **redelig** *a* dishonest; ˷ **redelighet** *s* dishonesty; ˷ **regelmessig** *a* irregular; ˷ **regelmessighet** *s* irregularity; ˷ **regjerlig** *a* ungovernable, unruly; ˷ **ren** impure, *mus* false; ˷ **renslig** *a* uncleanly; ˷ **rett** *s* injustice, wrong; *a* wrong; ˷ **rettferdig** *a* unjust; ˷ **rettferdighet** *s* injustice; ˷ **rettmessig** *a* unlawful; ˷ **ridderlig** *a* unchivalrous; ˷ **riktig** *a* incorrect; ˷ **rimelig** *a* preposterous, unreasonable; ˷ **rimelighet** *s* absurdity.

urin *s* urine.

urne *s* urn.

u|ro *s* disturbance, unrest, *fig* anxiety; ˷ **rokkelig** *a* firm, immovable; unshakable; ˷ **rokkelighet** *s* firmness; ˷ **rolig** *a* restless, uneasy, anxious; (vær) rough; ˷ **rolighet** *s pl* disturbances; ˷ **rovekkende** *a* alarming.

urskog *s* primeval forest.

urt *s* herb, plant.

ur|verk *s* works; ˷ **viser** *s* hand.

u|ryddig *a* untidy; ˷ **rørlig** *a* immovable; ˷ **rørt** *a* intact.

u|sakkyndig *a* incompetent; ˷ **salig** *a* fatal; ˷ **sammenhengende** *a* incoherent, disconnected; ~ **sammensatt** *a* simple; ~ **sams, bli** ~ **sams** fall out; ~ **sann** *a* untrue; ~ **sannferdig** *a* untruthful; ~ **sannferdighet** *s* falsehood; ~ **sannsynlig** *a* improbable; ~ **sannsynlighet** *s* improbability; ~ **sed|elig** *s* immoral; ~ **sedelighet** *s* immorality; ~ **sedvanlig** *a* unusual; ~ **selgelig** *a* unsaleable; ~ **selskapelig** *a* unsociable; ~ **selvisk** *a* unselfish; ~ **selvstendig** *a* dependent; ~ **selvstendighet** *s* dependency; ~ **sigelig** *a* unspeakable; ~ **siktbar** *a* hazy; ~ **sikker** *a* unsafe; precarious; doubtful, unsteady; ~ **sikkerhet** *s* uncertainty; ~ **skadelig** *a* harmless; ~ **skadd** *a* unhurt; ~ **skattelig** *a* inestimable; ~ **skikk** *s* bad custom, bad habit; ~ **skikket** *a* unfit; ~ **skikkelig** *a* naughty; ~ **skyld** *s* innocence; ~ **skyldig** *a* innocent; ~ **slepen** *a* not polished; rude; ~ **slitelig** *a* everlasting.

usling *s* wretch.

u|smak *s* unpleasant taste; ~ **smakelig** *a* unpalatable, tasteless, *fig* distasteful; ~ **sminket** *a fig* unvarnished; ~ **spiselig** *a* uneatable.

ussel *a* miserable, mean: ~**dom** *s* misery.

u|stadig *a* unstable, variable; ~ **stadighet** *s* instability; inconstancy; ~ **stand** *s* disrepair; **i** ~ **stand** out of order; ~ **stanselig** *a* incessant; ~ **stell** *s* disorder, mismanagement; ~ **stelt** *a* ill-kept; ~ **stemt** *a gr* unvoiced; out of tune; ~ **styrlig** *a* unruly; ~ **styrtelig** *av* enormously; ~ **stø** *a* unsteady; ~ **sunn** *a* unhealthy, sickly.

usurp|ator *s* usurper; ~ **ere** *v* usurp.

u|svekket *a* unflagging; ~ **svikelig** *a* unfailing; ~ **sympatisk** *a* uncongenial, unsympathetic; ~ **synlig** *a* invisible; ~ **sømmelig** *a* indecent; ~ **sømmelighet** *s* indecency; ~ **sårlig** *a* invulnerable.

ut *av* out.

u|takknemlig *a* ungrateful, thankless; ~ **takknemlighet** *s* ingratitude; ~ **tall** *s* no end of; ~ **tallig** *a* countless.

ut|arbeide *v* prepare, compose; ~ **arbeidelse** *s* composition; ~ **arme** *v* impoverish; ~ **arte** *v* degenerate; ~ **artning** *s* degeneration; ~ **ast** *a* dead beat; ~ **bedre** *v* repair; ~ **betale** *v* pay out; ~ **bre** *v* spread, extend; *vr fig* expatiate; ~ **bredelse** *s* extent, spread; ~ **bringe** *v* (skål) propose, drink; ~ **brudd** *s* outbreak; outburst; ~ **bryte** *v* break out; (si) exclaim; ~ **bytning** *s* exploitation; ~ **bytte** *s* profit, proceeds; *v* exploit; ~ **danne** *v* train; ~ **dannelse** *s* training, education; ~ **dele** *v* distribute ~ **deling** *s* distribution; ~ **drag** *s* extract, summary; ~ **dype** *v* deepen; ~ **dø** *v* become extinct.

ute *av* out; ~ **av seg** beside oneself; ~ **bli** *v* fail to appear.

utekkelig *a* ill-bred.

ute|late *v* leave out, omit; ~ **latelse** *s* omission; ~ **lukke** *v* exclude, shut out; ~ **lukkende** *av* exclusively.

uten *prp* without; ~ **at** *av* by heart; ~ **bys** *av* out of town; ~ **for** *prp av* outside; ~ **fra** *av* from without.

utenkelig *a* unimaginable, unthinkable.

uten|lands *av* abroad; ~**landsk** *a* foreign; ~ **på** *av* outside; ~ **riks(k)** *a* foreign; ~ **riks-**

minister *s* Foreign Secretary.
uterlig *a* obscene.
uteske *v* challenge; ~ **nde** *a* defiant.
utestående *s* account; *a merk* due.
ut|fall *s* result; *mil* sally; ~ **ferdige** *v* prepare, draw up, (regn.) make out; ~ **ferdigelse** *s* preparation; ~ **finne** *v* find out; ~ **flukt** *s* excursion, trip; excuse; ~ **folde** *v* unfold, display; ~ **for** *prep av* out(side), over; ~ **fordre** *v* challenge; ~ **fordrende** *a* provoking; ~ **fordring** *s* challenge; ~ **forme** *v* form; ~ **forske** *v* explore; ~ **fylle** *v* fill, fill in (skjema); ~ **føre** *v* carry out, export; perform, execute; ~ **førelse** *s* execution, ~ **førlig** *a* detailed; ~ **førlighet** *s* fullness, completeness, (of detail), explicitness: ~**førsel** *s* export(ation); ~ **gang** *s* end, issue; (dør) exit; ~ **gangspunkt** *s* starting-point; ~ **gave** *s* edition; ~ **gi** *v* publish, edit; ~ **gi seg for** pass oneself off as.
ut|gift *s* expense; ~ **givelse** *s* publication, ~ **giver** *s* publisher, editor; ~ **gjøre** *v* constitute; ~ **gyte** *v* pour out, shed; ~ **gytelse** *s* effusion; ~ **haler** *s* rake; ~ **heve** *v* emphasize, stress, (kursiv) italicize; ~ **holde** *v* bear, stand; ~ **holdende** *a* persevering, tenacious; ~ **holdenhet** *s* perseverance; ~ **hule** *v* hollow; ~ **hungre** *v* starve, famish; ~ **hus** *s* out-house; ~ **hvilt** *a* rested (up).
u|tide i ~ **tide** unseasonably; ~ **tidig** *a* ill-timed, misplaced; ~ **tilbøyelig** *a* disinclined; ~ **tilbøyelighet** *s* disclination; ~ **tilbørlig** *a* undue, improper; ~ **tilfreds** *a* dissatisfied, discontented; ~ **tilfredshet** *s* dissatisfaction; ~ **tilfredsstillende** *a* unsatisfactory; ~ **tilgivelig** *a* unpardonable; ~ **tilgjengelig** *a* inaccessible; ~ **utillatelig** *a* illicit; ~ **nærmelig** *a* unapproachable; ~ **tilpass** *a* unwell, seedy, off colour; ~ **tilregnelig** *a* irresponsible; ~ **tilrådelig** *a* unadvisable; ~ **tilstrekkelig** *a* insufficient; ~ **tjenlig** *a* unsuitable; ~ **tjenstdyktig** *a* unfit for service, disabled.
ut|jevne *v* smooth, settle, level off; ~ **kant** *s* outskirt; ~ **kast** *s* sketch, draught; ~ **kik** *s* look-out; ~ **kjempe** *v* fight (out); ~ **kjørt** *a* exhausted; ~ **klarere** *v* clear; ~ **klekke** *v* hatch; ~ **klipp** *s* cutting, clipping; ~ **komme** *s* living, livelihood; *v* be published; ~ **kreve** *v* demand; ~ **landet** *s* foreign countries, **i** ~ **landet** abroad; ~ **legg** *s* expense, *jur* execution; ~ **legge** *v v fig* interpret; ~ **legning** *s* explanation; ~ **leie** *v* let; ~ **lending** *s* foreigner; ~ **levere** *v* deliver (up); ~ **levering** *s* delivery, *jur* extradition; ~ **ligne** *v* settle, balance; ~ **love** *v* offer; ~ **løp** *s* outlet, mouth; ~ **løpe** *v* expire; ~ **løse** *v* redeem, buy out; ~ **lån** *s* loan.
ut|maie *v* dress up, rig out; ~ **male** *v* depict; ~ **matte** *v* exhaust; ~ **mattelse** *s* exhaustion; ~ **melde** *v* withdraw; ~ **merke** *v* distinguish; ~ **merkelse** *s* distinction; ~ **merket** *a* excellent; ~ **nevne** *v* appoint; ~ **nevnelse** *s* appointment; ~ **nytte** *v* turn to account; ~ **over** *av* out; *prp* beyond; ~ **pantè** *v* distrain; ~ **parsellere** *v* parcel out; ~ **peke** *v* indicate,

point out; ~ **pint** *a* exhausted; fleeced; ~ **plyndre** *v* plunder, rob; ~ **preget** *a* marked; ~ **rangere** *v* cast (off), discard; ~ **rede** *v* (penger) find; explain; ~ **regne** *v* compute; ~ **rette** *v* effect, do.

utrettelig *a* indefatigable.

utringet *a* cut low.

utrivelig *a* comfortless.

utro *a* faithless; ~ **lig** *a* incredible; ~ **skap** *s* infidelity.

ut|rop *s* exclamation; ~ **rope** *v* proclaim; ~ **roper** *s* herald; ~ **ruge** *v* hatch; ~ **ruste** *v* fit out; ~ **rustning** *s* outfit, equipment; ~ **rydde** *v* root out, exterminate; ~ **ryddelse** *s* extirpation.

utrygg *a* unsafe; precarious, (vær) unsettled.

utrøstelig *a* disconsolate.

ut|sagn *s* statement; ~ **salg** *s* sale, shop; ~ **satt** *a* exposed; ~ **se** *v* select; ~ **seende** *s* appearance, look; ~ **sending** *s* minister, envoy; ~ **sette** *v* expose; (vente) put off; ~ **settelse** *s* postponement delay; ~ **side** *s* outside; ~ **sikt** *s* prospect, outlock, view; ~ **skeielse** *s* excess; ~ **skipe** *v* ship; ~ **skjæring** *s* carving; ~ **skrive** *v* levy; enlist; ~ **skrivning** *s* conscription; ~ **skudd** *s* scum, rabble; ~ **skyte** *v* delay; ~ **slett** *s* eruption; ~ **slette** *v* efface; ~ **slitt** *a* worn out; ~ **slått** *a* (hår) dishevelled, *sp* knocked out; ~ **smykning** *s* decoration; ~ **solgt** *a* sold out; ~ **sone** *v* expiate; ~ **spekulert** *a* studied, crafty; ~ **spill** *s* lead; *sp* kick off; ~ **spionere** *v* spy on; ~ **spre** *v* circulate; ~ **spring** *s* source; ~ **sprungen** *a* fullblown, in full leaf; ~ **spørre** *v* question; ~ **staffere** *v* bedizen, dress up; ~ **stede** *v* issue; ~ **stedelse** *s* issue; ~ **stikker** *s* pier; ~ **stille** *v* exhibit; ~ **stilling** *s* exhibition; ~ **stoppet** *a* stuffed; ~ **strekning** *s* extent; ~ **stykke** *v* parcel out; ~ **styr** *s* trousseau; outfit; ~ **styre** *v* furnish; ~ **støte** *v* (skrik) set up; (jage) expel; ~ **suge** *v* fleece; suck out; ~ **sugelse** *s* extortion; ~ **svevelser** *s* debauchery; ~ **svevende** *a* dissolute; ~ **sæd** *s* seed; ~ **søkt** *a* choice, picked.

ut|ta *v* choose, pick out; ~ **tale** *s* pronunciation; *v* pronounce, express; ~ **talelse** *s* observation; ~ **tog** *s* summary; ~ **tre(de)** *v* withdraw; ~ **trykk** *s* expression, term; ~ **trykke** *v* express; ~ **trykkelig** *a* express; ~ **trykksfull** *a* expressive; ~ **tvære** *v* spin out; ~ **tæret** *a* emaciated; ~ **tømmelse** *s* evacuation; ~ **tømmende** *a* exhaustive; ~ **valg** *s* selection, *merk* assortment; ~ **vandre** *v* emigrate; ~ **vanne** *v* water; ~ **vei** *s* means, expedient; ~ **veksle** *v* exchange; ~ **vekst** *s* excrescence; ~ **vendig** *a* outward.

utvetydig *a* unequivocal.

ut|vide *v* extend, enlarge, widen; ~ **videlse** *s* extension, expansion; ~ **vikle** *v* develop; ~ **vikling** *s* development, evolution.

utvilsom *a* undoubted; ~ **t** *av* doubtless, undoubtedly.

ut|virke *v* obtain; ~ **vise** *v* turn out, expel; show; ~ **visning** *s* expulsion; ~ **vortes** *s*, *a* exterior.

u|tvungen *a* easy, free; ~ **tvungenhet** *s* ease; ~ **tydelig** *a* indistinct; ~ **tyske** *s* ogre, monster; ~ **tøy** *s* vermin.

utøve *v* practise; ~ **øvende** *a* executive; ~ **øvelse** *s* exercise.

utål|elig *a* intolerable; ~ **modig** *a* impatient; ~ **tålmodighet** *s* impatience.

utånde *v* expire.

u|unngåelig *a* inevitable; ~ **unnværlig** *a* indispensable; ~ **utførlige** *a* impracticable; ~ **utgrunnelig** *a* unfathomable; ~ **utholdelig** *a* unbearable; ~ **utslettelig** *a* indelible; ~ **uttømmelig** *a* inexhaustible; ~ **utviklet** *a* rudimentary.

u|vane *s* bad habit; ~ **vant** *a* unused; ~ **vederheftig** *a* unreliable; ~ **vedkommende** *a* irrelevant; *s* trespasser, intruder; ~ **vegerlig** *av* invariably, inevitably; ~ **veisom** *a* impassable, pathless; ~ **vel** *av* unwell; ~ **velkommen** *a* unwelcome; ~ **venn** *s* enemy; ~ **vennlig** *a* unkind; ~ **vennskap** *s* enmity; ~ **ventet** *a* unexpected; ~ **verdig** *a* unworthy; ~ **vesen** *s* nuisance, disorder; ~ **vesentlig** *a* immaterial; ~ **vettig** *a* foolish; ~ **vilje** *s* ill-will, indignation; ~ **vilkårlig** *a* involuntary; ~ **villig** *a* unwilling, *av* grudgingly; ~ **virkelig** *a* unreal; ~ **virksom** *a* idle; ~ **virksomhet** *s* inactivity; ~ **viss** *a* uncertain; ~ **visshet** *s* uncertainty; ~ **vitende** *a* ignorant; ~ **vitenhet** *s* ignorance; ~ **vurderlig** *a* inestimable; ~ **vær** *s* storm; ~ **vøren** *a* reckless, daring; ~ **ærbødig** *a* irreverent; ~ **ærlig** *a* dishonest; ~ **ærlighet** *s* dishonesty; ~ **økonomisk** *a* wasteful, (pers.) thriftless; ~ **øvet** *a* unpractised, unskilled; ~ **år** *s* year of scarcity, crop failure.

V.

vable *s* blister.

vad *s* (not) seine; ~ **e** *v* wade; ~ **ested** *s* ford; ~ **mel** *s* frieze, russet, (skotsk) wadmal; ~ **sekk** *s* portmanteau.

vaffel *s* waffle.

vag *a* vague; ~ **abond** *s* vagrant, vagabond.

vagge *v* rock, waddle.

vagl(e) *s*, (*v*) perch.

vaie *v* fly, wave.

vaisenhus *s* orphanage.

vakker *s* handsome, pretty.

vakle *v* totter.

vaksine *s* vaccine; ~ **re** *v* vaccinate.

vakt *s* watch; guard; ~ **el** *s zo* quail; ~ **havende** *a* on duty, on watch ~ **post** *s* sentinel; ~ **som** *a* vigilant.

valen *a* (be)numb(ed).

val|fart *s* pilgrimage; ~ **farte** *v* make a p.

valg *s* choice, *pol* election; ~ **bar** *a* eligible; ~ **fri** *a* optional; ~ **krets** *s* constituency; ~ **språk** *s* motto.

val|iser *s* Welshman; ~ **isisk** *a* Welsh; ~ **kyrie** *s* battle-nymph; ~ **lak** *s* gelding; ~ **le** *s* whey; ~ **mue** *s* poppy; ~ **ne** *v* grow numbed; ~ **nøtt** *s* walnut; ~ **plass** *s* battlefield.

vals *s* waltz; ~ **e** *s* cylinder; *v* roll, laminate; ~ **everk** *s* rolling mill.

valthorn *s* bugle.

valuta *s* value, exchange.

vammel *a* mawkish.

vampyr *s* vampire.

vanartet *a* depraved, wicked.

vandel *s* conduct.

vandr|e *v* wander, roam; ~ **ing** *s* walk, ramble.

vane *s* custom, habit; ~ **messig** *a* habitual.

van|før *a* crippled, disabled;

⁓ **førhet** *s* infirmity; ⁓ **helllige** *v* profane; ⁓ **helligelse** *s* profanation.

vanilje *s* vanilla.

vankelmodig *a* fickle, inconstant.

van|kundig *a* ignorant; ⁓ **lig** *a* customary, habitual, usual.

vann *s* water; ⁓ **damp** *s* vapour, steam; ⁓ **e** *v* water, irrigate; ⁓ **glass** *s* tumbler; ⁓ **holdig** a watery; ⁓ **ledning** *s* conduit; ⁓ **rett** *a* level; ⁓ **stoff** *s* hydrogen; ⁓ **stoffbombe** *s* hydrogen bomb; ⁓ **tett** *a* waterproof.

van|ry *s* discredit; ⁓ **røkt(e)** *s* (*v*) neglect; ⁓ **sire** *v* disfigure; ⁓ **skapning** *s* monster; ⁓ **skapt** *s* deformed; ⁓ **skelig** *a* difficult; ⁓ **skelighet** *s* difficulty; ⁓ **skjøtte** *v* neglect; ⁓ **slekte** *v* degenerate; ⁓ **smekte** *v* languish; ⁓ **stell** *s* mismanagement; ⁓ **styre** *s* misgovernment.

vant *s mar* shroud; *a* accustomed; ⁓ **e** *s* woollen glove.

van|trives *v* pine, not feel at home; ⁓ **tro** *s* incredulity, *rel* unbelief; (pers.) infidel; *a* incredulous, unbelieving; **av** ⁓ **vare** inadvertently; ⁓ **vidd** *s* insanity; ⁓ **vittig** *a* insane, lunatic; ⁓ **ære** *s*, *v* disgrace, dishonour; ⁓ **ærende** *a* disgraceful.

var *a* aware (of); wary; ⁓ **amann** *s* deputy.

varde *s* cairn.

vare *s* article, *pl* goods; **ta** ⁓ **på** take care of; *v* last; ⁓ **balle** *s* bale; ⁓ **lager** *s* warehouse; ⁓ **merke** *s* trade mark; ⁓ **prøve** *s* sample; ⁓ **ta** *v* look after; ⁓ **tekt** *s* care.

vari|abel *a* variable; ⁓ **ere** *v* vary; ⁓ **eté** *s* music-hall, variety-theatre; ⁓ **etet** *s* variety.

va|rig *a* lasting; ⁓ **ighet** *s* duration; ⁓ **lig** *av* warily; gently.

varm *a* warm, hot; ⁓ **e** *s* warmth, *fig* ardour; *v* warm, heat.

varp(e) *s* (*v*) warp.

var|sel *s* warning, omen; notice; ⁓ **sku** *s* warning; *v* warn; ⁓ **sle** *v* augur, presage; ⁓ **som** *a* cautious; careful.

varte opp *v* wait (on).

varulv *s* werewolf.

vasall *s* vassal.

vase *s* vase; ⁓ **lin** *s* vaseline.

vask *s* wash(ing); (kum) sink; ⁓ **e** *v* wash; ⁓ **ekte** *a* washable, washproof; ⁓ **eri** *s* laundry; ⁓ **eservant** *s* washstand; ⁓ **eskinn-** *a* washleather.

vass|drag *s* watercourse; ⁓ **e** *v* wade; paddle; ⁓ **drukken** *a* soggy; ⁓ **en** *a* sloppy; ⁓ **fall** *s* waterfall.

vat|er *i* ⁓ **er** horizontal; ⁓ **erpass** *s* plumb-rule; ⁓ **re** *v* water.

vatt *s* cotton-wood; ⁓ **ersott** *s* dropsy; ⁓ **ersottig** *a* dropsical; ⁓ **teppe** *s* quilt.

ve *s* woe, pain; *pl* throes.

ved *s* wood; *prp* by, at; ⁓ **bend** *s bot* ivy; ⁓ **bli** *v* continue, go on, keep; ⁓ **blivende** *av* still.

vedde *v* bet, wager; ⁓ **løp** *s* race; ⁓ **mål** *s* bet, wager

vedder *s* ram

veder|fares *v* befall; ⁓ **heftig** *a* reliable, trustworthy; ⁓ **kvege** *v* refresh; ⁓ **kvegelse** *s* recreation; ⁓ **lag** *s* compensation; ⁓ **styggelig** *a* abominable

vedføye *v* append.

ved|holdende *a* persevering; ⁓**kjenne** *vr* own to; ⁓**komme** concern; ⁓ **kommende** *a* (*s*) (person) concerned, in question; **for mitt** ⁓ **kom-**

mende as to me; ~ **legge** *v* inclose; ~ **likehold** *s* repair, maintenance, upkeep; ~ **likeholde** *v* keep, maintain; ~ **stå** *vr* own to, stick to; ~ **ta** *v* pass, agree to; ~ **tagelse** *s* (lov) passing; ~ **tak** *s* resolution; ~ **tekt** *s* convention, rule; ~ **vare** *v* continue.

vegelsinnet *a* fickle.

veget|abilier *s* vegetables; ~ **tarianer** *s* vegetarian; ~ **ere** *v* vegetate.

vegg *s* wall.

vegne *s* **på** ~ **av** on behalf of.

vegr|e *vr* refuse, decline; ~ **ing** *s* refusal.

vei *s* road, way, route; ~ **e** *v* weigh, *fig* balance; ~ **kryss** *s* cross-roads; ~ **lede** *v* guide, instruct; ~ **leder** *s* guide; ~ **ledning** *s* guidance, instruction, direction.

veik *a* weak, pliant.

veit *s* ditch; (gate) lane.

veiv *s* crank.

veke *s* wick.

vekk *av* away, gone.

vekke *a* wake, awaken, rouse; call; *fig* excite; ~ **lse** *s rel* revival; ~ **rur** *s* alarm-clock.

veks|el *s* bill of exchange; ~ **eler** *s* money-changer; ~ **elmegler** *s* bill-broker; ~ **elvis** *av* alternately; ~ **le** *v* (ex)change; ~**ling** *s* exchange.

vekst *s* growth; *bot* plant.

vekt *s* weight; scales, balance; ~ **er** *s* watchman; ~ **ig** *a* weighty.

vel *s* welfare; *av* well; probably; (altfor) too; ~ **ansett** *a* well reputed; ~ **anstendighet** *s* decorum; ~ **befinnende** *s* health, well-being; ~ **behag** *s* delight; ~ **beholden** *a* safe and sound; ~ **berådd** *a* deliberate.

vel|de *s* power; ~ **dig** *a* enormous, immense; *fig* mighty.

vel|dedig *a* charitable; ~ **ferd** *s* welfare.

velge *v* choose, elect, select; *pol* return; ~ **r** *s* elector.

vel|gjerning *s* charitable deed, benefit; ~ **gjørende** *a* beneficial; charitable; ~ **gjørenhet** *s* charity; ~ **gjører** *s* benefactor; ~ **havende** *a* well-to-do; ~ **klang** *s* harmony, melody; ~ **kledd** *a* well-dressed; ~ **klingende** *a* harmonious; ~ **kommen** *a* welcome; ~ **makt** *s* prosperity.

vell *s* spring, well; ~ **e** *v* spring forth, well; ~ **ing** *s* gruel.

vel|levnet *s* luxury; ~ **lukt** *s* perfume; ~ **luktende** *a* fragrant; ~ **lyd** *s* euphony; ~ **lykket** *a* successful; ~ **lyst** *s* sensual rapture; ~ **lystig** *a* voluptuous; ~ **lystning** *s* voluptuary; ~ **menende** *a* well-meaning; ~ **ment** *a* well-meant; ~ **oppdragen** *a* well-bred; ~ **oppdragenhet** *s* good manners; ~ **sett** *a* popular; ~ **signe** *v* bless; ~ **signelse** *s* blessing; ~ **skapt** *a* well-shaped (-made); ~ **smak** *s* flavour; ~ **smakende** *a* savoury; ~ **stand** *s* prosperity; ~ **stående** *a* prosperous; ~ **talende** *a* eloquent; ~ **talenhet** *s* eloquence, oratory.

velte *v* upset, overturn; *v* (r) roll.

vel|vilje *s* benevolence, goodwill; ~ **villig** *a* benevolent, obliging; ~ **være** *s* well-being; ~ **ynder** *s* patron.

vemme|lig *a* loathsome, digusting, repulsive, ~ **lse** *s* disgust; ~ **s ved** *v* loathe.

vemod *s* sadness, pathos; ~ **ig** *a* sad.

vend|e *v* turn; ~ **ekrets** *s* tropic; ~ **epunkt** *s* turning-point; ~ **ing** *s* turn.

vene *s* vein; ~ **risk** *a* venereal.
venn *a* friend; ~ **e** *v* accustom; ~ **ekrets** *s* circle of friends; ~ **inne** *s* (lady, girl) friend; ~ **lig** *a* kind, friendly; ~ **lighet** *s* kindness; ~ **ligsinnet** *a* friendly; ~ **skap** *s* friendship; ~ **skapelig** *a* amicable, friendly.
venstre *a* left.
vente *vt* expect, await; *vi* wait; ~ **lig** *a* likely, to be expected.
ventil *s* air-hole; valve; ~ **ator** fan; ~ **ere** *v* vantilate.
veps *s* wasp; ~ **ebol** *s* wasp's nest.
veranda *s* veranda.
verbum *s* verb.
verd *s* worth, value; *a* worth.
verden *s* world; ~ **sklok** *s* sophisticated.
verd|i *s* value, price; ~ **ifull** *a* valuable; ~ **ig** *a* worthy; dignified; ~ **ige** *v* deign (to give); ~ **ighet** *s* dignity; ~ **iløs** *a* worthless; ~ **ipapirer** *s* bonds, stocks; ~ **isaker** *s* valuables; ~ **sette** *v* value, estimate, evaluate; ~ **settelse** *s* (e)valuation ~ **slig** *a* secular; wordly; ~ **slighet** *s* worldliness.
verft *s* ship-yard.
verge *v* defend; *s* guardian; (våpen) weapon; ~ **løs** *a* defenceless.
veritabel *a* real.
verk *sc* ache, pain; *med* matter; *sn* work(s); factory, mill; ~ **brudden** *a* palsied; ~ **e** *v* ache; ~ **efinger** *s* swollen finger; ~ **sted** *s* workshop; ~ **tøy** *s* tool; ~ **tøykasse** *s* tool-chest, tool-kit.
vern *s* defence; ~ **e** *v* defend.
verpe *v* lay.
ver|re *a av* worse; ~ **st** worst.
vers *s* verse; ~ **emål** *s* metre; ~ **ere** *v* circulate, *jur* be (pending); ~ **ifisere** *v* versify.
vert *s* landlord; (selsk.) host; ~ **ikal** *a* vertical; ~ **inne** *s* landlady; hostess; ~ **shus** *s* inn.
verv *s* task; ~ **e** *v mil* enlist, recruit.
vesen *s* being; nature; manners; ~ **tlig** *a* essential, *av* chiefly.
veske *s* (hand) bag, reticule.
vest *s* waistcoat, vest; west; ~ **enfor** *prp* west of; ~ **ibyle** *s* hall; ~ **lig** *a* western, westerly.
veteran *s*, *a* veteran.
veterinær *s* veterinary.
veto *s* veto.
vett *s* wits, intelligence.
vev *s* web, tissue; (maskin) loom; nonsense; ~ **e** *v* weave; ~ **er** *a* nimble; *s* weaver.
via *prp* by; ~ **dukt** *s* viaduct.
vibrere *v* vibrate.
vicekonge *s* viceroy.
vid *a* wide, ample.
vidd *s* wit; ~ **e** *s* width; moor; (rekke-) reach.
vide|ut *v* stretch, extend; ~ **re** *a* further; *av* on, farther; ~ **rekommen** *a* advanced.
viderverdighet *s* adversity, trouble.
vidje *s* willow.
vidløftig *a* prolix, longwinded; ~ **het** *s* prolixity.
vidstrakt *a* extensive.
vidt *av* far.
vidunder *s* wonder, prodigy; ~ **lig** *a* wonderful, marvellous.
vie *v* (inn-) consecrate; marry, *fig* devote; ~ **lse** *s* wedding, ceremony; ~ **vann** *s* holy water.
vifte *s* fan; *v* wave, fan.
vigør *s* vigour.
vik *s* creek.
vikar *s* substitute; ~ **iat** *s* vicariate; ~ **iere** *v* act as substitute.
vike *v* retreat, flinch.

viking *s* viking.
vikle *v* wrap, twist.
viktig *a* important; *fig* conceited, arrogant; ⁓ **het** *s* importance; conceit; ⁓ **per** *s* whipper-snapper; ⁓ **st** *a* chief.
vildre *v* wander.
vilje *s* will; ⁓ **styrke** *s* firmness; ⁓ **svak** *a* weak.
vilkår *s* condition; ⁓ **lig** *a* arbitrary; ⁓ **lighet** *s* arbitrariness.
vill *a* wild; savage.
villa *s* cottage, villa.
ville *v* be willing, wish, want.
vill|else *s* delirium; ⁓ **farelse** *e* error, delusion; ⁓ **ig** *a* willing, ready; ⁓ **katt** *s* (pers.) tomboy; (dyr) wildcat; ⁓ **lede** *v* mislead; ⁓ **mann** *s* savage; ⁓ **nis** *s* wilderness; ⁓ **rede** *s* perplexity; ⁓ **spor** *s* the wrong track (scent); ⁓ **svin** *s* boar.
vilt *s* game.
vilter *a* wild, romping.
vimpel *s* streamer.
vimse *v* fuss, fidget; ⁓ **t** *a* fussy, fidgety.
vin *s* wine; ⁓ **berg** *s* vineyard; ⁓ **kart** *s* wine-list.
vind *s* wind; ⁓ **e** *s* reel; *v* wind; ⁓ **ebru** *s* draw-bridge; ⁓ **eltrapp** *s* winding-stairs; ⁓ **kast** *s* gust of wind: ⁓ **retningsviser** *s* wind-sock (på flyplass).
vindrue *s* grape.
vind|skjev *a* warped; ⁓ **stille** *s* calm.
vindu *s* window; (skyve-) sash; (haspe⁓) casement; ⁓ **skarm** *s* frame, sill; ⁓ **srute** *s* pane.
vinfat *s* cask.
vinge *s* wing.
vinglet *a* fickle.
vink *s* hint, suggestion; ⁓ **e** *v* beckon, wave, ⁓ **el** *s* angle; ⁓ **elhake** *s* square.
vinn|e *v* win, gain; ⁓ **ing** *s* gain, profit; ⁓ **skipelig** *a* enterprising, diligent.
vin|ranke *s* vine.
vinter *s* winter; ⁓ **frakk** *s* great-coat; ⁓ **hage** *s* conservatory; ⁓ **lig** *a* wintry.
vippe *v* seesaw, bob, tilt.
virak *s* incense.
virk|e work, tell; ⁓ **elig** *a* real, actual; ⁓ **eliggjøre** *v* realize; ⁓ **elighet** *s* reality; ⁓ **elysten** *a* active; ⁓ **ning** *s* effect; ⁓ **ningsfull** *a* ·ffective; ⁓ **ningsløs** *a* ineffective; ⁓ **som** *a* active; ⁓ **somhet** *s* activity.
virtuos *s* master, virtuoso; ⁓ **itet** *s* mastership.
virvar *s* confusion.
vis *a* wise; *sn* manner; ⁓ **dom** *s* wisdom; ⁓ **e** *s* song, ditty; *v* show, indicate, demonstrate; ⁓ **er** *s* (ur-) hand; ⁓ **ergutt (-pike)** *s* errand-boy (-girl); ⁓ **ir** *s* visor, beaver; ⁓ **itas** *s* visitation; ⁓ **itere** *v* inspect, search; ⁓ **itt** *s* visit, call; ⁓ **ittkort** *s* card.
visjon *s* vision.
visk *s* wisp; ⁓ **e** *v* wipe, rub; ⁓ **elær** *s* india-rubber.
visle *v* hiss; ⁓ **lyd** *s gr* sibilant.
vismann *s* sage.
vismut *s* bismuth.
visp *s* whisk.
visne *v* fade, wither.
viss *a* certain, sure; ⁓ **elig** *av* certainly; ⁓ **en** *a* withered; ⁓ **het** *s* certainty; ⁓ **t** *av* certainly, probably; ⁓ **tnok** *av* no doubt, I dare say.
vitamin *s* vitamin.
vite *v* know; ⁓ **begjærlig** *a* eager to learn; ⁓ **n** *s* knowledge; ⁓ **nde** *s* knowledge; ⁓ **nskap** *s* science; ⁓ **nskapelig** *a* scientific, scholarly.
vitne *s* witness; *v* give evidence; ⁓ **om** *fig* evince; ⁓ **byrd** *s jur* evidence; testimony, (attest) certificate.
vits *s* joke.

vitt|erlig *a* notorious, known; ~ **ig** *a* witty; ~ **ighet** *s* joke; witticism.
viv *s* wife.
vogge *s* cradle; *v* rock.
vogn *s* carriage; (laste-) waggon, cart; (særtyper) van, lorry, car, coach; ~ **mann** *s* coachmaster.
vok|abular *s* vocabulary; ~ **al** *a* vowel.
voks *s* wax; ~ **duk** *s* waxcloth; ~ **e** *v* grow; wax; ~ **en** *a*, *s* grown-up, adult; ~ **lys** *s* taper.
vokte *v* watch, guard; *vr* take care; ~ **r** *s* keeper.
vold *s* power, violence, force; ~ **e** *v* cause; ~ **gift** *a* arbitration; ~ **giftsdomstol** *s* arbitration court; ~ **som** *a* violent; ~ **somhet** *s* violence; ~ **ta** *v* rape, violate; ~ **tekt** *s* rape,
voll *s* meadow; *mil* mound, rampart.
volontør *s* apprentice.
volte *s* volt, turn.
volum *s* volume; ~ **inøs** *a* voluminous.
vom *s* belly.
vond *a* angry; (smak) unpalatable; painful.
vordende *a* future.
vorte *s* wart.
voter|e *v* vote; ~ **ing** *s* vote, division.
vott *s* mitten.
votum *s* vote.
vove (= våge) *v* venture, dare, risk; ~ **t** *a* bold.
vrak *s* wreck; ~ **e** *v* reject; ~ **gods** *s* wreckage; refuse-goods.
vralte *v* waddle.
vrang *a* wrong; perverse; inside out; ~ **e** *s* the seamy side, inside; ~ **forestilling** *s* erroneous notion; ~ **lære** *s* heresy; ~ **villig** *a* disobliging.
vranten *a* peevish, cross.
vred *a* angry; ~ **aktig** *a* choleric; ~ **e** *s* anger.
vrenge *v* turn inside out; ~ **billede** *s* caricature.
vri *v* wring, twist; ~ **dning** *s* torsion, twist; ~ **en(t)** *a* tricky; ~ **er** *s* handle.
vrikke *a* wriggle; (fot) sprain.
vrim|le *v*, ~**mel** *s* swarm.
vrinske *v* neigh.
vriste *v* wrest, wrench.
vræl(e) *s* (*v*) bawl.
vrøvl *s* nonsense; ~ **e** *v* prate.
vugge *s* cradle; *v* rock; ~ **vise** *s* lullaby.
vulgær *a* vulgar.
vulkan *s* volcano; ~ **isere** *v* vulcanize.
vurdere *v* estimate, value, appreciate; ~ **ing** *s* valuation.
væpne *v* arm; ~ **r** *s* esquire.
vær *s* (bukk) ram, wether; (fiske-) fishing-camp; weather; ~ **bitt** *a* weather-beaten.
vær|e *v* be; scent, wind; ~ **else** *s* room; ~ **melding** *s* weather forecast.
væske *s* liquid.
væte *s* moisture; *v* moisten, wet.
våg *s* lever; bay; ~ **e** *v* **(=vove)** *v* dare, hazard, risk, venture; ~ **ehals** *s* dare devil; ~ **elig** a daring; ~ **estykke** *s* daring deed.
våk|e *v* wake, be awake; watch; ~ **en** *a* awake; ~ **ne** *v* (a)wake.
vånd *s* rod, wand ~ **e** *s* distress; *vr* groan.
våning *s* house.
våpen *s* weapon, *pl* arms; ~ **skjold** *s* coat of arms; ~ **stillstand** *s* armistice.
vår *pron* our; *s* spring; ~ **bløyte** *s* spring thaw; ~ **frakk** *s* light coat; ~ **lig** *a* vernal; ~ **onn** *s* spring work.
Vårherre the Lord.
vås *s* nonsense; ~ **e** *v* talk nonsense; ~ **et** *a* nonsensical, silly.
våt *a* wet.

W.

Wien Vienna; **whist** *s* (kort) whist.

X.

xantippe *s fig* shrew.
xylograf *s* wood-engraver.

Y.

ydmyk *a* humble; ~ **e** *v* humiliate; ~ **else** *s* humiliation; ~ **het** *s* humility.
ymt(e) *s* (*v*) hint.
ynd|e *s* grace; *v* like; ~ **eful** *a* charming; ~ **er** *s* lover; ~ **est** *s* favour; ~ **et** *a* popular; ~ **ig** *a* charming; ~ **ighet** *s* charm; ~ **ling** *s* favourite; ~ **lings-** *a* pet.
yng|el *s* brood; (fiske-)fry; ~ **le** *v* breed, multiply; ~ **ling** *s* youth; ~ **re** *a* younger.
ynk *s* misery, pity; ~ **e** *v* pity; *vr* moan; ~ **elig** *a* miserable pitiable; ~ **elighet** *s* pitifulness; ~ **verdig** *a* pitiable.
yppe *v* stir up, pick; ~ **erlig** *a* excellent; ~ **ersteprest** *s* high priest; ~ **ig** *a* luxuriant; ~ **ighet** *s* luxuriance.
yr *s* drizzle, drizzling rain; *a* giddy; ~ **e** *v* swarm, teem.
yrke craft, occupation, trade.
yste *v* curdle; make cheese; ~ **ri** *s* cheese-dairy.
yte *v* yield; ~ **lse** *s* contribution.
yt|re *s* outward appearance; *a* outer, exterior; *fig* outward; *v* utter, express; ~ **ring** *s* remark; ~ **terdør** *s* street-door; ~ **terfrakk** *s* overcoat; ~ **terlig** *av* extremely; ~ **terligere** *a* further; ~ **terliggående** *a* extreme; ~ **terlighet** *s* extremity; ~ **terst** *a* outmost, utmost; *av* exceedingly; ~ **tertøy** *s* outdoor things.
yver (= jur) *s* udder.

Z.

zoolog *s* zoologist; ~ **iske hage** *s fam* the Zoo.

Æ.

ær:fugl) *s* eider(-duck).
æra *s* era
ær|bar *a* modest; ~ **barhet** *s* modesty; ~ **bødig** *a* respectful; ~ **bødighet** *s* respect, deference; ~ **bødigst** *av* yours faithfully (truly); ~ **e** *s* honour, glory; *v* honour; ~ **efrykt** *s* awe, veneration; ~ **efull** *a* honourable, glorious; ~ **eløs** *a* infamous; ~ **end** *s* errand, commission; ~ **esfølelse** *s* sense of honour; ~ **esmedlem** *s* honorary member; ~ **sord** *s* word of honour; ~ **gjerrig** *a* ambitious; ~ **gjerrighet** *s* ambition; ~ **lig** *a* honest, upright, fair; ~ **lighet** *s* honesty; ~ **verdig** *a* venerable.
æt|t *s* race, family, stock; ~ **ling** *s* descendant.

Ø.

ød|e *a* waste, desolate; *v* waste; ~ **eland** *s* spendthrift; ~ **elegge** *v* destroy, (lay) waste, ruin; ~ **eleggelse** *s* ruin, destruction; ~ **eleggende** *a* ruinous, destructive; ~ **emark** *s* waste; ~ **sel** *a* extravagant, profuse; ~ **selhet** *s* extravagance, profusion; ~ **sle bort** *v* squander,

waste; ~ **sle med** *v* lavish; ~ **slig** *a* dreary, desolate.
øgle *s* lizard.
øk *s* jade, nag; ~ **e** *v* increase; ~ **enavn** *s* nickname; ~ **ning** *s* increase.
økonom *s* economist; steward; ~ **i** *s* economy; ~ **isk** *a* economic(al); ~ **isere** *v* economise.
øks *s* axe.
økt *s* spell of work.
øl, *s* ale, beer.
øm *a* tender; sore; ~ **fintlig** *a* sensitive; ~ **fintlighet** *s* sensitiveness; ~ **tålig** *a* sensitive, *fig* delicate.
ønske *s*, *v* wish, desire, want; ~ **lig** *a* desirable; ~ **mål** *s* desired end.
ør *s* sandbank, sands; *a* confused, giddy.
ør|e *s* ear; ~ **edøvende** *a* deafening; ~ **efik** *s* box on the ear.
ørk|en *s* desert, waste; ~ **esløs** *a* idle.
ørliten *a* tiny.
ørn *s* eagle; ~ **unge** *s* eaglet.
ørret (= aure) *s* trout.
ørske *s* **i** ~ dazedly.
øs|e *v* bale, scoop, pour; *s* scoop, ladle; ~ **ekar** *s* baler; ~ **regn** *s* downpour.
øst *s* East; ~ **enfor** *prp* east of; ~ **erlandsk** *a* oriental; **Ø-errike** Austria; ~ **erriksk** *a* Austrian; ~ **ers** *s* oyster(s); **Ø-ersjøen** *s* the Baltic; ~ **lig** *a* eastern, easterly; ~ **re** *a* eastern.
øv|e *v* (*r*) practise; train; ~ **else** *s* practice, exercise; ~ **et** *a* skilled, expert.
øv|erst *a* uppermost, highest; ~ **erstkommanderende** *s* commander-in-chief; ~ **re** *a* upper; ~ **rig** *a* remaining; ~ **righet** *s* authorities; ~ **righetsperson** *s* magistrate.
øy *s* island, isle.
øye *s* eye; ~ **blikk** *s* moment; ~ **blikkelig** *a* (*v*) immediate(ly); ~ **bryn** *s* eyebrow; ~ **hår** *s* eyelash(es); ~ **kast** *s* glance; ~ **lokk** *s* eyelid; ~ **med** *s* pose, object; end; ~ **nsynlig** *a* evident; ~ **syn** *s* eyesight.
øyne *v* descry, discern, see.

Å.

å *s* rivulet, brook; ~ **bor** *s zo* perch; ~ **bot** *s jur* compensation.
å|ger *s* usury ~ **gerkar** *s* usurer; ~ **gre** *v* practise usury.
åker *s* field; ~ **bruk** *s* agriculture.
ål *s* eel.
ånd *s* spirit, soul; ghost; intellect, genius, morale; ~ **e** *s* breath *v* breathe; ~ **eaktig** *a* ghostly, ethereal; ~ **edrett** *s* respiration; ~ **elig** *a* mental, spiritual, intellectual; ~ **eløs** *a* breathless; ~ **full** *a* brilliant; ~ **løs** *a* prosaic, inane; ~ **sevner** *s* faculties ~ **sfraværende** *a* absent-minded; ~ **sfrisk** *a* sane; ~ **snærværende** *a* cool, self-possessed; ~ **ssløv** *a* imbecile; ~ **ssløvhet** *s* imbecility; ~ **ssvak** *a* feeble-minded.
åpen *a* open, *fig* frank; ~ **bar** *a* manifest, evident; ~ **bare** *v* reveal; ~ **baring** *s* revelation; ~ **hjertig** *a* frank; ~ **hjertighet** *s* frankness; ~ **lys** *a* manifest; ~ **munnet** *a* talkative.
åpn|e *v* open; start; ~ **ing** *s* opening, hole; (skog) glade; *fig* inauguration.
år *s* year; ~ **bok** *s* annual, yearbook; ~ **e** *s* vein, artery; (ro-) oar, scull; (peis) hearth; ~ **eforkalkning** *s* arteriosclerosis; ~ **elate** *v* bleed, let blood; ~ **elang** *a* of years;

~ **etak** *s* stroke; ~ **gang** *s* annual publication; (vin) vintage; ~ **hundre** *s* century; ~ **lig** *a* annual, yearly; ~ **rekke** *s* a term of years; ~ **ring** *s bot* circle; ~ **sak** *s* cause; ~ **sdag** *s* anniversary; ~ **stall** *s* year, date; ~ **stid** *s* season; ~ **svekst** *s* crop; ~ **ti** *s* decade; ~ **våken** *a* vigilant, alert; ~ **våkenhet** *s* vigilance.

ås *s* ridge, hill; (tak) beam.

å|sete *s* property, residence; ~ **sted** *s* spot in question; *jur* the scene of the crime; ~ **syn** *s* visage.

åt|e *s* bait, lure, ~ **sel** *s* carcass, carrion.

ått|e eight; ~ **i** eighty.

NOTATER:

NOTATER:

NOTATER:

NOTATER:

NOTATER:

NOTATER: